Über die Herausgeber

Andreas Huyssen, geb. 1942, Professor für deutsche und vergleichende Literaturwissenschaft an der University of Wisconsin in Milwaukee, ab 1986 an der Columbia University in New York. Studium der Germanistik und Romanistik in Köln, Madrid, München, Paris und Zürich, seit 1969 Lehrtätigkeit in den USA.

Wichtigste Veröffentlichungen: Die frühromantische Konzeption von Übersetzung und Aneignung. Zürich 1969; Bürgerlicher Realismus (Hg.). Stuttgart 1974; Drama des Sturm und Drang. München 1980; The Technological Imagination (Mithg.). Madison 1980; After the Great Divide: Modernism, Mass Culture, Postmodernism. Bloomington 1985. – Zahlreiche Aufsätze zur Literaturgeschichte, Literatur- und Kulturtheorie. Mitbegründer und Herausgeber der Zeitschrift «New German Critique».

Klaus R. Scherpe, geb. 1939, Professor für Neuere deutsche Literaturwissenschaft an der Freien Universität Berlin, Studium und Lehrtätigkeit u. a. in Heidelberg, Hamburg, Stanford und Princeton, USA, seit 1973 in Berlin.

Wichtigste Veröffentlichungen: Gattungspoetik im 18. Jahrhundert. Stuttgart 1968; Werther und Wertherwirkung. 3. Aufl. Wiesbaden 1980; Poesie der Demokratie. Literarische Widersprüche zur deutschen Wirklichkeit. Köln 1980; In Deutschland unterwegs. Reportagen, Skizzen, Berichte 1945–49 (Hg.). Stuttgart 1982; Die «Ästhetik des Widerstands» lesen (mit Karl-Heinz Götze). Berlin 1981; Nachkriegsliteratur in Westdeutschland (mit Helmut Peitsch und Jost Hermand). 2 Bde. Berlin 1982/84. – Zahlreiche Aufsätze zur Literaturgeschichte, Literaturtheorie und Gegenwartsliteratur. Mitbegründer und Herausgeber der Reihe «Literatur im historischen Prozeß».

Andreas Huyssen
Klaus R. Scherpe (Hg.)

Postmoderne

Zeichen eines
kulturellen Wandels

rowohlts enzyklopädie

rowohlts enzyklopädie

Herausgegeben von Burghard König

8.–12. Tausend Dezember 1986

Originalausgabe
Umschlagentwurf Werner Rebhuhn (Foto Heinrich Klotz)
Veröffentlicht im Rowohlt Taschenbuch Verlag GmbH,
Reinbek bei Hamburg, April 1986
Copyright © 1986 by Rowohlt Taschenbuch Verlag GmbH,
Reinbek bei Hamburg
Satz Times (Linotron 202)
Gesamtherstellung Clausen & Bosse, Leck
Printed in Germany
1980-ISBN 3 499 55427 5

Inhalt

Einleitung

Ohne Frage hat die Postmoderne Hochkonjunktur auf beiden Seiten des Atlantik, sowohl bei ihren Fürsprechern wie bei ihren Gegnern. Man ist versucht, von einer neuen kulturellen Internationale zu sprechen, die sich, wie schon ihre Vorgängerin, die internationale Moderne, nicht auf Literatur und Kunst eingrenzen läßt und die Grenzziehungen zwischen den einzelnen Künsten ebenso in Frage stellt wie die Besonderheiten nationaler Entwicklungen. Während das Schicksal der Moderne mittlerweile die Feuilletons der Tageszeitungen erreicht hat, ist es eigentlich gar nicht so klar, wie die Plötzlichkeit und Vehemenz der Debatte um eine Postmoderne zu begreifen ist. Die Probleme von Moderne, Modernismus und Modernisierung sind schließlich keine Erfindungen der 80er Jahre.

Worum also geht es in dieser Debatte um Moderne und Postmoderne? Die Spannweite der Diskussion deutet an, daß wir es mit einer Vielzahl verschiedener Problemkonstellationen zu tun haben. Zu den auffälligsten gehören der ‹linguistic turn› nach der Dominanz von Ideologiekritik und kritischer Theorie, von dorther die neue Dominanz von Strukturalismus, Semiotik und Poststrukturalismus; das Problem der Geschichtlichkeit von Subjektivität und ‹otherness›; die Frage nach dem Zusammenhang von Totalitätsdenken und Totalitarismus in Erkenntnistheorie und politischer Theorie; das Aufkommen eines Neokonservativismus und die Problematik von Traditionsbildung; die Rolle der sogenannten neuen sozialen Bewegungen; die verschärfte Problemstellung von Ratio und Rationalisierung; die Rolle der (‹gescheiterten›) Aufklärung für die kulturelle und politische Identität der westlichen Welt. Für die Diskurse von Kunst, Literatur und ästhetischer Theorie stellt sich die Frage nach dem Verhältnis des ästhetischen Modernismus zur Umstrukturierung und Modernisierung des gesellschaftlichen Systems und zur Massenkultur. Zu beobachten und zu diskutieren ist die Suche nach neuen Formen des Realismus und des Erzählens (gegen die französische Repräsentationskritik), die Wiederkehr von Symbol und Ornament, das Problem der Vermittlung und Kommunikationsfähigkeit von Kunst und Lebenswelt und schließlich die Frage nach den Möglichkeiten einer oppositionellen und kritischen Kunst und Literatur für die 80er Jahre. Bei all diesen Diskussionen wird der skeptische Leser sagen: «Aber das ist ja alles schon dagewesen.» Eine mögliche Antwort wäre: «Ja, aber nicht so.» Die Analyse des «nicht so» freilich ist es, die die größten Schwierigkeiten bereitet. Generalisierungen der einen wie der anderen Art jedenfalls führen dabei nicht weiter.

Gerade deswegen aber ist es an der Zeit, eine differenzierte Bestandsaufnahme dessen zu versuchen, was Postmoderne jeweils bedeutet. Im Zeichen der Postmoderne erhebt sich die Frage, ob und wie ein kultureller Gesamtzusammenhang westlich-kapitalistischer Gesellschaften in den 80er Jahren auszumachen und zu artikulieren ist. Der Prozeß der gegenwärtigen gesellschaftlichen Veränderung kann, wie immer benannt (postindustrielle Gesellschaft, Konsumgesellschaft, Vergesellschaftung durch die elektronischen Medien, Reproduktions- und Simulationsgesellschaft, technologische Gesellschaft), doch recht genau beschrieben werden. Zweifelhaft jedoch ist unter dieser Voraussetzung die *kulturelle* Noch- oder Nachmoderne, ihre eher obsolete, zeitgemäße oder zukunftsträchtige Funktionsbestimmung. Kulturpolitisch wird zumeist eine Entwicklung von den gegenkulturellen und linken Protestbewegungen der 60er Jahre über die jeweiligen Tendenzwenden der 70er zur eher affirmativen und konservativen Postmoderne der 80er Jahre namhaft gemacht. Daß man es sich damit um einiges zu leicht macht, liegt auf der Hand. Festzuhalten bleibt etwa, daß der Begriff der Postmoderne in den USA, seinem Ursprungsland, eng mit den Protestbewegungen der 60er Jahre verknüpft war. Dies verweist auf eine Geschichte, die uns davor warnen sollte, Postmoderne umstandslos nur als Ausdruck neukonservativer Kulturströmungen der Gegenwart zu fassen. Wie schon im Fall der Moderne versammelt sich unter dem Dach der Postmoderne vieles, was sich nicht auf einen Nenner bringen läßt.

Dieser Band richtet sich gegen die schwärmerische Apologetik der Postmoderne wie auch gegen eine scheinbar selbstsichere Verurteilung. Da das Phänomen Postmoderne nicht mit klaren und eindeutigen Stellungnahmen zu erledigen ist, müßte sich eine Kulturkritik, die ihren Namen zu Recht trägt, darum bemühen, an der Postmoderne Zeichen eines produktiven Wandels auszumachen, statt immer nur wieder den Verlust bzw. den Verrat an der Moderne zu beklagen. Nicht nur bleibt Postmoderne dialektisch auf Moderne bezogen; sie trägt diese Dialektik in sich selber aus.

Wie schon der Begriff «Post-Moderne» selbst andeutet, geht es weniger um eine radikal neue Kulturbewegung als um das Verhältnis dieser Postmoderne zu einer schon in den 60er Jahren klassischen, historisch gewordenen Moderne, einer Moderne, die einst selbst mit dem Anspruch angetreten war, alles Klassische, Historische und Traditionelle hinwegzufegen. Nur aus der Bestimmung dieser Relation gewinnt das Postmoderne sein semantisches Potential. Das Verhältnis einzelner Strömungen der Postmoderne zur Moderne ist jedoch nie ein ein-deutiges, da die Moderne selbst in sich widersprüchlich, vielfältig und äußerst differenziert ist. In ihr gab es aufklärerische, humanistische und utopische Impulse wie auch destruktive, anarchische und totalitäre Energien. In keinem Fall sollte man, was heute oft geschieht, Moderne auf Aufklärung, Postmoderne auf Gegenaufklärung reduzieren. Damit würde man nur mehr – eins rechts, eins links – an dem alten Rationalismus-Irrationalismus-Muster weiterstricken, das sich schon in der Expressionismus-Debatte der 30er Jahre als unproduktiv erwiesen hatte.

Dieser Band ist darauf angelegt, das Bedeutungsfeld der Postmoderne in einigen zentralen Bereichen kultureller Praxis – Architektur, bildende Kunst, Literatur, Literaturkritik, Film und Feminismus – abzustecken und die Distanz auszumessen, die uns von jener klassischen Moderne trennt, die, weil sie vergangen ist, ständig totgesagt wird, die aber ihre Strahlungskraft durchaus noch nicht eingebüßt hat.

Beim Aufarbeiten der europäischen und amerikanischen Diskussion fielen uns nicht nur die Gemeinsamkeiten auf, sondern vor allem die gravierenden Unterschiede. Die deutschen Diskussionen scheinen viel stärker von traditionellen Dichotomien wie Fortschritt/Rückschritt, Vernunft/Mythos, links/rechts, Geschichte/Geschichtsverlust, Verstand/Sinne etc. bestimmt zu sein, aus denen sich dann eine absolute Gegenüberstellung von Moderne und Postmoderne ergibt. Das jüngstdeutsche Kulturräsonnement, leicht erregbar zum Beispiel durch neue Philosophie und Poststrukturalismus aus Frankreich, hat eines dort nicht gelernt, das Denken in *Differenzen* statt in emphatischen *Oppositionen*. Apologeten der gegenwärtig modischen Vernunftkritik starren gebannt auf den ‹Tod der Moderne› und das ‹Schwinden der Sinne›. Kosmische Metaphern von Implosionen und schwarzen Löchern erfreuen sich großer Beliebtheit. Apokalypse und ‹no future› allenthalben, verknüpft mit einem zusehends schwammigen Mythospalaver, bei dem am Mythos nicht die konstruktive Weltbewältigung interessiert, sondern der geheime Draht zum Wesen der Dinge. Wie komplex und widersprüchlich die Rede von der Postmoderne sein kann, zeigt sich jedoch schon daran, daß zu dieser deutschen Wiederbelebung von Mythos, Essentialismus und Fundamentalismus die französische Kritik an jeglichem Ursprungs- und Quellendenken absolut quer liegt. Beide aber, so scheint es, gehören zu dem, was heute übergreifend als postmodern bezeichnet wird.

Auch der amerikanischen Postmoderne sind solche Gänge über die Dörfer oder zum Amazonas eher fremd. Ihr Verhältnis zum Mythos scheint weniger provinziell, auch weniger verkrampft, weil weniger politisch belastet. Vor allem aber operiert die amerikanische Diskussion nicht in derselben Weise mit absoluten Gegensätzen, was an der im Vergleich zur Bundesrepublik früheren Rezeption poststrukturalistischer Theorieansätze liegen mag. Daß ‹postmodern› ein Relationsbegriff ist, mit dem das Verhältnis der Gegenwart zur klassischen Moderne sowohl als Bruch wie auch als Kontinuität gefaßt werden kann, ist in den USA oft spürbarer als in Deutschland. Bezeichnend ist hier die amerikanische Rezeption der französischen Vernunftkritik. Nicht vom Ende der Aufklärung, vom Tod der Vernunft ist dort die Rede. Wenn überhaupt, sieht man den Post-strukturalismus als Weiterführung aufklärerisch-kritischer Impulse, auch und gerade als Entmystifizierung versteinerter rationalistischer Traditionen im Denken über Sprache, Kunst und Literatur.

Vor allem wäre als Unterschied festzuhalten, daß die amerikanische Rebellion gegen die klassische Moderne schon in den 60er Jahren im Zeichen der Massenkultur antrat und – vergleichbar gewissen Strömungen in den historischen Avantgarde-Bewegungen – die elitäre Abgehobenheit der Kunstmoderne von der modernen Lebenswelt in die Schranken forderte. Hier lag ein durchaus demokratischer Impuls, dessen Versprechen und Forderungen sich gewiß nicht erfüllt haben (vielleicht unter den Bedingungen kapitalistischer Kulturorganisation sich nicht erfüllen konnten), der aber als konstitutives Moment postmoderner Kunstpraxis festzuhalten und zu reflektieren ist. Die Reflexion zur Postmoderne darf sich eben nicht nur flüchtig an Botho Strauß und Peter Handke, Pynchon und Couver, Philip Johnson und Michael Graves festmachen; ebenso zu berücksichtigen wären Versuche von Künstlern, Impulse ‹niederer› Gattungen und Ausdrucksformen für ihre Arbeit fruchtbar zu machen wie auch neuere massenkulturelle Phänomene wie die Talking Heads oder Stephen Spielberg, dessen letzter Filmtitel selbst postmodernen Emblemwert besitzt: «Back to the Future». Am Ende von Sackgassen bedeutet das Einlegen des Rückwärtsganges eben nicht nur Regression. Besser ist es sicher, statt über einem postmodernen Labyrinth zu orakeln, sich über die neuen Verkehrsformen der künstlerischen und wissenschaftlichen Praxis zu verständigen.

Das vieldeutige Phänomen der Postmoderne läßt sich Mitte der 80er Jahre nicht oder noch nicht in einer Definition bändigen. Die Beiträger des vorliegenden Bandes bemühen sich – zum Teil durchaus konträr –, die Phänomene zu sichten, die neue Begrifflichkeit zu erproben und dabei eine gewisse historische Übersicht gegen die Verführungskraft der ‹neuen Unübersichtlichkeit› zu wahren. Zur Verständigung über die im kulturellen, politischen und nationalen Zusammenhang sehr unterschiedlichen Bedeutungen des Postmodernen wurden mehrere viel diskutierte Aufsätze aus den USA, dem Exportland des neuen Superlativs, neben Beiträgen aus England, Frankreich und aus der Bundesrepublik aufgenommen. Die Beiträge von Jameson und Huyssen geben einen Überblick über die Entwicklung und den aktuellen Stand der künstlerischen Praxis und der kritischen Diskussion in den USA. Benhabib und Raulet versuchen, im Anschluß an die konträren Positionen von Jean-François Lyotard und Jürgen Habermas, eine Bestandsaufnahme und Kritik des ‹postmodernen Wissens› aus historischer und aktueller Sicht der Gesellschaftstheorie. Frampton und Owens analysieren unterschiedliche kulturpolitische Strategien in der Architektur, dem Kernbereich der Postmoderne, und im

Feminismus, der, trotz einer gewissen Affinität zum postmodernen Denken, aus der ‹sexuellen Differenz› eine Gegenposition formuliert. In den Beiträgen von Voss, Scherpe und Schütze wird der Wandel der Bildlichkeit, des apokalyptischen Bewußtseins und der ‹Kritik› in der ästhetischen Theorie und in der künstlerischen Praxis von Moderne und Postmoderne untersucht. Thomas Elsaesser geht es im Zeichen der Postmoderne um eine Differenzbestimmung des Neuen Deutschen Films zum Erzählkino Hollywoods. Teresa de Lauretis untersucht die Erfolgsmentalität und die (männlichen) Erzählstrategien im ‹semiotischen› Roman von Umberto Eco. Das Literaturverzeichnis versammelt die wichtigste der in den Beiträgen verwendeten Literatur und eine, gewiß vorläufige, Bibliographie zur Problemstellung Moderne/Postmoderne.

Im September 1985
Andreas Huyssen / Klaus R. Scherpe

Andreas Huyssen

Postmoderne –
eine amerikanische Internationale?

Jede Diskussion, die mehr sein will als polemische Stellungnahme zum Postmoderne-Fetisch der achtziger Jahre, hat von den Entstehungsbedingungen der Postmoderne im Amerika der fünfziger und sechziger Jahre auszugehen. Obwohl sich die Postmoderne heute häufig als eklektizistische Fassaden-, Pastiche- und Zitatkunst ausweist, besitzt sie doch eine historische Tiefendimension, die sie kulturell und politisch als mit den amerikanischen Protestbewegungen der sechziger Jahre verknüpft erscheinen läßt. Gewiß ist davon in der heutigen Postmoderne-Diskussion nur selten noch etwas zu spüren. Dennoch dürfte eine Besinnung auf Anfänge und Entwicklung der amerikanischen Debatte von Nutzen sein, wenn man sich nicht mit blinder Apologetik oder vorschneller Polemik zufriedengeben will. Vieles von dem, was sich in den siebziger und achtziger Jahren als oppositionell und oft als nicht-postmodern versteht, hat ja bezeichnenderweise seine Wurzeln in jenen Jahren, in denen der Begriff der Postmoderne zuerst geprägt wurde. Postmoderne, so meine These, ist mehr und auch anderes als das, was heute unter diesem Slogan Konjunktur hat.

Das Altern der Moderne

In der Literaturkritik geht der Begriff ‹postmodernism› bis in die fünfziger Jahre zurück.[1] Irving Howe und Harry Levin, denen schon damals die Vergangenheit reicher erschien als die Gegenwart, benutzten ihn in negativem Sinn, um das Abflachen der Bewegung der Moderne zu kennzeichnen. Emphatisch positiv wurde der Begriff dann in den sechziger Jahren von Kritikern wie Leslie Fiedler und Ihab Hassan gebraucht, die jedoch recht entgegengesetzte Vorstellungen von dem hatten, was eine postmoderne Literatur eigentlich sei. Seit den frühen siebziger Jahren dann wurde ‹postmodernism› zu einer Art Sammelbegriff für neuere Entwicklungen vor allem in der Architektur, aber auch im Tanz, im Theater, in der Malerei, im Film und in der Musik. In den späten siebziger Jahren wanderte diese Postmoderne – nicht ohne deutliche amerikanische Hilfestellung – nach Europa aus mit den Brückenköpfen Paris und Frankfurt. Kristeva und Lyotard griffen das Konzept in Frankreich auf; Habermas

nutzte es in seiner Polemik gegen die Architekturbiennale in Venedig von
1980, die überdies deutlich von Amerika dominiert wurde. In den Vereinigten Staaten hatten Kritiker mittlerweile einen Zusammenhang postuliert zwischen Postmoderne und den Theoriebildungen des französischen
Poststrukturalismus, meist einfach auf Grund der Annahme, daß die
Avantgarde in der Theorie irgendwie mit der Avantgarde in Literatur und
Kunst homolog sein müsse. Manchmal schien es gar, als hätten sich die
kulturellen Energien, die die Kunstbewegungen der sechziger Jahre aufgeladen hatten, in den siebziger Jahren in die Theoriebildung verlagert,
die denn auch in zunehmendem Maße auf die künstlerische Praxis zurück-
zuwirken begann. Gemäß der Expansionslogik des großen Knalls jedenfalls dehnte sich der Geltungsbereich des Begriffs ‹Postmoderne› immer
weiter aus, was zur begrifflichen Klärung nicht unbedingt positiv beitrug.
Seit den frühen achtziger Jahren, so läßt sich wohl ohne große Übertrei-
bung sagen, ist die ‹modernism›/‹postmodernism›-Konstellation in den
Künsten und die Moderne/Postmoderne-Konstellation in der Theorie ein
heißumkämpftes Terrain im kulturellen Leben westlicher Länder. Dieses
Terrain ist so heiß umkämpft, weil letztlich so viel mehr auf dem Spiel
steht als nur ein neuer künstlerischer Stil oder eine neue ‹richtigere› Theoriebildung. In mancher Hinsicht läßt sich die Bedeutung dieser Debatte
mit der Expressionismus/Realismus-Debatte der dreißiger Jahre vergleichen, ein Vergleich, den ich hier nicht ausführen kann, dem aber sicher
auch die Distanz der Postmoderne-Problematik von den Auseinandersetzungen jener Zeit abzulesen wäre.

Mit gutem Grund macht sich die Postmoderne-Debatte häufig an Phänomenen der neueren Architektur fest. Nirgendwo sonst scheint der
Bruch mit der Moderne offensichtlicher zu sein als in der Geste des beliebigen historischen Zitats auf den Fassaden von Philip Johnson und Michael Graves, Robert Stern und Charles Moore. In der Tat scheint eine
nostalgische Sehnsucht nach den Lebens- und Ausdrucksformen der Vergangenheit ein starker Unterstrom in der Kultur der Postmoderne zu
sein, und diese Nostalgie schließt immer häufiger auch ein sehnsüchtiges
Sich-Erinnern an jene Zeiten ein, da die Moderne noch wirklich eine Moderne war und noch nicht selber in die Schatzkammer der Traditionen
integriert war. Gleichzeitig aber verfällt die Tradition der Moderne, das,
was Harold Rosenberg schon in den fünfziger Jahren «the tradition of the
new» genannt hat, zusehends einer Kritik, die durchaus ernst zu nehmen
und keineswegs nur modisch ist.

Auf lange Zeit hat die Moderne als ‹adversary culture›, als kritische
Gegenkultur gegolten und sich als solche legitimiert. Natürlich gab es
schon immer kritische Stimmen, die das Widerstandspotential des Modernismus bezweifelten, meist aber nur, um diesem dann eine alternative,
‹fortschrittlichere› Kunst gegenüberzustellen. Man denke nur an Georg

Sprengung einer der ruinösen Wohnsiedlungen aus den fünfziger Jahren in
St. Louis am 15. Juli 1972 um 15.32 Uhr. Mit dieser Bildfolge soll symbolisch das
Desaster und Ende der modernen Architektur festgehalten werden.

Lukács. Seit den siebziger Jahren jedoch wird eben dieser Anspruch der Moderne, eine effektive Gegenkultur zu sein, in ganz neuer und anderer Weise in Frage gestellt. Die Affinität zahlreicher Formen der künstlerischen Moderne zur Ideologie der Modernisierung und des Fortschritts, ob nun in kapitalistischer oder kommunistischer Version, erscheint vielen heute als problematisch. Selbstverständlich war die Moderne in der Kunst nie ein monolithisches Phänomen. Sie enthielt sowohl die Modernisierungseuphorie von Futurismus, Konstruktivismus und Neuer Sachlichkeit als auch deutliche Ablehnung technischer und sozialer Modernisierung bei Nietzsche, im Ästhetizismus und im Expressionismus. Beide Einstellungen jedoch konnten sich als antibürgerlich verstehen. Beide teilten darüber hinaus das Bewußtsein, an der Schwelle der Zukunft zu stehen, an einer Front des Neuen, an der ein neues Leben, eine alternative Gesellschaft möglich werden mußte. Eben dieser emphatische Glaube an eine alternative Zukunft scheint der Postmoderne verlorengegangen zu sein, mehr: Er erscheint als ein falscher Glaube, ein Aberglaube des Fortschritts und der Aufklärung. In der Tat ist durchaus zuzugestehen, daß es aufklärerischer Rationalität allzu häufig an Aufklärung über sich selbst gemangelt hat, ein Vorwurf, der ja entgegen deutschen Gepflogenheiten nicht automatisch zum Überbordwerfen von Vernunft schlechthin führen muß.

Demgemäß geht es mir hier nicht darum, einen absoluten Bruch zwischen Moderne und Postmoderne zu postulieren, wie es in den Vereinigten Staaten modisch ist. Mir geht es weniger darum zu zeigen, was die Moderne *wirklich* war, um dann eine Postmoderne radikal davon abzusetzen; wichtiger scheint mir, die Konturen jenes Diskurses über die Moderne im Amerika der fünfziger Jahre nachzuzeichnen, gegen die sich die postmoderne Revolte zunächst richtete. In Frage steht also zunächst ein bestimmtes Bild der modernen Kunst, das seit den späten fünfziger Jahren zum Stein des Anstoßes wurde und das von Beat über Pop, Op, Kinetic und Concept Art bis zu Performance eine Reihe von Kunstströmungen hervortrieb, die sich alle von der klassischen Moderne deutlich unterscheiden. Ausgehend von dieser Revolte gegen die Kanonisierung einer entpolitisierten ‹Hochmoderne› (die in anderen Formen in den sechziger Jahren ja auch in der BRD stattgefunden hat: Wiederentdeckung der politischen Kultur der Weimarer Republik, der Expressionismus-Debatte etc.), werde ich im folgenden eine Reihe von Konstellationen erörtern, die für die Postmoderne-Debatte in den Vereinigten Staaten zentral sind. In Frage stehen dabei weniger einzelne postmoderne Werke als vielmehr zentrale Begriffe, die den Diskurs über Postmoderne seit den sechziger Jahren bestimmen: Postmoderne in bezug auf Modernismus, Avantgarde, Neokonservativismus und Poststrukturalismus.

Die Postmoderne der sechziger Jahre – eine amerikanische Avantgarde?

Zunächst wäre auf einer historisch beschreibenden Ebene eine Unterscheidung einzuführen zwischen einer Postmoderne der sechziger Jahre und einer der siebziger und frühen achtziger Jahre. Beide haben gemein, daß sie eine bestimmte Version von ästhetischer Moderne ablehnen und gleichzeitig ein neues Verhältnis zur Massenkultur suchen. Gegen die kodifizierte Höhenkamm-Moderne der fünfziger Jahre versuchte die amerikanische Postmoderne des folgenden Jahrzehnts die Strategien und Techniken der europäischen ikonoklastischen Avantgarde wiederzubeleben und ihnen eine amerikanische Form zu verleihen, etwa auf der Achse Dada–Duchamp–Warhol–Cage–Burroughs. Gegen Ende der sechziger Jahre hatte sich das Erneuerungspotential dieser avantgardistischen Postmoderne erschöpft.

Neu in den Siebzigern war einerseits ein oberflächlicher Eklektizismus, eine weitgehend affirmative Postmoderne, die jeglichen Anspruch auf Kritik oder Negation aufgegeben hatte, andererseits jedoch eine alternative Postmoderne, u. a. im Umkreis der Frauenbewegung und der Kultur von Minderheiten, wo Widerstand, Kritik und Negation des Status quo auf nicht-modernistische, nicht-avantgardistische Weise definiert und praktiziert wurden.

Wie also läßt sich das konnotative Umfeld des Begriffs ‹Postmoderne› in den sechziger Jahren bestimmen? Schon seit Mitte der fünfziger Jahre rebellierte eine junge Künstlergeneration – Rauschenberg und Jasper Johns, Kerouac, Ginsberg und die Beats, Cage, Burroughs und Barthelme – gegen die kanonische Vorherrschaft des abstrakten Expressionismus, der seriellen Musik und der damals schon klassischen literarischen Moderne. Kritiker wie Susan Sontag, Leslie Fiedler und Ihab Hassan griffen ab Anfang der sechziger Jahre die neue Stimmung auf und machten sich – wenn auch in recht unterschiedlicher Weise – zu Fürsprechern der Postmoderne. Sontag beschwor ‹camp› und eine neue Sensibilität; Fiedler sang das Lob der Trivialliteratur und sexueller Aufklärung; Hassan, stärker der Moderne verhaftet als seine Kritikerkollegen, vertrat eine Literatur des Schweigens und versuchte, zwischen der klassischen Moderne und den Nachkriegsentwicklungen zu vermitteln. Die Tradition der Moderne, gegen die Künstler und Kritiker rebellierten, war im Amerika der fünfziger Jahre fest etabliert worden als gültiger Kanon in Wissenschaft, Museum und Kunstgalerie. Die New Yorker Schule des abstrakten Expressionismus galt als Zenit jener langen Entwicklung der Moderne, die im Paris der 1860er Jahre begonnen und mit historischer Notwendigkeit nach New York geführt hatte: der amerikanische Sieg in der Kultur als logische Beigabe zum Sieg auf den Schlachtfeldern des Zweiten Weltkriegs.

Gegen solche borniete Selbstgefälligkeit traten die Postmodernen an. Der postulierte postmoderne Bruch mit der Vergangenheit wurde dabei entweder als Verlust beschrieben: Der Wahrheitsanspruch von Kunst und Literatur sei endgültig erschöpft, der Glaube an die konstitutive Macht der modernen Einbildungskraft sei nichts weiter als eine letzte Selbsttäuschung einer untergehenden Kultur. Oder aber man beschwor den Durchbruch zu einer äußersten Befreiung von Trieb und Bewußtsein, ins globale Dorf von McLuhans Medienphantasie, ins neue Eden einer polymorphen Perversität, Paradise Now, wie es das Living Theater von der Bühne herab proklamierte, Lucy in the Sky with Diamonds, wie es die Beatles drogenglücklich intonierten. Eher konservative Kritiker wie Daniel Bell und Gerald Graff andererseits konnten in der Rebellion der sechziger Jahre nie etwas anderes sehen als die logische Fortsetzung modernistischer Impulse.[2] Sie konnten sich dabei auf Lionel Trillings bärbeißige Bemerkung berufen, daß die Demonstranten der sechziger Jahre eigentlich nur einen Modernismus der Straße praktizierten. Mein Argument hier wäre hingegen eben dies, daß es die klassische Moderne immer verschmäht hatte, sich auf die Straße zu begeben, und daß sie nicht zuletzt deshalb in den sechziger Jahren ihren Ruf, eine echte Gegenkultur zu sein, einbüßen mußte. Natürlich gibt es in der Postmoderne der sechziger Jahre Kontinuitäten mit den nihilistischen und anarchischen Zügen des Modernismus selbst. Aber das Entscheidende ist doch, daß die Revolte der sechziger Jahre in Amerika nie auf die Moderne per se zielte, sondern immer nur jenes Bild eines künstlerischen Modernismus vor Augen hatte, der in den fünfziger Jahren domestiziert worden war und der als Bestandteil des liberal-konservativen Konsensus der Zeit und als Propagandahammer im kulturpolitischen Arsenal des Kalten Krieges seinen Dienst tat. Die Rebellion der Postmodernen entsprang also direkt dem ‹Erfolg› des Modernismus, der Eingemeindung einer ursprünglich kritischen Kunstbewegung in die affirmative hegemoniale Kultur des Westens. Dieser Kontext ist zu beachten, wenn man den Innovationsanspruch der amerikanischen Postmoderne richtig einschätzen will.

An Hand von vier Beobachtungen möchte ich die These vertreten, daß sich die amerikanische Postmoderne der sechziger Jahre als eine späte und doch eigenständige Phase jener historischen Avantgardebewegungen lesen läßt, die in Europa schon im Zeitalter Hitlers und Stalins liquidiert worden waren. Nur in den Vereinigten Staaten konnte der Bezug auf die historische Avantgarde Europas als Kampfmittel gegen den klassischen Modernismus dienen, wie er im angelsächsischen Raum definiert worden war; und nur dort konnte eben dieser Rückbezug paradoxerweise die Eigenständigkeit der Postmoderne gegenüber dieser Hochmoderne begründen.

Erstens liegt dieser frühen Postmoderne eine zeitliche Einbildungskraft zugrunde, die emphatisch auf Zukunft und ‹new frontiers› abhebt, auf Bruch mit Vergangenem und Diskontinuität, auf Krise und Generationskonflikt. In alldem erinnert diese Einbildungskraft eher an kontinentaleuropäische Avantgardebewegungen wie Dada und Surrealismus als an die angelsächsische Hochmoderne. Die geradezu kultische Verehrung Marcel Duchamps als Pate der frühen Postmoderne ist gewiß kein historischer Zufall. Gleichzeitig aber läßt der historische Kontext, in dem dieser ‹postmodernism› sich auslebte (von der blamablen Schweinebuchtinvasion und der Bürgerrechtsbewegung bis zur Campus-Revolte, der Antikriegsbewegung und der ‹counter-culture›), ihn als eine durchaus amerikanische Avantgarde erscheinen, selbst wenn der Wortschatz ästhetischer Formen und Techniken nicht radikal neu war.

Zweitens ist die Postmoderne der sechziger Jahre durch eine ikonoklastische Attacke auf das gekennzeichnet, was Peter Bürger theoretisch als ‹Institution Kunst› zu fassen versucht hat. Ähnlich wie die historische Avantgarde Bürgers versuchte auch die amerikanische Postmoderne, die bürgerliche Institution Kunst und deren Autonomie-Ideologie kritisch zu unterlaufen, wie sie vor allem bei Clement Greenberg für die Malerei und im New Criticism für die Literatur kodifiziert worden war. Der Gebrauchswert von Bürgers Thesen in der gegenwärtigen amerikanischen Debatte liegt vor allem darin, daß dieser Ansatz es erlaubt, zwischen historischer Avantgarde und Modernismus zu unterscheiden. Die Gleichstellung von Avantgarde mit Modernismus, wie sie in Amerika jahrzehntelang üblich war, ist nach Bürger nicht mehr vertretbar.[3] Wo die Avantgarde versuchte (wenn auch letztlich erfolglos), Kunst in Lebenspraxis zu überführen, blieb die klassische Moderne immer einem traditionellen Begriff vom autonomen Kunstwerk verhaftet. Der politisch wichtige Punkt in Bürgers Ansatz für mein Argument über die sechziger Jahre aber ist dieser: Der ikonoklastische Angriff der historischen Avantgarde auf kulturelle Institutionen und traditionelle Schreib- und Darstellungsweisen setzte eine Gesellschaft voraus, in der die ‹hohe Kunst› eine wichtige Rolle im kulturellen Legitimations- und Herrschaftsprozeß spielte. Eine solch demystifizierende Rolle konnte eine Avantgarde in der amerikanischen Kultur aber erst seit den fünfziger Jahren spielen. Zum erstenmal war eine Rebellion gegen eine Tradition ‹hoher Kunst› und deren Hegemonieanspruch in Amerika politisch und gesamtgesellschaftlich sinnvoll. In den fünfziger Jahren schossen Museen und Galerien, Konzertsäle und Theater in Amerika wie Pilze aus dem Boden, und die Schallplatten- und Paperback-Industrie versorgte breitere Schichten als jemals zuvor mit den Segnungen der hohen Kultur. Über Reproduktionen und Kulturindu-

strie wurde nun der Modernismus selber zu einem Hauptangebot der
Mainstream-Kultur. Da war es dann nur logisch, wenn die hohe Kunst in
den Kennedy-Jahren Funktionen politischer Repräsentation annahm
mit Besuchen Robert Frosts und Pablo Casals', Malraux' und Igor Strawinskys im Weißen Haus. Eine bedeutsame Ironie liegt dabei darin, daß
die erste Kunstbewegung, um die herum sich in den USA so etwas wie
eine Institution Kunst im emphatischen europäischen Sinn bildete, der
Modernismus selber war, eben jene Kunst, deren erklärtes Ziel es immer gewesen war, legitimierender Institutionalisierung zu widerstehen.
Dieser Umstand macht die leidenschaftliche Ablehnung der klassischen
Moderne durch die Postmodernisten überhaupt erst verständlich. In den
Formen von ‹Happenings› und Pop, psychedelischer Plakatkunst, ‹acid
rock›, Alternativ- und Straßentheater versuchte die Postmoderne der
sechziger Jahre, jenes kritische gegenkulturelle Ethos für sich nutzbar zu
machen, aus dem die moderne Kunst in früheren Phasen ihren Lebens-
geist bezogen hatte. Natürlich machte der Erfolg der Pop-Avantgarde,
die ja zum Teil ihre Herkunft aus der kapitalistischen Werbung stolz zur
Schau trug, diese Kunst sehr schnell zu einem profitbringenden Renner
und saugte sie zurück in eine sehr viel weiter entwickelte Kulturindustrie, als sie die historische Avantgarde jemals zu konfrontieren hatte.
Dennoch war der Angriff auf die modernistische ‹Institution Kunst› im
Kontext der sozialen Bewegungen der sechziger Jahre immer auch ein
Angriff auf hegemoniale soziale Institutionen. Darin liegt das avantgardistische Moment der Pop-Kunst, egal, ob einzelne Pop-Künstler nur
mehr Kalauer und Dummheiten à la Andy Warhol in die Welt posaun-
ten. Der lang andauernde Streit in den sechziger Jahren, ob Pop nun
eine Kunst sei oder eine Nichtkunst bzw. Antikunst, scheint mir meine
These zu bestätigen, daß hier wesentliche institutionell-kulturelle Fragen verhandelt wurden.[4]

Drittens teilten viele der frühen Fürsprecher des ‹postmodernism›
jenen technologischen Optimismus, der schon für große Teile der historischen Avantgarde der zwanziger Jahre charakteristisch gewesen war.
Die Bedeutung, die damals Fotografie und Film für Wertow und Tretjakow, Brecht, Heartfield und Benjamin gehabt hatten, fand in den sechziger Jahren bei den Propheten einer technologischen Ästhetik ihre Ent-
sprechung in den neuen Medien von Fernsehen, Video und Computer.
McLuhans kybernetische und technokratische Medieneschatologie und
Hassans überschwengliche Begeisterung für eine ‹runaway technology›,
für den Computer als Ersatzbewußtsein, verbanden sich ohne weiteres
mit der euphorischen Vision einer postindustriellen Gesellschaft. Selbst
wenn man den ebenfalls überschwenglichen Technikoptimismus der
zwanziger Jahre als Vergleich heranzieht, ist es in der Retrospektive
dennoch auffallend, wie unkritisch Medientechnologie und Kybernetik

in den sechziger Jahren als Zeichen eines neuen Modernisierungsschubs willkommen geheißen wurden.[5]

Die Begeisterung für die neuen Medien bringt mich zu einem vierten Trend in der frühen Postmoderne. Laute und energische Stimmen wurden vernehmlich, die, in wenn auch weitgehend unkritischer Weise, den Wert von Trivialliteratur und Alltagsikonographie gegen den Anspruch der hohen (modernen *und* traditionellen) Kunst und Literatur zu verteidigen suchten. Dieser populistische, oft auch einfach antiintellektuelle Trend der sechziger Jahre verkörperte sich vor allem in der Vitalität von Rock 'n' Roll und des ‹folk song›, in Plakatkunst und Pop-Bildlichkeit wie auch in anderen Formen der Trivialkultur, die ihre treibenden Impulse aus dem Kontext der ‹counter-culture› bezogen. Eine frühere amerikanische Tradition der Kritik an der modernen Massenkultur, die in die Modernismustheorie eines Clement Greenberg oder der New Critics eingegangen war, wurde jetzt – bewußt oder nicht – ostentativ vergessen. Leslie Fiedlers Beschwörung des Präfixes ‹post› in seinem Essay «The New Mutants» hatte einen durchaus aufputschenden Effekt.[6] Die Postmoderne enthielt ein Versprechen auf eine ‹post-weiße›, ‹post-männliche›, ‹post-humanistische›, ‹post-puritanische› Welt. Es ist leicht ersichtlich, daß Fiedlers Adjektive samt und sonders auf das modernistische Dogma zielen und damit auf das hegemoniale Selbstverständnis des kulturellen Establishments, auf jene Verteidigung des Abendlandes bzw. der westlichen Zivilisation, die seit 1945 in die Hände Amerikas gelegt war. Susan Sontags ‹camp›-Ästhetik verfuhr ähnlich.[7] Wenn auch weniger populistisch orientiert, stand sie doch der Hochmoderne ebenso feindlich gegenüber wie Fiedler. In all diesen Überlegungen der sechziger Jahre steckt dennoch ein fundamentaler Widerspruch. Fiedlers Populismus beruht auf eben jener absoluten Dichotomie von Kunst und Massenkultur, die etwa bei Greenberg und Adorno als Grundpfeiler jenes modernistischen Dogmas diente, das Fiedler doch untergraben wollte. Fiedler bezieht einfach auf dem anderen Ufer Stellung, beschimpft alle ‹elitäre› Kunst und singt das Loblied des Volkstümlichen. Und dennoch: Fiedlers emphatische Lösung, die Grenzen zwischen hoher Kunst und Massenkultur zu überschreiten und deren Abstand zu verringern, ebenso wie seine implizite Kritik an dem, was später ‹Euro-›, ‹Logo-› und ‹Phallozentrismus› genannt wurde, kann als wichtiges Wegzeichen für weitere Entwicklungen der Postmoderne gelten. Neue, produktive und unverkrampfte Beziehungen zwischen hoher Kunst und gewissen Formen der Massenkultur sind in der Tat eines der wichtigsten Unterscheidungsmerkmale zwischen der klassischen Hochmoderne und der Kunst und Literatur der siebziger und achtziger Jahre. Dabei ist es vor allem das wachsende Selbstbewußtsein von Minderheitskulturen und deren Rezeption durch eine breitere kulturelle Öffentlichkeit, was den modernistischen Glauben an die kategorische Trennung von ‹high› und ‹low› Lügen straft. Innerhalb etwa der schwarzamerikanischen Kultur, die immer außerhalb und im Schatten der dominanten hohen Kultur gestanden hat, macht die rigorose Trennung von ‹high› und ‹low› überhaupt keinen Sinn.

Zusammenfassend würde ich sagen, daß die Postmoderne der sechziger Jahre – in amerikanischer Perspektive gesehen – wesentliche Züge einer echten Avantgardebewegung aufwies, selbst wenn die politische Situation in den Vereinigten Staaten zu diesem Zeitpunkt keineswegs mit der im Berlin oder Moskau der frühen zwanziger Jahre zu vergleichen ist, wo die prekäre und kurzlebige Allianz zwischen künstlerischer und politischer Avantgarde ihre klassische Ausprägung fand. Aus einer Reihe von historischen Gründen jedenfalls war das ikonoklastische und zugleich konstruktive Ethos der künstlerischen Avantgarde – jener bohrenden Reflexion auf den ontologischen und praktischen Status von Kunst in der modernen Gesellschaft sowie des Versuchs, in der künstlerischen Praxis ein neues Leben zu begründen – in den Vereinigten Staaten der sechziger Jahre kulturell noch nicht so erschöpft wie in Europa. Von einer europäischen Perspektive aus schien all dies nicht mehr zu sein als das Endspiel der historischen Avantgarde, keineswegs jedoch jener Durchbruch zu neuen Ufern, als der sich der ‹postmodernism› ausgab. Mein Argument hier ist einfach, daß die amerikanische Postmoderne der sechziger Jahre beides war: eine amerikanische Avantgarde, die die Kunstszene in diesem Lande grundlegend verändert hat, *und* das Endspiel der internationalen Avantgarde. Es erscheint mir wichtig, solche Ungleichzeitigkeiten innerhalb der Moderne, die sich aus unterschiedlichen Perspektiven und Interessen ergeben, nicht zu übersehen. Die These vom Internationalismus der Moderne, dessen vorderste Front in Raum und Zeit vom Paris des 19. Jahrhunderts nach Moskau und Berlin in den zwanziger Jahren, nach New York in den vierziger Jahren sich verlagert habe, bleibt der Teleologie der modernen Kunst allzu verhaftet, einer Teleologie, deren unausgesprochener Subtext die Ideologie der Modernisierung ist. Eben diese Teleologie und Ideologie der Modernisierung aber ist in unserem postmodernen Zeitalter zusehends fragwürdig geworden, fragwürdig vielleicht nicht so sehr in ihrer Fähigkeit, vergangene Entwicklungen nachzuzeichnen, gewiß aber fragwürdig in ihrem normativen Geltungsanspruch.

Die Postmoderne der siebziger und achtziger Jahre

In dem Maße, in dem sich die amerikanische Postmoderne der sechziger Jahre als Nachhut der historischen Avantgardebewegungen fassen läßt, gehört sie eigentlich noch zur Vorgeschichte der Postmoderne dieser späteren Jahre, eine Vorgeschichte, die freilich ebenso häufig vergessen oder verleugnet wird, wie die allgemeine Verdrängung der sechziger Jahre im amerikanischen Bewußtsein Fortschritte macht. Aber selbst wenn man erst ab den siebziger Jahren von einer im eigentlichen Sinn post-modernen oder post-avantgardistischen Kunst sprechen kann, ist der Rückgriff auf die sechziger Jahre in zweierlei Hinsicht nützlich. Erstens erlaubt dieses Verfahren, das Phänomen Postmoderne im Hinblick auf ein spezifisches angelsächsisches Modernismusbild zu artikulieren, das seinerseits durchaus typisch ist für jene universalistische Ideologie einer Internationalen Moderne, wie sie in den fünfziger Jahren ja auch in Europa weit verbreitet war. Zweitens aber lassen sich so die kritischen, gegenkulturellen Momente der Postmoderne deutlicher artikulieren, wie sie sich im historischen Kontext in den Vereinigten Staaten herausgebildet haben. Der Versuch, solche kritischen Aspekte zu benennen, aber ist unumgänglich, wenn man nicht einfach in blinde Apologetik oder moralisierende Verurteilung der Postmoderne verfallen will. Besonders die letztere Haltung verknüpft sich in Europa dabei häufig mit einem ebenso uninformierten wie bildungsarroganten Antiamerikanismus, der aus der Geschichte der deutschen Kulturkritik sattsam bekannt ist.

An künstlerischen Techniken und Strategien allein läßt sich gewiß kein Bruch zwischen den sechziger und siebziger Jahren ablesen. Zahlreiche Ansätze der sechziger Jahre wurden weiterentwickelt oder liefen sich imitativ tot. Die veränderte kulturelle Lage läßt sich vielleicht am besten mit dem analytisch zugegebenermaßen vagen Begriff einer neuen Sensibilität umschreiben. Spätestens Mitte der siebziger Jahre waren die gesamtkulturellen Voraussetzungen des vorangegangenen Jahrzehnts so gut wie verschwunden. Niemandem wäre es in den Sinn gekommen, eine ‹futuristische Revolte› (Fiedler) zu befürworten oder gar für möglich zu halten. Die ikonoklastische Gestik und Rhetorik der Pop-, Rock- und Sex-Avantgarden hatte sich erschöpft und brachte auch kommerziell keine den sechziger Jahren vergleichbaren neuen Impulse mehr. Der unkritische Optimismus hinsichtlich Technik, Medien und ‹popular culture› war nüchterner Kritik gewichen: das Fernsehen nicht als Füllhorn einer globalen Medienkultur, sondern als Sprach- und Bildverschmutzung. Der Watergate-Skandal, die Agonie des Vietnamkrieges, Ölschock und die düsteren Voraussagen des Club of Rome – all dies drückte auf die Stimmung und ließ die Emphase und Begeisterung der sechziger Jahre in der Retrospektive eher naiv erscheinen. Zudem wurden Neue Linke, ‹counter-culture› und Antikriegsbewegung von neokonservativer Seite in zusehends infamerer Weise als Verirrungen amerikanischer Geschichte beschrieben. In der Tat, die sechziger Jahre waren zu Ende.

Eine schlüssige Beschreibung der sich verändernden kulturellen Szene jedoch, die insgesamt sehr viel amorpher und zerstreuter erschien als die der sechziger Jahre, ist mit großen Schwierigkeiten verbunden. Zunächst einmal ließe sich sagen, daß der Kampf der sechziger Jahre gegen den normativen Druck der Hochmoderne erfolgreich gewesen ist, allzu erfolgreich, wie manche Kritiker wohl lamentieren würden. Während sich den sechziger Jahren aber noch eine logische Folge von Stilen ablesen ließ (Pop, Op, Kinetic, Minimal, Concept), lassen sich solche Einteilungen für die siebziger Jahre kaum mehr vornehmen. Keinerlei Linearität oder gar Teleologie der Kunstentwicklung ist seit dem Auslaufen der amerikanischen Avantgarde mehr zu beobachten. Die Situation in den siebziger Jahren ist eher gekennzeichnet durch eine breitgestreute Dissemination künstlerischer Verfahren, die allesamt die Ruinen von Avantgarde und Modernismus ausschlachten, deren Vokabular plündern und es mit Bildern und Motiven aus der Vormoderne oder aus schlechthin nicht-modernen Kulturen versetzen.

Besondere Bedeutung jedoch kommt dem sich wandelnden Verhältnis von hoher Kunst und Massenkultur zu. Diese im klassischen Modernismus meist streng getrennten Bereiche sind in einer Weise gegeneinander durchlässig geworden, wie es sich die Theoretiker der Moderne kaum je hätten träumen lassen. Avantgardistische Techniken und Strategien haben nicht nur die Werbung beeinflußt, was ja seit langem bekannt ist und dennoch immer wieder herhalten muß, das Pawlowsche Reflextheorem von der Kunst als Ware zu bestätigen. Wichtiger scheint mir, daß avantgardistische und modernistische Verfahrensweisen in eine Reihe von Trivialgenres wie Melodrama, Detektivroman, Science-fiction und Horror-Story Eingang gefunden haben, und dies ohne den Anspruch, diese Genres damit zu hoher Kunst aufzuwerten. Andererseits (auch das ist eigentlich schon eine falsche Ausdrucksweise) greifen sogenannte seriöse Autoren immer häufiger Trivialformen und Genres auf, die von den klassischen Modernisten verschmäht worden wären. In ähnlicher Weise arbeiten visuelle Künstler in einem Bereich zwischen Malerei und Fotografie, Performance und narrativem Film, der die kategoriale modernistische Trennung von hoher Kunst und Massenkultur obsolet erscheinen läßt. Und ganz absurd wird diese Trennung, wenn man sie auf die Rockmusik anwenden wollte, etwa nach dem Motto: die Talking Heads ins Töpfchen, Disko ins Kröpfchen; andererseits wäre es nichts weiter als modernistisches Bildungsbürgertum, wenn man die Talking Heads und jede x-beliebige Disko-Konserve über denselben Kamm der ‹Massenkultur› scheren wollte, so als gäbe es da keine Differenzierungen.

Vor allem aber gaben die Kunst und Literatur von Frauen und Minderheitskünstlern – mit ihrer Rettung von bislang ‹unsichtbaren› oder verstellten Traditionen, ihrer Betonung von geschlechts- und rassenbedingter Subjektivität in künstlerischen Produkten sowie in ihrer Weigerung, sich durch den Kanon der klassischen Moderne einengen zu lassen – der Kritik an der klassischen Moderne eine ganz neue Dimension, die in den sechziger Jahren bestenfalls erst in Ansätzen spürbar war. «Il faut être absolument moderne», schrieb Rimbaud und begründete damit den Katechismus der Moderne. Warum eigentlich?, lautet heute oft die Frage, nachdem diese Moderne ihre lebensbedrohenden und zerstörerischen Seiten voll entfaltet hat. Die Frage nach dem Wert von Traditionen, auch und gerade im Alltagsleben, ist ja keineswegs per se eine konservative Frage. Die Mentalität eines bedingungslosen Avantgardismus jedenfalls erscheint unter den kulturellen Bedingungen der Gegenwart eher als Anachronismus.

Natürlich bringt solch eine amorphe Lage viele Probleme und Fragen mit sich. Da ist nicht nur zu überlegen, wie denn nun der kritische Anspruch der Kunst ‹gerettet› bzw. neu definiert werden kann. Die relativ klaren Positionen, die sich in den deutschen Debatten etwa zwischen Lukács und Brecht, Brecht und Adorno, Adorno und Benjamin erkennen ließen, scheinen in der heutigen Lage jedenfalls nicht mehr sonderlich aussagekräftig zu sein. Gerade in unserem Abstand von den Überlegungen jener Autoren jedoch scheint das auf, was uns von deren unterschiedlichen Versionen von Moderne unterscheidet. In solcher Retrospektive ließen sich dann auch die Voraussetzungen diskutieren, die vor allem in den dreißiger Jahren unter dem Druck nationalsozialistischer und kommunistischer Kulturpolitik jene philosophisch-theoretische Trennung von authentischer moderner Kunst und regressiver, inauthentischer Kultur für die Massen erst hervorgetrieben haben, etwa in den Modernismustheorien von Adorno oder Clement Greenberg, die in ihrem originären Kontext einen durchaus kritischen Stellenwert beanspruchen konnten.[8] Interessant ist nun aber zu sehen, wie neuerdings die alte Modernismustheorie wieder ausgegraben und von neokonservativer Seite als Kriegsbeil gegen die Postmoderne geschwungen wird. Die umstandslose Ineinssetzung von Postmoderne und Neokonservativismus jedenfalls, die es auch in Amerika der kulturellen Linken erlaubt hat, ihre alten Rituale beizubehalten, wird durch Verhalten und Stellungnahmen der Neokonservativen keineswegs gedeckt. Und, so würde ich hinzufügen, sie wird auch durch die nicht nur stilistische, sondern auch politische Heterogenität postmoderner Kunstpraxis nicht bestätigt.

Habermas und die Neokonservativen

Sowohl in Europa wie in den Vereinigten Staaten folgte auf die Protestbewegungen der sechziger Jahre eine neokonservative Welle. In diesem Kontext stellte sich bald die Frage nach dem Verhältnis von Postmoderne als der Kulturbewegung der Gegenwart und Neokonservativismus als dem politisch wichtigsten Trend im Amerika der siebziger Jahre. Die kulturelle Linke in Amerika schien sich einig: Postmoderne und Neokonservativismus gehörten zusammen; beide wurden lächerlich gemacht. Darin traf sich das Urteil der Linken mit dem all jener Traditionalisten der Moderne in Universitäten und Museen, für die es seit dem Triumph des Modernismus nichts Sehenswertes oder Lesenswertes mehr unter der Sonne gibt. Derartige Totalurteile aber erinnern fatal an Georg Lukács' pauschale Angriffe auf die modernistische Literatur (Kafka, Joyce, Musil), nur daß heute die Postmoderne die Stelle einnimmt, die bei Lukács die bürgerliche Moderne innehatte. So wird dann die Kunst und Literatur der klassischen Moderne für besagte Kritiker zum einzig gültigen ‹Realismus› des 20. Jahrhunderts, während der altbekannte Bannstrahl des Minderwertigen, Dekadenten und Pathologischen gegen die Postmoderne geschleudert wird. Ironischerweise behaupten dann aber dieselben Kritiker der Postmoderne im gleichen Atemzug und mit Emphase, daß die Postmoderne gar nicht so neu und daß das alles in Literatur und Kunst der Moderne selbst schon dagewesen sei ...

Ich würde meinen, daß man es vermeiden sollte, zu einem Lukács der Postmoderne zu werden und um jeden Preis das ‹gute Alte› gegen das ‹schlechte Neue› hochzuhalten. Wenn man unter Postmoderne einen Gesellschafts- und Kulturzustand versteht, der mehr ist als nur ein neuer Stil oder eine neue Sensibilität, und wenn man mit dem Begriff einen historischen Konstitutionszusammenhang zu fassen versucht, dann muß man auch aufgeschlossen genug sein, innerhalb dieser Postmoderne Widersprüche zu lokalisieren und kritische Momente auszumachen, anstatt sich auf die gute alte progressive Kunst bzw. die ebenso gute alte wahre Ästhetik zurückzuziehen. Ähnlich wie Marx die Kultur der frühen bürgerlichen Moderne als Dialektik von Fortschritt und Zerstörung analysiert hat, käme es heute darauf an, die Kultur der Postmoderne als Gewinn *und* Verlust, als Versprechen *und* als Depravation zu lesen. Dabei wäre allerdings zu überlegen, ob in der Postmoderne die Beziehung zwischen Fortschritt und Zerstörung kultureller Formen, zwischen Modernität und Tradition nicht grundsätzlich anders gefaßt werden muß, als Marx es für seine Zeit noch tun konnte.

Eine substantiellere Diskussion des Verhältnisses von Postmoderne und Neokonservativismus kam in den Vereinigten Staaten erst mit der

Veröffentlichung von Habermas' Adorno-Preisrede in Gang, auf die
Jean-François Lyotard bald darauf eine polemische Antwort folgen ließ.[9]
Den Zorn Lyotards zog Habermas sich deswegen zu, weil er in seiner
Gleichsetzung von Postmoderne und Konservativismus die französischen
Poststrukturalisten als Jungkonservative brandmarkte, die das Projekt
der Moderne aufgegeben hätten. Man muß nun aber Habermas' Sicht der
Moderne nicht unbedingt teilen, um zu sehen, daß er in der Tat die zentra-
len Fragen gestellt und damit die Debatte aus dem Bereich einer bloß
ästhetischen Fragestellung gehoben und auf eine breitere, gesamtgesellschaftliche Basis gestellt hat. Dies waren seine Fragen: Wie läßt sich das
Verhältnis von Moderne und Postmoderne fassen? Welche Rolle spielen
dabei die künstlerischen Bewegungen Modernismus, Avantgarde und
Postmoderne? Wie hängen in der gegenwärtigen Kultur der politische
Konservativismus, ein kulturell eklektischer Pluralismus, Traditionalis-
mus, Modernität und Antimodernität zusammen? Inwieweit kann die
kulturelle und gesellschaftliche Formation westlicher Gesellschaften in
den siebziger Jahren als postmodern gelten? Inwieweit ist die Postmoderne eine Revolte gegen Vernunft und Rationalität, und an welchem
Punkt wird solche Postmoderne zur Gegenaufklärung und damit objektiv
reaktionär?

Obwohl etwa die letzte Fragestellung stark von der deutschen Geschichte her geprägt ist, waren es nicht so sehr Habermas' Fragen als vielmehr einige seiner Thesen, die zu heftigem Widerspruch führten. Die
Etikettierung von Foucault und Derrida als Jungkonservative wurde aus
dem französischen Lager denn auch sofort gegen Habermas gewendet,
der nun seinerseits zum Konservativen gestempelt wurde. Auf dieser
Ebene degenerierte die Debatte schnell zur Märchenfrage: ‹Spieglein,
Spieglein an der Wand, wer ist der Konservativste im ganzen Land?›
Dennoch beleuchtet dieser nicht sehr ergiebige Streit zwischen Frankfurt und Paris zwei fundamental verschiedene Begriffe von Moderne,
auf die hier kurz einzugehen ist. ‹Modernité› als idealtypischer Begriff
setzt bei den Franzosen mit Nietzsche und Mallarmé ein und steht damit
in unmittelbarer Nachbarschaft dessen, was Literaturwissenschaftler als
‹Moderne› bzw. im angelsächsischen Raum als ‹modernism› bezeichnen.
‹Modernité› in diesem französischen Sinne ist damit primär ein ästhetisches Phänomen, dessen Energien und Impulse sich der bewußt voran-
getriebenen Zersetzung herkömmlicher Denk-, Schreib- und Repräsentationsweisen verdanken und das sich zentral als Kritik der Modernisierung bürgerlicher Gesellschaft versteht. Für Habermas hingegen geht ‹die
Moderne› auf die besten Traditionen der Aufklärung zurück, die er zu
retten und in neuer Form in den gegenwärtigen philosophischen Diskurs
einzuschreiben versucht. Darin unterscheidet sich Habermas deutlich
von Adorno und Horkheimer, die in der «Dialektik der Aufklärung» eine

Interpretation der Moderne vorgelegt haben, die den poststrukturalistischen Theoriebildungen näher zu stehen scheint als dem Habermasschen
Ansatz. Dennoch hielten auch Adorno und Horkheimer an einem substantiellen Begriff von Vernunft und Subjektivität fest, der bei den neueren Franzosen so gut wie aufgegeben scheint. Im französischen Diskurs,
der häufig eine Art negativer Teleologie zu implizieren scheint, wird Aufklärung heute allzu schnell mit einer Geschichte von Terror und Einker-
kerung identifiziert, die von den Jakobinern über die ‹métarecits› der
Meisterdenker Hegel und Marx ins sowjetische Gulag führt. Habermas
ist durchaus im Recht, wenn er eine solche Sicht als politisch problematisch, wenn nicht gefährlich ablehnt. Auschwitz war schließlich trotz der
totalen Rationalisierung der Maschinerie des Todes keine Folge eines Zu-
viels an aufgeklärter Vernunft, sondern im Gegenteil Resultat eines ra-
biaten Antiaufklärungs- und Antimodernitätsaffekts. Andererseits ist
auch Habermas' Wendung gegen die postnietzscheanische französische
Version von ‹modernité›, die er einfach als antimodern bzw. postmodern
und konservativ etikettiert, allzu begrenzt, zumal in seiner eigenen Version von Moderne eben jene ästhetischen Komponenten der Moderne zu
kurz kommen, die bei den Franzosen überbetont werden.

In der Aufregung über Habermas' Auseinandersetzung mit den Franzosen hatte man die von Habermas ebenfalls der Postmoderne zugeschla-
genen Neokonservativen so gut wie vergessen. In Anbetracht der kulturpolitischen Lage im Zeitalter von Kohl–Thatcher–Reagan jedoch wäre
es fahrlässig, nicht zur Kenntnis zu nehmen, was die Neokonservativen
eigentlich zum Phänomen Postmoderne zu sagen haben. Der Befund ist
eindeutig: Sie lehnen die Postmoderne total ab, ja halten sie sogar für
gefährlich. Ironischerweise sind es dabei meist eher die Neokonservativen, die die Verbindung von Postmoderne und sechziger Jahren betonen.
Zwei Beispiele: Daniel Bell, dessen Buch über die postindustrielle Gesellschaft von den Fürsprechern der Postmoderne immer wieder als soziologische Untermauerung ihrer Thesen herangezogen wurde, verwirft den
‹postmodernism› als eine gefährliche Popularisierung der Ästhetik der
Moderne. Bells Interpretation der Moderne betont ausschließlich ästhetischen Lustgewinn, spontane Triebbefriedigung und Erfahrungsintensität,
alles Dinge, die seiner Meinung nach nur mehr Hedonismus und Anarchie produzieren. Es ist leicht einzusehen, daß eine derartig eingeengte
Sicht der Moderne völlig im Bann der ‹schrecklichen› sechziger Jahre
steht und sich kaum mit jenem herben, wenn nicht asketischen Modernismus eines Kafka, Schönberg oder T. S. Eliot vereinbaren läßt. In «The
Cultural Contradictions of Capitalism» postuliert Bell eine fragwürdige
Einheit von Moderne und Postmoderne, um dann beide für die Krisener-
scheinungen im gegenwärtigen Kapitalismus verantwortlich zu machen.
Bell, ein Postmoderner? Gewiß nicht im ästhetischen Verständnis, denn

hier teilt Bell die Habermassche Kritik am nihilistisch-ästhetizistischen Strang von Moderne *und* Postmoderne. Wohl aber ließe Bell sich im weiteren politischen und gesellschaftlichen Sinn mit Habermas zur Postmoderne zählen. Denn seine Kritik an der kapitalistischen Kultur der Gegenwart speist sich aus dem Entwurf einer Gesellschaft, deren Alltagswerte und Normen nicht mehr vom ästhetischen Modernismus bestimmt wären, einer Gesellschaft, die man innerhalb des von Bell gesetzten Rahmens als postmodern bezeichnen dürfte. Andererseits aber verfehlt eine solche Reflexion über den Neokonservativismus als antiliberale, antiprogressive Post-Moderne ihr Ziel. Infolge des ästhetischen Kraftfeldes, das den Begriff der Postmoderne prägt, käme kein amerikanischer Neokonservativer auf den Gedanken, das neokonservative Projekt als postmodern einzustufen.

Im Gegenteil, der kulturelle Neokonservative gefällt sich oft in der Pose eines Sankt Georg der Moderne, die es den Klauen der Postmoderne zu entreißen gilt. Damit komme ich zu meinem zweiten Beispiel. Im ersten Heft der 1982 gegründeten kulturellen Programmzeitschrift der amerikanischen Neokonservativen, «The New Criterion», fordert der Herausgeber Hilton Kramer eine Rückkehr zum Qualitätsniveau und den hochkulturellen Normen des Modernismus.[10] Wenn auch unterschiedlicher Meinung hinsichtlich der klassischen Moderne, sind Kramer und Bell sich doch einig, was die postmoderne Kunst der Gegenwart anbelangt. In der Kultur der siebziger Jahre sehen sie nichts als Qualitätsverlust, Verfall der Einbildungskraft und Triumph des Nihilismus. Aber nicht um Kunstgeschichte geht es ihnen; ihr Programm ist ein politisches. Laut Bell unterminiert die Postmoderne durch ihre Attacke auf psychische Motivationsstrukturen (z. B. Befürwortung einer hedonistischen Lebenseinstellung statt Aufschub von Gratifikationen) die Stabilität des gesellschaftlichen Systems.[11] Kramer seinerseits beklagt die Politisierung der Kultur, die die siebziger Jahre seiner Meinung nach von den sechzigern und deren heimtückischem Angriff auf alles Geistige geerbt haben. Ähnlich wie Rudi Fuchs und die Documenta von 1982 will er die Kunst in eine Sphäre von Autonomie und hoher Sendung zurückbeordern, wo sie dann das ‹neue Kriterium› der Wahrheit zu vertreten hätte. Hilton Kramer, ein Postmoderner? Wohl kaum. Habermas muß sich geirrt haben in seiner Gleichsetzung von Postmoderne und Neokonservativismus. Aber auch hier liegen die Dinge vielschichtiger, als es zunächst scheinen mag. Für Habermas bedeutet ‹Moderne› Kritik, Aufklärung und Emanzipation der Menschen. Gibt man diesen politischen Impuls auf, dann würde jegliche linke Politik schlechthin unmöglich. Im Gegensatz zu Habermas jedoch verlassen sich die Neokonservativen auf eine Tradition von Normen und Werten, die gegen Kritik und Veränderung immun gehalten werden. So müßte Habermas selbst Hilton Kramers Verteidigung eines domestizierten, unkritischen Modernismus als post-modern im Sinne von anti-modern erscheinen. Bei alldem geht es nicht um die Frage, ob nun die Werke der klassischen Moderne bedeutende Kunstwerke sind. Nur Dummköpfe oder Banausen könnten das ableugnen. Problematisch wird es erst dann, wenn die klassische Moderne als unerreichbares Vorbild hingestellt und benutzt wird, um die Kunst der Gegenwart zu disqualifizieren. Wo das geschieht, wird die Moderne selbst in den Dienst eines antimodernen Ressentiments gepreßt, eine Diskursfigur, die aus der Geschichte der «querelles des anciens et des modernes» sattsam bekannt ist.

Nur in einer Hinsicht konnte Habermas neokonservativer Zustimmung sicher sein: in seiner Polemik gegen Foucault und Derrida. Solch ein Applaus von der ‹falschen› Seite jedoch würde sich wohl ausbedingen, daß weder Foucault noch Derrida in die Nachbarschaft des Konservativismus gerückt werden. Und doch hatte Habermas in gewisser Hinsicht recht damit, die Postmoderne-Problematik mit dem Poststrukturalismus zu verknüpfen. Seit den späten siebziger Jahren wird die ästhetische Postmoderne in den USA immer häufiger mit der poststrukturalistischen Theoriebildung in Verbindung gebracht. Die unerbittliche neokonservative Feindseligkeit gegenüber Postmoderne und Poststrukturalismus mag nicht beweiskräftig genug sein, aber sie ist gewiß vielsagend. Kramers «The New Criterion» führt laufend strategische Feldzüge gegen den Einfluß des französischen Poststrukturalismus auf das intellektuelle Leben Amerikas, eine Frontstellung, die Kramers Organ durchaus mit der liberalen «New York Review of Books» gemeinsam hat. Aber den Neokonservativen ist nicht nur die dekonstruktionistische Literaturtheorie Derridas und der sogenannten Yale School (Paul de Man, Geoffrey Hartman etc.) ein Dorn im Auge. Poststrukturalistische, feministische und (neo)marxistische Ansätze werden meist in einem Atem als unerwünschte Fremdlinge diffamiert. Für Kramer scheint die kulturelle Apokalypse nahe, und so wäre es nicht verwunderlich, wenn die Neokonservativen bald auch Importquoten für unamerikanische Theorie auf die Tagesordnung setzen würden.

Eins jedoch macht diese ganze Diskussion klar. In der Debatte um die Postmoderne geht es nicht bloß um einen neuen Stil, um eine neue Ausdrucksform, die sich von der klassischen Moderne absetzt. Es geht vielmehr um ein gesamtgesellschaftliches, kulturelles und politisches Problemfeld, in das die geistige Situation unserer Zeit sich einschreibt und auf dem es Stellung zu beziehen gilt. Von besonderem Interesse ist dabei in den achtziger Jahren die Rolle des französischen Poststrukturalismus, die in den Vereinigten Staaten eine in mancher Hinsicht andere ist als in der Bundesrepublik, wo die Rezeption später eingesetzt hat, weniger institutionelle Wurzeln geschlagen hat und teilweise über andere Autoren abgelaufen ist.[12]

Poststrukturalismus –
modern oder postmodern?

Die neokonservativen Feindbilder reichen natürlich nicht aus, um eine substantielle Verwandtschaft zu behaupten zwischen Postmoderne und Poststrukturalismus. In der Tat dürfte ein solches Unternehmen größere Schwierigkeiten gewärtigen, als es zunächst den Anschein haben mag.

Gewiß, seit den späten siebziger Jahren scheint in den USA weitgehende Übereinstimmung zu bestehen darüber, daß, wenn die Postmoderne die Position der heutigen ‹Avantgarde› markiert, der Poststrukturalismus deren Äquivalent in der kritischen Theorie sein müsse. Eine solche Gleichsetzung wird durch eben jene Theorien von Textualität und Intertextualität gefördert, die die herkömmlichen Grenzen zwischen literarischem und kritischem Text verwischen; so ist es nicht weiter verwunderlich, daß die Namen der französischen Meisterdenker mit schöner Regelmäßigkeit im Diskurs über die Postmoderne auftauchen. Oberflächlich betrachtet drängen sich die Parallelen geradezu auf. Wie postmoderne Kunst und Literatur an die Stelle eines früher dominanten Modernismus getreten sind, so hat die poststrukturalistische Kritik ihre Vorgänger Werkimmanenz und New Criticism hinter sich gelassen. Und so wie die New Critics für den Modernismus eingetreten sind, heißt es, müsse der Poststrukturalismus – als eine der lebendigsten Kräfte im intellektuellen Leben der siebziger Jahre – irgendwie mit der Kunst und Literatur der Gegenwart, d. h. mit der Postmoderne, alliiert sein.

Wenn ich im folgenden diese Gleichsetzung als vorschnell in Frage stelle und das Verhältnis von Postmoderne und Poststrukturalismus problematisiere, so will ich damit keineswegs leugnen, daß die theoretischen Diskurse der siebziger Jahre deutliche Spuren in den Arbeiten zahlreicher zeitgenössischer Künstler hinterlassen haben. Wohl aber ist die Art und Weise zu kritisieren, in der solcher Einfluß in den USA fast reflexartig als selber postmodern interpretiert und somit in eine Diskursformation gesaugt wird, die häufig Bruch und Diskontinuität zwischen Moderne und Postmoderne behauptet.

Demgegenüber mache ich geltend, daß der Poststrukturalismus in Frankreich wie in Amerika dem Modernismus sehr viel näher steht, als es die Apologeten einer postmodernistischen Avantgarde wahrhaben wollen; daß ferner der Poststrukturalismus sich durchaus als eine, wenn auch neue Theorie des Modernismus lesen läßt; und daß infolgedessen der Poststrukturalismus nur insofern als postmodern bezeichnet werden kann, als er sich von einem bestimmten Bild der Moderne und des Modernismus polemisch absetzt und dabei innerhalb der gegenwärtigen Kulturformation ein alternatives Bild der Moderne aktiviert, das man dann in der Tat in begrenztem Sinn als postmodern bezeichnen könnte.

Wenn es denn stimmt, daß der Begriff Postmoderne eine historische Phasenverschiebung markiert, die unsere Gegenwart mehr oder weniger deutlich von der Phase der klassischen Moderne absetzt, dann fällt in der Tat auf, wie sehr der poststrukturalistische kritische Diskurs – in seiner Privilegierung von ‹écriture› und Schrift, Allegorie und Rhetorik und in seiner Verlagerung der Revolution aus dem Politischen ins Ästhetische – eben jener modernistischen Tradition verhaftet bleibt, die er, wenigstens in den Augen amerikanischer Kritiker, angeblich überwindet. Immer wieder befürworten poststrukturalistische Kritiker mit großer Emphase ästhetische Innovation und das Experiment. Sie fordern Selbstreflexivität, nicht des Autors/Subjekts, wohl aber des Textes. Leben und Wirklichkeit, Gesellschaft und Geschichte werden wie schon in anderer Weise im Ästhetizismus aus dem Diskurs der Kunst und ihrer Rezeption verbannt. Der Poststrukturalismus konstruiert dabei eine neue Autonomie der Kunst und der Kritik auf Grund einer quasi-metaphysischen Theorie von Textualität, die aber letztlich in entscheidenden Komponenten vom l'art pour l'art des Modernismus bzw. von den Praktiken der historischen Avantgarde (z. B. Zersetzung der Begriffe von Werk, Autor, Subjektivität) kaum zu unterscheiden ist. Jegliche Form von politischem Engagement in der Kunst wird für obsolet erklärt. Die Einsicht, daß das Subjekt sich in der Sprache konstituiert, und die Vorstellung, daß es nichts außerhalb des Textes gibt, haben zu einer Privilegierung des Linguistischen und Textuellen geführt, wie sie von den Berührungsängsten des Ästhetizismus und Formalismus seit langem bekannt ist. Die Liste des Nicht-mehr-Möglichen (Realismus, Repräsentation, Sinn, Bedeutung, Subjektivität, Geschichte, Autorschaft etc.) ist im Poststrukturalismus ebenso lang wie im Modernismus, und die Ähnlichkeiten treten stärker hervor als die etwaigen Unterschiede. Nur die Begründung der Abgehobenheit des ‹Textes› von jeglichem Realitätsbezug ist im Poststrukturalismus eine andere als in früheren Formen des Ästhetizismus. Hier wirkt der ‹linguistic turn› der Geistes- und Sozialwissenschaften nach, der mit dem Strukturalismus erreicht war und der (ich paraphrasiere Albrecht Wellmer) das Leben des sprachlichen Sinns entweder auf das anonyme Leben sprachlicher Codes reduziert oder aber auf ein unkontrollierbares Spiel von Differenzen zurückführt.[13]

In einer Reihe von neueren Veröffentlichungen ist die amerikanische Domestizierung des französischen Poststrukturalismus kritisiert worden. Es reicht meiner Ansicht nach jedoch nicht aus zu behaupten, daß die französische Theorie auf der transatlantischen Reise ihre politische Spitze verloren habe, die ihr in Frankreich zugestanden werden müsse. Nicht nur der institutionelle Druck des literaturkritischen und akademischen

Establishments in den USA hat die französische Theorie entpolitisiert. Es ist vielmehr der ästhetizistische Strang im Poststrukturalismus selber, der diese spezifische amerikanische Rezeption überhaupt erst ermöglicht hat. Es ist ja kein Zufall, daß die amerikanische Literaturwissenschaft ‹unpolitischere› Autoren wie Derrida und den späten Barthes bevorzugt gegenüber solchen politisch orientierten Autoren wie Baudrillard und Foucault, Kristeva und Lyotard. Aber selbst bei den politisch bewußteren Theoretikern in Frankreich ist die Tradition des modernistischen Ästhetizismus – vermittelt durch eine extrem selektive Lektüre Nietzsches – so prägend, daß im französischen Kontext die von manchen Apologeten der Postmoderne vertretene These eines radikalen Bruchs zwischen Moderne und Postmoderne nur Unverständnis hervorrufen kann.

Trotz aller Unterschiede zwischen den einzelnen poststrukturalistischen Projekten fällt auf, wie selten diese Theorien sich an postmoderner Kunst festmachen. Das mag nichts über die Aussagekraft der Theorie besagen, aber es produziert eine Art von Synchronisation, bei der die Sprache der Theorie den Lippenbewegungen des postmodernen Körpers nicht entspricht. Kein Zweifel besteht daran, daß die poststrukturalistische Theoriebühne vorwiegend mit klassischen Modernisten besetzt ist: Flaubert, Proust und Bataille bei Roland Barthes; Nietzsche und Heidegger, Mallarmé und Artaud bei Derrida; Nietzsche, Magritte und Bataille bei Foucault; Mallarmé und Lautréamont, Joyce und Artaud bei Kristeva; Freud bei Lacan; Nietzsche und Bataille bei Baudrillard; Nietzsche und Adorno bei Lyotard. Die Liste ließe sich fortsetzen. Die prägenden Feindbilder sind immer noch Realismus und Repräsentation, Massenkultur und Standardisierung, Grammatik, Kommunikation und der angeblich allmächtige Gleichschaltungsdruck des modernen Staates.

Anstatt uns eine Theorie der Postmoderne zu bieten und diese Theorie durch Analyse gegenwärtiger Kulturphänomene zu entwickeln und zu stützen, konzentriert sich der Poststrukturalismus meist auf eine Archäologie der Moderne und liefert eine Theorie des Modernismus im Stadium seiner Erschöpfung. Es ist, als seien die kreativen Impulse des Modernismus in die Theorie abgewandert, um im poststrukturalistischen Text zu vollem Selbstbewußtsein zu gelangen. Noch einmal beginnt die Eule der Minerva ihren Flug bei Anbruch der Dunkelheit, aller Feindschaft des Poststrukturalismus gegenüber Hegel zum Trotz. Dennoch unterscheidet sich die poststrukturalistische Lektüre des Modernismus natürlich deutlich von der der New Critics in der Literatur, Greenbergs in der Malerei oder Adornos in der Musik. Nicht länger stehen wir einem Modernismus des ‹Zeitalters der Angst› gegenüber, dem asketischen und quälenden Modernismus eines Kafka oder Schönberg, einem Modernismus der Negativität, des Wertezerfalls und der Entfremdung, der Ambiguität und Abstraktion, einem Modernismus des trotz allem eher geschlossenen und vollendeten Werks. Statt dessen bietet uns die poststrukturalistische Lektüre (mit Ausnahme vielleicht Paul de Mans) einen Modernismus spielerischer Transgressionen und eines nicht endenden Webens von Textualität, einen Modernismus, der sich legitimiert in seiner rigoros ironischen Ablehnung von Repräsentation und Realität, von Subjektivität und Geschichte, einen Modernismus, der sich recht dogmatisch gibt in seiner Verurteilung von ‹présence› und dem damit einhergehenden Loblied auf Abwesenheiten und Entropien jeglicher Art, die in Roland Barthes' Sicht nicht Angst, sondern ‹jouissance›, ekstatisches Glück, hervorbringen.

Aber wenn der Poststrukturalismus sich als ‹revenant› des Modernismus im Kleide der Theorie lesen läßt, dann macht eben das ihn auch wiederum postmodern. Es ist eine Postmoderne, die sich nicht als Ablehnung des Modernismus versteht, sondern vielmehr als eine retrospektive theoretische Lektüre, die sich, zumindest teilweise, der Grenzen und der politischen Fehlschläge der klassischen Moderne voll bewußt ist. Das Dilemma der künstlerischen Moderne war ja ihre Unfähigkeit, trotz bester Absichten keine wirklich effektive Kritik bürgerlicher Gesellschaft und ökonomisch-technologischer Modernisierung artikulieren zu können. Vor allem das Schicksal der historischen Avantgarde hat gezeigt, wie die Kunst selbst dort, wo sie gegen das Prinzip des ‹l'art pour l'art› rebellierte, um Kunst und Leben in neuer Weise miteinander zu verknüpfen, letztlich immer wieder ins ästhetische Getto zurückgedrängt wurde. Die Selbstbeschränkung des Poststrukturalismus auf Sprachspiele, Epistemologie und Ästhetik läßt sich als Resultat dieses Scheiterns verstehen. Der avantgardistische Versuch, von der Kunst her ein neues Leben zu organisieren, die Gesellschaft zu verändern und die Welt zu verbessern, erscheint heutzutage wohl nicht nur Poststrukturalisten als schon im Ansatz verfehlt. Die utopische Vision der ästhetischen Moderne, daß das moderne Leben durch die Kunst erlöst werden könne, dürfte einer postmodernen Sensibilität kaum mehr entsprechen. Daß derartige Visionen nicht mehr möglich sind, konnte sich als Kern der ‹condition postmoderne› erweisen.

Das würde aber auch eben jenen poststrukturalistischen Versuch fragwürdig erscheinen lassen, den Text der ästhetischen Moderne für das späte 20. Jahrhundert zu ‹retten›. Die Ausweitung modernistischer formalistischer Literarität zu postmoderner Textualität dürfte nicht ausreichen, eine neue Kunst- und Literaturpraxis zu begründen. Im Gegenteil, man müßte sich doch wohl fragen, ob die Selbstbeschränkung des Poststrukturalismus auf Sprache und Textualität, selbst Inter-Textualität, diesen poststrukturalistischen Modernismus im gegenwärtigen Kontext nicht eher als eine Auszehrung eines älteren Ästhetizismus erscheinen läßt denn als dessen innovative Wiederbelebung. Schließlich konnte der europäische Ästhetizismus der Jahrhundertwende noch hoffen, einen

Raum der Schönheit und der artifiziellen Paradiese gegenüber der Banalität und Vulgarität des bürgerlichen Alltags zu behaupten. Eine solche gegenkulturelle Funktion des rein Ästhetischen läßt sich jedoch kaum aufrechterhalten, wenn das Kapital selbst das ästhetische Prinzip direkt in die Warenproduktion hineingenommen hat in den Formen von Produktgestaltung, Verpackung und Werbung. Im Zeitalter der Warenästhetik auf der kritischen Funktion von ‹écriture› und des Zersetzens von sprachlichen Codes zu bestehen, wie es die Poststrukturalisten tun, scheint mir auf eben jener Überschätzung der transformativen Funktion der Kunst für die Gesellschaft zu beruhen, die für das Zeitalter der heroischen Moderne charakteristisch war – sofern man dabei nicht einfach «die Rhetorik an die Stelle des Arguments, de(n) Wille(n) zur Macht an die Stelle des Willens zur Wahrheit, die Kunst der Worte an die Stelle der Theorie und die Ökonomie des Begehrens an die Stelle der Moral» treten läßt. Letzteres, so bemerkt Wellmer richtig, «haben wir doch schon weitgehend», und er meint damit nicht die Kunst, sondern die politisch-soziale Realität.[14]

Zum Beispiel Roland Barthes. Für viele amerikanische Literaturkritiker ist «Die Lust am Text» (1973) eine mittlerweile fast kanonische Formulierung postmoderner Literaturtheorie. Vergessen wird dabei freilich meist, daß Susan Sontag schon vor über zwanzig Jahren eine Erotik der Kunst gefordert hatte, die das muffige und beengende Korsett akademischer Interpretation sprengen sollte. Wie immer man die Unterschiede zwischen Barthes' Wollust und Sontags Erotik definieren mag (die betreffenden Feindbilder sind der Strukturalismus bei Barthes und der New Criticism bei Sontag), so ist doch deutlich, daß Sontags Geste damals relativ radikal war, eben weil sie auf sinnlich erfahrbarer Präsenz von Kunstwerken bestand, weil sie einen gesellschaftlich sanktionierten Kanon angriff, der Objektivität und Distanz, Kälte und Ironie als höchste ästhetische Werte pries, und weil sie schließlich den Weg aus den Höhengefilden der klassischen Moderne zurückfand in die Niederungen von Pop und Camp.

Barthes andererseits bezieht eine sichere Position innerhalb der Hochkultur des modernistischen Kanons. Er rühmt sich seiner Distanz zur reaktionären Rechten, die die Lust gegen die Intellektualität ausspiele und sich der Lust des Antiintellektuellen hingebe, und er hält ebenso auf Distanz zur antihedonistischen Linken, die statt Lust Erkenntnis und Methode, Engagement und Kampf vorziehe. Die Linke mag in der Tat, wie Barthes behauptet, die Zigarren von Brecht und Marx vergessen haben. Wie immer man aber Barthes' Wahl der Zigarre als Emblem des Hedonismus beurteilen mag, sicher ist, daß er selber Brechts unermüdliche und produktive Auseinandersetzung mit Volks- und Massenkultur vergißt, für die Barthes gar nichts übrig hat. Barthes' völlig unbrechtische Unter-

scheidung zwischen bloßer Lust (plaisir) und höherer Wollust (jouissance) tischt uns jenen altbekannten Topos der modernistischen Ästhetik
und der bürgerlichen Kultur noch einmal als neu auf: einerseits die nie-
dere Lust für den Pöbel, und das heißt Massenkultur; andererseits die
‹nouvelle cuisine› der (Wol-)Lust am Text, der ‹jouissance› für die Auser-
wählten. Barthes selbst beschreibt ‹jouissance› als eine «Mandarinatspraxis» [15], als einen bewußten Rückzug, und er beschreibt die moderne
Massenkultur in klischeehaftester Weise als kleinbürgerlich. Seine Wer-
tung von textlicher Wollust beruht also auf der Adoption eben jener traditionellen Verurteilung von Massenkultur, die Rechte und Linke (beide
von Barthes emphatisch abgelehnt) über Jahrzehnte hinweg miteinander
geteilt haben.

Dies wird an anderer Stelle in «Die Lust am Text» noch deutlicher:
«Die entartete Form der Massenkultur ist die schändliche Wiederholung:
wiederholt werden die Inhalte, die ideologischen Schemata, die Verklei-
sterung der Widersprüche, aber die oberflächlichen Formen werden variiert: ständig neue Bücher, Sendungen, Filme, verschiedene Stories, aber
immer derselbe Sinn.» [16] Wort für Wort könnten solche Sätze von Adorno
aus den vierziger Jahren stammen. Aber Adornos Kunsttheorie war eine
Theorie der Moderne, nicht der Postmoderne. Und so sollte man auch bei
Barthes aufhören, von Postmoderne zu reden. Nehmen wir doch seine
späteren Schriften als das, was sie sind: als eine Theorie der modernen
Literatur, der es gelingt, die braune Masse der politischen Desillusionierung nach 1968 ins Gold ästhetischer Wollust zu verwandeln. Die melancholische Wissenschaft der Kritischen Theorie ist hier leichter Hand ersetzt durch eine neue, fröhliche Wissenschaft der Wollust am Text, aber es
ist und bleibt letztlich doch eine Theorie der Moderne.

Freilich lehnen Barthes und seine postmodernen amerikanischen
Freunde die modernistische Ästhetik der Negativität ab und ersetzen sie
durch Spiel und Wollust, einer angeblich kritischen Form der Affirmation. Aber die Unterscheidung zwischen der durch den modernistischen
Text hervorgerufenen ‹jouissance› und der bloßen Lust (‹plaisir›), die befriedigt, erfüllt und an eine «behagliche Praxis der Lektüre gebunden
ist» [17], führt durch die Hintertür eben jene Unterscheidung zwischen echter Kennerschaft und Banausentum wieder ein, auf der die kategorische
Trennung von Modernismus und Massenkultur beruhte. Die Negativität
etwa von Adornos ästhetischer Theorie war jedoch verwurzelt in dem
Bewußtsein der geistigen und sinnlichen Enteignung durch die Kulturindustrie und in seiner unnachgiebigen Opposition gegen eine Gesellschaft,
die sich nur auf Grund solcher Enteignung reproduzieren kann. Die
euphorische amerikanische Aneignung von Barthes' ‹jouissance› hingegen
hat diese Problematik schlechthin vergessen bzw. verdrängt und insistiert,
wie die Yuppies von 1984, auf fröhlichem Genuß und connaisseurhaftem

Umgang mit der Schreibweise. Das mag in der Tat einer der Gründe dafür sein, daß der späte Barthes in der akademischen Literaturkritik im Amerika Ronald Reagans von den Anhängern des postmodernen Zeitgeistes so begeistert gefeiert wird. Aber die Probleme, denen sich jene älteren Theorien eines Modernismus der Negativität stellten, sind ja nicht damit gelöst, daß man aus Angst, Entfremdung und Negativität des Lebens und der Kunst einen Salto mortale vollzieht in narzißtische Wollust am Text. Im übrigen bleibt Barthes' Salto mortale durch bloße Umkehrung ans modernistische Paradigma gebunden und leistet recht wenig für eine kritische Analyse der Postmoderne.

Ähnlich wie Barthes' theoretische Unterscheidung von ‹plaisir› und ‹jouissance›, von ‹texte lisible› und ‹texte scriptible› im Kraftfeld der modernistischen Ästhetik verbleibt, so sind auch die vorherrschenden poststrukturalistischen Begriffe von Autorschaft und Subjektivität weitgehend durch die ästhetische Moderne geprägt. Einige Hinweise mögen hier genügen.

Schon 1968 verfaßte Barthes einen Essay mit dem programmatischen Titel «La Mort de l'auteur», und über Flaubert und den modernistischen «texte scriptible» schreibt Barthes in «S/Z»: «Er [Flaubert] hält nicht das Spiel der Codes an (oder nur schlecht), so daß (und das ist sicher der Beweis, daß es Schreiben gibt) man niemals weiß, ob er für das, was er schreibt, verantwortlich ist (ob es hinter seiner Sprache ein Subjekt gibt); denn das Sein des Schreibens (der Sinn der Arbeit, die es konstituiert) ist es, zu verhindern, daß jemals auf die Frage geantwortet wird: Wer spricht?»[18] Eine in ähnlicher Weise normative Verwerfung der Subjektivität eines Autors bestimmt Foucaults Diskursanalyse. So schließt Foucault seinen einflußreichen Essay «Was ist ein Autor?» (1969) mit der rhetorischen Frage: «Wen kümmert's, wer spricht?»[19] Diese Indifferenz betrifft sowohl das schreibende wie das sprechende Subjekt, und das literaturtheoretische Argument gewinnt seine volle Durchschlagskraft im Rahmen der gesamtkulturellen antihumanistischen These vom Tod des Subjekts, die der Poststrukturalismus vom Strukturalismus und – so wäre hinzuzufügen – vom Modernismus übernommen hat. Denn es handelt sich hier ja kaum um mehr als um eine Weiterführung der bekannten modernistischen Kritik an traditionell idealistischen und romantischen Begriffen von auktorialer Genialität und Authentizität, Originalität und Intentionalität, zentrierter Subjektivität und persönlicher Identität. Die Emphase, mit der diese Kritik noch in den sechziger Jahren in Frankreich als Neuigkeit vorgebracht wurde, kann dabei eigentlich nur aus den besonderen französischen Bedingungen (z. B. Dominanz Sartres und des Existentialismus) erklärt werden. Wichtiger aber scheint mir der Einwand, daß die Postmodernen, die mit dem Fegefeuer der Moderne mehr als vertraut sind, andere Fragen stellen würden. Ist nicht die These vom

Tod des Subjekts/Autors durch bloße Umkehrung an eben die Ideologie gekettet, die dem Künstler weiterhin bedenkenlos die Aura des Genies anheftet, ob nun aus marktstrategischen Überlegungen oder aus bloßer Gewohnheit? Hat nicht die kapitalistische Modernisierung selbst bürgerliche Subjektivität und Autorschaft so weit fragmentiert und zersetzt, daß fortgesetzte Angriffe auf solche Fiktionen des 19. Jahrhunderts eher wie Windmühlenkämpfe anmuten? Begibt sich der Poststrukturalismus mit seiner Weigerung, sich auf Subjektivität einzulassen, nicht letztlich der Möglichkeit, die durchaus noch dahinvegetierende Ideologie des Subjekts (als männlich, weiß und bürgerlich) durch eine alternative Fassung der Subjekt-Problematik effektiver zu unterlaufen als durch störrische Ableugnung, die obendrein ständig Lügen gestraft wird?

Mir jedenfalls scheint es heute wenig radikal zu sein, die Frage *Wer schreibt?* oder *Wer spricht?* einfach als irrelevant abzutun. Was einst im Rahmen einer antibürgerlichen Ästhetik glaubwürdige Kritik gewesen sein mag, ist längst zu bloßer Simulation verkommen. Der Poststrukturalismus reproduziert nur mehr auf der Ebene der Ästhetik und Theorie, was der Kapitalismus als ein System von verdinglichten Tauschbeziehungen tendenziell im Alltag selber zu produzieren sucht: Aushöhlung und Zerstörung von Subjektivität. Der Poststrukturalismus kritisiert somit den Schein kapitalistischer Kultur – die Individualitätsideologie, aber verfehlt bzw. reproduziert deren Kern. Wie schon Teile des Modernismus selbst verläuft der Poststrukturalismus nicht in Opposition, sondern in Parallele zu den gegenwärtigen Prozessen der Modernisierung.

Die oppositionell Postmodernen sind sich dieses Dilemmas bewußt. Sie beantworten die modernistische Litanei vom Tod des Subjekts mit Versuchen, neue Theorien und Praktiken sprechender, schreibender und handelnder Subjektivität zu entwickeln. Gerade an diesem Problem hat sich in den USA die Debatte zwischen Feminismus und Poststrukturalismus entzündet. Die modernistische Kritik an unvermittelter, ganzheitlicher Subjektivität wird dabei – abgesehen von einem höchst problematischen weiblichen Essentialismus – meist nicht verworfen. Im Gegenteil, die Fragmentierung des Subjekts entspricht durchaus der Erfahrungswirklichkeit und dient als Ausgangspunkt für neue Fragestellungen. Die Frage, wie Codes, Texte, Bilder und andere kulturelle Artefakte Subjektivität konstituieren (statt widerspiegeln), wird – entgegen den Gepflogenheiten von Strukturalismus und Poststrukturalismus – als eine immer schon historische Frage gestellt und vermeidet so die vom Poststrukturalismus mit Recht kritisierte Subjekt-Metaphysik. Der Diskurs der Subjektivität ist nicht länger mit dem Stigma des Bürgerlichen oder Kleinbürgerlichen behaftet, seit bürgerlicher Individualismus im alten Sinn kein prägender Sozialisationsfaktor mehr ist. So ist es gewiß kein Zufall, wenn Fragen der Subjektivität und der Autorschaft im postmodernen Text mit großem Elan wieder in den Vordergrund drängen. Schließlich kümmert es uns sehr wohl, wer spricht oder schreibt ...

Weiterhin fällt auf, daß die Franzosen den Begriff der Postmoderne kaum benutzen. Soweit ich sehen kann, haben in Frankreich bislang vor allem Lyotard und Kristeva den Begriff der Postmoderne aufgegriffen, beide aus Anlaß bzw. in Folge von Besuchen in Nordamerika.[20] Ohne jetzt im Detail auf diese Versuche eingehen zu wollen, ist festzuhalten, daß weder Lyotard noch Kristeva den Begriff Postmoderne in dem in Amerika üblichen, periodisierenden Sinn einsetzen; daß beide den Begriff auf die ästhetische Moderne (Nietzsche und die Folgen) beziehen und eine Ästhetik des Experiments fordern (Lyotard unter Berufung auf Kants Ästhetik des Erhabenen, Kristeva mit ihrer theoretischen Unterscheidung des Semiotischen vom Symbolischen); und daß beide diese ihre primär ästhetische (Post-)Moderne von der Moderne Habermasscher Herkunft abzusetzen versuchen. Sowohl für Lyotard wie für Kristeva haben diese ästhetischen Überlegungen dabei durchaus politische Implikationen und vermitteln politische Impulse. Dennoch wäre zu überlegen, ob es sich nicht auch hier – wie bei Barthes – um einen Rückzug aus dem im engeren *und* weiteren Sinn Politischen handelt und inwieweit eine derartige Blockierung des Politischen durch ästhetische Kategorien nicht letztlich doch unverbindliche Mandarinatspraxis bleibt bzw. auf eine theoretisch nicht abgedeckte Expansion des Ästhetischen hinausläuft. Gewiß soll festgehalten werden, daß sich die Arbeiten von Lyotard und Kristeva als Oppositionstexte gegen die spätkapitalistische Gesellschaft lesen lassen. Frage bleibt nur, wieweit eine solche ästhetisch und sprachlich fixierte Opposition trägt. So hat Fred Jameson in seiner Einleitung zur amerikanischen Übersetzung von Lyotards «La Condition Postmoderne» das Paradox bemerkt, daß Lyotards Engagement für radikales Experimentieren in der Kunst der Vorstellung von der revolutionären Natur der Moderne sehr nahe kommt, die der von Lyotard bitter kritisierte Habermas von der älteren Frankfurter Schule übernommen hat. Wenn Habermas auf der Vollendung der Moderne besteht, so würde ich hinzufügen, geht es im Poststrukturalismus in der Tat zumindest um deren Weiterführung. Der Hauptstreitpunkt zwischen Paris und Frankfurt, so scheint es, wäre dann nicht das Verhältnis von Moderne und Postmoderne, sondern vielmehr die politischen Dimensionen der Moderne selber.

So stehen wir also vor dem Paradox, daß die französische Theoriebildung der sechziger und siebziger Jahre, die sich vor allem am Modernismus und an der ‹modernité› abarbeitet, in den USA als Verkörperung einer radikal neuen Postmoderne rezipiert worden ist. Diese Entwicklung ist insofern auch logisch, als der Poststrukturalismus ein Modernismusbild entworfen hat, das sich vom herkömmlichen Modernismusdogma deutlich unterscheidet. Dennoch ist die vorschnelle Gleichsetzung von

Postmoderne mit Poststrukturalismus grundsätzlich abzulehnen. Nicht nur in Frankreich, sondern auch in den Vereinigten Staaten bietet der Poststrukturalismus vornehmlich eine Theorie der Moderne, nicht der Postmoderne, die damit freilich noch einmal um eine Spur undefinierbarer wird.

Die französische Theorie der sechziger und siebziger Jahre hat ein staunenswertes Feuerwerk abgebrannt, das einen wesentlichen Strang des Projekts der Moderne in neuer Beleuchtung hat erscheinen lassen. Aber Feuerwerke werden in denselben Abendhimmel projiziert, in dem die Eule der Minerva ihren Flug antritt. Eine solche Interpretation wurde in den späten siebziger Jahren von Michel Foucault selbst vorgeschlagen, als er seine frühere ausschließliche Faszination durch Sprache und Erkenntnistheorie als ein begrenztes Unternehmen eines vergangenen Jahrzehnts beschrieb: «Die ganze übersteigerte Theoretisierung der Schrift, die wir in den sechziger Jahren erlebt haben, war wahrscheinlich nur der Schwanengesang.»[21] Schwanengesang des Modernismus, so würde ich ergänzen, aber als Schwanengesang eben doch auch schon ein Moment der Postmoderne als einer theoretischen Durchleuchtung und Weiterführung der ästhetischen Moderne. Foucaults Sicht der intellektuellen Strömungen der sechziger Jahre in Frankreich als Schwanengesang, so scheint mir, kommt dabei der Wahrheit näher als die amerikanische Rezeption des Poststrukturalismus als einer neuen Avantgarde für die siebziger und achtziger Jahre. Womit denn auch die Erschöpfung der französischen Theoriebildung im Umkreis des Poststrukturalismus, die wir derzeit beobachten können, schon vorprogrammiert wäre.

Postmoderne – Zukunft einer Illusion?

Die Geschichte der Kultur der siebziger und frühen achtziger Jahre in ihrem Verhältnis zur ästhetischen Moderne, zu Modernismus und Avantgarde wird noch zu schreiben sein. Das, was in Kunst und Literatur, Tanz und Theater, Architektur und Musik, Film und Video jeweils als postmodern bezeichnet wird, wird im Detail zu untersuchen sein, und es steht zu vermuten, daß sich die Ergebnisse je nach Medium mehr oder weniger deutlich unterscheiden werden. Weniger denn je läßt sich heute in den einzelnen Künsten von einer ‹Gleichzeitigkeit› oder auch von einer ‹Ungleichzeitigkeit› der Entwicklung sprechen, da der Entwicklungsbegriff selber in die Krise geraten ist.

Ohne solchen Untersuchungen vorgreifen zu wollen, möchte ich auf Grund meiner Darstellung der Debatte zur Postmoderne die (Hypo-) These vertreten, daß die zeitgenössischen Künste – egal, ob sie sich nun selbst als postmodern begreifen oder nicht – sich nicht einfach als eine weitere Phase in jener Sequenz modernistischer bzw. avantgardistischer Bewegungen deuten lassen, die im Paris der 1860er Jahre begannen und bis in die 1960er Jahre hinein ein Ethos der Antizipation und des kulturellen Fortschritts verkörperten. Die Postmoderne ist nicht bloß Fortsetzung der ästhetischen Moderne, sozusagen als letzte Stufe jener nicht endenden Revolte der Moderne gegen sich selbst. Die postmoderne Sensibilität unserer Zeit unterscheidet sich von Modernismus *und* Avantgardismus dezidiert eben darin, daß sie das Problem der Erhaltung kultureller Traditionen auf grundsätzliche und neue Weise als ästhetisches und politisches Problem stellt. Daß sich dabei auch ein schaler bzw. reißerischer Eklektizismus breit macht, ist ja nicht weiter überraschend. Falsch aber wäre es, allein deswegen den Postmoderne-Diskurs als konservativ abzuqualifizieren. Das Konservative gehört nicht allein den Konservativen; der Kampf um Tradition ist als solcher keine ‹rechte› Angelegenheit. Im Gegenteil, heute sind es gerade oft die Konservativen, die am Mythos von Fortschritt und technologischer Modernisierung festhalten, während die Kultur- und Gesellschaftskritik etwa im Rahmen von Feminismus und Ökologiebewegung gerade in ihrer Aufnahme konservativer Momente in einem alternativen Sinn ‹progressiv› wirkt. Die alten Dichotomien greifen nicht mehr.

So operiert die Postmoderne der achtziger Jahre in einem Spannungsfeld zwischen Tradition und Innovation, Bewahrung und Erneuerung, Massenkultur und hoher Kunst; dabei wird der jeweils zweite Begriff nicht mehr automatisch gegenüber dem ersten privilegiert, und die alten dichotomischen Kategorien und Zuschreibungen von Fortschritt gegen Reaktion, Linke gegen Rechte, Rationalismus gegen Irrationalismus, Zukunft gegen Vergangenheit, Modernismus gegen Realismus, Abstraktion gegen Repräsentation, Avantgarde gegen Kitsch funktionieren nicht mehr in der gewohnten zuverlässigen Weise. Die Tatsache, daß diese Dichotomien, die für die klassischen Modernismustheorien zentral waren, an Geltung eingebüßt haben, ist Teil der Verschiebung von Moderne zu Postmoderne, die ich hier zu beschreiben versucht habe. Diese Verschiebung ließe sich auch folgendermaßen fassen: Modernismus und Avantgarde waren der gesellschaftlichen und industriellen Modernisierung engstens verhaftet. Verhaftet als Gegenkultur, gewiß, aber sie bezogen ihre Energien – ähnlich wie Edgar Allan Poes «Man of the Crowd» – aus ihrer Nähe zu den Krisen, die durch Modernisierung und Fortschritt hervorgerufen wurden. Die Modernisierung, so glaubte man, mußte durchquert werden. Eine Vision des Auftauchens auf der anderen Seite der Modernisierung war der gemeinsame Nenner der verschiedenen Bewegungen der ästhetischen Moderne. Die Moderne begriff sich als Weltendrama, gespielt auf der europäischen und amerikanischen Bühne, ein Drama vom ‹modernen Menschen› und vom Mythos der Kunst als einer weltbewegen-

den Kraft, wie Saint-Simon es schon 1825 in seiner Definition von Avantgarde konzipiert hatte. Solch heroische Illusionen der Modernität und der
Kunst als gesellschaftsverändernder Kraft gehören wohl der Vergangenheit an und decken sich kaum mehr mit der heutigen Sensibilität – abgesehen vielleicht von jener deutsch-postmodernen apokalyptischen Sensibilität, die sich als bloße Umkehrung der heroischen Moderne verstehen
läßt.

In diesem Sinn repräsentiert die Postmoderne nicht bloß eine weitere
Krise in jenem permanenten Zyklus von Aufschwung und Depression,
der die Laufbahn des Projekts der Moderne seit dem 19. Jahrhundert
kennzeichnet. Die Postmoderne wäre eher eine Krise dieses Projekts der
Moderne selber. Erst in den 1970er Jahren sind die historischen Grenzen
und Kosten von Modernismus, Modernität und Modernisierung in qualitativ neuer Weise ins Bewußtsein getreten. Das wachsende Gefühl, daß
wir nicht dazu berufen sind, das Projekt der Moderne zu vollenden (Habermas), ohne deswegen gleich in apokalyptische Hysterie zu verfallen;
die Einsicht, daß die Kunst keineswegs auf ein Telos von Abstraktion,
Nichtrepräsentation und Erhabenheit zusteuert und sich erfolgreich von
solch metaphysisch-teleologischen Fesseln befreit hat, all dies hat in der
Kultur der Gegenwart Freiräume geschaffen, die kreativ zu besetzen und
zu gestalten sind. Und in vieler Hinsicht hat unsere ‹condition postmoderne› unser Verständnis der Moderne selbst verändert. Wir sehen die
ästhetische Moderne nicht mehr wie Greenberg oder Adorno als eine
historische Einbahnstraße, die Ziel und Richtung vorschreibt und eine
unerbittliche Logik der Entwicklung postuliert; statt dessen kommen ihre
Widersprüche und Bedingtheiten stärker ins Blickfeld, ihre Spannungen
und inneren Widerstände gegen ihre eigene, immer nur ‹vorwärts› gerichtete Dynamik. Dabei macht die Postmoderne die Moderne keineswegs
obsolet. Im Gegenteil, sie wirft ein neues Licht auf die Moderne, eignet
sich viele ihrer ästhetischen Strategien und Techniken an und schreibt sie
in neue Konstellationen ein. Obsolet sind nur jene dogmatischen Kodifizierungen des Modernismus, die auf einer offenen oder versteckten Fort-
schritts- und Modernisierungsteleologie beruhen. Ironischerweise waren
es unter anderem eben solche Kodifizierungen, die den Boden bereiteten
für jene Ablehnung der klassischen Moderne, die mit dem Begriff Postmoderne verbunden ist. Aber solch eine Verwerfung der Moderne betrifft
vor allem das Dogma der vierziger und fünfziger Jahre und dessen institu-
tionell verankerte Folgen, weniger jedoch die ästhetische Moderne als
solche.

In mancher Hinsicht ist daher die Geschichte von Moderne und Postmoderne wie die vom Igel und vom Hasen. Der Hase kann nicht gewinnen, weil es immer schon mehr als nur einen Igel gibt. Dennoch ist der
Hase der bessere Läufer. Die Apologeten eines postmodernen Bruchs mit

der Moderne sehen immer nur einen Igel und glauben daher, sie hätten die Wette schon gewonnen. Die Kritiker der Postmoderne aber halten es meist mit den Igeln und vergessen, daß der Hase längst einen Haken geschlagen hat und in ganz anderer Richtung davonhoppelt. Er mag die Wette verlieren, aber er hat die Geschichte auf seiner Seite.

Anmerkungen

Dieser Beitrag ist eine für die deutsche Übersetzung bearbeitete Fassung meines Aufsatzes «Mapping the Postmodern», in: New German Critique 33 (Fall 1984), S. 5–52.

1 Zur Geschichte des Begriffs ‹Postmodernismus› in der Literatur vgl. die Essays von Gerhard Hoffmann u. a. sowie Michael Köhler in Amerikastudien 22, 1 (1977), S. 9–46; ferner Ihab Hassan: The Dismemberment of Orpheus. 2. Auflage. Madison 1982. Darin besonders: Postface 1982: Toward a Concept of Postmodernism, S. 259–271.

2 Daniel Bell: The Cultural Contradictions of Capitalism. New York 1976; Gerald Graff: The Myth of the Postmodern Breakthrough. In: Graff: Literature Against Itself. Chicago 1979, S. 31–62.

3 Die unterschiedliche Bewertung von Avantgarde und dem, was im angelsächsischen Bereich als ‹modernism› bezeichnet wird, war natürlich einer der Hauptstreitpunkte in der Auseinandersetzung zwischen Benjamin und Adorno in den 1930er Jahren.

4 Vgl. dazu Andreas Huyssen: The Cultural Politics of Pop. In: New German Critique 4 (Winter 1975), S. 77–97.

5 Vgl. in Deutschland Hans Magnus Enzensberger: Baukasten zu einer Theorie der Medien. In: Kursbuch 20 (März 1970), S. 159–186.

6 In: Leslie Fiedler: A Fiedler Reader. New York 1977, S. 189–210.

7 Susan Sontag: Against Interpretation. New York 1961.

8 Zu Greenbergs Kunsttheorie vgl. T. J. Clark: Clement Greenberg's Theory of Art. In: Critical Inquiry 9, 1 (September 1982), S. 139–156. Zu Adorno vgl. B. Lindner und W. M. Lüdke (Hg.): Materialien zur ästhetischen Theorie: Theodor W. Adornos Konstruktion der Moderne. Frankfurt/M. 1980; ferner Andreas Huyssen: Adorno in Reverse: From Hollywood to Richard Wagner. In: New German Critique 29 (Frühjahr/Sommer 1983), S. 8–38.

9 Jürgen Habermas: Modernity versus Postmodernity. In: New German Critique 22 (Winter 1981), S. 3–14. Jean-François Lyotard: Beantwortung der Frage: Was ist postmodern? In: Tumult 4 (1982), S. 131–142. Zur Debatte zwischen Habermas und Lyotard vgl. die Aufsätze von Martin Jay und Richard Rorty in: Praxis International 4, 1 (April 1984), S. 1–14 und 32–44.

10 Hilton Kramer u. a.: A Note on The New Criterion, und Hilton Kramer: Postmodern: Art and Culture in the 1980s. In: The New Criterion 1, 1 (September 1982), S. 1–5 und 36–42.

11 Vgl. Daniel Bell: The Cultural Contradictions of Capitalism. New York 1976, S. 54.

12 Vgl. dazu vor allem Klaus Scherpes Beitrag in diesem Band. Zentral für die

amerikanische Rezeption französischer Theorien des Lesens und Schreibens war Derrida. Lyotard und Baudrillard, die in Deutschland stärker diskutiert werden, sind andererseits in den USA nur mit vergleichbar wenigen Übersetzungen vertreten.

13 Albrecht Wellmer: Zur Dialektik von Moderne und Postmoderne. Frankfurt/M. 1985, S. 81.
14 Wellmer, Dialektik, S. 84.
15 Barthes: Die Lust am Text. Frankfurt/M. 1974, S. 59.
16 Barthes, Lust am Text, S. 63.
17 Barthes, Lust am Text, S. 22.
18 Roland Barthes: S/Z. Frankfurt/M. 1976, S. 141.
19 Michel Foucault: Schriften zur Literatur. Frankfurt/M. 1979, S. 31.
20 Lyotard in dem schon erwähnten Aufsatz, der der amerikanischen Ausgabe seines Buches «The Postmodern Condition» beigegeben ist; Kristeva in einem kurzen Aufsatz mit dem Titel «Postmodernism?» In: Bucknell Review 25, 11 (1980), S. 136–141.
21 Michel Foucault: Dispositive der Macht. Berlin 1978, S. 46.

Fredric Jameson

Postmoderne – zur Logik
der Kultur im Spätkapitalismus[1]

Eine Art verkehrter Chiliasmus prägt unsere Zeit. Herkömmliche Untergangs- oder Erlösungsvisionen werden immer mehr von einzelnen Endzeitgefühlen abgelöst: das Ende der Ideologie, der Kunst, der gesellschaftlichen Klassen; die ‹Krise› des Leninismus, der Sozialdemokratie, des Wohlfahrtsstaates etc. All das zusammengenommen macht jene Erscheinung aus, die immer häufiger mit dem Begriff einer *Postmoderne* erfaßt wird. Dieser Begriff geht zurück auf die Annahme eines radikalen Bruchs (‹coupure›) Ende der 50er oder in den frühen 60er Jahren. Dieser Bruch wird gewöhnlich in Zusammenhang gebracht mit einer gewissen Erschöpfung der hundertjährigen Tradition der Moderne (oder mit deren ideologischer oder ästhetischer Widerlegung). Der abstrakte Expressionismus in der Malerei, der Existentialismus in der Philosophie, letzte Bemühungen um eine ‹Repräsentation› im Roman, die Filme der großen ‹auteurs› und die moderne Lyrik (institutionalisiert und kanonisiert z. B. in den Werken von Wallace Stevens) seien als letzte, außergewöhnliche Erscheinungsformen einer ‹Hochmoderne› anzusehen, die sich in ihnen verbraucht und erschöpft habe. Was darauf folgt, kann nur in einer empirischen, chaotischen Aufzählung heterogener Phänomene benannt werden: Andy Warhol und ‹pop art›, aber auch der Fotorealismus bis hin zum ‹Neoexpressionismus›; in der Musik John Cage, aber auch die Synthese von klassischen und ‹populären› Elementen durch Komponisten wie Phil Glass und Terry Riley, außerdem Punk und ‹New Wave› (die Beatles und die Rolling Stones werden in dieser jüngsten und sich rapide entwickelnden Musiktradition bereits zur ‹Hochmoderne› gerechnet); im Film gibt es Godard, Post-Godard, das experimentelle Kino und Video, gleichzeitig aber auch einen völlig neuen Typ des kommerziellen Films (mehr darüber später); in der Literatur einerseits Burroughs, Pynchon und Ishmael Reed, andererseits den französischen ‹nouveau roman› und dessen Nachfolger, verknüpft mit irritierend neuen Formen der Literaturkritik, die auf einer neuen Ästhetik von Textualität und ‹écriture› beruhen ... Die Liste ließe sich endlos fortführen. Die Frage aber ist, ob der hier angenommene Bruch sich grundlegend von jenen periodisch auftauchenden Stil- und Modewechseln unterscheidet, die dem stilistischen Innovationsgebot der klassischen Moderne gehorchten.

Das Aufkommen
eines ästhetischen Populismus

Dramatische Veränderungen in der ästhetischen Produktion werden am
deutlichsten wohl im Bereich der *Architektur* sichtbar, wo die neuen theoretischen Probleme sehr markant artikuliert und zur zentralen Fragestellung erhoben wurden. Auch der Begriff der Postmoderne, den ich im
folgenden skizziere, wurde ursprünglich von den Architekturdebatten
angeregt.

Entschiedener als in den anderen Künsten und Medien sind in der Architektur die postmodernen Positionen mit einer unversöhnlichen Kritik
an der Architektur der klassisch gewordenen Moderne und dem sogenannten «International Style» (Frank Lloyd Wright, Le Corbusier, Mies
van der Rohe) verbunden. Die formale Kritik und Analyse der Reduktion eines Gebäudes zur bloßen Skulptur in der Moderne oder, wie bei
Robert Venturi, zu einer monumentalen «Ente» in Gebäudeform, verknüpfen sich dabei mit Neuüberlegungen zum Urbanismus und zur Institutionalisierung des Ästhetischen. Der sogenannten Hochmoderne wird
dabei die Zerstörung des traditionellen Stadtgefüges und der gewachse-
nen Stadtteilkulturen angelastet (wegen der absoluten Unvereinbarkeit
der neuen modern-utopischen Gebäude mit ihrer unmittelbaren Umgebung). Zudem wird der prophetisch-elitäre und autoritäre Gestus der
Moderne als imperialer Anspruch auf eine charismatische Meisterschaft
unerbittlich denunziert.

Die postmoderne Architektur präsentiert sich konsequenterweise als
ästhetischer Populismus, wie auch der Titel von Venturis einflußreichem
Manifest «Learning from Las Vegas»[2] suggeriert. Egal, wie wir letztendlich diese populistische Rhetorik einschätzen, kommt ihr doch das Verdienst zu, unsere Aufmerksamkeit auf ein Hauptmerkmal der genannten
Phänomene der Postmoderne gelenkt zu haben. Die traditionelle Trennung zwischen ‹hoher› Kultur und sogenannter Massen- oder kommerzieller Kultur (ein wesentliches Kennzeichen der klassischen Moderne)
wird aufgehoben, und in Erscheinung treten neue Textsorten, die mit den
Formen, Kategorien und Inhalten gerade jener Kulturindustrie durchsetzt sind, die von allen Verfechtern der Moderne (von Leavis und dem
amerikanischen New Criticism bis zu Adorno und der Frankfurter
Schule) so leidenschaftlich verurteilt wurde. Die verschiedenen Richtungen der Postmoderne sind von eben dieser ‹korrumpierten› Welt des
Ramschs und des Kitschs fasziniert, von Fernsehserien und von der Rea-
ders' Digest-Kultur, von Reklame und Motels, der *late show* und dem
B-Movie Hollywoods, von der sogenannten Paraliteratur der Kiosk-Gen-
res wie Gruselgeschichte, Liebesroman, Memoiren, Krimis, von Science-

fiction und Fantasy: Materialien, die sich nicht mehr nur ‹zitiert› finden wie etwa bei Joyce oder Mahler, sondern hineingenommen werden in die ‹Substanz› des Postmodernen.

Der Bruch zwischen Moderne und Postmoderne sollte nicht allein als kulturelles Problem verstanden werden. Denn Theorien der Postmoderne – ob sie die Postmoderne nun enthusiastisch zelebrieren oder sie voller moralischer Abscheu verurteilen – weisen große Ähnlichkeit mit jenen ambitionierten, recht allgemein gehaltenen soziologischen Studien auf, die uns das Erscheinen einer völlig neuen Gesellschaftsform verkünden. Von Daniel Bell wurde sie «nachindustrielle Gesellschaft»[3] getauft. Andere Etikette sind Konsumgesellschaft, Mediengesellschaft, Informationszeitalter, Elektronik- oder ‹High Tech›-Zeitalter und dergleichen. Diese Theorien haben ganz klar die ideologische Funktion zu zeigen, daß das neue Sozialgefüge (und das wird mit Erleichterung verkündet) nicht mehr den Gesetzen des klassischen Kapitalismus, das heißt dem Primat der industriellen Produktion und der Allgegenwart des Klassenkampfes, gehorche. Einer solchen Sicht widersetzt sich die marxistische Tradition natürlich vehement, allerdings mit der bemerkenswerten Ausnahme des Ökonomen Ernest Mandel. In seinem Buch «Der Spätkapitalismus»[4] unternimmt er den Versuch, sowohl das historisch Neue dieser Gesellschaft zu bestimmen, die er als dritte Stufe in der Entwicklung des Kapitals begreift, als auch zu beweisen, daß es sich dabei um eine ‹reinere› Form des Kapitalismus handelt. – Ich werde später auf diese These zurückkommen. Hier ist vorerst nur zu betonen, was ich an anderer Stelle[5] ausführlicher vertreten habe: Jede apologetische oder stigmatisierende Stellungnahme zur Postmoderne auf kultureller Ebene ist gleichzeitig und notwendig eine implizite oder explizite politische Stellungnahme zum Wesen des heutigen multinationalen Kapitalismus.

Postmoderne als kulturelle Dominante

Eine letzte, methodische Vorbemerkung: Es geht nicht um die Beschreibung eines Stils oder einer kulturellen Bewegung unter anderen. Ich will eine Periodisierung der Postmoderne versuchen, wohl wissend, daß heute das Konzept der historischen Periodisierung höchst problematisch geworden ist. Ich habe an anderer Stelle die Auffassung vertreten, daß jede isolierte oder begrenzte Kulturanalyse stets eine versteckte oder unterdrückte Theorie der historischen Periodisierung impliziert. Auf alle Fälle trägt der Gedanke der ‹Genealogie› weitgehend dazu bei, die verbreiteten Ängste der Theorie in bezug auf die sogenannte ‹lineare› Geschichte, in bezug auf ‹Epochen›-Theorien und eine teleologische Geschichtsschreibung in Grenzen zu halten.

Gegen Periodisierungshypothesen wird häufig eingewendet, daß sie die

Differenzen eher vernachlässigen und die Vorstellung von einer historischen Periode als einem homogenen Ganzen evozieren, das infolge undefinierbarer ‹chronologischer› Metamorphosen Anfang und Ende hat. Eben deshalb scheint es mir wichtig, ‹Postmoderne› nicht als Stilrichtung, sondern als kulturelle Dominante zu begreifen: eine Konzeption, die es ermöglicht, die Präsenz und die Koexistenz eines Spektrums ganz verschiedener, jedoch einer bestimmten Dominanz untergeordneter Elemente zu erfassen.

Die Gegenposition lautet: Postmoderne ist wenig mehr als eine weitere Stufe der Moderne selbst, vielleicht sogar der weit zurückliegenden Romantik. Man kann ohne weiteres zugeben, daß alle Charakteristika der Postmoderne, die ich aufführe, bereits in bestimmten Tendenzen der Moderne in voll ausgeprägter Form zu entdecken sind, einschließlich der erstaunlichen ‹genealogischen› Vorläufer – Gertrude Stein, Raymond Roussel und Marcel Duchamp –, die ohne Bedenken als postmodern ‹avant la lettre› zu bezeichnen sind. Was dabei allerdings unberücksichtigt bleibt, ist der gesellschaftliche Standort dieser früheren Moderne, wurde sie doch von der alten viktorianischen und postviktorianischen Bourgeoisie empört abgelehnt. Man empfand ihre Formen und ihr Ethos als häßlich, dissonant, obskur, skandalös, als unmoralisch, subversiv und prinzipiell ‹gesellschaftsfeindlich›. Das, was sich seitdem auf kulturellem Gebiet verändert hat, läßt diese Haltung heute als anachronistisch erscheinen: Picasso und Joyce sind nicht mehr häßlich, sie kommen uns ganz im Gegenteil als reichlich ‹realistisch› vor. Daraus folgte die allgemeine Kanonisierung und akademische Institutionalisierung der Moderne, die man bis in die späten 50er Jahre zurückverfolgen kann. Das Hervortreten einer *Post*-Moderne kann man recht einfach von dorther erklären. Die junge Generation der 60er Jahre stand der ehemals oppositionellen Moderne als einer Sammlung toter Klassiker gegenüber, die «wie ein Alp auf dem Gehirne der Lebenden» lasten, wie dies mit der Marxschen Formulierung auszudrücken wäre.

Auch für die Revolte der Postmoderne gegen die Tradition läßt sich sagen, daß ihre besondere Anstößigkeit – ihre Obskurität, ihre offene Sexualität, der Psychomüll, die ungeschminkte Verachtung der Gesellschaft und der Politik, die bei weitem alles übertrifft, was die Moderne an Extremen zu bieten hatte – heute niemanden mehr schockiert. All das wird mit größter Selbstgefälligkeit aufgenommen und gilt in institutionalisierter Form als Gütezeichen offizieller westlicher Kultur.

Ästhetische Produktion ist integraler Bestandteil der allgemeinen Warenproduktion geworden. Der ungeheure ökonomische Druck, immer neue Schübe immer neuer Waren (von der Kleidung bis zum Flugzeug) mit steigenden Absatzraten zu produzieren, weist den ästhetischen Innovationen und Experimenten eine immer wichtiger werdende ‹strukturelle› Aufgabe und Funktion zu. Aus den ökonomischen Erfordernissen erklärt sich auch die institutionalisierte Unterstützung der neueren Kunst in jeder nur denkbaren Form – von Stiftungen und Stipendien über Museen und anderes Mäzenatentum. Von allen Künsten steht die Architektur ihrem Wesen nach der Wirtschaft am nächsten. Auftragsvergabe und Grundstückswerte schaffen hier eine direkte Verbindung. Als Ursache der enormen Verbreitung neuerer postmoderner Architektur läßt sich unschwer die Förderung durch multinationale Konzerne ausmachen, deren Expansion und Entwicklung zeitlich parallel zu dieser Architektur verlaufen. Es wird zu zeigen sein, daß beide durchaus neuartigen Phänomene in einer tieferen dialektischen Wechselwirkung zueinander stehen, als die bloße Finanzierung dieses oder jenes Projekts zunächst anzugeben scheint. Festzuhalten ist die Tatsache, daß diese weltweite (und dennoch amerikanische) postmoderne Kultur nichts anderes als den spezifischen Überbau der allerneuesten Welle globaler amerikanischer Militär- und Wirtschaftsvorherrschaft darstellt. Damit erweisen sich, wie stets in der Geschichte der Klassengesellschaft, Blut, Folter, Tod und Katastrophe als die Kehrseite der Kultur.

Eine erste Feststellung zum Konzept der Periodisierung nach ‹Dominanzen› kann getroffen werden. Selbst wenn alle konstitutiven Merkmale der Postmoderne mit denen der Moderne identisch oder aus ihr hervorgegangen wären – eine Position, von der ich glaube, daß sie nachweislich falsch ist, die aber nur in einer ausführlichen Analyse der Moderne selbst zu widerlegen ist –, so wären beide in ihrer gesellschaftlichen Bedeutung und Funktion dennoch deutlich voneinander zu unterscheiden. Die Stellung der Postmoderne im Wirtschaftssystem des Spätkapitalismus ist eine ganz andere, und im übrigen sind die Transformationen des spezifisch kulturellen Bereichs im heutigen westlichen Gesellschaftssystem gänzlich anders zu beschreiben.

Ein anderer Einwand gegen die Periodisierung, zumeist von der Linken geäußert, läuft darauf hinaus, daß mit einer solchen zeitlichen Klassifizierung das Heterogene zum Verschwinden gebracht werde. Dabei schwingt sicher eine eigentümliche (quasi sartresche) Ironie mit, eine Art ‹Der Gewinner verliert›-Logik, die tendenziell jeden Versuch begleitet, ein ‹System› oder eine totalisierende Dynamik in der aktuellen gesellschaftlichen Entwicklung zu beschreiben. Je eindringlicher die Vision eines nach Totalität strebenden Systems oder einer totalitären Logik ist – Foucaults «Überwachen und Strafen» ist hier ein gutes Beispiel –, desto ohnmächtiger fühlt sich der Leser. Indem der Theoretiker durch die Konstruktion seiner Denkmaschine, die immer selbstgenügsamer und erschreckender wird, gewinnt, verliert er doch zugleich; denn die Kritikfähigkeit seiner Arbeit wird gewissermaßen ‹maschinell› lahmgelegt, und die Impulse zur Negation und Revolte (ganz zu schweigen von denen zur Gesellschaftsveränderung) werden angesichts des perfekten Modells zunehmend als sinnlos und trivial empfunden.

Allerdings bin ich der Meinung, daß es nur durch eine begriffliche Bestimmung der jeweils dominierenden kulturellen Logik bzw. der vorherrschenden Norm möglich ist, Differenzen wirklich zu ermessen und zu beurteilen. Dabei nehme ich nicht an, daß mit einem in diesem Sinne erweiterten Begriff der Postmoderne die gesamte heutige Kulturproduktion erfaßt werden könnte. Die Postmoderne ist ein Spannungsfeld, in dem sich sehr unterschiedliche kulturelle Impulse behaupten müssen, z. B. auch das, was Raymond Williams sinnvollerweise als «residuale» und neu «auftauchende» Formen kultureller Produktion bezeichnet hat. Wenn wir keinen Konsens darüber erzielen, was kulturell dominant ist, dann läßt sich Gegenwartsgeschichte nur mehr als reine Heterogenität, willkürliche Differenz und Koexistenz zahlreicher verschiedener Kräfte von unberechenbarer Wirkung begreifen. Die politische Intention meiner Analyse liegt darin, das Konzept einer neuen systemgerechten kulturellen Norm und ihrer Reproduktion so zu entwerfen, daß auf dieser Basis die heute effektivsten Formen einer radikalen Kulturpolitik angemessen reflektiert werden können. Ich werde daher der Reihe nach folgende konstitutive Merkmale der Postmoderne aufgreifen: eine neue Oberflächlichkeit (nach dem Verlust der ‹Tiefendimension›), die sich sowohl auf die zeitgenössische Theorie als auch auf die gesamte neue Kultur des Bildes oder des Simulakrums erstreckt; der daraus resultierende Verlust von Historizität, der sich sowohl in unserem Verhältnis zum allgemeinen Geschichtsverständnis bemerkbar macht als auch in unser neues ‹privates› Zeitverständnis eingreift (dieses Zeitverständnis und seine ‹schizophrene› Struktur gibt, wie Lacan annimmt, neue Muster syntaktischer und syntagmatischer Beziehungen in den vornehmlich temporal operierenden Künsten vor); weiterhin: eine völlig neue, emotionale Grundstimmung, die sich mit dem Wort ‹Intensitäten› beschreiben läßt und die man am besten im Rückgriff auf die altbekannten Theorien des ‹Erhabenen› erfaßt; eine fundamentale Abhängigkeit der genannten Phänomene von einer völlig neuen Technologie, die ihrerseits für ein neues Weltwirtschaftssystem steht. Nach einer knappen Darstellung der Wandlungen des Raumgefühls in den neuen postmodernen Räumlichkeiten sollen noch einige Überlegungen zur Aufgabe der politischen Kunst im verwirrenden neuen Welt-Raum des multinationalen Kapitals angefügt werden.

1. Die Dekonstruktion des ‹Ausdrucks›

Ein Paar Schuhe

Beginnen wir mit einem Standardwerk der modernen Malerei, mit van Goghs Gemälde der Bauernschuhe. Zwei Rezeptionsarten dieses Bildes sind möglich, mit denen der Rezeptionsprozeß auf zwei Ebenen zu rekonstruieren ist. Soll dieses unendlich oft reproduzierte Bild nicht zu reiner Dekoration verkommen, so wäre zunächst die Ausgangssituation zu ermitteln, aus der das fertige Werk hervorgegangen ist. Wird diese historische Situation nicht bewußtseinsmäßig aufgearbeitet, so bleibt das Bild ein ‹träges› Objekt (im Sinne Sartres), ein verdinglichtes Endprodukt und verliert so den Anspruch, als eigenständige symbolische Handlung, als Praxis und als Produktion verstanden zu werden.

Der Begriff Produktion verweist auf eine mögliche Methode, die historische Ausgangssituation zu rekonstruieren. In den Vordergrund zu stellen ist dabei das Rohmaterial und der ursprüngliche Inhalt, mit dem das Werk sich auseinandersetzt, den es bearbeitet, transformiert und sich aneignet. Inhalt und Ausgangsmaterial lassen sich bei van Gogh fassen als die gesamte Objektwelt der Verelendung der Landbevölkerung: als elementare Welt zermürbender Landarbeit, eine Welt, die selbst brutal ist und von außen bedroht, zurückgeblieben und an den Rand gedrängt.

In dieser Welt sind die Obstbäume uralte und verbrauchte Stöcke, die aus unfruchtbarem Boden ragen. Die Bewohner des Dorfes haben ausgezehrte Gesichter, sie sind die Zerrbilder einer geradezu grotesken Typologie elementarer menschlicher Züge. Wie ist es dann möglich – so wäre zu fragen –, daß bei van Gogh aus den Apfelbäumen eine Orgie der Farbkomposition wird und seine Dorf-Stereotypen plötzlich mit Rot- und Grüntönen grell übermalt sind? Man könnte zunächst einmal die gewollte und gewalttätige Transformation einer eintönigen bäuerlichen Objektwelt in die strahlendste Verkörperung reiner Farbe im Medium der Ölmalerei als utopische Geste deuten: als Kompensationshandlung, die ein neuartiges utopisches Reich der Sinne hervorzubringen sucht, wenigstens jedoch ein Reich jenes höchsten Sinnes – des Sehvermögens, des Visuellen, des Auges. Man könnte meinen, so entstehe ein eigener, zum Teil autonomer Raum des Visuellen. Die Privilegierung des Sehvermögens läßt sich als Teil einer neuen Arbeitsteilung ‹im Körper des Kapitals› lesen, als neuartige Fragmentierung der Wahrnehmung, die einerseits auf die Spezialisierung und Zerstückelung in der kapitalistischen Lebenswelt reagiert und dabei andererseits in eben dieser Fragmentierung eine verzweifelte utopische Kompensation sucht.

Vincent van Gogh: Ein Paar Schuhe

Dem gegenüber steht eine zweite Van-Gogh-Lesart, die mit Heideggers «Der Ursprung des Kunstwerkes»[6] in Verbindung gebracht werden kann. Im Mittelpunkt von Heideggers Interpretation der van-Goghschen Bauernschuhe steht die Idee, daß das Kunstwerk in dem «Streite» zwischen Erde und Welt seinen Ursprung hat oder, wie man sagen könnte, in der Spannung zwischen der sinnlosen Materialität von Körper und Natur einerseits, der Sinnverleihung durch Geschichte und Gesellschaft andererseits. Diese Kluft, dieser Riß ist weiterhin zu beachten. Vergegenwärtigen wir uns zunächst einige der berühmten Sätze, in denen Heidegger den Prozeß beschreibt, in dem die bekannten Bauernschuhe allmählich um sich herum die gesamte abwesende Objektwelt entstehen lassen, die einst ihr lebendiger Kontext war: «In dem Schuhzeug», sagt Heidegger, «schwingt der verschwiegene Zuruf der Erde, ihr stilles Verschenken des reifenden Korns und ihr unerklärliches Sichversagen in der öden Brache des winterlichen Feldes ... Zur *Erde* gehört dieses Zeug und in der *Welt* der Bäuerin ist es behütet ... Van Goghs Gemälde ist die Eröffnung dessen, was das Zeug, das Paar

Bauernschuhe in Wahrheit *ist*. Dieses Seiende tritt in die Unverborgenheit seines Seins heraus.»[7] Dies geschieht in der Vermittlung durch das Kunstwerk, das die abwesende Welt und die Erde um sich herum zur Offenbarung treibt und damit auch den schweren Schritt der Bäuerin, die Einsamkeit des Feldweges, die Hütte in der Lichtung, die verbrauchten und zerbrochenen Arbeitsgeräte in der Ackerfurche und am häuslichen Herd. Heideggers Ansicht wäre zu ergänzen durch den Hinweis auf die besondere Materialität des Kunstwerks, seine Transformation der einen Form von Materialität (die Erde, ihre Pfade und ihre physische Gegenständlichkeit) in die andere Materialität des Ölgemäldes, die das Bild nach eigenen Gesetzen konstituiert: in einem nur ihm eigenen visuellen Wohlgefallen.

Diamond Dust Shoes

Die beiden Lesarten des Van-Gogh-Bildes sind hermeneutisch angelegt: Das Werk wird in seinem ‹trägen› Objektcharakter zum Schlüssel oder Symptom für eine umfassendere Realität genommen, die für eine letzte Wahrheit bürgt. Sehen wir uns nun ein anderes ‹Paar Schuhe› an, deren Darstellung wir einem der wichtigsten Vertreter der Kunst der Gegenwart verdanken. Andy Warhols «Diamond Dust Shoes» sprechen uns gewiß nicht mehr mit der bei van Gogh gegebenen Unmittelbarkeit an. Vielleicht muß man sogar sagen, daß dieses Bild überhaupt nicht mehr zu uns spricht. Da ist absolut nichts in diesem Bild, was dem Betrachter einen bestimmten Standpunkt oder Standort zuweisen würde. Dieser sieht sich vielmehr im Museum oder in einer Galerie ganz plötzlich mit der Kontingenz des Bildes, mit seinem unergründlichen, natürlichen Objektcharakter konfrontiert. Auf der Inhaltsebene haben wir es bei diesem Bild – das muß man sehen – mit einem Fetisch zu tun sowohl im Sinne Freuds als auch im Sinne von Marx. (Derrida bemerkte einmal zum Heideggerschen «Paar Bauernschuhe», daß van Goghs Schuhe ein heterosexuelles Paar seien, das weder Perversion noch Fetischbildung zulasse.) Bei Warhol finden wir im Unterschied zu van Gogh eine wahllose Ansammlung toter Objekte, die auf der Leinwand hängen wie ein Bündel Rüben. Sie sind genauso ihrer ehemaligen Lebenswelt beraubt wie der in Auschwitz zurückgebliebene Berg Schuhe oder die Überreste und Andenken einer unbegreiflichen und tragischen Brandkatastrophe in einem überfüllten Tanzlokal. Es ist nicht mehr möglich, diese Überbleibsel in Warhols Bild hermeneutisch auf die lebendige Umgebung des Tanzlokals oder die des Balls, die Modewelt des Jet-set oder der Hochglanz-Illustrierten zurückzubeziehen. Denkt man dabei an die Biographie des Künstlers, so verschärft sich das Paradox; denn Warhol begann seine Karriere als Werbeillustrator für Schuhmoden und als Deko-

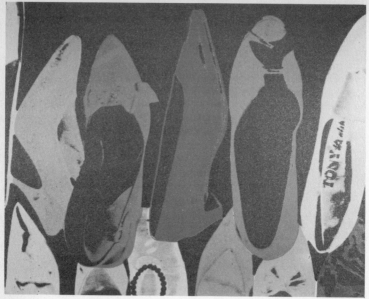

Andy Warhol: Diamond Dust Shoes

rateur von Schaufenstern, in denen Pumps und Slipper ausgestellt waren. Schon hier stoßen wir auf ein zentrales Problem der Postmoderne und deren mögliche politische Implikate. Andy Warhols Arbeiten drehen sich im wesentlichen um nichts anderes als um diese Warenwelt. Die großflächigen Reklamebilder der Coca-Cola-Flasche oder der Campbell's Soup-Can verweisen ausdrücklich auf den Warenfetischismus im Übergang zum Spätkapitalismus und müßten doch eigentlich zu einer kraftvollen und kritischen politischen Aussage in der Lage sein. Wenn sie das aber nicht sind, wüßte man natürlich gern, warum nicht. Anlaß genug, die Möglichkeiten einer politischen bzw. kritischen Kunst im postmodernen Zeitalter des Spätkapitalismus energischer zu bedenken.

Es gibt aber noch andere signifikante Unterschiede zwischen der Hochmoderne und der Postmoderne, zwischen den Schuhen van Goghs und den Schuhen Andy Warhols. Der erste und auffälligste Unterschied ist das Hervortreten einer neuen Flachheit oder Seichtheit, einer neuen Oberflächlichkeit im wortwörtlichen Sinne, die das vielleicht auffälligste formale Charakteristikum aller Spielarten der Postmoderne ist. Des weiteren wäre die Rolle der Fotografie und des fotografischen Negativs/ des Negativen in der Gegenwartskunst zu klären. Denn gerade dies verleiht dem Warhol-Bild seine tödliche Qualität, seine gelackte Röntgenbild-Eleganz, die den vergegenständlichten Blick des Betrachters auf eine Art und Weise erstarren läßt, die allein auf der Inhaltsebene noch nichts mit Tod, Todesbesessenheit oder Todesangst zu tun hat. Es ist tatsächlich so, als hätten wir es hier mit der Umkehrung von van Goghs utopischer Geste zu tun. Bei van Gogh wird die schmerzgebeugte Welt vermittels eines nietzscheanischen Machtwortes und Willensaktes in grelle utopische Farbe transformiert. Bei Warhol dagegen scheint die durch die Angleichung an glänzende Reklamebilder von vornherein korrumpierte und kontaminierte bunte Oberfläche der Dinge abgestreift zu sein, um so das tödliche Schwarz-Weiß des darunterliegenden Fotonegativs zur Geltung zu bringen. Obwohl gerade der Tod in der Welt der Erscheinungen in einigen Werken Warhols thematisch wird (besonders auffällig in den Bildserien von Verkehrsunfällen und vom elektrischen Stuhl), so geht es hier doch nicht mehr um Fragen des Inhalts, sondern um eine fundamentale Wandlung sowohl in der eigentlichen Welt der Objekte, die zu einer Serie von Texten oder Simulakren geworden ist, als auch in bezug auf den Standort und die Eigenart des Subjekts.

Das Schwinden des Affekts

Damit komme ich zu einem dritten Merkmal, das ich als ‹Schwinden des Affekts› in der postmodernen Kultur bezeichnen will. Es wäre natürlich irreführend, behaupten zu wollen, daß Affekte, Gefühle, Emotionen und Subjektivität vollkommen aus Warhols Bild verschwunden seien. In der Tat gibt es in «Diamond Dust Shoes» eine Art Wiederkehr des Verdrängten, eine eigenartig kompensierende, dekorative Heiterkeit, auf die der Titel ausdrücklich verweist, die man aber in der Reproduktion nicht ohne weiteres erkennen kann. Es ist der glitzernde Goldstaub, der glänzende vergoldete Sand, der die Bildoberfläche des Originals versiegelt und den Betrachter dabei dennoch weiterhin anstrahlt. Man denke in diesem Zusammenhang auch an Rimbauds magische Blumen, die ‹den Blick erwidern›, oder an die majestätisch warnenden Blicke von Rilkes archaischem griechischem Torso, die das bürgerliche Subjekt auffordern, sein Leben zu verändern. Nichts von alledem hier, in dieser willkürlichen Frivolität einer letzten, dekorativen Hülle.

Das Schwinden des Affekts in der postmodernen Kultur läßt sich am Beispiel der künstlerischen Darstellung des Menschen am einleuchtendsten beschreiben. Dabei wird deutlich, daß die Bemerkungen zum Warencharakter und zur Verdinglichung in gleichem Maße auf Warhols

menschliche Objekte zutreffen, etwa auf jene Filmstars, die, wie Marilyn
Monroe, zur Ware gemacht und in ihr eigenes Bild transformiert werden.
Auch hierfür läßt sich, wenn auch etwas gewaltsam, eine eindrucksvolle
komprimierte Parabel in der Malerei der frühen Moderne finden. Edvard
Munchs Gemälde «Der Schrei» gilt als kanonisierter Ausdruck der großen Themen der Moderne: Entfremdung, Anomie, Einsamkeit, gesellschaftliche Fragmentierung und Isolation, programmatisch als Emblem
all dessen, was als ‹Zeitalter der Angst› bezeichnet wurde. Dieses Gemälde nun ist nicht nur als Verkörperung des Ausdrucks der genannten
Affekte zu beschreiben, sondern auch als *Dekonstruktion* eben jener Ästhetik des Ausdrucks, die in der Hochmoderne weithin vorherrschte und
in der Welt der Postmoderne aus praktischen und theoretischen Gründen
verschwunden zu sein scheint. Der Begriff ‹Ausdruck› selber setzt eine
Spaltung innerhalb des Subjekts voraus und impliziert jene große Metaphysik des Innen und Außen, des stummen Schmerzes der Monade und
des Augenblicks, in dem die ‹Emotion› kathartisch nach außen projiziert
und entäußert wird: als Geste oder Schrei, als verzweifelter Kommunikationsakt und als nach außen gekehrte Dramatisierung innerer Gefühle.
Die neuere Theorie hat es sich zur Aufgabe gemacht, dieses hermeneutische Modell vom ‹Innen und Außen› anzugreifen und zu verwerfen, es als
ideologisch und metaphysisch zu stigmatisieren. Was man jedoch heute
zeitgenössische Theorie bzw. theoretischen Diskurs nennt, ist – so
möchte ich behaupten – selbst ein Phänomen der Postmoderne. Unan-
gemessen wäre es, den Wahrheitsgehalt theoretischer Erkenntnisse zu
einer Zeit zu verteidigen, in der der Begriff ‹Wahrheit› selbst als metaphysischer Ballast gilt, den die Poststrukturalisten abwerfen wollen. Zumindest können wir festhalten, daß die Kritik der Poststrukturalisten an
der Hermeneutik, d. h. an dem, was ich als ‹Tiefenmodell› bezeichne,
ein signifikantes Symptom der postmodernen Kultur ist, um die es hier
geht.

Neben dem hermeneutischen Modell vom Innen und Außen, das
Munchs Bild entfaltet, gibt es mindestens vier andere grundlegende ‹Tiefenmodelle›, die von der neueren Theorie prinzipiell abgelehnt werden:
das dialektische Modell von Wesen und Erscheinung (einschließlich des
gesamten Spektrums der Begriffe Ideologie und falsches Bewußtsein),
das Freudsche Modell vom Latenten und Manifesten bzw. der Verdrängung (Angriffsziel von Michel Foucaults programmatischer Streitschrift
«La volonté de savoir»[8]), das existentialistische Modell von Authentizität
und Nichtauthentizität, dessen heroische und tragische Themen eng zusammenhängen mit jener anderen großen Opposition von Entfremdung
und Versöhnung (was von Poststrukturalismus und Postmoderne gleichermaßen als erledigt betrachtet wird), und schließlich, als jüngstes unter den abzulehnenden Modellen, die große semiotische Opposition von

Edvard Munch: Der Schrei (Lithographie)

Signifikant und Signifikat, die schon während ihres kurzen Höhenfluges in den 60er und 70er Jahren rapide aufgelöst und ‹dekonstruiert› wurde. Diese verschiedenen ‹Tiefenmodelle› werden weitgehend durch Praktiken, Diskurse und ein textuelles Spiel abgelöst, deren neue syntagmatische Strukturen noch zu untersuchen sind. An dieser Stelle mag der Hinweis genügen, daß hier ebenfalls Tiefe durch Oberfläche bzw. eine Vielzahl von Oberflächen ersetzt wird. Auch das, was man ‹Intertextualität› nennt, hat nichts mehr mit Tiefe im eigentlichen Sinne zu tun.

Die Rede von der Tiefenlosigkeit ist nicht nur metaphorisch zu verstehen. Sie kann körperlich und konkret von einem jeden erfahren werden, der z. B. im Zentrum von Los Angeles, von den großen Chicano-Märkten aus, Raymond Chandlers ehemaligen Beacon Hill erklimmt und plötzlich der gigantischen, freistehenden Mauer des Crocker Bank Center (Skidmore, Owings und Merrill) gegenübersteht – einer Fläche, die scheinbar von keiner Masse getragen wird und deren vermeintliche Form (rechteckig? trapezförmig?) mit bloßem Auge kaum bestimmt werden kann. Diese große Fensterfläche in ihrer sich der Schwerkraft widersetzenden Zweidimensionalität verwandelt augenblicklich den festen Boden, auf dem man steht, in Bilder aus einem Stereoptikum. Nur mehr Umrisse von Kulissen scheinen uns hier zu umgeben. Gleichgültig, von welchem Winkel aus betrachtet, bleibt der visuelle Effekt immer der gleiche, in ähnlicher Weise verhängnisvoll wie der große Monolith in Kubricks Film «2001» dem Betrachter als rätselhaftes Schicksal erscheint: als Aufforderung zur Evolution in der Mutation. Diese neue multinationale Innenstadt von Los Angeles (auf die wir später in anderem Zusammenhang zurückkommen werden) hat die ältere, verfallene Stadtstruktur gründlich zerstört und sich gewaltsam an ihre Stelle gesetzt. Ähnliches läßt sich auch über die Kompromißlosigkeit sagen, mit der eine fremde neue Oberfläche unsere gewohnte Art der Stadtwahrnehmung als anachronistisch und sinnlos erscheinen läßt, ohne jedoch dafür einen Ersatz anzubieten.

Euphorie und Selbstzerstörung

Kehren wir noch einmal zu Munchs Gemälde zurück. Offensichtlich dekonstruiert «Der Schrei» kunstvoll die ihm eigene Ästhetik des Ausdrucks und bleibt ihr dennoch verhaftet. Der gestische Inhalt des Bildes unterstreicht vorab das eigene Scheitern, da die Sphäre des Klanglichen, des Schreis, der rauhen Vibration der menschlichen Kehle unvereinbar ist mit dem Medium der Malerei (im Bild selbst hervorgehoben durch die fehlenden Ohren des Homunkulus). Doch der abwesende Schrei nähert sich wieder der erst recht abwesenden Erfahrung entsetzlicher Ein-

samkeit und Angst, der er zum ‹Ausdruck› verhelfen sollte. Derartige
Volten schreiben sich als große konzentrische Kreise in die gemalte Oberfläche ein, in denen die klangliche Vibration schließlich doch sichtbar
wird, ähnlich den Kreisen, die sich auf dem Wasser ausbreiten – in einer
unendlichen Regression, die vom Leidenden ausgeht, um zur Geographie
eines Universums zu werden, in dem der Schmerz selbst durch den zum
Material gewordenen Sonnenuntergang und durch die Landschaft spricht
und vibriert. Die sichtbare Welt wird so zur Wand der Monade, auf der
dieser «die Natur durchdringende Schrei» (Munch) aufgezeichnet und
transkribiert wird. Das erinnert an die Figur Lautréamonts, die, aufge-
wachsen in einer versiegelten und stillen Membran, beim Anblick der
monströsen Gottheit diese Membran mit ihrem eigenen Schrei zersprengt
und dadurch wieder Zutritt zur Welt des Klanges und des Leidens hat.

Beobachtungen wie diese führen zu einer verallgemeinernden historischen Annahme: Begriffe wie Angst und Entfremdung (einschließlich
der damit korrespondierenden Erfahrungen wie in Munchs Bild) sind
der Welt der Postmoderne offenbar nicht mehr angemessen. Die großen
Warhol-Figuren wie Marilyn Monroe oder Edie Sedgewick, die berühmt-
berüchtigten Fälle von Exzeß und Selbstzerstörung vom Ende der
60er Jahre und die dominierenden neuen Erfahrungen mit Drogen und
Schizophrenie: all diese Phänomene scheinen nicht mehr viel gemeinsam
zu haben mit den Hysterien und Neurosen aus Freuds Tagen noch mit
der üblichen Erfahrung extremer Isolation und Einsamkeit, mit Anomie,
privater Revolte oder van-Goghschem Wahnsinn, die die klassische
Moderne geprägt haben. Diese Verschiebung in der Dynamik der kulturellen Pathologie kann daher als Substitution des *entfremdeten* Subjekts
durch das *fragmentierte* Subjekt definiert werden.

Diese Begriffe richten zwangsläufig die Aufmerksamkeit auf eines der
gängigen Modethemen zeitgenössischer Theorie: den ‹Tod› des Subjekts
als das Ende der autonomen bürgerlichen Monade, des Ichs bzw. des Individuums. Damit einher geht eine Betonung der ‹Dezentrierung› des ehemals einheitlichen Subjekts oder der Psyche, die entweder als neue ethische Norm oder einfach als empirische Tatsache aufgefaßt wird. Dazu gibt
es zwei mögliche Versionen des gleichen Gedankens: Zum einen die historische Version, daß ein früher, im Zeitalter des klassischen Kapitalismus und der Kleinfamilie existierendes ‹zentriertes› Subjekt sich heute,
im Zeitalter des bürokratischen Apparats, aufgelöst hat; zum andern die
radikalere poststrukturalistische Position, welche die reale Existenz eines
solchen Subjekts für jede Epoche abstreitet und darin nur ein ideologi-
sches Trugbild sieht. In meiner Analyse neige ich eher zur historischen
Version des Gedankens. Die poststrukturalistische Position müßte wohl
zumindest so etwas wie die ‹Realität der Erscheinung› in Betracht ziehen.

Das Problem des Ausdrucks steht bei alledem in engem Zusammenhang mit einer Vorstellung vom Subjekt als monadenähnlichem Gefäß, in dem etwas gefühlt wird, das dann durch Projektion nach außen entäußert werden kann. Es müßte erforscht werden, inwieweit der der klassischen Moderne zuzurechnende Begriff des einmaligen Stils (im Zusammenhang damit die kollektiven Ideale künstlerischer oder politischer Avantgarde) steht oder fällt mit jener älteren Vorstellung bzw. Erfahrung des sogenannten ‹zentrierten› einheitlichen Subjekts.

Munchs Bild stellt eine komplexe Reflexion dieser schwierigen Konstellation dar. Es zeigt, daß der ‹Ausdruck› auf eine Kategorie der individuellen Monade zurückgeht; aber es zeigt auch, welch hoher Preis für dieses ‹Davor› zu zahlen ist. Das Bild dramatisiert ein melancholisches Paradoxon: Konstituiert man seine individuelle Subjektivität als sich selbst genügende und geschlossene Einheit, so ist man eben dadurch von allem anderen abgetrennt und zur Einsamkeit der fensterlosen Monade verdammt, lebendig begraben und in ein Gefängnis ohne Ausgang verbannt.

Die Postmoderne verkündet nun das Ende dieses Dilemmas und ersetzt es durch ein neues. Das Ende des bürgerlichen Ichs, der Monade, bedeutet selbstredend auch das Ende der Psychopathologien dieses Ichs, das, was ich verallgemeinernd als ‹Schwinden des Affekts› bezeichnet habe. Gleichzeitig leitet diese ‹Verendung› des Ichs auch das Ende vieler anderer Erscheinungen ein, zum Beispiel das Ende eines Stilbegriffs im Sinne des Einmaligen und Persönlichen oder, in der Malerei, das Ende der unverwechselbaren individuellen Pinselführung infolge des Primats mechanischer Reproduktion. Was Ausdruck, Gefühl oder Emotion betrifft, so mag die Befreiung von der ‹Anomie› des zentrierten Subjekts nicht nur eine Befreiung von Angst, sondern eine Befreiung von jeder Art von Gefühl sein, da es kein Subjekt mehr gibt, das da fühlen könnte. Das heißt nicht, daß die kulturellen Produkte der postmodernen Ära vollkommen ‹gefühllos› sind, sondern eher, daß Gefühle, die besser und genauer als ‹Intensitäten› zu fassen sind, sozusagen im Raum frei flottieren, nicht mehr personengebunden sind und überdies von einer merkwürdigen Euphorie überlagert werden (auf die ich am Ende dieses Essays noch einmal zurückkommen möchte).

Das Schwinden des Affekts könnte auch im engeren Kontext der Literaturkritik beschrieben werden als Schwinden der klassisch-modernen Thematik von Zeit und Zeitlichkeit, dem ‹elegischen› Geheimnis von ‹durée› und Gedächtnis: Kategorien der Literaturkritik, die mit dem Begriff der klassischen Moderne wie mit ihren Werken in Zusammenhang stehen. Es ist oft gesagt worden, daß wir in einer Zeit der *Synchronie* und nicht der *Diachronie* leben, und ich glaube, daß man in der Tat empirisch nachweisen kann, daß unser Alltag, daß unsere psychischen Erfahrungen und die Sprachen unserer Kultur heute – im Gegensatz zur vorangegangenen Epoche der ‹Hochmoderne› – eher von den Kategorien des Raums als von denen der Zeit beherrscht werden.

2. Die Postmoderne und die Vergangenheit

Das Pastiche bringt die Parodie zum Verschwinden

Mit dem Verschwinden des individuellen Subjekts und damit auch des persönlichen Stils wurde der heute fast inflationäre und universale Gebrauch des Pastiche möglich: eine Kunst der Imitate, denen ihr Original entschwunden ist. Eine begriffliche Vorstellung vom Pastiche kann man Thomas Manns Roman «Doktor Faustus» entnehmen, der diese seinerseits (dem Gehalt nach, denn der Begriff ‹Parodie› bleibt bestehen; Anm. d. Übers.) Adornos Schrift über die zwei Richtungen avancierter experimenteller Musik[9] verdankt (Schönbergs innovative Technik der vollständigen Integration aller musikalischer Dimensionen; Strawinskys irrationaler Eklektizismus). Pastiche in diesem Sinne muß scharf abgesetzt werden von dem viel breiter verwendeten Begriff der Parodie.

Die Parodie fand vor allem in den Idiosynkrasien der Autoren der Moderne und deren ‹unnachahmlichem› Stil ein willkommenes Betätigungsfeld: in Faulkners langen Sätzen voller atemberaubender Gerundien, in der Natursymbolik von D. H. Lawrence, die durchsetzt ist mit gereizter Umgangssprache, in Wallace Stevens' hartnäckiger Hypostase nichtsubstantivisch gebrauchter Sprachpartikel (die ausgeklügelte Vermeidung des *Wie*), in Mahlers schicksalhaften, letztlich aber voraussehbaren Stürzen vom hohen Orchesterpathos in ein ländliches Akkordeon-Sentiment, in Heideggers meditativ-feierlichem Gebrauch falscher Etymologien als besondere Art der ‹Beweisführung› ... Alle diese Beispiele scheinen recht ‹typisch› zu sein, insofern sie allesamt beharrlich von einer Norm abweichen, die sich dann allerdings wiederherstellt in der systematischen, nicht unbedingt bösartigen Mimikry ihrer vorsätzlichen Exzentrizitäten.

In einem dialektischen Sprung von Quantität zu Qualität folgt auf das Auseinanderbersten der modernen Literatur in eine Vielzahl individueller persönlicher Stile und Manierismen die Sprachfragmentierung des gesellschaftlichen Lebens überhaupt, und zwar bis zu einem Punkt, an dem die Norm selbst zum Verschwinden gebracht wird. Sprache wird reduziert auf ein neutrales und verdinglichtes Medium (weit entfernt von den utopischen Hoffnungen der Väter von Esperanto oder ‹Basic English›) und ist damit zu einem unter vielen Idiolekten geworden. Aus den Stilcharakteri-

stika der Moderne werden postmoderne Codes. Und daß sowohl die hor-
rende Wucherung der gesellschaftlichen Codes in der Geschäftswelt und
in den Fachjargons wie auch die plakativen Bekenntnisse zur ethnischen
Gruppe, zum Geschlecht, zur Rasse, Religion und Klassenzugehörigkeit
ein *politisches* Phänomen darstellen, eben dies demonstrieren nicht zuletzt die Schwierigkeiten und die Probleme einer alternativen Politik.
Wenn früher die dominante (oder hegemoniale) Ideologie der bürgerlichen Gesellschaft von den Vorstellungen der herrschenden Klasse geprägt wurde, so sind heute die avancierten kapitalistischen Länder zum
Spielfeld einer stilistischen und diskursiven Heterogenität ohne Norm geworden. Gesichtslose Herren bestimmen immer noch die ökonomischen
Strategien, die unser Leben einengen; sie sind aber nicht länger genötigt,
uns ihre eigene Sprache aufzuzwingen (oder sie sind gar nicht mehr dazu
in der Lage). Und der neue Analphabetismus in der spätkapitalistischen
Welt reflektiert nicht nur die Abwesenheit eines großen kollektiven Ziels,
sondern auch die Tatsache, daß die älteren Sprachen der nationalen Kulturen nicht mehr zur Verfügung stehen.

In dieser Situation findet die Parodie, verstanden als parodistischer
Umgang mit einem Original, kein Betätigungsfeld mehr. Sie hat sich
überlebt, und die seltsam neue Erscheinung des Pastiche, die Imitationskunst, nimmt langsam ihren Platz ein. Pastiche und Parodie sind Imitatio-
nen einer eigentümlichen Maske, Sprechen in einer toten Sprache.
Pastiche ist die neutrale Praxis dieser Mimikry ohne die an ein Original
gebundenen tieferliegenden Beweggründe der Parodie, ohne satirischen
Impuls, ohne Gelächter und ohne die Überzeugung, daß außerhalb der
vorübergehend angenommenen mißgestalteten Rede noch so etwas wie
eine gesunde linguistische Normalität existiert. Das Pastiche ist aus-
druckslose Parodie, eine Statue mit leeren Augenhöhlen: Es verhält sich
zur Parodie, wie sich jenes andere interessante und historisch einmalige
Phänomen der Moderne, die Praxis einer leer und ausdruckslos gewordenen Ironie, zur «wertbeständigen Ironie» des achtzehnten Jahrhunderts
(im Sinne von Wayne Booth[10]) verhält.

Es hat den Anschein, als sei Adornos Prophezeiung wahr geworden,
allerdings auf negative Weise: Nicht Schönberg (dessen kompositorische
Sterilität Adorno durchaus nicht verborgen blieb), sondern Strawinsky ist
der wahre Vorläufer postmoderner Kulturproduktion. Denn seit dem Zusammenbruch jener Ideologie der Moderne, die den Stil für ebenso einmalig und unverwechselbar hielt wie die eigenen Fingerabdrücke, für so
einzigartig wie den eigenen Körper, können sich die Kulturproduzenten
nur noch der vollendeten Vergangenheit zuwenden: der Imitation toter
Stile, der Rede durch all die Masken und Stimmen, die im imaginären
Museum einer neuen weltweiten Kultur lagern.

Der ‹Historizismus› löscht die Geschichte aus

Diese Lagebestimmung gilt offensichtlich auch für das Phänomen des ‹Historizismus›, zumal in der Architektur. Hier dominieren die willkürliche Plünderung aller Stilrichtungen der Vergangenheit, das Spiel mit zufälligen stilistischen Anspielungen und, allgemeiner gesprochen, das wachsende Primat des ‹Neo› (wie Henri Lefebvre es nennt). Die Allgegenwart des Pastiche schließt allerdings weder einen gewissen Humor aus, noch ist dies völlig leidenschaftslos. Die im Pastiche-Begriff gefaßte permanente Imitation bezeugt die historisch neuartige Konsumgier auf eine Welt, die aus nichts als Abbildern ihrer selbst besteht und versessen ist auf Pseudo-ereignisse und ‹Spektakel› jeglicher Art (so etwa die ‹Situationisten›). Für diese Erscheinungen bietet sich Platons Begriff des ‹Simulakrum› an: die identische Kopie von etwas, dessen Original nie existiert hat. Die Kultur des Simulakrum tritt in einer Gesellschaft ins Leben, in der der Tauschwert so weit generalisiert wurde, daß sogar die Erinnerung an Gebrauchswerte erloschen ist – eine Gesellschaft, für die Guy Debord in seinem Buch «The Society of the Spectacle» den treffenden Satz geprägt hat, daß in ihr «das Bild zur endgültigen Form der Verdinglichung durch den Warenfetischismus geworden ist»[11].

Es steht zu erwarten, daß die neue räumliche Logik des Simulakrum sich folgenschwer auf die Erfahrung der historischen Zeit auswirken wird. Vergangenheit selbst wird dabei modifiziert. Was im historischen Roman, wie Lukács ihn definiert, die organische Genealogie des kollektiven bürgerlichen Projekts ausmacht und was heute noch für die (rettende) Geschichtsschreibung eines E. P. Thompson[12], für die amerikanische «Oral History» und für die Wiedererweckung der toten Helden verborgener oder zum Schweigen gebrachter Generationen die Dimension der Retrospektive ist, mit deren Hilfe unserer gemeinsamen Zukunft eine neue Richtung gegeben werden kann, ist mittlerweile zu einer unüberschaubaren Bildersammlung geworden, zu einem äußerst vielfältigen fotografischen Simulakrum. Guy Debords effektvoller Ausspruch paßt daher besser noch auf die ‹Vorgeschichte› einer geschichtslosen Gesellschaft, deren mutmaßliche Vergangenheit wenig mehr als eine Serie angestaubter Spektakel ist. Loyal und konform mit der poststrukturalistischen Sprachtheorie wird die Vergangenheit als ‹Referent› schrittweise in Klammern gesetzt, bis sie schließlich ganz ausgelöscht ist und uns nur mehr ‹Texte› hinterläßt.

Die Nostalgie-Welle

Die derzeit zu beobachtende Entwicklung fällt keineswegs zusammen mit Indifferenz und Teilnahmslosigkeit. Ganz im Gegenteil ist eine auffällige Art der Intensivierung feststellbar in der Sucht nach fotografischen Bil-

dern: ein greifbares Symptom für einen allgegenwärtigen, alles ver-
schlingenden und geradezu libidinös besetzten Historizismus. Architekten verwenden den recht vieldeutigen Begriff ‹Historizismus› für den
(selbst)gefälligen Eklektizismus der postmodernen Architektur, die willkürlich und prinzipienlos, aber mit Gusto die architektonischen Stilrichtungen der Vergangenheit ausschlachtet und sie zu überstimulierten
Formkompositionen zusammenfügt. Hier von Nostalgie zu sprechen ist
gewiß nicht zureichend, um diese aktuelle Faszination zu begreifen (besonders dann nicht, wenn man vergleichsweise an die der Moderne
eigene ‹Nostalgie› und deren Schmerz über eine nur ästhetisch wiederzu-
belebende Vergangenheit denkt). Aufmerksamkeit gebührt in jedem
Falle den derzeit verbreitetsten kulturellen Manifestationen des Historizismus in der kommerziellen Kunst: den sogenannten ‹Nostalgie-Filmen›
(la mode rétro).

In diesen Filmen wird die ganze Imitationskunst des Pastiche neu strukturiert und auf eine kollektive und gesellschaftliche Ebene projiziert. Der
verzweifelte Versuch, sich die verlorene Vergangenheit anzueignen, wird
dabei gebrochen durch das, was die wechselnden Moden diktieren,
ebenso durch die neu aufgekommene Ideologie der Geschichtserzählung
in der Form der ‹Generationen›-Geschichte. Die heute faszinierende verlorene Realität der Eisenhower-Ära z. B. wurde zuerst in dem Film
«American Graffiti» von 1973 eingefangen. Man könnte fast glauben, daß
zumindest für die Amerikaner die 50er Jahre ein privilegiertes Wunschobjekt geblieben sind. Es faszinieren nicht nur die Stabilität und der Wohlstand der Pax Americana, sondern auch die ersten naiv-unschuldigen Impulse der Gegenkultur, früher Rock ’n’ Roll und Jugendgangs. Francis
Coppolas Film «Rumble Fish» ist ein Requiem auf deren Verschwinden,
wurde aber selbst, im Widerspruch dazu, in reinem Nostalgie-Stil produziert. Diesem ersten Durchbruch folgte die ästhetische Kolonisierung
weiterer ‹Generationen›, so zu sehen in der stilistischen Aufarbeitung der
30er Jahre in den USA und in Italien, z. B. in Polanskis «Chinatown» und
in Bertoluccis «Il Conformista». Interessanter, aber auch problematischer
sind dabei letztlich die Bestrebungen, durch diesen neuen Diskurs unsere
Gegenwart oder die unmittelbare Vergangenheit bzw. eine weiter zurück-
liegende Epoche der Geschichte, die aus der individuellen Erinnerung
verschwunden ist, in Besitz zu nehmen.

Angesichts dieser Phänomene, die auf eine letzte und äußerste Konta-
mination unserer gesellschaftlichen, geschichtlichen und existentiellen
Gegenwart mit der Vergangenheit als ihrem ‹Referenten› abzielen, wird
die Inkompatibilität der postmodernen ‹nostalgischen› Kunstsprache mit
einer authentischen Historizität auf dramatische Weise sichtbar. Diese
Kontraktion löst im als postmodern zu bezeichnenden Erzählmodell
einen ebenso komplexen wie animierenden Erfindungsreichtum des For-

malen aus. Natürlich war der Nostalgie-Film nie auf eine altmodische ‹Repräsentation› historischer Inhalte aus. Er nähert sich der ‹Vergangenheit› vielmehr durch stilistische Konnotationen: Qualitäten der ‹Vergangenheit› (‹pastness›) werden dabei durch Hochglanzbilder und Modeattribute vermittelt. Dies erinnert an Roland Barthes' «Mythen des Alltags»: Konnotation wird hier definiert als Vermittlung imaginärer und stereotyper Ideale.[13]

An Lawrence Kazdans elegantem Film «Body Heat» läßt sich diese Art der kaltschnäuzigen Kolonialisierung von Gegenwartsgeschichte durch die Nostalgie-Welle exemplarisch studieren. Es ist dies unter dem Etikett ‹Wohlstandsgesellschaft› ein entferntes Remake von James M. Cains «The Postman Always Rings Twice». Der Ort der Handlung ist eine Kleinstadt in Florida, nicht weit von Miami. Die Bezeichnung ‹Remake› ist allerdings insoweit unzutreffend und anachronistisch, als unser Wissen um all die früheren Versionen (Verfilmungen des Romans und der Roman selbst) nun zum konstitutiven und wesentlichen Bestandteil der Struktur dieses neuen Films gemacht wird. Anders gesagt: Wir selbst finden uns wieder in der ‹Intertextualität› des Films, und zwar als bewußt eingeplanter Bestandteil des ästhetischen Effekts. Die Konnotationen von ‹Vergangenheit› und pseudohistorischer Tiefe werden so auf eine neue Art funktionabel. Die ‹wirkliche› Geschichte wird durch die Geschichte verschiedener Stile ersetzt.

Von der ersten Einstellung an wird in diesem Film mit Hilfe eines ganzen Spektrums ästhetischer Zeichen alles, was an unsere Gegenwart erinnern könnte, in eine andere Zeit zurückversetzt. Die Art-deco-Schriftzüge des Vorspanns zum Beispiel dienen dazu, den Zuschauer auf eine angemessene ‹nostalgische› Rezeptionshaltung einzustimmen (Art-deco-Zitate in der zeitgenössischen Architektur, z. B. das Eaton Center in Toronto, haben ungefähr die gleiche Funktion). Gleichzeitig wird ein anderes Spiel der Konnotationen durch vieldeutige (aber rein formale) Verweise auf den institutionalisierten Starkult aktiviert. Der Hauptdarsteller, William Hurt, gehört zu einer neuen Generation von Filmstars, die sich deutlich von der früheren Garde männlicher Superstars wie Steve McQueen oder Jack Nicholson (oder noch früher Marlon Brando) unterscheidet. Diese früheren Stars formten ihre diversen Filmrollen vermittels ihrer allgemein bekannten ‹off-screen›-Persönlichkeit, die oft viel mit Rebellion und Nonkonformismus zu tun hatte. Die neuere Generation der Hauptdarsteller und Stars übernimmt zwar die konventionellen Funktionen des Stars, insbesondere die Verkörperung von Sexualität, aber nicht mehr die ‹Persönlichkeit› im alten Sinne. Eher demonstriert man die Anonymität eines Charakterdarstellers (worin Schauspieler wie Hurt eine enorme Virtuosität erreichen, die jedoch eine ganz andere ist als bei Brando oder Olivier). Dieser, wenn man so will, ‹Tod des Subjekts› in der ‹Institution Filmstar› eröffnet die Möglichkeit des Spiels mit Verweisen auf historisch frühere Rollen (in diesem Fall die mit Clark Gable assoziierte Rolle), so daß dann der bloße Stil der schauspielerischen Darstellung ebenso als Konnotat der Vergangenheit fungieren kann.

Mit viel Geschick wurde der Schauplatz der Filmerzählung «Body Heat» strategisch so ins Bild gebracht, daß fast alle Zeichen wegfallen, die auf die heutige multinationale Realität der USA verweisen. Mit der Kleinstadtszenerie wird die Hochhauslandschaft der 70er und 80er Jahre ausgeblendet (obwohl es in einer Schlüsselepisode um die fatale Zerstörung älterer Gebäude durch die Bodenspekulation geht). Die heutige Objektwelt der Gebrauchsgegenstände und Instrumente, der Autos, deren Styling sofort einen Hinweis zur Datierung der Bilder gäbe, wird sorgfältig vermieden. Alles in diesem Film ist darauf angelegt, das Zeitgenössische und Öffentliche zu verschleiern, und zwar mit dem Ziel, dem Zuschauer zu suggerieren, die Handlung spiele in irgendwelchen ‹ewigen› 30er Jahren, außerhalb der real-historischen Zeit. Die Annäherung an die Gegenwart über die Kunstsprache des Simulakrums und des Pastiche einer zum Stereotyp gemachten Vergangenheit verleiht der gegenwärtigen Realität, der ‹Offenheit› der historischen Gegenwart den Zauber und die Distanz eines schimmernden Trugbildes. Und diese bezaubernde neue Ästhetik ist dann selbst ein Symptom für das Schwinden von Historizität: unseres Vermögens, Geschichte aktiv und produktiv zu erfahren. Dabei kann man nicht einmal sagen, daß diese neue Ästhetik die ihr eigene Verschleierung der Gegenwart aus eigener formaler Kraft hervorbrächte. Vielmehr veranschaulicht sie in ihrer inneren Widersprüchlichkeit nur die Ungeheuerlichkeit einer historischen Situation, in der wir offensichtlich zunehmend unfähig sind, unsere laufenden Erfahrungen zu artikulieren.

Was wird aus der ‹wirklichen› Geschichte?

‹Wirkliche› Geschichte, was immer man darunter verstehen mag, war der Gegenstand des traditionellen historischen Romans. Das postmoderne Schicksal dieses älteren Genres läßt sich an Hand des Werks eines der wenigen heute in den USA schreibenden innovativen linken Autors verfolgen, bei einem Autor, dessen Bücher von Geschichte im eher traditionellen Sinn leben und ein Epos der amerikanischen Geschichte in der Abfolge der Generationen umreißen. E. L. Doctorows «Ragtime»[14] gibt sich, ‹offiziell› betrachtet, als Panorama der ersten zwei Jahrzehnte dieses Jahrhunderts. Sein neuester Roman «Loon Lake»[15] behandelt die 30er Jahre und die große Depression; «The Book of Daniel»[16] konfrontiert auf schmerzhafte Weise die große Zeit der alten und der neuen Linken in den USA: den Kommunismus der 30er/40er Jahre und den Radikalismus der 60er Jahre.

«The Book of Daniel» ist unter den drei bedeutenden historischen Romanen Doctorows nicht der einzige, der auf der Erzählebene die Verbindung herstellt zwischen der Gegenwart von Leser und Autor und der zurückliegenden historischen Realität, also dem Romangeschehen. Der verblüffende Schluß von «Loon Lake» bewirkt eben dies. Interessant ist, daß in der Erstfassung des Romans «Ragtime» der erste Satz den Leser ausdrücklich in die Gegenwart versetzt, in das Haus des Autors in New Rochelle im Staate New York, das dann sofort zum Schauplatz seiner eigenen imaginären Geschichte aus der Zeit um die Jahrhundertwende wird. Dieses Detail wurde im später veröffentlichten Text unterschlagen. Damit aber wird der Roman gewissermaßen symbolisch aus seiner Verankerung gelöst und treibt nun in eine neue Welt historischer Vergangenheit, die zur historischen Gegenwart in einer undefinierbaren Beziehung steht. Man kann dies so verstehen, daß der Roman sich ‹frei macht› von Geschichte. Und dieser Gestus entspricht durchaus der Tatsache, daß offenbar kein organischer Zusammenhang mehr gegeben ist zwischen einem Schulwissen von der amerikanischen Geschichte, der von den Medien hergestellten ‹lebendigen› Erfahrung in einer Großstadt und unserem eigenen Alltagsleben.

Noch in anderen eigentümlichen Formelementen ist die ‹Krise der Historizität› in Doctorows Text eingeschrieben. Gegenstand des Romans ist die Übergangszeit von Anarchismus und Gewerkschaftspolitik in den USA vor dem Ersten Weltkrieg (die großen Streiks) zur Ära technischer Erfindungen und neuer Warenproduktion in den 20er Jahren (der Aufstieg Hollywoods und der Warenästhetik). Das in den Roman eingefügte Michael-Kohlhaas-Motiv, die seltsam-tragische Episode vom Aufbegehren des schwarzen Protagonisten, ist als ein mit dem historischen Prozeß verknüpftes Moment zu denken. Doctorows *dezentrierte* Erzählung sollte man nicht so interpretieren, daß man ihr eine thematische Kohärenz zuschreibt, die sie nicht hat. Zu zeigen ist dagegen, daß die Lesart, die uns dieser Roman aufzwingt, es praktisch unmöglich macht, die gewissermaßen ‹geschichtsoffiziösen› Themen zu greifen und thematisch festzulegen. Diese schweben sozusagen über dem Text und können daher nicht in die Lektüre integriert werden. In diesem Sinn widersetzt sich der Roman der Interpretation. Er ist formal so konstruiert, daß er frühere Auffassungen von der gesellschaftlichen und historischen Realität dem Leser immerzu anbietet und wieder entzieht, dann aber bewußt kurzschließt. Die Verweigerung der Interpretation ist eine Grundkomponente der poststrukturalistischen Theorie. Unter diesem Aspekt drängt sich die Schlußfolgerung auf, daß Doctorow die sich hieraus ergebende Spannung und diesen Widerspruch vorsätzlich in den Strom seiner Sätze eingebaut hat.

Doctorows Roman «Ragtime» bringt Figuren der amerikanischen Geschichte en masse ins Spiel, von Teddy Roosevelt bis Emma Goldman, von Harry K. Thaw und Stanford White bis J. Pierpont Morgan und Henry Ford und natürlich Houdini, der eine recht zentrale Rolle hat. Diese historischen Figuren werden in der Romanfiktion mit einer erfundenen Familie in Zusammenhang gebracht, für die nur eine einfache Rollenverteilung als ‹Vater›, ‹Mutter›, ‹jüngerer Bruder› zur Verfügung steht. Seit Walter Scott mobilisiert der historische Roman ein Vorwissen, das in der Regel aus den Geschichtslehrbüchern stammt, die zur Legitimation und Identifikation mit der nationalen Geschichte verfaßt wurden. Darauf gründet sich eine narrative Dialektik zwischen dem, was wir schon vorher wußten, und dem, was wir aus der Darstellung im Roman erfahren. Doctorows Erzählstrategie ist jedoch noch radikaler: Es läßt sich feststellen, daß das Erzählpersonal beider Gruppen – die historischen Figuren und die typisierten Familienrollen – systematisch so gezeichnet wird, daß alle Figuren als verdinglicht erscheinen müssen. Wir sehen diese Figuren nicht anders als durch den Filter eines vorher erworbenen Wissens, durch das Destillat des ihnen vorauseilenden Ruhms. Der Text erweckt so ein permanentes Gefühl von déjà-vu und eigentümlicher Vertrautheit, das man eher mit Freuds «Wiederkehr des Verdrängten»[17] in Verbindung bringen könnte als mit einer soliden historiographischen Vorbildung des Lesers.

Verlust einer radikalen Deutung von Vergangenheit

Eine Schlußfolgerung steht noch aus. Die Sätze, in denen und durch die all dies in Doctorows Roman geschieht, haben ihre eigene Besonderheit. Von diesem Beispiel ausgehend, können wir nun etwas präziser zwischen dem elaborierten und persönlichen Stil der Autoren der Moderne und der in einem Roman wie diesem wirksamen linguistischen Innovation unterscheiden. Letztere ist alles andere als ‹persönlich›, sondern entspricht eher dem, was Roland Barthes schon früh die «écriture blanche»[18] genannt hat. Doctorow hat sich in «Ragtime» ein besonders strenges Selektionsprinzip auferlegt, das nur einfache Aussagesätze (vorwiegend mit dem Verb *sein*) zuläßt. Der daraus resultierende Effekt hat nichts mit einer herablassenden Simplifizierung zu tun oder mit der symbolischen Behutsamkeit, wie man sie aus der Kinderliteratur kennt. Die Wirkung dieser Sätze ist durchaus beunruhigend. Man spürt unterschwellig den gewaltsamen Umgang mit dem amerikanischen Englisch, was man jedoch in den grammatikalisch korrekten Sätzen, aus denen dieses Werk zusammengesetzt ist, nicht empirisch nachweisen kann. Noch ganz andere, auffälligere schreibtechnische Innovationen können einen Hinweis darauf geben, was mit der Sprache in «Ragtime» passiert. Von Albert Camus' Roman «L'Étranger» («Der Fremde») weiß man, daß viele der erzählerischen Effekte auf die eigenwillige Entscheidung des Autors zurückzuführen sind, das ‹passé composé› durchgängig zu gebrauchen und auch dort einzusetzen, wo im Französischen eigentlich andere Formen des Erzählens in der Vergangenheit üblich sind. Es scheint mir (zugegebenermaßen etwas sprunghaft assoziiert), als ob etwas Derartiges auch hier passiert, *als ob* Doctorow es in seiner Sprache systematisch darauf angelegt hätte, eben diesen Effekt bzw. sein sprachliches Äquivalent zu erzeugen, und zwar mit Hilfe einer Vergangenheitsform des Erzählens, die im Englischen nicht zur Verfügung steht: dem Äquivalent des französischen Präteritums, des ‹passé simple›. Die ‹perfektive› Bewegung des passé simple dient dazu, wie Emile Benveniste gezeigt hat, die Ereignisse von dem Augenblick ihres Geschehens und deren erzählerischer Verkündung zu trennen und den Strom von Zeit und Handlung in viele finale, abgeschlossene und punktuelle Ereignis-Objekte zu transformieren, die somit als von jeder Art der Vergegenwärtigung losgerissen erscheinen, abgelöst auch vom Akt des Geschichtenerzählens und seiner sprachlichen Enunziation.

E. L. Doctorow ist derjenige Poet, in dessen epischem Werk der Verlust einer radikalen amerikanischen Vergangenheit, die Unterdrückung der Erinnerung an die radikal-demokratische Tradition in der amerikanischen Geschichte zum Ausdruck kommt. Bezeichnend für die gegenwärtige kulturelle Entwicklung ist es, daß Doctorow dieses große Thema über die besondere *Form* vermitteln mußte (da ja das Schwinden der *Inhalte* in seinen Romanen zum eigentlichen Thema wird) und daß er darüber hinaus sein Werk gerade mit Hilfe eben jener postmodernen Logik der Kultur gestaltet, die selbst Zeichen und Symptom seines eigenen Dilemmas ist ... Der historische Roman «Ragtime» steht auf eigenartige Weise für eine Ästhetik, die vom Verschwinden des historischen Referenten geprägt ist. Der historische Roman der Gegenwart kann es sich nicht mehr zur Aufgabe machen, die historische Vergangenheit einfach zu repräsentieren. Er ‹repräsentiert› nur mehr unsere Vorstellungen und Stereotypen von dieser Vergangenheit (die so mit einemmal zur ‹Pop-History› wird). Kulturproduktion wird damit in einen geistigen Bereich abgedrängt, der nicht mehr länger der des alten monadischen Subjekts ist, sondern eher, wenn man so will, der Bereich eines degradierten kollektiven ‹objektiven Geistes›. Dieser erblickt nicht mehr unmittelbar eine vermeintlich reale Welt oder eine rekonstruierte Vergangenheit, die doch einmal selbst Gegenwart war, sondern spürt – man denke an Platons Höhlengleichnis – die Schatten unserer Vorstellung von dieser Vergangenheit gewissermaßen auf den Wänden jener Höhle auf. Wenn es also doch noch so etwas wie ‹Realismus› gibt, dann müßte dies ein Realismus sein, der aus der schockartigen Erkenntnis entspringt, daß die Wirklichkeit nicht mehr ‹unmittelbar› zu begreifen ist und daß wir uns langsam einer neuen und einzigartigen historischen Situation bewußt werden müs-

sen, in der wir dazu verdammt sind, Geschichte nur noch in unseren eigenen gängigen Bildern und Simulakren zu suchen, da die ‹Geschichte an
sich› für immer verloren ist.

3. Das Zerreißen der Signifikantenkette

Die Krise der Historizität wirft erneut die Frage nach der zeitlichen Ordnung im Kräftefeld der Postmoderne auf. Wir müssen uns dem Problem
zuwenden, welche Form die Zeit, die Zeitlichkeit und der syntagmatische
Zusammenhang in einer Kultur annehmen, die zunehmend vom Raum
und von räumlicher Logik dominiert wird. Wenn das Subjekt tatsächlich
seine Fähigkeit verloren hat, sich in einem variablen Zeitgefüge aktiv
nach vorn und rückwärts auszurichten und zu erweitern und seine Vergangenheit und Zukunft in einer kohärenten Erfahrung zu organisieren,
dann wird es recht schwierig sich vorzustellen, daß die kulturelle Produktion eines solchen Subjekts etwas anderes als ‹angehäufte Fragmente› und
eine Praktik des Ziellos-Heterogenen, Fragmentarischen und vom Zufall
Abhängigen hervorbringen könnte. In genau diesen Begrifflichkeiten
wird die kulturelle Produktion der Postmoderne vorzugsweise analysiert
(und von ihren Apologeten verteidigt). Diese Begriffe haben aber immer
noch negierenden Charakter. In gewichtigeren Formulierungen ist dann
die Rede von Textualität, *écriture* oder schizophrenem Schreiben. Darauf
muß kurz eingegangen werden.
    Lacans Erklärung der Schizophrenie erscheint mir als brauchbar, nicht
im engeren klinischen Sinne, sondern hauptsächlich deshalb, weil sie –
eher als Beschreibung denn als Diagnose – ein reizvolles ästhetisches Modell anbietet. Natürlich meine ich nicht, daß irgendeiner der bedeutendsten postmodernen Künstler – Cage, Ashbery, Sollers, Robert Wilson,
Ishmael Reed, Michael Snow, Warhol oder Beckett – schizophren im klinischen Sinne wäre. Ebensowenig geht es um eine Kultur- und Persön-
lichkeitsdiagnose unserer Gesellschaft und ihrer Kunst in der Art einer
Kulturkritik wie in Christopher Laschs einflußreichem Buch «The Culture of Narcissism»[19]. Was ich zu sagen habe, ist davon in Geist und Methode entschieden abzugrenzen: Man sollte doch meinen, daß es bei weitem vernichtendere Dinge über unser Gesellschaftssystem zu sagen gibt,
als dies in psychologischen Kategorien möglich ist.
    Lacan beschreibt die Schizophrenie als Auseinanderbrechen der Signi-
fikantenkette, also der zusammengeschlossenen syntagmatischen Signifi-
kantenfolge, die eine Aussage oder einen Sinn aufbaut. Beiseite bleiben
muß der familienspezifische bzw. eher orthodoxe psychoanalytische Hintergrund der Konstellation, die Lacan in den Bereich der Sprache trans-

codiert, indem er die ödipale Rivalität nicht so sehr auf der Basis des
biologischen Individuums beschreibt, das der Rivale ist im Kampf um die
Aufmerksamkeit der Mutter, sondern ausgehend von dem, was er den
«Namen des Vaters» nennt: väterliche Autorität als linguistische Funktion. Sein Konzept der Signifikantenkette beruht im wesentlichen auf
einem der Grundprinzipien (und einer der großen Entdeckungen) des
Saussureschen Strukturalismus: auf dem Theorem, daß Sinn nicht auf
einer direkten Beziehung zwischen Signifikant und Signifikat, zwischen
dem Sprachmaterial (einem Wort oder einem Namen) und seinem Referenten oder Begriff beruht. In dieser neuen Sichtweise wird der Sinn
allein durch die Bewegung von Signifikant zu Signifikant erzeugt: Das,
was wir im allgemeinen Signifikat nennen – d. h. Sinn oder begrifflicher
Inhalt einer Äußerung –, wird nur mehr als Sinn-Effekt begriffen, als die
objektive Vortäuschung von Bedeutung, die durch die Verbindung der
Signifikanten zueinander generiert und projiziert wird. Schizophrenie
entsteht, wenn diese Verbindung auseinanderbricht, wenn die Glieder
der Signifikantenkette zerspringen: ein Trümmerhaufen aus selbständi-
gen und nicht miteinander in Verbindung stehenden Signifikanten. Den
Zusammenhang zwischen dieser linguistischen Disfunktionalität und der
Psyche des Schizophrenen könnte man dann auf zweierlei Art begreifen.
Zum einen: Persönliche Identität ist nichts anderes als der Effekt einer
gegenwärtig bestimmbaren zeitlichen Verkoppelung von Vergangenheit
und Zukunft. Zum anderen: Diese aktive zeitliche Verkettung ist selbst
eine Funktion der Sprache, besser noch des Satzes, wie er sich im hermeneutischen Zirkel durch die Zeit bewegt. Wenn wir nicht in der Lage sind,
die Vergangenheit, Gegenwart und die Zukunft eines Satzes zusammen-
zuschließen, dann können wir ebensowenig die Vergangenheit, Gegenwart und die Zukunft unserer eigenen Lebenserfahrung und unserer Psyche als Einheit fassen.

Mit dem Zerreißen der Signifikantenkette wird der Schizophrene also
auf die Erfahrung einer reinen Materialität der Signifikanten eingeschränkt, anders gesagt: auf eine Serie reiner nicht zusammenhängender
Gegenwartsmomente im zeitlichen Ablauf. Zu fragen ist nach den ästhetischen und kulturellen Auswirkungen dieser Konstellation. Vorab ein
Beispiel für die sinnliche Eindruckskraft der schizophrenen Konstellation:

«Ich erinnere mich noch genau an den Tag, an dem es mir zustieß. Ich ging alleine
spazieren (wir waren zur Sommerfrische auf dem Land), wie ich es öfters tat. Plötzlich ließ sich aus der Schule, an der ich gerade vorbeikam, ein deutsch gesungenes
Lied vernehmen. Es waren Kinder, die Musikunterricht hatten. Ich blieb stehen,
um zuzuhören, und genau in diesem Augenblick entstand ein sonderbares Gefühl
in mir, ein schwer zu beschreibendes Gefühl, das aber all denen glich, die ich später
empfand: die Irrealität. Mir schien, als würde ich die Schule nicht wiedererkennen,

denn sie war groß geworden wie eine Kaserne, und die singenden Kinder kamen mir wie Gefangene vor, die zum Singen gezwungen wurden. Es war, als hätten sich die Schule und der Gesang der Kinder von der übrigen Welt getrennt. Genau in diesem Augenblick erblickte ich ein Weizenfeld, dessen Grenzen ich nicht erkennen konnte. Und diese gelbe, in der Sonne leuchtende Unendlichkeit, die sich mit dem Gesang der Kinder verband, die in jener Schulklasse aus glattem Stein gefangen waren, machte mir solche Angst, daß ich zu schluchzen begann. Dann rannte ich in unseren Garten und fing an zu spielen, ‹damit alles wieder so würde wie sonst›, d. h. um wieder in die Realität zurückzufinden. Es war das erste Mal, daß sich die Elemente, die später immerzu bei meinem Irrealitätsgefühl vorhanden waren, so darstellten: eine grenzenlose Weite, ein grelles Licht, die Glätte der Materie.»[20]

In unserem Kontext bedeutet die hier geschilderte schizophrene Erfahrung folgendes: Der Zusammenbruch von Zeitlichkeit setzt mit einemmal die Gegenwart von all den Aktivitäten und Intentionen frei, die sie festlegen und als praktischen Handlungsraum bestimmbar machen würden. Derart vereinzelt, überwältigt die Gegenwart das Subjekt plötzlich mit unvorstellbarer Vitalität: Eine überwältigende Materialität der Wahrnehmung kommt auf, die wirkungsvoll die Macht des sprachlich-materiellen oder genauer des buchstäblichen Signifikanten in seiner Vereinzelung in Szene setzt. Diese Anwesenheit von Welt bzw. des materiellen Signifikanten schiebt sich mit erhöhter Intensität vor das Subjekt, das aufgeladen ist mit einer undefinierbaren affektiven Last, die hier negativ als Angst und Realitätsverlust beschrieben wird, jedoch genausogut positiv als Euphorie, hochfliegende, berauschende und halluzinatorische Intensität gedacht werden kann.

China

Was in der Textualität oder in der schizophrenen Kunst passiert, wird von den klinischen Berichten nachdrücklich illustriert. Im kulturellen Text hingegen gilt der vereinzelte Signifikant nicht länger als rätselhaft im Zustand der Welt oder als unverständliches, wenn auch unwiderstehliches Sprachfragment. Hier haben wir eher einen ganzen Satz in freigesetzter Isolation. Man denke zum Beispiel an das Hörerlebnis der Musik von John Cage, in der auf eine Sequenz von Tonmaterialien (z. B. auf dem präparierten Klavier) eine derart unerträgliche Phase der Stille folgt, daß man sich gar nicht mehr vorstellen kann, es könnte je wieder ein Klang-Akkord erzeugt werden. Sollte dies dennoch geschehen, so kann man sich nicht vorstellen, daß man den vorangegangenen gut genug in Erinnerung hätte, um noch eine Beziehung zwischen beiden herstellen zu können. Einige Erzählungen von Beckett, vor allem «Watt», sind auf gleiche Weise gemacht: Der Primat des gegenwärtigen Satzes löst unbarmherzig das narrative Netz auf, das sich versuchsweise um diesen Satz herum formieren will. Ich gebe ein weniger düsteres Beispiel, den Text eines jungen Dichters aus San Francisco, der der sogenannten ‹Language Poetry› oder ‹New Sentence›-Schule zugeordnet werden kann, die sich offenbar die schizophrene Fragmentierung als Grundlage ihrer Ästhetik zu eigen gemacht hat.

China
We live on the third world from the sun. Number three.
Nobody tells us what to do.
The people who taught us to count were being very kind.
It's always time to leave.
If it rains, you either have your umbrella or you don't.
The wind blows your hat off.
The sun rises also.
I'd rather the stars didn't describe us to each other;
I'd rather we do it for ourselves.
Run in front of your shadow.
A sister who points to the sky at least once a decade
is a good sister.
The landscape is motorized.
The train takes you where it goes.
Bridges among water.
Folks straggling along vast stretches of concrete,
heading into the plane.
Don't forget what your hat and shoes will look like when
you are nowhere to be found.
Even the words floating in air make blue shadows.
If it tastes good we eat it.
The leaves are falling. Point things out.
Pick up the right things.
Hey guess what? What? *I've learned how to talk*. Great.
The person whose head was incomplete burst into tears.
As it fell, what could the doll do? Nothing.
Go to sleep.
You look great in shorts. And the flag looks great too.
Everyone enjoyed the explosions.
Time to wake up.
But better get used to dreams.

(Bob Perelman, «Primer»)[21]

Über dieses interessante Exerzitium in Sachen Diskontinuität ließe sich viel sagen. So ist das Wiederauftauchen einer einheitlichen Sinnstruktur in den zerstückelten Sätzen keineswegs paradox. Liest man das Gedicht als ein insgeheim politisches, so fängt es tatsächlich etwas ein von der Begeisterung über das gewaltige unabgeschlossene gesellschaftliche Experiment des Neuen China, einmalig in der Weltgeschichte, das unerwartete Auftauchen der ‹Nummer drei› zwischen den beiden Supermächten,

die Unverbrauchtheit einer ganz neuen Objektwelt, die von Menschen in
einer neuen Ordnung ihres kollektiven Schicksals hervorgebracht wurde.
Vor allem ist da das Schlüsselerlebnis einer Kollektivität, die zum neuen
‹Subjekt der Geschichte› geworden ist, das nach der langen Unterdrük-
kung durch Feudalismus und durch Imperialismus wieder mit eigener
Stimme spricht, für sich selbst, wie zum erstenmal.

Zu zeigen war, wie das, was ich als schizophrene Spaltung oder *écriture*
bezeichnet habe – verallgemeinerbar als kultureller Stil –, durchaus aufhört, an den düster-morbiden Inhalt gebunden zu sein, den wir mit einem
Begriff wie ‹Schizophrenie› assoziieren, und zugänglich wird für Intensitäten fröhlicherer Art, für eben jene Euphorie, die, wie zu zeigen war, die
Affekte von Angst und Entfremdung ersetzen kann.

Sehen wir uns dazu Jean-Paul Sartres Darstellung einer ähnlichen Tendenz bei Flaubert an: «Sein Satz umzingelt den Gegenstand, fängt ihn,
lähmt ihn und bricht ihm das Genick, schließt sich über ihm, verwandelt
sich in Stein und versteinert ihn mit sich. Er ist blind und taub, ohne
Arterien; kein Lebenshauch, ein tiefes Schweigen trennt ihn vom folgenden Satz; er fällt ewig ins Leere und reißt seine Beute in diesen unendlichen Sturz mit. Jede einmal beschriebene Realität wird aus dem Inventar
gestrichen ...»[22] Man könnte in dieser Lesart so etwas wie ein unwissent-
lich genealogisches, optisches Trugbild (oder eine fotografische Vergrößerung) sehen: Bestimmte latente bzw. untergeordnete, eigentlich schon
postmoderne Elemente des Flaubertschen Stils werden in den Vordergrund gestellt. Genau diese Elemente waren bei Flaubert Symptome und
Strategien eines posthumen Lebens und der Verweigerung von Praxis, die
Sartre in «Der Idiot der Familie» (mit wachsendem Mitgefühl) dreitau-
send Seiten lang verurteilt.[23] Wenn solche Elemente dann selbst zur kulturellen Norm werden, legen sie die negativen Affekte ab und stehen so
anderen, eher dekorativeren Zwecken zur Verfügung.

Noch einmal zurück zu Perelmans Gedicht und seinen strukturalen Ge-
heimnissen, die keineswegs erschöpfend behandelt wurden; denn das Gedicht hat, genau besehen, herzlich wenig mit einem ‹Referenten› namens
«China» zu tun. Eigentlich berichtet der Autor nur, wie er bei einem Spaziergang durch Chinatown ein Buch mit Fotografien entdeckte, deren
idiogrammatikalische Bildunterschriften für ihn tote Buchstaben blieben
(mit anderen Worten: ein ‹materieller› Signifikant). Die Sätze des Gedichts sind dann nichts anderes als Perelmans eigene Bildunterschriften,
ihre Referenten eine andere Metapher, ein anderer *abwesender* Text.
Und die Sinneinheit des Gedichts kann dann nicht mehr in seiner eigenen
Sprache gefunden werden, sondern nur außerhalb, in der zusammenge-
fügten Einheit eines anderen, abwesenden Buchs. Es zeigt sich hier eine
verblüffende Parallele zur Dynamik des sogenannten Fotorealismus, der
zunächst – nach der dauerhaften Hegemonie einer Ästhetik des Abstrak-

ten – als die Rückkehr zu Repräsentation und Figuration erschien, bis es klar wurde, daß auch seine Objekte nicht in der ‹realen Welt› zu finden waren, sondern selbst Fotografien einer nun zu Bildern transformierten realen Welt sind, deren Simulakrum eben der ‹Realismus› des fotorealistischen Bildes ist.

Collage und radikale Differenz

Eine Einschätzung der thematischen Komplexe von ‹Schizophrenie› und ‹Zeitstruktur› hätte durchaus auch anders formuliert werden können. Damit kehren wir zurück zu Heideggers Vorstellung eines ‹Streits› oder eines ‹Risses› – allerdings in einer Art und Weise, die ihn entsetzt hätte. Ich möchte die postmoderne Erfahrung der Form mit einem paradoxen Schlagwort charakterisieren, der Behauptung, daß ‹Differenz verbindet›. Die neuere Literaturtheorie (etwa seit Macherey) ist darauf aus, die Heterogenität und fundamentale Diskontinuität des Kunstwerks hervorzuheben. Das Kunstwerk ist nicht länger einheitlich oder organisch, sondern praktisch eine Wundertüte oder Rumpelkammer voller zerstückelter Subsysteme, zusammengewürfeltem Rohmaterial und Impulse aller Art. Mit anderen Worten: Aus dem Kunstwerk ist nun ein Text geworden, dessen Lektüre eher in einem Prozeß der Differenzierung als der Vereinheitlichung verfährt. Die diversen Theorien der Differenz neigen jedoch dazu, diese Zerstückelung so weit voranzutreiben, daß das Material des Textes, seine Wörter und Sätze, sich in einer zufallsbedingten und trägen Passivität auflösen, in Elemente, die nur rein äußerlich voneinander getrennt sind.

In den interessanteren unter den postmodernen Werken werden jedoch solche Beziehungsstrukturen eher bejaht, und dem Begriff Differenz wird seine Spannung zurückgegeben. In einem solchen neuartigen System von Beziehung durch Differenz steckt dann oft eine neue und originäre Denk- und Wahrnehmungsweise. Häufiger jedoch steht hier ein alle Möglichkeiten übersteigender Imperativ, der dazu auffordert, die neue Mutation im Bewußtsein (wenn man überhaupt noch von einem solchen sprechen will) zu vollziehen. Das eindrucksvollste Emblem dieser neuen Art, in Beziehungen zu denken, ist vielleicht in den Arbeiten von Nam June Paik zu finden: Fernsehmonitore werden aufeinandergetürmt oder vereinzelt inmitten einer üppigen Vegetation aufgestellt oder als seltsame, neue Video-Sterne, die auf uns herabblicken, an der Decke installiert. Auf den Bildschirmen werden permanent und jeweils asynchron die gleichen vorarrangierten Bildsequenzen oder -schleifen wiederholt. Ein Zuschauer, der sich, verwirrt durch diese zusammenhanglose Vielfalt, schließlich nur auf einen Monitor konzentriert, als ob die relativ wertlose Bildfolge, die dort zu sehen ist, für sich allein genommen einen organi-

schen Wert ausmachen könnte, nimmt zwangsläufig eine traditionelle
ästhetische Wahrnehmungshaltung ein. Der postmoderne Betrachter dagegen ist dazu aufgefordert, das Unmögliche zu tun, nämlich alle Bild-
schirme gleichzeitig in ihrer radikalen und zufälligen Differenz zu betrachten. Von diesem Zuschauer wird z. B. auch verlangt, David Bowie
bei seinen fortlaufenden Verwandlungen in «The Man Who Fell to Earth»
zu verfolgen und irgendwie eine Ebene zu erreichen, auf der die lebhafte
Wahrnehmung einer radikalen Differenz an und für sich ein neuer Modus
ist: um das zu verstehen, was früher Beziehung und Relativität genannt
wurde. Das Wort ‹Collage› ist hier ein viel zu schwacher Ausdruck.

4. Das Erhabene im Zeichen von Hysterie

Eine Erkundung dessen, was das Postmoderne eigentlich ist, bliebe unvollständig, wenn nicht, was abschließend geschehen soll, die typische
und neuartige kulturelle Erfahrung einer besonderen Euphorie bzw. der
besonderen ‹Intensitäten› zum Gegenstand der Untersuchung gemacht
würde. Betont sei noch einmal die enorme Wandlung z. B. von der Trost-
losigkeit der Gebäude Hoppers ... zu den außergewöhnlichen Oberflächen der fotorealistischen Stadtlandschaft, in der sogar die Autowracks in
neuem halluzinatorischem Glanz aufleuchten. Das Aufregende an diesen
neuen Oberflächen wirkt noch viel paradoxer, wenn man sich den wesentlichen Inhalt – die Stadt selbst – ansieht, die in einem Ausmaß verfallen
und aufgelöst ist, das Anfang des 20. Jahrhunderts oder noch früher sicher unvorstellbar gewesen wäre. Wie ist es möglich, daß das Auge Vergnügen an der städtischen Verwahrlosung finden kann, wenn sie ihren
Ausdruck allein in der Verdinglichung findet, und wie kann in einem noch
nie dagewesenen abrupten Sprung das entfremdete Alltagsleben in der
Stadt nun als seltsame neue halluzinatorische Erregung erfahren werden?
Das sind die Fragen, mit denen wir uns auseinanderzusetzen haben. Die
Frage, welche Figur hier der Mensch abgibt, soll von der Untersuchung
nicht ausgeschlossen werden, obwohl klar ist, daß in der neuen Ästhetik
die Repräsentation des Raums als unvereinbar mit der Repräsentation
des Körpers angesehen wird: eine Form ästhetischer Arbeitsteilung, viel
deutlicher ausgeprägt als in irgendeiner der früheren Vorstellungen von
Landschaft – in der Tat ein höchst bedenkliches Symptom. Der von der
neuen Kunst bevorzugte Raum ist radikal anti-anthropomorph wie z. B.
in den leeren Badezimmern von Doug Bond. Eine zeitgenössische, wohl
letzte Fetischisierung des menschlichen Körpers nimmt in den Statuen
eines Duane Hanson bereits eine ganz andere Richtung: die des Simulakrums, dessen besondere Funktion (wie Sartre es genannt hätte) in der

«Derealisation» der gesamten uns umgebenden Welt der Alltagsrealität liegt. Anders gesagt: Das Moment des Zweifelns und des Zögerns darüber, ob diese Polyesterfiguren atmen und leben, überträgt sich auf die echten Menschen, die sich im Museum befinden, und transformiert auch sie für einen winzigen Moment in tote und hautfarbene Simulakren. Dabei verliert die Welt für einen Moment ihre Tiefe und droht, zu einer schimmernden Haut, einer stereoskopischen Illusion, einer Anhäufung überbelichteter filmischer Bilder zu werden. Ist dies nun erschreckend oder faszinierend?

Es hat sich als nützlich erwiesen, die hier beschriebene Kunsterfahrung mit dem Begriff «camp» zu fassen, den Susan Sontag seinerzeit in einem einflußreichen Aufsatz[24] herausgestellt hat. Ich schlage hier einen etwas anderen Blickwinkel vor, indem ich den gleichfalls im Trend liegenden Topos des ‹Erhabenen› heranziehe, den man in den Werken von Edmund Burke und Kant wiederentdeckt hat. Beide Vorstellungen kann man auch gut in eine bringen: ‹camp› oder das ‹Erhabene› im Zeichen der Hysterie unserer Zeit. Für Burke war das Erhabene bekanntlich eine Erfahrung, die an den Schrecken grenzt, der erschütternde Anblick, Erstaunen, Erstarrung und Ehrfurcht vor etwas, das so gewaltig ist, menschliches Leben überhaupt zum Einsturz zu bringen. Diese Bestimmung wurde von Kant verfeinert und mit der Frage nach der Darstellbarkeit in der Kunst weiterentwickelt, so daß der Gegenstand des Erhabenen heute nicht nur eine Angelegenheit reiner Macht und physischer Inkommensurabilität des menschlichen Organismus mit der Natur ist, sondern ebenso eine Frage nach den Grenzen der Gestaltung und der Untauglichkeit der menschlichen Vermögen, solche gewaltigen Kräfte darzustellen. Burke konnte zu seiner Zeit – dem Beginn des modernen bürgerlichen Staates – diese Kräfte nur als göttliche beschreiben. Und auch noch Heidegger hält hier an einem Phantasma fest, dem einer organischen, vorkapitalistischen bäuerlichen Landschaft und Dorfgemeinschaft, die in unserer eigenen Zeit zum letzten Bild für die Natur geworden ist.

Heute, zu einem Zeitpunkt des radikalen Verschwindens von Natur, sollte es möglich sein, all dies anders zu denken: Heideggers «Feldweg» ist schließlich nicht mehr zu retten und endgültig zerstört durch den Spätkapitalismus, durch die ökologische Umwälzung, den Neokolonialismus und die Super-Metropolis, die ihre Autobahnen über frühere Felder und verlassene Grundstücke laufen läßt und Heideggers «Haus des Seins» in Eigentumswohnungen oder miserabelste, kalte, von Ratten heimgesuchte Mietskasernen umwandelt. Das ‹Andere› in unserer Gesellschaft ist dann überhaupt nicht mehr die Natur wie noch in den vorkapitalistischen Gesellschaften, sondern eben etwas ganz anderes, das genauer zu bestimmen ist.

Die Apotheose des Kapitalismus

Es ist sehr wichtig, dieses ‹Andere› nicht voreilig und per se als Technologie zu bezeichnen, da auch die ‹Technologie› für etwas anderes steht. Der
Begriff ‹Technologie› kann jedoch zusammenfassend für die gewaltige,
spezifisch menschliche, wider die Natur gerichtete Kraft, für die in unserem Gesellschaftsmechanismus aufgestaute tote Arbeitskraft verwendet
werden: eine entfremdete Macht – Sartres «Gegen-Finalität» des «Prak-
tisch-Inerten» –, die sich in nicht wiederzuerkennender Form zu und gegen uns kehrt und offenbar den massiven antiutopischen Horizont unserer kollektiven und individuellen Praxis bildet.

Aus marxistischer Sicht ist Technologie nicht prima causa, sondern
selbst Resultat der Kapitalentwicklung. So ist es sinnvoll, zwischen verschiedenen Entwicklungsphasen des Maschinenzeitalters zu unterscheiden, zwischen verschiedenen Entwicklungsstufen der technologischen
Revolution im Kapitalismus. Ich folge hier Ernest Mandel, der drei solcher fundamentalen Brüche oder ‹Quantensprünge› bei der Entwicklung
der Mechanisierung im Kapitalismus festhält:

«Die grundlegende Umwälzung der Energietechnik – der Technik zur maschinel-
len Erzeugung von Bewegungsmaschinen – erscheint so als das die Umwälzung der
Gesamttechnik bestimmende Moment. Maschinelle Erzeugung der durch Dampf-
kraft getriebenen Motoren seit 1848; maschinelle Erzeugung der Elektro- und Ex-
plosionsmotoren seit den neunziger Jahren des 19. Jahrhunderts; maschinelle
Erzeugung der elektronischen und kernenergetischen Geräte seit den vierziger Jahren unseres Jahrhunderts: dies sind die drei allgemeinen Umwälzungen der Technik,
die die kapitalistische Produktionsweise nach der ‹ursprünglichen› industriellen Revolution der zweiten Hälfte des 18. Jahrhunderts hervorgebracht hat.»[25]

In dieser Periodisierung wird die Hauptthese von Mandels «Spätkapitalismus»-Buch deutlich, die besagt, daß der Kapitalismus in seiner Entwicklung von drei wesentlichen Merkmalen bestimmt wird, von denen jedes
eine dialektische Expansion der vorangegangenen Stufe ist. Diese Stufen
sind: merkantiler Kapitalismus, Monopolkapitalismus oder Imperialismus und der Kapitalismus unserer Zeit, der fälschlicherweise ‹postindu-
striell› genannt wird, wo ‹multinationaler Kapitalismus› die zutreffendere
Bezeichnung wäre. Wie bereits festgestellt, besagt Mandels Auseinandersetzung mit dem ‹Postindustriellen›, daß der Spätkapitalismus, der
multinationale oder Konsumkapitalismus – durchaus im Einklang mit
Marx' großer Analyse des 19. Jahrhunderts – die bisher ‹reinste› Form des
Kapitalismus ist. Es vollzieht sich eine ungeheure Expansion des Kapitals auf bislang nicht erfaßte Bereiche der Warenproduktion. Der ‹reinere› Kapitalismus unserer Tage vernichtet die Enklaven vorkapitalisti-
scher Organisationsformen, die er bislang tolerierte und als tributpflichtig
ausgebeutet hat. Man kann in diesem Zusammenhang von einer neuen und

historisch einmaligen Durchdringung und Kolonialisierung der Natur und des Unbewußten sprechen, die sich sowohl in der Vernichtung der vorkapitalistischen Landwirtschaft durch die ökologische Umwälzung als auch im Aufstieg der Medien und der Werbeindustrie manifestiert. Deutlich geworden ist wohl, daß meine eigene Periodisierung der Kulturentwicklung in ‹Realismus›, ‹Moderne› und ‹Postmoderne› von Mandels dreistufigem Modell inspiriert ist und bestätigt wird.

Wir können also von unserem eigenen Zeitalter als dem dritten (oder vielleicht sogar vierten) Maschinenzeitalter sprechen. Auf dieser Grundlage sollte es möglich sein, das Problem der ästhetischen Repräsentation, das schon in Kants Analyse des Erhabenen explizit entwickelt wurde, wiederaufzunehmen. Denn es scheint nur folgerichtig zu sein, daß sich die Beziehung zu der (und die Repräsentation von der) ‹Mechanisierung› erwartungsgemäß mit jeder der genannten qualitativ zu unterscheidenden technologischen Entwicklungsstufen dialektisch verschiebt.

Es ist an die Maschinenbegeisterung früherer kapitalistischer Zeiten zu erinnern, besonders an die Exaltationen des Futurismus, an Marinettis Verherrlichung des Maschinengewehrs und des Automobils. Dies sind auch heute noch sichtbare emblematische Bilder, plastische Energiebündel, die den Bewegungsenergien dieser frühen Phase der Modernisierung Anschaulichkeit und Gestalt verliehen. Das Ansehen dieser großartigen stromlinienförmigen Gebilde läßt sich z. B. an ihrer metaphorischen Präsenz in Le Corbusiers Bauwerken ermessen: ausgreifende utopische Gebäude, die wie gigantische Ozeanriesen in der neuen Stadtlandschaft auf dem Boden einer hinfälligen Kultur aufkreuzen. Künstler wie Picabia und Duchamp, auf die hier nicht näher eingegangen werden kann, waren von den Maschinen auf ganz andere Weise fasziniert. Zu erwähnen wären auch die Bestrebungen revolutionärer kommunistischer Künstler der dreißiger Jahre (z. B. Fernand Léger und Diego Rivera), die Maschinenbegeisterung für eine prometheische Erneuerung der gesamten menschlichen Gesellschaft in Gebrauch zu nehmen.

Es springt sofort ins Auge, daß die Technologie heute nicht mehr das gleiche Repräsentationspotential besitzt wie noch die Turbine, wie Sheelers Getreideaufzüge und Schornsteine, die barocke Ausschmückung von Rohren oder Fließbändern oder wie die Stromlinienform eines Eisenbahnzuges: ästhetisch betrachtet alles Fahrzeuge in der Beschleunigung und der Form nach doch im Stillstand verdichtet. Dem gegenüber stehen die Computer, deren äußere Hülle keine emblematische visuelle Kraft hat, ganz zu schweigen von den verschiedenen Medienapparaten wie diesem Heimgerät, das Fernseher genannt wird und das eher implodiert, als daß es wirklich etwas ausdrückt, und das seine flache Bildoberfläche in sich birgt.

Solche Maschinen sind tatsächlich eher Maschinen der *Reproduktion*

als der *Produktion*, und sie stellen ganz andere Anforderungen an unsere
Fähigkeit der ästhetischen Darstellung als die relativ mimetisch gefaßten
Götzenbilder der Maschinen im Futurismus, als die früheren Geschwin-
digkeits- und Energie-Skulpturen. Es geht heute nicht mehr um kinetische Energie, sondern um die verschiedensten neuen Reproduktionspro-
zesse. In den weniger überzeugenden Produkten der Postmoderne neigt
die ästhetische Darstellung dieser Prozesse oft dazu, bequem und einfach
auf eine bloß thematische Repräsentation des Inhalts zurückzufallen – auf
Narrationen *über* den Prozeß der Reproduktion: Narrationen mit und
über Kameras, Video- und Tonbandgeräte und die gesamte Technologie
der Produktion und Reproduktion des Simulakrums. Die Verschiebung
von Antonionis modernem Film «Blow Up» zu De Palmas postmodernem «Blow Out» ist hier beispielhaft. Und wenn etwa japanische Architekten ein Gebäude entwerfen, indem sie einen Stapel Kassetten dekora-
tiv imitieren, dann ist dies bestenfalls eine thematisch-anspielende Lösung – allerdings gelegentlich auch eine humorvolle.

In den kraftvolleren postmodernen Texten allerdings taucht häufig etwas anderes auf, und zwar das Gefühl, daß über Thematik und Inhalt
hinaus der Text irgendwie das Netzwerk des Reproduktionsprozesses
selbst anzapft und daß es uns so irgendwie ermöglicht wird, einen Blick
auf etwas ‹Erhabenes› in postmoderner oder technologischer Gestalt zu
werfen. Dessen Macht und Authentizität wird dann dadurch dokumen-
tiert, daß solche Werke es schaffen, den Eindruck zu erwecken, als entstünde ein als postmodern zu bezeichnendes Raumgefühl um uns herum.
Die Architektur bleibt hier die privilegierte ästhetische Sprache. Allein
die verformenden und fragmentierenden Spiegelungen einer gigantischen Glasfläche durch eine andere können als paradigmatisch für die
zentrale Rolle von Prozeß und Reproduktion in der postmodernen Kultur
gesehen werden.

Wie gesagt, ich möchte eine stillschweigende Folgerung vermeiden,
derart, daß Technologie in irgendeiner Weise ein bestimmendes Moment
‹in letzter Instanz› für unser heutiges gesellschaftliches Leben oder unsere
Kulturproduktion sei. Eine derartige Behauptung geht natürlich letztendlich mit der postmarxistischen Vorstellung von einer ‹postindustriellen› Gesellschaft einher. Ich stelle dagegen die Behauptung, daß unsere
unzulänglichen Repräsentationen eines immensen Kommunikations-
und Computernetzes eigentlich nur verzerrte Darstellungen von etwas
Tieferliegendem sind, Darstellungen des globalen Systems des gegenwärtigen multinationalen Kapitalismus. Die Technologie der heutigen
Gesellschaft ist nicht an und für sich hypnotisierend und faszinierend;
vielmehr wirkt sie so, weil sie eine bevorzugte Kurzformel der Repräsentation anbietet, um damit ein Netzwerk von Macht und Kontrolle zu
erfassen, das mit unserem Verstand und unserer Imagination schwerlich

begriffen werden kann. Dies ist eben jenes ganz neue, dezentrierte, globale Netz der zuvor benannten dritten Stufe der kapitalistischen Entwicklung.

Am besten kann man den Prozeß der künstlerischen Repräsentation zur Zeit an Hand der Formen der Unterhaltungsliteratur betrachten, die man auch ‹High-Tech-Paranoia› nennen könnte. Die Schaltkreise und Systeme eines vermeintlich globalen Computersystems werden hier narrativ mobilisiert in einem Labyrinth der Verschwörungen autonomer, aber tödlich miteinander verknüpfter und wettstreitender Informationsagenturen – eine Komplexität, die meistens die Denkkapazität eines durchschnittlichen Lesers übersteigt. Aber Verschwörungstheorien (und ihre grellen narrativen Manifestationen) müssen als untauglicher Versuch angesehen werden, durch die Darstellung avancierter Technologie die unfaßbare Totalität des heutigen Weltsystems zu denken. Das ‹Erhabene›, so meine ich, kann in seiner postmodernen Gestalt nur über diese enorme und bedrohliche, aber dennoch nur verschwommen wahrnehmbare andere Realität der wirtschaftlichen und gesellschaftlichen Institutionen angemessen theoretisiert werden.

5. Die Postmoderne und die Stadt

Vor einer etwas positiver gestimmten Schlußfolgerung zur Postmoderne soll hier noch ein charakteristisches postmodernes Bauwerk analysiert werden. Es geht dabei um ein in mancherlei Hinsicht für die postmoderne Architektur (mit ihren wichtigsten Vertretern Robert Venturi, Charles Moore, Michael Graves und, seit kurzem, Frank Gehry) eigentlich untypisches Werk, das aber, wie mir scheint, auf eindrucksvolle Weise darüber belehrt, was als neuartig in der postmodernen Raumgestaltung gelten kann. Meinen soweit explizierten Gedankengang möchte ich hier erweitern und verdeutlichen: Ich gehe von der Voraussetzung aus, daß wir heute in eine Wandlung des gebauten Raums selbst mit einbezogen sind. Daraus ergibt sich meine Folgerung, daß wir selbst, die menschlichen Subjekte, die in diesen neuen Raum hineingestellt sind, mit der Entwicklung nicht haben Schritt halten können. Es hat eine Veränderung in den Objekten stattgefunden, die von keinerlei adäquaten Veränderung des Subjekts begleitet wurde. Wir verfügen noch nicht über einen Wahrnehmungsapparat, der so ausgerüstet wäre, daß er es mit diesem neuen Hyper-Raum aufnehmen könnte. Unsere Wahrnehmungsgewohnheiten sind von einer älteren Raumvorstellung geprägt. Die neuere Architektur steht wie viele Kulturprodukte, auf die ich eingegangen bin, gewissermaßen als Aufforderung da, neue Organe zu entwickeln, unser Sensorium und unsere Körper auf neue, noch nicht vorstellbare, vielleicht letztlich unerreichbare Dimensionen hin zu erweitern.

Das Bonaventure Hotel in Los Angeles

Das Bonaventure Hotel im neuen Stadtkern von Los Angeles wurde von dem Architekten und Städteplaner John Portman gebaut, der zuvor Projekte wie die diversen Hyatt Regency Hotels, das Peachtree Center in Atlanta und das Renaissance Center in Detroit realisiert hat. Erwähnt wurde bereits das populistische Argument, das in einer rhetorischen Verteidigung der Postmoderne gegenüber der elitären (und utopischen) Strenge der großen Architekturen der Moderne zur Geltung kommt. Es ist allgemein anerkannt, daß diese neueren postmodernen Gebäude einerseits populäre Werke sind, andererseits die lokalen Eigenheiten der amerikanischen Stadtstruktur respektieren, d. h. nicht länger versuchen – wie noch die Meisterwerke und Monumente der Hochmoderne –, eine andere, eigene, elaborierte und neue utopische Sprache in das geschmacklose und kommerzielle Zeichensystem der sie umgebenden Stadt einzufügen. Ganz im Gegenteil bedienen sich die neuen Gebäude eben dieser populären Sprache, sie übernehmen ihre Vokabeln und ihre Syntax, deren Emblematik man «von Las Vegas lernen» kann.

Portmans Bonaventure Hotel scheint zunächst diese Anforderungen vollständig zu erfüllen: Es ist ein populäres Gebäude; es wurde von Einheimischen und Touristen gleichermaßen mit Enthusiasmus aufgenommen. Anders zu beurteilen ist die ‹populistische› Einfügung in die Stadtstruktur. Das Bonaventure hat drei Eingänge, einen von der Figueroa Street aus; zu den beiden anderen kommt man über höhergelegene Gärten auf der anderen Seite des Hotels, das in den Hang des ehemaligen Beacon Hill hineingebaut ist. Keiner dieser Eingänge hat etwas von den mit einem Baldachin überdachten Vorbauten der alten Hoteleingänge oder von der monumentalen Portecochère, die in den prächtigen Gebäuden von vorgestern den Zugang von der Straße in das Hotelinterieur in Szene setzte. Die Zugänge zum Bonaventure Hotel geben sich nebensächlich wie durch eine Hintertür. Von den Gärten an der Rückfront aus gelangt man in den sechsten Stock der Türme, und auch von dort aus muß man noch eine Treppe tiefer gehen, um den Fahrstuhl zu suchen, mit dem man zur Lobby kommt. Der Eingang von der Figueroa Street aus, von dem man noch am ehesten als von einem Haupteingang reden könnte, führt einen, womöglich beladen mit Gepäck, auf den zweiten Stock einer Einkaufsgalerie, von der man nur über eine Rolltreppe hinunter zum Empfang kommt. Über diese Rolltreppen und Fahrstühle ist noch mehr zu sagen, doch zunächst: Was bedeuten diese geradezu auf groteske

John Portman: Los Angeles, Bonaventure Hotel (1977)

Weise schlecht gekennzeichneten Zugänge? Dahinter steht offenbar eine
neue (ästhetische) Kategorie der Abgeschlossenheit, die den Innenraum
des Hotels dominiert (zusätzlich zu Materialzwängen, unter denen Portman arbeiten mußte). Das Bonaventure und einige andere postmoderne
Gebäude wie das Beaubourg in Paris oder das Eaton Center in Toronto
sind darauf angelegt, als totaler Raum zu gelten, als eine in sich vollstän-
dige Welt, eine Art Miniaturstadt. Man könnte meinen, daß mit dieser
neuen totalen Raumvorstellung eine neue kollektive Praktik korrespondiert, eine neue Art, in der Individuen sich bewegen und sich versam-
meln, etwas wie die Praxis einer neuen und historisch originären Hyper-
Menschenmenge. In diesem Sinne sollte die Mini-City des Bonaventure
eigentlich überhaupt keine Eingänge haben, denn der Zugangsweg ist
immer die Nahtstelle, die das Gebäude mit der übrigen Stadt verbindet.
Das Bonaventure will nicht Bestandteil der Stadt sein, sondern ihr Äquivalent, ihr Substitut, ihr ‹Ansta(d)tt›. Da dies aus einleuchtenden Gründen weder möglich noch praktikabel ist, wird die Eingangsfunktion bewußt heruntergespielt und auf ihr absolutes Minimum reduziert. Diese
Abtrennung von der Stadt draußen vollzieht sich völlig anders als noch
bei den großen Monumenten des ‹International Style›. Dort war die Trennung gewaltsam, sichtbar und hatte sehr reale symbolische Signifikanz
wie in Le Corbusiers berühmtem «Pilotis», dessen Gestus den utopischen
Raum der Moderne radikal von dem heruntergekommenen und verfalle-
nen Stadtgefüge absonderte, das damit ausdrücklich abgelehnt wurde.
Und dies, obwohl die Moderne darauf setzte, daß der utopische Raum
sich dank seiner virulenten Neuartigkeit ausbreiten und allmählich die
alte Stadtstruktur kraft seiner neuen Raumsprache überlagern und transformieren würde. Für das Bonaventure reicht es, die verfallene Stadtstruktur ‹als seiend im Sein› (um Heidegger zu parodieren) zu belassen.
Mit Folgewirkungen, größeren protopolitisch zu denkenden utopischen
Transformationen ist nicht zu rechnen, auch ist dies gar nicht wünschenswert.

   Ähnliches gilt, wenn ich recht sehe, für die große, spiegelnde Glashaut
des Bonaventure Hotels. Deren Spiegelfunktion interpretiere ich hier anders als zuvor, wo das Phänomen der Spiegelung im Blick auf die Entwicklung der Thematik der Reproduktionstechnologie im allgemeinen zu betrachten war. Man könnte demgegenüber die Art und Weise akzentu-
ieren, in der die Glashaut des Hotels die Stadt draußen abwehrt. Diese
Abwehr könnte man analog zu der einer Spiegelglas-Sonnenbrille sehen,
die es einem Gesprächspartner unmöglich macht, die Augen des Brillen-
trägers zu erkennen, der damit eine gewisse Aggressivität und Macht über
den anderen bekommt. Einen vergleichbaren Effekt erzielt die Glashaut
des Bonaventure: eine merkwürdige und gleichsam ortlose Absetzbewe-
gung von der Umgebung. Die Umwelt ist eigentlich auch nicht die Außen-

welt; denn wenn man versucht, auf die Außenwände des Hotels zu sehen, sieht man durch den Spiegeleffekt nicht das Hotel selbst, sondern Bildreflexe von all dem, was es umgibt, und die sind verformt und entstellt.

Noch einmal zu den Rolltreppen und Fahrstühlen: Portman macht insbesondere letztere zu reinen Vergnügungsobjekten; er nennt sie «gigantische kinetische Skulpturen». Sie tragen sicherlich wesentlich zu dem Spektakel und der Spannung des Hotelinnenraumes bei, vor allem in den Hyatt Regencies, wo sie wie große japanische Lampions oder Gondeln pausenlos aufsteigen und herunterschweben. Die Fahrstühle werden derart absichtsvoll herausgehoben und in den Vordergrund gestellt, daß man in ihnen als «people movers» (Portmans von Walt Disney übernommener Begriff) wohl mehr sehen muß als funktionale und maschinelle Komponenten. Aus der neuesten Architekturtheorie ist bekannt, daß häufig Anleihen bei der Erzähltheorie gemacht werden. So versucht man, unseren körperlich erfahrbaren Durchgang durch solche Gebäude tatsächlich als Erzählung, als Fiktion zu betrachten. Als Besucher sind wir aufgefordert, diese Architektur der dynamischen Wege und narrativen Paradigmen mit unserem eigenen Körper und unseren Bewegungen zu erfüllen und sie zu vervollständigen. Im Bonaventure Hotel wird dieser Vorgang gewissermaßen dialektisch überdreht: Es scheint, als würden hier Rolltreppen und Fahrstühle unsere eigene Bewegung letztlich ersetzen und zugleich und vor allem sich selbst als neue spiegelnde Zeichen und Embleme der reinen Bewegung bezeichnen. Deutlich wird dies spätestens dann, wenn man sich fragt, was in diesem Gebäude eigentlich von den herkömmlichen Bewegungsarten übrig bleibt. Kann man da noch einfach gehen? – Unsere Gangart in der Form der Erzählung wird betont, symbolisiert, vergegenständlicht und schließlich ersetzt durch eine Transportmaschine, die zum allegorischen Signifikanten der guten alten Promenade wird, der wir selbst nicht mehr nachgehen dürfen. Es geht hierbei um eine Art von dialektischer Intensivierung der Autoreferentialität in der modernen Kultur überhaupt, die dazu neigt, auf sich selbst zurückzuverweisen und ihre eigene Produktion als ihren Inhalt zu bezeichnen.

Es fehlen einem die Worte, um das zu beschreiben, worauf es hier ankommt: die Erfahrung des Raums, die sich auftut, wenn man dann aus dieser allegorischen Künstlichkeit heraustritt in die Lobby oder ins Atrium mit seiner großen Mittelsäule, die von einem Miniatursee umgeben ist. Das Ganze befindet sich zwischen den fünf symmetrischen Wohntürmen und ihren Fahrstühlen und ist von aufsteigenden Galerien umgeben, denen auf der Höhe der sechsten Etage eine Art Gewächshausdach aufgesetzt wurde. Es ist wohl so, daß man einen derartigen Raum nicht mehr mit der Vorstellung eines Raumvolumens erfassen kann, da seine Ausmaße einfach nicht abzuschätzen sind. Herabhängende Papiergirlan-

den durchfluten den leeren Raum und lenken damit systematisch und
durchaus absichtsvoll von der Form ab, die er ja wohl haben muß. Die
ständige Geschäftigkeit vermittelt einem das Gefühl, daß diese Leere
vollkommen ausgefüllt und man selbst darin untergetaucht ist. Verloren
geht die herkömmlicherweise zur Wahrnehmung von Perspektive und
Volumen notwendige Distanz. Man steht bis zum Hals (und bis zu den
Augen) in diesem Hyperraum. Und wenn es zunächst so schien, daß die
Unterdrückung von ‹Tiefe›, von der ich im Zusammenhang mit der postmodernen Malerei und Literatur gesprochen habe, in der Architektur nur
schwerlich zu erreichen ist, so läßt sich jetzt wohl sagen, daß dieses ver-
wirrende Eintauchen in den Raum für das Medium Architektur das formale Äquivalent ist zum Verlust der Tiefendimension in den anderen
Künsten.

Rolltreppe und Fahrstuhl kann man in diesem Zusammenhang aber
auch als dialektische Entgegensetzung auffassen. Wir können in der großartigen Bewegung der Fahrstuhlgondeln auch die dialektische Kompensation für die eigenartige Fülle des Atriums sehen. Diese Bewegung ermöglicht ein radikal anderes und doch komplementäres Raumerlebnis:
ein rasantes Hinaufschießen durch das Glasdach hindurch, an einem der
Türme hinauf, während sich der Bezugspunkt und ‹Referent›, die Stadt
Los Angeles, atemberaubend und fast beängstigend unter uns ausbreitet.
Doch auch diese vertikale Bewegung ist im Gebäude eingeschlossen. Der
Aufzug trägt uns nämlich zu einer dieser rotierenden Cocktail-Bars, in
der man sitzend, also wiederum passiv, herumgedreht wird und zur Kontemplation das Spektakel der City angeboten bekommt, der Stadt, die
durch die Glasfenster, durch die wir sie nun betrachten, zu einem Bild von
sich selbst transformiert wird.

Kehren wir noch einmal in den zentralen Raum der Lobby zurück. Im
Vorübergehen läßt sich übrigens beobachten, daß die Hotelzimmer sicht-
lich an den Rand gedrängt sind ... Die Korridore in den Wohnbereichen
sind niedrig und dunkel, aufs bedrückendste funktional, und selbstverständlich zeugen die Zimmereinrichtungen von äußerster Geschmacklosigkeit. Auch der Abstieg ist hochdramatisch: Man stürzt zurück nach
unten, durch das Dach, als sollte man unten in den künstlichen See eintauchen. Was dann aber tatsächlich passiert, wenn man dort ankommt, ist
etwas ganz anderes, etwas, was einen in Konfusion versetzt, so, als ob der
Raum Rache nehmen will an denen, die immer noch den Versuch machen, ihn ganz normal zu durchqueren. Durch die Symmetrie der vier
Türme ist es nahezu unmöglich, in der Lobby die Orientierung zu behalten. Erst kürzlich hat man Farbmarkierungen und Richtungsweiser er-
gänzend angebracht – ein geradezu mitleiderregender, entlarvender und
verzweifelter Versuch, die Koordinaten herkömmlicher Raumordnungen
wiederherzustellen. Das Dilemma der Ladenbesitzer auf den diversen

Galerien zeigt am deutlichsten die praktischen Auswirkungen der hier veranstalteten Mutation von Räumlichkeiten: Seit der Eröffnung des Hotels im Jahre 1977 war offenbar noch niemand in der Lage, diese Läden zu finden. Und selbst wenn man das gewünschte Geschäft einmal ausfindig gemacht hätte, ist es höchst unwahrscheinlich, daß man ein zweites Mal wieder dorthin zurückfinden würde; infolgedessen verzweifeln die Mieter der Geschäfte, und die Ware wird zu reduziertem Preis im Sonderangebot verkauft. Wenn man sich daran erinnert, daß Portman nicht nur Architekt, sondern auch Geschäftsmann ist, ein millionenschwerer Städteplaner, ein Künstler, der gleichzeitig Kapitalist ist, so kann man sich kaum des Verdachts erwehren, daß auch hier so etwas wie die ‹Wiederkehr des Verdrängten› am Werke ist ...

Meine Hauptthese ist, daß es mit dieser neuesten Verwandlung von Räumlichkeit, daß es dem postmodernen Hyperraum gelungen ist, die Fähigkeit des individuellen menschlichen Körpers zu überschreiten, sich selbst zu lokalisieren, seine unmittelbare Umgebung durch die Wahrnehmung zu strukturieren und kognitiv seine Position in einer vermeßbaren äußeren Welt durch Wahrnehmung und Erkenntnis zu bestimmen. Und so meine ich, daß die beunruhigende Diskrepanz zwischen dem Körper und seiner hergestellten Umwelt (das vergleichbare Moment der Irritation in der Moderne verhält sich hierzu wie die Geschwindigkeit eines Raumschiffes zu der des Automobils) selbst als Symbol und Analogon für ein noch größeres Dilemma stehen kann: die Unfähigkeit unseres Bewußtseins (zur Zeit jedenfalls), das große, globale, multinationale und dezentrierte Kommunikationsgeflecht zu begreifen, in dem wir als individuelle Subjekte gefangen sind.

Die neue Maschine

Ich möchte Portmans Raumgestaltung keinesfalls als Ausnahme, als peripher und als für die Freizeit bestimmte Disneyland-Variante verstanden wissen. Daher will ich diesen gefälligen und wenn auch irritierenden, so doch unterhaltsamen Freizeitraum mit einer analogen Erscheinung auf ganz anderem Gebiet konfrontieren: dem Raum einer postmodernen Kriegsführung, wie ihn Michael Herr in seinem großartigen Buch «Dispatches»[26] über die Vietnam-Erfahrung dargestellt hat. Man könnte die ungewöhnlichen Sprachinnovationen dieses Buches durchaus postmodern nennen, und zwar auf Grund der eklektizistischen und unpersönlichen Verschmelzung eines ganzen Spektrums zeitgenössischer kollektiver Idiolekte (insbesondere ‹Black English› und die Sprache der Rockmusik). Die Verschmelzung der Sprachen wird hier allerdings vom Problemgehalt diktiert. Dieser erste schreckliche Krieg im Zeichen des Postmodernen kann nicht in einem der traditionellen Paradigmen des Kriegsromans

oder -films erzählt werden. Gerade das Versagen aller herkömmlichen
Erzählformen und auch die Unmöglichkeit einer gemeinsamen Sprache,
in der die Kriegsveteranen sich über ihre Erlebnisse verständigen könnten, gehören zum thematisch Wesentlichen in diesem Buch. Dadurch
wird, so könnte man meinen, eine ganz neue Ebene der Reflexivität auf-
getan. Walter Benjamins «Baudelaire»-Aufsatz[27], in dem der Ursprung
der Moderne in einer ganz neuen Erfahrung der technologischen Entwicklung der Stadt gesehen wird, die alle früheren Wahrnehmungsgewohnheiten transzendiert, ist (aus der Sicht dieses neuen und wahrhaft
unvorstellbaren Anstiegs technologischer Entfremdung) auf besondere
Weise aktuell und wirkt dennoch auch besonders antiquiert. In Michael
Herrs «Dispatches» lesen wir:

«Er war ein Als-bewegliche-Zielscheibe-überleben-Fan, ein echtes Kind des
Krieges, weil außer in den seltenen Augenblicken, wo du festgehalten wurdest
oder auf Grund gelaufen warst, das System drauf ausgerichtet war, dich in Bewegung zu halten, wenn du meintest, du wolltest das. Als Technik, am Leben zu
bleiben, schien sie so sinnvoll wie sonst was, vorausgesetzt natürlich, du warst
erstmal da und wolltest die Chose aus der Nähe sehen: sie fing vernünftig und
logisch an, spitzte sich aber, je weiter sie ging, immer mehr zu, denn je mehr du
dich bewegtest, desto mehr sahst du, je mehr du sahst, desto mehr riskiertest du
außer Tod und Verstümmelung, und je mehr du riskiertest, desto mehr würdest
du eines Tages als ‹Überlebender› lassen müssen. N paar von uns bewegten sich
wie Wahnsinnige im Krieg rum, bis wir nicht mehr erkennen konnten, wohin die
Fahrt uns überhaupt noch trug, nur immer über die Oberfläche des Krieges hin
mit nem gelegentlichen unerwarteten Durchblick. Solange wir Helikopter wie Ta-
xis haben konnten, waren eine wirkliche Erschöpfung oder ne Deprimiertheit
dicht am Nervenzusammenbruch odern Dutzend Pfeifen Opium nötig, um uns
wenigstens nach außen hin ruhig zu halten, wir rannten immer weiter in unsern
Häuten rum, als wäre was hinter uns her, haha, La Vida Loca. In den Monaten
nach meiner Rückkehr begannen die Hunderte von Helikoptern, in denen ich ge-
flogen war, sich zusammenzuziehen, bis sie einen Gesamt-Meta-Hubschrauber
bildeten, und für mich gabs nichts erotischeres: Bewahr-Zerstörer, Beschaffungs-
Verschwender, rechte Hand-linke Hand, flott, leicht, pfiffig und human; heißer
Stahl, Schmiere, dschungelimprägnierter Leinengurt, kalt und wieder warm wer-
dender Schweiß, Kassetten-Rock'n'Roll im einen Ohr und das Lukenschützfeuer
im andern, Sprit, Hitze, Vitalität und Tod, der Tod selber, kaum ein ungebetner
Gast.»[28]

In dieser *neuen Maschine*, die nun nicht mehr wie die seinerzeit modernen
Maschinen, Lokomotive und Flugzeug, Bewegung repräsentiert, sondern
nur *in der Bewegung* dargestellt werden kann, konzentriert sich so etwas
wie das ‹Geheimnis› des neuen postmodernen Raums.

6. Das Schwinden der kritischen Distanz

Der hier entfaltete Begriff des Postmodernen ist eher ein historischer als ein nur stilistischer. Der radikale Unterschied zwischen beiden Sichtweisen kann nicht deutlich genug hervorgehoben werden: Postmoderne aufgefaßt als ein unter vielen anderen wählbarer und verfügbarer Stil oder: Postmoderne als Dominante in der Logik der Kultur im Spätkapitalismus. Beide Ansätze bringen in der Tat zwei sehr unterschiedliche Methoden zur begrifflichen Erfassung des Phänomens hervor: auf der einen Seite eine moralische Bewertung (egal, ob sie positiv oder negativ ausfällt) und auf der anderen Seite den Versuch, unsere Gegenwart historisch zu begreifen und dabei wirklich dialektisch zu verfahren.

Über die modische Hoch- und Wertschätzung der Postmoderne sind nicht viele Worte zu verlieren. Diese selbstgefällige und vor sich hin phantasierende, an ‹camp› erinnernde Zelebrierung einer im *Ästhetischen* neuen Welt (inklusive ihrer gesellschaftlichen und ökonomischen Dimensionen, die mit dem gleichen Enthusiasmus unter dem Slogan ‹postindustrielle Gesellschaft› begrüßt worden sind) ist ganz unannehmbar. Weniger deutlich dürfte sein, in welchem Ausmaß die gegenwärtigen Phantasien über das Erlösungspotential der neuesten Technologien, von Chips bis zu Robotern (Phantasien, die nicht nur von linken wie rechten Regierungen aus Verzweiflung gepflegt werden, sondern auch von vielen Intellektuellen), im wesentlichen mit den trivialen Apologien der Postmoderne übereinstimmen.

Ebenso konsequent sind moralisierende Verdammungsurteile gegen die Postmoderne und die ihr eigene Trivialität zurückzuweisen, Urteile, die sich dann einstellen, wenn die Postmoderne neben die wegen ihres utopischen Gehalts hoch geschätzten künstlerischen Meisterwerke der Moderne gestellt wird. Derartige Urteile findet man auf der Linken wie bei der radikalen Rechten. Zweifellos bewirkt die Logik des Simulakrums mit seiner Transformation der ‹Realität› in Fernsehbilder weitaus mehr als die einfache Reproduktion des Spätkapitalismus: Sie wirkt bestärkend und intensivierend. Für politische Gruppierungen indessen, die versuchen, engagiert in die Geschichte einzugreifen (ob sie nun damit letztendlich die Transformation in eine sozialistische Gesellschaftsordnung im Auge haben oder die regressive Wiederherstellung einer einfachen Phantasie-Vergangenheit), gibt es in einer Kultur der Abhängigkeit von Bildern nur noch Beklagenswertes und Tadelnswertes. Die Bilderkultur bringt, indem sie die alten Wunschbilder, Stereotype und Texte transformiert, praktisch jeden Glauben an eine bestimmbare Zukunft und ein kollektives Ziel zum Verschwinden. Denkbare zukünftige Veränderungen werden preisgegeben zugunsten von Katastrophenphantasien, die von Terrorismus-Visionen auf gesellschaftlicher bis zu Krebs-Phobien auf persönlicher Ebene reichen. Wenn aber die Postmoderne ein historisches Phänomen ist, dann sind Versuche, sie durch moralische oder moralisierende Wertungen auf den Begriff zu bringen, letztendlich zum Scheitern verurteilt. An der Rolle des Kulturkritikers und Moralisten läßt sich dies noch deutlicher zeigen. Auch er ist so tief im postmodernen Raum versunken, von den neuen Kategorien der Kulturkritik so erfüllt und infiziert, daß für ihn der Luxus der guten alten Ideologiekritik, die entrüstete moralische Verurteilung des Gegners, gar nicht mehr zu haben ist.

Die Abgrenzung, die ich hier vornehme, folgt der seit Hegel üblichen Unterscheidung zwischen der Kategorie der individuellen Moral (Moralität) und dem ganz anderen Bereich der kollektiven gesellschaftlichen Werte und Praktiken (Sittlichkeit). Ihre endgültige Ausprägung findet diese Unterscheidung in der materialistischen Dialektik bei Marx, insbesondere in den klassischen Passagen des «Manifests», wo in aller Härte der Auftrag formuliert wird, geschichtliche Entwicklung und Veränderung dialektisch zu denken. Dabei geht es selbstverständlich um die historische Entwicklung des Kapitalismus und die Ausprägung einer spezifisch bürgerlichen Kultur. In einer der bekanntesten Passagen spricht Marx von der Notwendigkeit, das Unmögliche zu tun, nämlich diese Entwicklung positiv *und* negativ zugleich zu denken, zu einem Denken zu gelangen, das gleichzeitig die nachweisbar unheilvollen Elemente des Kapitalismus *und* seine außerordentliche und befreiende Dynamik erfaßt. In einem einzigen Gedankengang sollte dies möglich sein, ohne die Urteilskraft einer der beiden Positionen abzuschwächen. Man müßte das Denken also auf den Punkt bringen, von dem aus der Kapitalismus als das Beste wie auch als das Schlimmste gedacht werden kann, was der Menschheit passieren konnte. Der Rückfall von diesem strengen dialektischen Imperativ zu der bequemeren Haltung, nur moralisch Position zu beziehen, ist offenbar unausrottbar und nur allzu menschlich. Dennoch ist der Problemdruck so groß, daß wir zumindest den Versuch machen müssen, die kulturelle Entwicklung im Spätkapitalismus dialektisch zu denken: als Katastrophe *und* als Fortschritt.

Versucht man dies, so ergeben sich zunächst zwei Fragestellungen. Können wir tatsächlich ein ‹Moment der Wahrheit› unter den offensichtlichen ‹Momenten der Falschheit› in der postmodernen Kultur ausmachen? Und wenn ja: Wirkt die hier favorisierte Dialektik der historischen Entwicklung nicht letztlich doch lähmend, und neigt sie nicht dazu, uns zu demobilisieren und uns der Passivität und Hilflosigkeit auszuliefern, indem sie systematisch unsere Handlungsmöglichkeiten in den undurchdringlichen Nebel des historisch Unvermeidbaren einhüllt? Es liegt nahe, diese beiden miteinander verflochtenen Problemstellungen im Hinblick auf die gegenwärtigen Möglichkeiten einer effektiven Kulturpolitik und den Aufbau einer politischen Kultur, die diesen Namen verdient, zu diskutieren.

Das Problem auf diese Weise anzugehen heißt natürlich auch, die noch wichtigere Frage nach dem Schicksal der Kultur im allgemeinen und insbesondere die nach ihrer Funktion als gesellschaftlichem Teilbereich und Exempel im postmodernen Zeitalter aufzuwerfen. Es deutet alles darauf hin, daß das, was wir Postmoderne nennen, nicht abzutrennen und nicht denkbar ist ohne die grundsätzliche Annahme eines fundamentalen Wandels der Kultur in der Welt des Spätkapitalismus, d. h. einer folgenschweren Veränderung ihrer gesellschaftlichen Funktionsbestimmung. Frühere Untersuchungen des kulturellen Raums, der kulturellen Funktion oder der Sphäre der Kultur (so vor allem Herbert Marcuses schon klassisch gewordener Essay «Über den affirmativen Charakter der Kultur») haben auf dem bestanden, was sonst die ‹relative Autonomie› des kulturellen Bereichs heißt. Gemeint ist die undefinierbare und dennoch utopische Existenz eines Reiches der Kultur, ob nun positiv oder negativ, jenseits der Welt des Realen, deren Spiegelbild die Kultur in verschiedenen Formen zurückwirft: von der beschönigenden Widerspiegelung und Legitimierung der Wirklichkeit bis zur Anklage der kritischen Satire oder der schmerzvollen Darstellung in der Utopie.

Wir müssen uns fragen, ob nicht genau diese ‹relative Autonomie› der Kultur durch die dem Spätkapitalismus eigene Logik zerstört wurde. Die Behauptung, die Kultur sei heute nicht mehr mit der relativen Autonomie ausgestattet, die ihr als einem gesellschaftlichen Teilbereich in früheren Phasen des Kapitalismus zukam (ganz zu schweigen von vorkapitalistischen Gesellschaftsformen), muß allerdings nicht unbedingt gleichbedeutend sein mit ihrem Verschwinden oder ihrem Untergang. Die Auflösung eines autonomen Kulturbereichs kann im Gegenteil als Aufsprengung verstanden werden: als ungeheure Expansion der Kultur in alle Lebensbereiche, derart, daß man sagen kann, daß alles in unserem gesellschaftlichen Leben, vom ökonomischen Wertgesetz und der Staatsgewalt bis zu den individuellen Handlungs- und Verhaltensweisen und sogar bis zur psychischen Struktur, auf neuartige und bislang nicht theoretisierte Weise zu ‹Kultur› geworden ist. Diese zunächst vielleicht überraschende Behauptung stimmt durchaus substantiell überein mit der zuvor erläuterten Diagnose einer im Bild oder Simulakrum sich konstituierenden Gesellschaft und der Transformation des ‹Realen› in eine Vielzahl von Pseudoereignissen.

Das heißt aber auch, daß sich einige der uns liebgewordenen und in ihrer Radikalität altgewordenen Konzepte von Kulturpolitik überlebt haben. Wie unterschiedlich diese Konzepte auch waren – ihr Spektrum reichte von Schlagworten der Negativität, der Opposition und der Subversion bis zu Kritik und Reflexion –, so gingen sie doch alle von einer gemeinsamen, in die Metapher des Raums gefaßten Voraussetzung aus: von der stets benutzten Formel der ‹kritischen Distanz›. Keine der gängigen linken Theorien zur Kulturpolitik kommt ohne ein Konzept von einer gewissen, wenn auch minimalen ästhetischen Distanz aus ohne die Möglichkeit, kulturelle Handlungen außerhalb des massiven Seins des Kapitals anzusetzen: einen archimedischen Punkt anzunehmen, von dem aus der Kapitalismus anzugreifen ist. Nun war aber festzustellen – und darauf kommt es an –, daß im neuen ‹Raum› der Postmoderne die Distanz ganz allgemein (und die ‹kritische Distanz› im besonderen) abgeschafft worden ist. Wir sind ab sofort in diese aufgefüllten, diffusen Räumlichkeiten so weit eingetaucht, daß unsere nunmehr postmodernen Körper der räumlichen Koordinaten beraubt sind: praktisch und auch theoretisch unfähig, *Distanz* herzustellen. Zu zeigen war, wie die gewaltige neue Expansion des multinationalen Kapitals am Ende gerade die vorkapitalistischen Enklaven (Natur und Unbewußtes) durchdringt und kolonialisiert, die als extraterritoriale und archimedische Stützpunkte für eine wirksame Kritik dienten. In der linken Kritik heißt dies immer wieder verkürzt und zu einfach ‹Kooptation›. Dieser Begriff reicht als theoretische Grundlage nicht aus, um zu verstehen, was wir alle vage empfinden: daß nicht nur lokal begrenzte, alternative Formen gegenkulturellen Widerstandes und der Guerilla, sondern auch offene politische Interventionen (wie die von «The Clash») auf irgendeine Weise heimlich entwaffnet und von einem System absorbiert werden, zu dem sie dann letztlich auch gerechnet werden müssen, da sie sich eben nicht von ihm *distanzieren* können.

Wir müssen uns klarmachen, daß eben diese so außerordentlich demoralisierende und bedrückende Kraft einer neuen Anordnung unseres ‹Welten-Raums› das ‹Moment der Wahrheit› in der Postmoderne ausmacht. Was wir im postmodernen Kontext das ‹Erhabene› genannt haben, ist eben dieses Moment, an dem der Sachverhalt am deutlichsten wird und ganz nahe an der Oberfläche des Bewußtseins erscheint: als eine neue kohärente und selbstbestimmte Typologie des Raums. Allerdings ist hierin auch noch eine gewisse bildliche Verhüllung oder Tarnung am Werke, besonders in den High-Tech-Entwicklungen, wo dieser neue auf die Raumvorstellung bezogene Sachverhalt immer noch dramatisiert und expressiv artikuliert wird. Alle zuvor benannten Elemente der Postmoderne sind als untergeordnete (und dabei konstitutive) Aspekte dieser einzigen und umfassenden Raumvorstellung zu verstehen.

Die Frage nach der Authentizität der hiermit gemeinten, an sich handfesten ideologischen Produktion hängt von der Voraussetzung ab, daß dieses Phänomen, das wir den postmodernen (oder multinationalen) Raum nennen, nicht nur eine kulturelle Ideologie oder Phantasie ist, sondern daß es sich um unsere unvermeidliche historische (und sozioökonomische) Realität handelt: die dritte große neuartige und weltweite Expansion des Kapitalismus (nach den früheren Expansionen der nationalen Märkte und des Imperialismus, die beide ihre eigenen kulturellen Besonderheiten aufwiesen und neue Raumerfahrungen, entsprechend ihrer Eigendynamik, hervorbrachten). Die Versuche neuerer Kulturproduktionen, ohne Widerspiegelung und in der Art einer künstlichen Ver-Formung diesen neuen Raum zu erkunden und darzustellen, müssen als Annäherungsversuche an die mögliche Repräsentation einer neuen ‹Realität› verstanden werden. So paradox dies auch klingen mag: Man kann hier durchaus im herkömmlichen Sinne von neuen merkwürdigen Formen des ‹Realismus› (oder doch von der Mimesis an der Realität) sprechen. Zugleich kann man diese neuen künstlerischen Versuche auch kritisieren, weil sie uns von der Realität ablenken und abbringen, ihre Widersprüchlichkeit verschleiern bzw. sie in der Verkleidung der verschiedensten formalen Mystifikationen auflösen.

Was die Realität selbst betrifft – der noch zu theoretisierende originäre Raum eines neuen unheilvollen ‹Weltsystems› des multinationalen oder ‹späten› Kapitalismus –, so fordert die Methode einer historischen Dialektik auch die *positive* bzw. ‹progressive› Bewertung des gleichen, zuvor *negativ* bedachten Phänomens (wie bei Marx in bezug auf die damals neue Vereinheitlichung des nationalen Marktes oder bei Lenin in bezug auf das weltweite Netz des Imperialismus). Weder Marx noch Lenin sahen im Sozialismus eine Rückkehr zu kleineren (und daher weniger repressiven und absorbierenden) Systemen gesellschaftlicher Organisation. Die Dimensionen, die der Kapitalismus ihrer Zeit annahm, wurden als Versprechen, als Rahmen und Vorbedingung für die Vollendung eines neuen und umfassenderen Sozialismus begriffen. In dem viel globaleren und auf Totalisierung angelegten Raum des neuen Weltsystems, der die Erfindung und Verfeinerung eines radikal neuen Typs des Internationalismus verlangt, müßte dies um so mehr gelten ...

Was not täte:
eine Ästhetik nach dem Muster der Kartographie

Wenn dem so ist, dann kristallisiert sich zumindest die Möglichkeit einer neuen radikalen Kulturpolitik heraus, dies aber unter einem bestimmten ästhetischen Vorbehalt. Linke Kulturproduzenten und Theoretiker haben es oft gar nicht mehr gewagt, sich auf die jahrhundertealte didaktische und pädagogische Funktion der Kunst zu berufen, die von der bürgerlichen Ästhetik – vor allem der des hochentwickelten Modernismus – abgelehnt wird: zum einen, weil sie selbst von der bürgerlichen Kulturtradition der Romantik geprägt wurden, die an einem spontanen, intuitiven und unbewußten ‹Genie›-Begriff festhält; zum anderen aus naheliegenden historischen Gründen, etwa der sowjetischen Kulturpolitik unter Schdanow und deren schmerzhaften Folgen der Einflußnahme auf die Künste durch Partei und Politik. Die Lehrfunktion der Kunst wurde ja zuvor in der klassischen Literatur stets betont, obwohl sie damals hauptsächlich in moralischer Unterweisung bestand. Für die Zeit der eigentlichen Moderne entwirft das großartige und nach wie vor unzureichend verstandene Werk Bertolt Brechts auf formal innovative und originäre Weise ein neues Konzept für das Verhältnis von Kultur und Didaktik. Das kulturelle Modell, das ich hier kurz vorstellen möchte, stellt auf ähnliche Weise die kognitiven und pädagogischen Dimensionen der politischen Kunst und Kultur in den Vordergrund. Sowohl Brecht als auch Lukács gehen explizit auf diese Dimensionen ein, wenn auch auf sehr unterschiedliche Weise, nicht zuletzt in den abweichenden Bestimmungen von Realismus und Moderne.

Eines steht fest: Wir können nicht zu einer ästhetischen Praxis zurückkehren, die auf historischen Verhältnissen und Problemstellungen basiert, die nicht mehr die unsrigen sind. Ein unserer Situation angemessenes Modell der politischen Kultur muß nach dem Konzept, das ich hier zu entwickeln versuche, die *Frage des Raums* zur wichtigsten Problemstellung machen. Die Ästhetik dieser neuen (und nur hypothetisch zu fassenden) Kultur möchte ich daher vorläufig als die eines Kartographierens der Wahrnehmung und der Erkenntnis *(cognitive mapping)* definieren.

Aus Kevin Lynchs Standardwerk «The Image of the City» [29] kann man lernen, daß die entfremdete Stadt vor allem ein Raum ist, in dem die Menschen nicht in der Lage sind, den eigenen Standort oder die städtische Totalität, der sie ausgeliefert sind, bewußtseinsmäßig zu verarbeiten und zu lokalisieren. Einleuchtendes Beispiel dafür ist die Stadt Jersey City, in der keine der traditionellen Markierungen (Denkmäler, Stadtzentrum, natürliche Grenzen wie Flüsse und Berge, Perspektiven, die sich durch Gebäude ergeben) mehr Geltung haben. Die Möglichkeit einer Aufhebung der Ent-Fremdung in einer dieser Städte, wie wir sie kennen, hängt allein davon ab, ob die praktische Rückeroberung eines Gefühls für den Standort und für die Konstruktion und Rekonstruktion von Markierungspunkten gelingt: Anhaltspunkte, die im Gedächtnis bewahrt werden können und die das Subjekt mit seinen momentanen Bewegungen und Gegenbewegungen gewissermaßen ‹kartographisch› aufnehmen und modifizieren kann. Lynchs Buch thematisiert absichtlich nicht mehr als die Problematik der Stadtwahrnehmung. Noch mehr von dieser Problematik wird auf produktive Weise kenntlich, wenn sie nach außen, auf größere nationale und globale Räume projiziert wird. Lynchs Modell greift allein zentrale Fragen der Repräsentation auf. Doch ist es darum durch die übliche poststrukturalistische Kritik an der ‹Ideologie der Repräsentation› oder an der Mimesis nicht einfach erledigt. Der kognitive ‹Stadt-Plan›, den wir im Auge haben, ist nicht einfach ‹mimetisch›, nachahmend im alten Sinne. Vielleicht gelingt auf dieser Ebene eine theoretische Klärung der Frage, was ‹Repräsentation› eigentlich ist.

Zu beobachten ist eine außerordentlich interessante Konvergenz zwischen den empirischen Problemen, die Lynch hinsichtlich des Stadtraums untersucht hat, und der bedeutsamen Neudefinition des Ideologiebegriffs bei Althusser und Lacan: Ideologie als ‹Repräsentation der *imaginären* Beziehung des Subjekts zu seinen/ihren *realen* Existenzbedingungen›. Eben dies soll eine Kartographie der Wahrnehmung und Erkenntnis im engeren Rahmen des täglichen Lebens, in der physischen Präsenz der Stadt leisten: Sie soll dem Subjekt eine situationsgerechte Repräsentation dieser endlosen und eigentlich nicht repräsentierbaren Totalität ermöglichen, die die Stadtstruktur als Ganzes ausmacht.

Lynchs Arbeit legt noch eine andere Entwicklung nahe, in der die Kartographie selbst eine wichtige Vermittlungsinstanz ist. Ein Rückblick auf die Geschichte dieser Wissenschaft (die auch eine Kunst ist) zeigt, daß Lynchs Modell noch nichts mit dem zu tun hat, was einmal zur Herstellung von Landkarten geführt hatte. Seine Subjekte sind gewissermaßen mit prä-kartographischen Erkundungen befaßt, deren Ergebnisse man üblicherweise mit Wanderkarten und Reiseführern identifiziert: graphische Schaubilder, die sich um den stets subjektzentrierten, gewissermaßen existentiellen Reiseweg organisieren und auf denen die wichtigsten Besonderheiten und Lokalitäten eingetragen sind: Oasen, Berge, Flüsse, Denkmäler und dergleichen. Die am weitesten entwickelte Form solcher Schaubilder ist die der nautischen Reiseroute (die Seekarte oder *Portulans*), auf der für die Navigation im Mittelmeer, wo man sich selten auf die offene See hinauswagte, die Küsten markiert wurden.

Mit der Erfindung des Kompasses wurde eine neue Dimension gewonnen, die das Reisen völlig verändern sollte und die es uns ermöglicht, die Problematik einer Kartographie der Wahrnehmung und Erkenntnis viel komplexer zu sehen. Denn die neuen Instrumente – Kompaß, Sextant, Theodolit – standen nicht mehr nur in Relation zu den Problemen von Geographie und Navigation ...; sie verweisen auch auf einen neuen Koordinationspunkt: das *Verhältnis zur Totalität,* vermittelt durch die Astronomie und durch neue Verfahren der Landvermessung wie das der Triangulation. Hier nun ergibt sich die Notwendigkeit, eine Kartographie, die auf unser Wahrnehmungs- und Erkenntnisvermögen zielt, weiter zu fassen, und zwar als Koordination von Fakten und Daten der Lebenswelt (die empirische Position des Subjekts) einerseits und von abstrakten Begriffen der geographischen Totalität andererseits.

Mit dem ersten Globus (1490) und der Erfindung der Mercator-Projektion ungefähr zur gleichen Zeit taucht eine dritte Dimension in der Kartographie auf. Hier liegt bereits das beschlossen, was wir heute als Wesen

der Repräsentationscodes bezeichnen würden: eine Kennzeichnung der
inneren Strukturen der verschiedenen Medien, der mögliche Eingriff in
einfachere mimetische Verfahren des Kartographierens und vor allem das
völlig neue fundamentale Problem der Repräsentation durch verschiedene Sprachen, insbesondere auch das unlösbare, fast schon Heisenberg-
sche Dilemma der Übertragung des gekrümmten Raums auf ebene Karten. Ist man an diesem Punkt angelangt, so wird deutlich, daß es im
Grunde keine ganz genauen, keine ‹wahren› Karten geben kann. Es wird
aber gleichzeitig auch klar, daß für die verschiedenen historischen Zeit-
räume durchaus ein wissenschaftlicher Fortschritt (oder besser: ein dialektisches Voranschreiten) anzunehmen ist.

Gesellschaftliche Kartographie und Symbol

Überträgt man diese Erkenntnisse auf die ganz anders gelagerte Problematik der Ideologie-Definition, wie Althusser sie vornimmt, so ist zweierlei zu bedenken. Zum einen ist es möglich, mit Hilfe dieses Ideologiebegriffs den spezifisch geographischen und kartographischen Sachverhalt
auf den gesellschaftlichen Raum hin neu zu bedenken, also in bezug auf
die Klassen der Gesellschaft im nationalen und internationalen Zusammenhang. Und es wird die Relation deutlich, in der wir alle notwendigerweise unsere individuellen sozialen Beziehungen der Lebenswelt zur
abstrakten Realität der Klassengesellschaft (ob nun lokal, national oder
international) bestimmen. Wir tun dies in der gleichen Art eines Kartographierens unserer Wahrnehmung und Erkenntnis. Aber das Problem
auf diese Weise neu zu formulieren heißt gleichzeitig, sich den neuartigen
und größeren Schwierigkeiten der Landkarte zu stellen, die sich in dem
von mir hier diskutierten globalen Raum der Postmoderne bzw. des multinationalen Kapitals ergeben. Daß es hier nicht nur um rein theoretische,
sondern unmittelbar praktisch-politische Fragen geht, zeigt die in unserer
‹ersten›, westlichen Welt weit verbreitete Vorstellung, daß man seiner existentiellen Erfahrung nach tatsächlich in einer ‹postindustriellen Gesellschaft› lebt, aus der die traditionellen Produktionsformen angeblich verschwunden sind und in der es keine gesellschaftlichen Klassen im herkömmlichen Sinn mehr gibt – ein Bewußtsein, das unmittelbaren Einfluß
auf die politische Praxis hat.

Eine zweite methodische Überlegung geht dahin, daß ein Zurückgehen
zu den Lacanschen Grundannahmen in der Ideologietheorie Althussers
brauchbare und produktive Ansätze bietet. Althussers Konzeption ruft
die klassische marxistische Unterscheidung zwischen Wissenschaft und
Ideologie auf, die für uns immer noch von Wert ist. Das Existentielle – der
Standort des Subjekts, die tägliche Lebenserfahrung, die monadische
Sicht auf die Welt, auf die wir notwendig als biologische Subjekte festge-

legt sind – ist in der Formel Althussers implizit zum Bereich des abstrakten Wissens in Opposition gebracht. Dieser Bereich ist nach Lacan niemals durch ein konkretes Subjekt bestimmbar oder aktualisierbar, sondern nur faßbar als eine ‹Leere in der Struktur›. Lacan spricht hier vom
«sujet supposé savoir», einem «Subjekt, dem Wissen unterstellt ist»[30],
einem Subjekt-Ort des Wissens. Diese Theorie bestreitet nicht, daß wir
die Welt und ihre Totalität auf abstrakte oder ‹wissenschaftliche› Weise
erkennen können – gerade marxistische ‹Wissenschaft› bietet einen solchen Weg der abstrakten Erkenntnis und Begriffsbildung an, zum Beispiel
in dem Sinn, in dem Mandels großes Buch über den Spätkapitalismus ein
reichhaltiges und elaboriertes Wissen über dieses globale Weltsystem präsentiert. Es geht also keineswegs darum, daß dieses Wissen etwa nicht
erkennbar und erreichbar wäre, sondern darum, daß es *nicht repräsentierbar* ist. Und das ist ein großer Unterschied! In anderen Worten: Die Theorie Althussers kennzeichnet eine Kluft, einen Riß zwischen existentieller
Erfahrung und wissenschaftlicher Erkenntnis. Ideologie hat damit die
Funktion, einen Weg zu finden, wie diese beiden getrennten Bereiche sich
zueinander und miteinander erklären können. Aus historischer Sicht
wäre zu ergänzen, daß eine derartige Koordination mit dem Ziel einer
funktionalen und lebendigen Produktivität von Ideologien in verschiedenen historischen Situationen ganz unterschiedlich ausgeprägt ist, vor
allem aber, daß es historische Situationen geben kann, in denen dies überhaupt nicht möglich ist. Genau dies scheint unsere Situation in der gegenwärtigen Krise zu sein.
    Das System Lacans ist indes dreiteilig angelegt und nicht dualistisch.
Mit der Marx-Althusser-Opposition von Ideologie und Wissenschaft kor-
respondieren nur zwei der drei Funktionsbestimmungen bei Lacan: das
Imaginäre und das Reale. Unsere Abschweifung in die Kartographie mit
der Absicht, eine der Repräsentation eigene Dialektik von Codes und
Fähigkeiten individueller Sprachen bzw. Medien aufzuzeigen, muß vorerst ohne das auskommen, was von Lacan als die Dimension des Symbolischen theoretisiert wird. Eine Ästhetik nach dem Muster einer für unsere
Wahrnehmung und Erkenntnis orientierenden Kartographie – eine
pädagogisch-politische Kultur, die das Subjekt mit einem neuen und erweiterten Sinn für seinen Standort im Weltsystem ausstattet – muß
zwangsläufig die ungeheuer komplexe Dialektik der Repräsentation in
Rechnung stellen und neue Wege ersinnen, um dem gerecht zu werden.
Dies sollte nicht als Aufforderung verstanden werden, zu einer früheren
Produktionsstufe zurückzukehren, zu einem früheren und noch transparenten nationalen Raum, zu einer traditionelleren und Sicherheit bieten-
den ‹Perspektive› oder einer residualen Vorstellung von ‹Widerspiegelung›. Die neue politische Kunst – sollte sie überhaupt möglich sein – wird
es mit der ‹Wahrheit› der Postmoderne halten, das heißt festhalten müssen

an der wesentlichen Tatsache, am neuartigen Welt-Raum des multinationalen Kapitals. Dabei sollte ein Durchbruch möglich sein zu heute noch nicht vorstellbaren neuen Formen der Repräsentation dieses Raums, mit denen wir wieder beginnen können, unseren Standort als individuelle und kollektive Subjekte zu bestimmen. Nur so wäre eine neue Handlungs- und Kampfesfähigkeit zu gewinnen, die zur Zeit in der herrschenden räumlichen wie gesellschaftlichen Konfusion neutralisiert worden ist. Wenn es so etwas wie eine politische Erscheinungsform der Postmoderne geben sollte, so wäre diese dazu aufgerufen, eine globale Kartographie unserer Wahrnehmung und Erkenntnis zu entwerfen und diese in den genau zu ermessenden gesellschaftlichen Raum zu projizieren.

Anmerkungen

1 Dieser Essay erschien zuerst unter dem Titel «Postmodernism, or The Cultural Logic of Late Capitalism» in der Zeitschrift «New Left Review» 146 (July–August) 1984, S. 53–92. Er bezieht sich auf frühere Vorträge und Aufsätze, u. a.: Postmodernism and Consumer Society. In: Hal Forster (Hg.): The Anti-Aesthetic. Port Townsend (WA) 1983, S. 119–134; auch in: Amerikastudien/American Studies 29, 1 (1984), S. 55–73; Ideologische Positionen in der Postmodernismus-Debatte. In: Das Argument 155, 28 (Jan./Febr. 1986), S. 18–28.

2 Robert Venturi/Denise Scott Brown/Steven Izenour: Learning from Las Vegas. Cambridge (MA) 1972 (dt.: Lernen von Las Vegas. Braunschweig/Wiesbaden 1979).

3 Daniel Bell: The Coming of Post-Industrial Society. New York 1973 (dt.: Die nachindustrielle Gesellschaft. Frankfurt/M. 1975).

4 Ernest Mandel: Der Spätkapitalismus. Frankfurt/M. 1972.

5 Vgl. Fredric Jameson: The Politics of Theory. In: New German Critique 33 (Fall) 1984, S. 53–65.

6 Martin Heidegger: Der Ursprung des Kunstwerkes. In: ders.: Holzwege. Frankfurt/M. 1977.

7 Heidegger, Holzwege, S. 19 u. 21.

8 Michel Foucault: Histoire de la sexualité. In: La volonté de savoir. Paris 1976 (dt.: Sexualität und Wahrheit, Bd. I: Der Wille zum Wissen. Frankfurt/M. 1983).

9 Theodor W. Adorno: Philosophie der neuen Musik. Frankfurt/M. 1949.

10 Wayne Booth: A Rhetoric of Irony. Chicago/London 1974.

11 Guy Debord: La société du spectacle. Paris 1967 (engl.: The Society of the Spectacle. Detroit 1970).

12 E. P. Thompson: The Poverty of Theory. London 1978 (dt.: Das Elend der Theorie. Zur Produktion geschichtlicher Erfahrung. Frankfurt/M. 1980); The Making of the English Working Class. New York 1966 (London 1963).

13 Roland Barthes: Mythologies. Paris 1957 (dt.: Mythen des Alltags. Frankfurt/M. 1964).

14 E. L. Doctorow: Ragtime. New York 1975 (dt.: Ragtime. Reinbek bei Hamburg 1976).

15 E. L. Doctorow: Loon Lake. New York 1980 (dt.: Sterntaucher. Reinbek bei Hamburg 1982).

16 E. L. Doctorow: The Book of Daniel. New York 1971 (dt.: Das Buch Daniel. Reinbek bei Hamburg 1971).

17 Sigmund Freud: Das Unheimliche (1919). In: ders.: Studienausgabe Bd. 4. Frankfurt/M. 1982, S. 78.

18 Roland Barthes: Le degré zéro de l'écriture. Paris 1953, S. 108 (dt.: Am Null-punkt der Literatur. Frankfurt/M. 1982, S. 88).

19 Christopher Lasch: The Culture of Narcissism. New York 1979 (dt.: Das Zeital-ter des Narzißmus. München 1982).

20 Marguerite Sechehaye: Tagebuch einer Schizophrenen. Frankfurt/M. 1973, S. 13 f.

21 *China*

Wir leben auf der dritten Welt von der Sonne aus. Nummer drei.

Niemand sagt uns, was tun.

Die Leute, die uns das Zählen beigebracht haben, waren sehr freundlich.

Es ist immer an der Zeit zu gehen.

Wenn es regnet, hat man entweder einen Schirm, oder man hat keinen.

Der Wind weht einem den Hut vom Kopf.

Auch die Sonne geht auf.

Lieber wär' mir, die Sterne würden uns nicht einander beschreiben; lieber wär' mir, wir täten das selbst.

Spring über deinen Schatten.

Eine Schwester, die wenigstens einmal in zehn Jahren zum Himmel zeigt, ist eine gute Schwester.

Die Landschaft ist motorisiert.

Der Zug bringt dich wohin er fährt.

Brücken übers Wasser.

Leute auf endlosen Betonpisten umherirrend, kopfüber ins Flugzeug.

Vergiß nicht, wie dein Hut und deine Schuhe aussehen werden, wenn man dich nirgendwo finden kann.

Auch die Wörter, die in der Luft schweben, werfen blaue Schatten.

Wenn's gut schmeckt, essen wir's.

Die Blätter fallen. Auf Dinge hinweisen.

Nimm die richtigen Dinge.

He, weißt du was! Was? *Ich habe sprechen gelernt.* Toll.

Die Person mit unvollständigem Kopf brach in Tränen aus.

Als sie umfiel, was konnte die Puppe machen. Nichts.

Geh schlafen.

Du siehst großartig aus in Shorts. Und die Fahne sieht auch großartig aus.

Jeder hatte Spaß an den Explosionen.

Zeit aufzuwachen.

Aber besser, man gewöhnt sich an Träume.

22 Jean-Paul Sartre: Qu'est-ce que la littérature? In: Les Temps Modernes 17–22 (Februar–Juli) 1947 und in: Situations, II. Paris 1948 (dt.: Was ist Literatur? Reinbek bei Hamburg 1981, S. 101).

23 Jean-Paul Sartre: L'idiot de la famille. Gustave Flaubert 1821–1857. Paris 1971–72 (dt.: Der Idiot der Familie. Gustave Flaubert 1821–1857. Reinbek bei Hamburg 1977–1980).

24 Susan Sontag: Notes on «camp». In: dies.: Against Interpretation. New York

1961, S. 273–278 (dt.: Anmerkungen zu «Camp». In: dies.: Kunst und Antikunst. Frankfurt/M. 1982, S. 322–342).

25 Mandel, Spätkapitalismus, S. 110f.

26 Michael Herr: Dispatches. New York 1978 (dt.: An die Hölle verraten. Dispatches. Frankfurt/M. 1981).

27 Walter Benjamin: Über einige Motive bei Baudelaire. In: ders.: Illuminationen. Frankfurt/M. 1980, S. 185–229.

28 Herr, Dispatches, S. 14f. (engl. Ausgabe S. 8–9).

29 Kevin Lynch: The Image of the City. Cambridge (Mass.) 1960.

30 Jacques Lacan: Schriften II. Olten/Freiburg i. Br. 1975, S. 13.

Übersetzt von *Hildegard Föcking*
und *Sylvia Klötzer*

Seyla Benhabib

Kritik des ‹postmodernen Wissens› –
eine Auseinandersetzung
mit Jean-François Lyotard

In der gegenwärtigen Debatte über das Wesen und die Bedeutung der Postmoderne scheint die Architektur eine hervorragende Stellung einzunehmen.[1] Es liegt nahe, dieses Phänomen mit Hegel folgendermaßen zu erfassen: Es ist, als habe der Zeitgeist einer sich ihrem Ende nähernden Epoche sein Selbstbewußtsein in den Stahl-, Beton- und Glasmonumenten der modernen Architektur erreicht. Sich in seinen Vergegenständlichungen betrachtend, hat der *Geist* sich nicht ‹erkannt› und ist so nicht ‹zu sich zurückgekehrt›, sondern hat sich mit Schrecken von seinen Schöpfungen abgewendet. Der sichtbare Verfall der Städte, die Unheimlichkeit der modernen Metropolen und die allumfassende Enthumanisierung unserer Umwelt scheinen den Beweis dafür zu liefern, daß der faustische Traum zum Alptraum geworden ist. Der faustische Traum von einer unendlich manipulierbaren Welt, die dem sich durch die Unterwerfung der Außenwelt entfaltenden Subjekt als bloße Materie zur Verfügung steht, hat sich als falsch erwiesen. Die postmoderne Architektur verkündet unter anderem auch das Ende dieses Traums, der das Selbstverständnis der Moderne von Anfang an geprägt hat.[2]

Das Ende des faustischen Traums hat eine begriffliche und semiotische Wende in vielen kulturellen Bereichen mit sich gebracht. Diese Wende wird nicht etwa durch moralische oder politische Kritik am faustischen Charakter der Moderne bestimmt, sondern durch die Infragestellung des begrifflichen Rahmens, der den faustischen Traum überhaupt erst ermöglicht hat. Folgende Feststellung von Peter Eisenmann – einer der Schlüsselfiguren in der modernen/postmodernen Konstellation der Architektur – erfaßt recht genau die Elemente dieser neuen Kritik an der Moderne:

«Seit dem 15. Jahrhundert war die Architektur von der Vorgabe einer Reihe symbolischer und referentieller Funktionen abhängig. Diese können zusammenfassend als ‹klassisch› bezeichnet werden ...: ‹Vernunft›, ‹Repräsentation› und ‹Geschichte›. Die ‹Vernunft› besteht darauf, daß die Dinge als rationale Transformationen eines aus sich selbst evidenten Ursprungs verstanden werden sollen. ‹Repräsentation› verlangt den Bezug der Dinge auf Werte oder Vorstellungen außerhalb ihrer selbst ... ‹Geschichte› geht von einer aus isolierbaren historischen Momenten zusammengesetzten Zeitvorstellung aus, deren wesentliche Eigenschaften abstrahiert und repräsentiert werden können und sollen. Als Imperative verstanden, zwingen diese ‹klassischen› Voraussetzungen die Architektur, den Geist ihrer Zeit in einem rational motivierten und verständlichen Zeichensystem zu repräsentieren ... Wenn aber diese ‹Imperative› nur ‹Fiktionen› sind, dann kann das ‹Klassische› aufgehoben werden, und es tauchen neue mögliche Positionen auf, die von den klassischen Imperativen verdeckt wurden.»[3]

Eisenmanns Beschreibung trifft nicht nur das Selbstverständnis der Postmoderne in der Architektur, sondern auch in der zeitgenössischen Philosophie. Würden wir im ersten Absatz den Begriff ‹Architektur› durch ‹Philosophie› ersetzen, so könnte Eisenmanns Feststellung als pointierte Zusammenfassung von Jean-François Lyotards «Das postmoderne Wissen»[4] dienen. Auch für Lyotard bezeichnet der Niedergang des faustischen Ideals das Ende der ‹großen Erzählung› der Moderne und einer auf Repräsentation beruhenden Epistemologie, die die Grundlage für dieses Ideal war. «So führt sie (die Wissenschaft) über ihr eigenes Statut einen Legitimationsdiskurs, der sich Philosophie genannt hat. Wenn dieser Metadiskurs explizit auf diese oder jene große Erzählung zurückgreift, wie die Dialektik des Geistes, die Hermeneutik des Sinns, die Emanzipation des vernünftigen oder arbeitenden Subjekts, so beschließt man ‹modern› jene Wissenschaft zu nennen, die sich auf ihn bezieht, um sich zu legitimieren» (S. 7). Wie Eisenmann sieht Lyotard in der Aufkündigung des Klassischen das Hervortreten neuer kognitiver und sozialer Optionen, die von den ‹klassischen Imperativen› verschleiert wurden. Diese neue kognitive Alternative definiert Lyotard abwechselnd als «Paralogie» (S. 113), «Agonistik» (S. 24) und «das Erkennen der Heteromorphie der Sprachspiele» (S. 123). Die neue soziale Alternative wird als ein «zeitweiliger Vertrag» beschrieben, der die «permanente Institution in beruflichen, affektiven, sexuellen, kulturellen, familiären und internationalen Bereichen wie in den politischen Angelegenheiten tatsächlich verdrängt» (S. 123).

Lyotard präsentiert diese neuen kognitiven und sozialen Möglichkeiten als Alternativen, die authentisch sind in bezug auf die Erfahrung der postindustriellen Gesellschaften und den ihnen eigenen Status von Wissen. Die Vormachtstellung, die die klassische Episteme* für das zeitgenössische Bewußtsein hat, führt jedoch zunächst dazu, unsere kognitive und praktische Phantasie in zwei verschiedene Richtungen zu lenken. Zum einen wird Gesellschaft als ein «funktionales Ganzes» (S. 25) begriffen und «Performativität» als die dieser Gesellschaft angemessene Form des Wissens angesehen. Performativität heißt, daß Wissen Macht ist und daß sich die moderne Wissenschaft durch das von ihr ermöglichte Anwachsen

---

* Ich benutze den Begriff «die Episteme» allgemein, um ein erkenntnistheoretisches Modell und seine impliziten Voraussetzungen zu bezeichnen.

der technologischen Kapazität, Leistungsfähigkeit, Kontrolle und Output legitimieren kann (S. 88–89). Das Ideal aller Theoretiker von Hobbes bis Luhmann, die auf die Performativität setzen, ist es, die geheime Schwäche der Legitimation von Macht zu verringern, indem Risiko, Unvorhersehbarkeit und Komplexität eingeschränkt werden. Nicht nur ist Wissen Macht; Macht ermöglicht erst den Zugang zum Wissen und garantiert so selbst die Fortdauer ihrer eigenen Legitimationsbasis.

Zum anderen wird Gesellschaft betrachtet als eine gespaltene, entfremdete und entzweite Totalität, die der Versöhnung bedarf. Das entsprechende erkenntnistheoretische Konzept ist ‹kritisch› im Gegensatz zum ‹funktionalen› Wissen. Kritisches Wissen dient dem Subjekt. Sein Ziel ist nicht Legitimation von Herrschaft, sondern Befähigung zur Selbstermächtigung (S. 28 ff.). Nicht die Effizienz des Apparats ist zu steigern, sondern die Bildung der Menschheit. Gesellschaftliche Komplexität soll nicht reduziert werden, sondern es soll eine Welt geschaffen werden, in der eine versöhnte Menschheit sich selbst wiedererkennen kann. In Jürgen Habermas sieht Lyotard den zeitgenössischen Repräsentanten dieses aus der Vorstellungswelt des deutschen Denkers Wilhelm von Humboldt stammenden Ideals des 19. Jahrhunderts (S. 68–69). War es Humboldts Idealvorstellung, durch ein philosophisches Sprachspiel dem Wissen Einheit zu geben und alle Wissenschaften dadurch in Momente der allgemeinen Bildung des Geistes zu verwandeln, so ist es Habermas' Absicht, einen Metadiskurs zu formulieren, der «für alle Sprachspiele universell gültig» ist (S. 122). Das Ziel eines solchen Diskurses ist nicht mehr die *Bildung* der deutschen Nation wie bei Humboldt, sondern das Schaffen von Konsens, Transparenz und Versöhnung. Lyotard kommentiert: «Die Sache ist gut, aber die Argumente sind es nicht. Der Konsens ist ein veralteter und suspekter Wert geworden ... Man muß also zu einer Idee und Praxis der Gerechtigkeit gelangen, die nicht an jene des Konsens gebunden wäre» (S. 122–123).

Kann Lyotard überzeugen? Ist sein Projekt plausibel, die Umrisse einer postmodernen Episteme jenseits des Dualismus von funktionalem und kritischem Wissen, jenseits von instrumenteller Vernunft und kritischer Theorie zu entwerfen? Welche epistemologischen Möglichkeiten werden uns durch den Niedergang der klassischen Episteme der Repräsentation eröffnet?

Die Krise der Episteme
der Repräsentation

Am Anfang der neuzeitlichen Philosophie steht der Verlust der Welt.[5] Die Entscheidung des autonomen bürgerlichen Subjekts, nichts, vor allem aber keine Autorität anzuerkennen, deren Inhalte und Zwänge nicht einer rigorosen Analyse unterzogen wurden und die die Probe auf ‹Klarheit› und ‹Deutlichkeit› nicht bestanden hatten, begann mit einem Rückzug aus der Welt. Für Descartes war es im 17. Jahrhundert noch möglich, diesen Rückzug in der Sprache des Stoizismus und der spanischen jesuitischen Philosophie als eine moralische und religiöse Geste zu beschreiben. Diese wurde entweder als ein Ausklammern der aktiven Beschäftigung des Ichs mit der Welt (Stoizismus) oder als die Kommunion der Seele mit sich selbst (jesuitische Meditationslehre) verstanden. Beides waren Stufen auf dem Weg zur Harmonie mit dem Kosmos bzw. unerläßliche Schritte zur Läuterung der Seele, um diese auf die Wahrheit Gottes vorzubereiten. In der weiteren Entwicklung der neuzeitlichen Epistemologie wurden diese moralischen und kulturellen Inhalte so lange erfolgreich unterdrückt, bis die typischen Reduktionen, auf denen die klassische Philosophie der Repräsentation beruht, hervortreten konnten. Das körperliche, ethisch-moralische Subjekt wurde zum reinen Wissenssubjekt, auf ‹Bewußtsein› oder ‹Geist› reduziert. Der Gegenstand des Wissens wurde auf ‹Tatsachen› und ‹Ideenassoziationen› oder auf ‹Sinneseindrücke› und ‹Begriffe› eingeschränkt. Die klassische Epistemologie von Descartes bis Hume und von Locke bis Kant stellte die Frage, wie die Ordnung der Vorstellungen im Bewußtsein mit der Ordnung der Gegenstände außerhalb des Bewußtseins in Übereinstimmung gebracht werden könne. Ins Gefängnis des eigenen Bewußtseins gesperrt hat das neuzeitliche epistemologische Subjekt versucht, die ihm verlorengegangene Welt wiederzufinden.[6] Die Lösungsmöglichkeiten waren begrenzt: Entweder versicherte man sich der Rückgewinnung der Welt durch direkten und unmittelbaren Zugang durch die Sinne (Empirismus), oder man behauptete, daß die Vernunft des Schöpfers und infolgedessen die prästabilierte Harmonie von Geist und Natur den Zusammenhang zwischen beiden Ordnungen der Vorstellungen garantieren würde (Rationalismus).

Ob nun Empiriker oder Rationalisten, einig waren sich die Epistemologen der Moderne darin, daß es die Aufgabe des Wissens sei, unbeschadet seines Ursprungs eine angemessene Repräsentation der Dinge aufzubauen. Im Wissen sollte der Geist die Natur ‹spiegeln›.[7] Charles Taylor stellt dies so dar: «Wenn wir annehmen, x sei eine ‹korrekte› Darstellung von X, so nehmen wir eine saubere Trennung vor zwischen Ideen, Gedanken, Beschreibungen und Ähnlichem einerseits und dem, was diese Ideen bedeuten, andererseits.»[8] Die neuzeitliche Erkenntnistheorie operierte mit einer dreifachen Unterscheidung: die Ordnung der Vorstellungen in unserem Bewußtsein (Ideen oder Wahrnehmungen); die Zeichen, durch die diese ‹private› Ordnung öffentlich gemacht wurde (also Wörter), und das Referential, das, was die Vorstellungen zu repräsentieren hatten und worauf sie sich bezogen.[9] In dieser Tradition wurde Bedeutung als ‹Designation› definiert: Die Bedeutung eines Wortes war identisch mit dem, was es bezeichnet; die primäre Funktion von Sprache war denotativ, hatte auf objektiv existierende Verhältnisse zu verweisen. Die klassische Episteme der Repräsentation ging aus vom erkennenden Subjekt als Zuschauer, von einer designativen Vorstellung von Bedeutung und von einer denotativen Sprachtheorie.

Bereits im vorigen Jahrhundert bildeten sich drei Richtungen der Kritik an dieser ‹klassischen› Epistemologie heraus und führten schließlich zu ihrer Verwerfung. Man könnte die erste Richtung Kritik am modernen epistemologischen Subjekt nennen, die zweite Kritik am epistemologischen Objekt und die dritte Kritik an der modernen Zeichentheorie.

Die Kritik am kartesianischen Begriff des Subjekts – Subjekt als passiver Zuschauer der Natur – begann im deutschen Idealismus und setzt sich über Marx' Ideologiekritik am Beispiel Feuerbachs und Freuds Psychoanalyse bis zu Horkheimers «Traditionelle und kritische Theorie» (1937) und Habermas' «Erkenntnis und Interesse» (1973) fort.[10] In dieser Tradition wird das Modell vom Subjekt als Zuschauer durch das Bild einer aktiven, produzierenden und produktiven Menschheit ersetzt. Die Vergegenständlichung der Welt geschieht aus eigener historischer Tatkraft. Die hegelsche und marxistische Tradition zeigt auch, daß das kartesianische Subjekt keine sich selbst transparente Einheit ist und das epistemologische Subjekt keine absolute Autonomie erlangen kann, solange die historischen Ursprünge und sozialen Bedingungen der ‹klaren und deutlichen Ideen›, die dieses Subjekt in seinem Bewußtsein betrachtet, im dunkeln bleiben. An diesem Punkt schließt sich diese Richtung der Kritik mit der von Freud zusammen, der ebenso gezeigt hat, daß das Ich nicht sich selbst transparent ist, da es nicht ‹Herr im eigenen Haus› sein kann. Es wird beherrscht von Wünschen, Bedürfnissen und Trieben, deren Auswirkungen sowohl die klaren und deutlichen Ideen als auch die Fähigkeiten des Subjekts, diese zu systematisieren, bestimmen. Die historische und die psychoanalytische Kritik am kartesianischen Ego sieht die Aufgabe der Reflexion weder als Rückzug aus der Welt noch als Zugang zu Klarheit und Deutlichkeit, sondern als das Bewußtmachen der unbewußten Mächte von Geschichte, Gesellschaft und Psyche. Obwohl vom Subjekt geschaffen, entziehen sich diese notwendigerweise seinem Gedächtnis, seiner Kontrolle und seinem Verhalten. Das Ziel der

Reflexion ist die Emanzipation aus selbstverschuldeter Knechtschaft.

Eine zweite Richtung der Kritik verbindet sich mit den Namen Nietzsche und Heidegger, mit der «Dialektik der Aufklärung», Adorno und Horkheimer. Die moderne Episteme wird im Zusammenhang von Unterdrückung und Verdrängung gekennzeichnet. Nietzsche sieht in der modernen Wissenschaft die Universalisierung des kartesianischen Zweifels. Modernes Wissen spaltet die Welt in das Reich der Erscheinungen einerseits, in das Wesen oder die Dinge-an-sich andererseits.[11] Dieser Dualismus wird vom Subjekt des Wissens verinnerlicht, das sich wiederum in Körper und Geist, in sinnliches und begriffliches Vermögen spaltet. Für Nietzsche stellt sich so die moderne Wissenschaft als Triumph des Platonismus dar. Heidegger geht in der Problematisierung der modernen Episteme der Repräsentation noch hinter die platonischen Ursprünge zurück: auf die Vorstellung vom Sein als Anwesenheit, auf das, was dem Bewußtsein des Subjekts präsent und verfügbar ist.[12] Die Vorstellung vom Sein als Anwesenheit-für-etwas reduziert die Vielfalt der Erscheinungen, indem diese einem souveränen Bewußtsein verfügbar gemacht werden. Die Reduzierung der Erscheinungen auf das, was dem Subjekt verfügbar ist, eröffnet dem Bewußtsein die Möglichkeit, diese Erscheinungen zu beherrschen. Aus einer Heidegger verwandten Position argumentieren Adorno und Horkheimer in der «Dialektik der Aufklärung», daß der ‹Begriff› – d. h. die Einheit des Denkens in der westlichen Tradition – der Heterogenität des Materials Homogenität und Identität aufzwinge. Das Streben nach Identität im begrifflichen Denken kulminiert im Triumph der Technik in der westlichen Ratio, die nur Dinge kennt, die sie beherrscht: «Die Aufklärung verhält sich zu den Dingen, wie der Diktator zu den Menschen.»[13]

Eine dritte Tradition der Kritik an der Episteme der Moderne wurde von Ferdinand de Saussure und Charles Sanders Peirce eingeleitet, von Frege und Wittgenstein in unserem Jahrhundert radikalisiert. Sie argumentieren, daß es unmöglich sei, Sinn, Bedeutung und Sprache an sich zu verstehen, wenn man sprachliche Zeichen weiterhin als «private Bezeichnungen»[14] ansieht. Statt dessen gehen sie vom öffentlichen und gesellschaftlichen Charakter der Sprache aus. De Saussure und Peirce weisen darauf hin, daß es keine *natürliche* Beziehung gibt zwischen dem Lautzeichen, dem Wort, das dieses in einer Sprache repräsentiert, und dem Inhalt, auf den es sich bezieht. Nach Peirce ist die Beziehung zwischen den Zeichen (von denen Wörter nur eine mögliche Form sind) und dem Signifikat stets durch einen Interpreten vermittelt.[15] Nach de Saussure werden bestimmte Laute innerhalb eines Systems differentieller Beziehungen willkürlich zu Wörtern fixiert.[16] Sprache ist ein verfestigtes Beziehungssystem, das hinter der Menge der Äußerungen, d. h. der ‹parole›, steht. Dieser Entwicklung der Sprachanalyse vom Privaten zum Öffentlichen, vom Bewußtsein zum Zeichen, vom einzelnen Wort zu einem System von Beziehungen zwischen sprachlichen Zeichen folgen Frege und Wittgenstein. Auch sie stellen fest, daß die Bedeutungseinheit nicht das Wort, sondern der Satz ist (Frege) und daß Bedeutung nur verstanden werden kann, wenn man die möglichen Kontexte der Verwendung berücksichtigt (Wittgenstein).

Der epistemologische Standort, an dem nun Lyotard die Diskussion aufnimmt, wird durch den Sieg dieser dritten Tradition bestimmt. In der analytischen Philosophie, in der zeitgenössischen Hermeneutik und im französischen Poststrukturalismus wird das Paradigma *Bewußtsein* durch das Paradigma *Sprache* ersetzt.[17] Dieser Paradigmenwechsel hat zur Folge, daß nicht mehr das epistemologische Subjekt und die privaten Inhalte seines Bewußtseins, sondern die öffentlichen, signifikanten Tätigkeiten einer Gruppe von Subjekten im Mittelpunkt stehen. In diesem Prozeß hat eine Verschiebung in der Größenordnung der in Frage gestellten epistemischen Einheit stattgefunden: Vorstellung, Wahrnehmung und Begriff sind durch die Triade des Zeichens Signifikant, Signifikat und Interpretant (Peirce) oder durch ‹langue› und ‹parole› (de Saussure) oder durch Sprachspiele als ‹Lebensformen› (Wittgenstein) ersetzt worden. Auch die Identität des epistemologischen Subjekts hat sich verändert: Der Träger des Zeichens kann kein isoliertes Ich sein, denn nach Wittgenstein gibt es keine private Sprache. Es handelt sich entweder um eine Gemeinschaft von Subjekten, deren Identität bis an die Grenze ihres Interpretationshorizonts reicht (Gadamer), oder um eine soziale Gruppe der Sprachbenutzer (Wittgenstein). Die Erweiterung des epistemologischen Subjekts ist jedoch nur eine der möglichen Folgerungen aus diesem neuen epistemologischen Ansatz. Eine weitere Konsequenz zieht der französische Strukturalismus, indem er verneint, daß man, um dem epistemologischen Gegenstand Sinn zu verleihen, überhaupt auf ein epistemologisches Subjekt angewiesen ist. Das Subjekt wird durch ein System von Strukturen, Oppositionen und Differenzen (différences) ersetzt, die, um verstanden werden zu können, nicht zwangsläufig als Produkt eines lebenden Subjekts aufzufassen sind.

In diesem Sinne gibt sich Lyotard überzeugt davon, daß die Destruktion der Episteme der Repräsentation nur eine Möglichkeit offen läßt: die Anerkennung der Unversöhnlichkeit und Inkommensurabilität von Sprachspielen und die Erkenntnis, daß nur kontextspezifische Gültigkeitskriterien formuliert werden können. Man muß die ‹Agonistik› der Sprache akzeptieren: «... denn sprechen ist kämpfen im Sinne des Spielens, und die Sprechakte sind auf einen allgemeinen Wettstreit bezogen» (S. 23–24). Diese kognitive Wahl hat einen «Polytheismus von Werten» und eine Strategie der Gerechtigkeit jenseits des Konsenses zur Folge, die Lyotard vage als einen «vorläufigen Vertrag» (S. 23) bezeichnet.

Der Wandel in der zeitgenössischen Philosophie vom Bewußtsein zur Sprache, von der Ordnung der Repräsentationen zu der der Sprechakte und von Denotation zu Performanz muß aber nicht notwendigerweise zu einem ‹Polytheismus› von Werten und letztlich zu Wittgensteins Maxime führen, daß «Philosophie alles so läßt, wie es ist».[18] Um zu erkennen, daß der Niedergang der Episteme der Repräsentation auch andere Alternativen erlaubt als die von Lyotard postulierten ‹Polytheismen› und die ‹Agonistik› der Sprache, muß zunächst die dem Lyotardschen Programm eigene Widersprüchlichkeit genauer untersucht werden. Lyotard bestreitet, daß eine Wahlmöglichkeit zwischen instrumenteller und kritischer Vernunft, zwischen Performativität und Emanzipation überhaupt gegeben ist. Seine Philosophie der Agonistik führt entweder zu einem ‹Polytheismus von Werten›, d. h. zu einem Standpunkt, von dem aus Performativität und Emanzipation nicht kritisiert werden können. Oder aber sie geht doch nicht ganz in diesem Polytheismus auf und privilegiert – als versteckten Maßstab – einen Diskurs- und Wissensbereich vor anderen. Zur Wahl stehen immer noch ein unkritischer Polytheismus und eine bewußte Anerkennung der Notwendigkeit von reflexiv begründeten Gültigkeitskriterien. So entgeht Lyotard nicht der Gefahr zwischen Scylla und Charybdis, zwischen einem unkritischen Polytheismus und einem ‹kriteriologischen› Dogmatismus.

Wahrheit –
die Zukunft einer Illusion?

Die Gegensätze zwischen Lyotards ‹Agonistik› der Sprache und dem von Apel und Habermas formulierten Programm einer ‹universellen› oder ‹transzendentalen Pragmatik›[19] bieten sich als Ausgangspunkt zur Darstellung dieses Dilemmas an. Denn sowohl Lyotards Agonistik als auch das Programm der Pragmatik weisen die denotative Funktion der Sprache zurück und signalisieren eine Hinwendung zu den performativen Aspekten von Sprache. Damit verbunden ist eine Neudefinition von Wissen als argumentative und diskursive Praxis. Habermas weist darauf hin, daß in die Lebenswelt ein vortheoretisches Wissen, ein ‹know-how›, eingebettet sei, welches die impliziten Regeln der kommunikativen Kompetenz sozialer Akteure ausmacht. In ähnlicher Weise betont Lyotard ‹Narrativität› als eine von der Wissenschaft unterdrückte und ins Abseits gedrängte Form des Wissens. Sie wird definiert als «Machen-können (savoir-faire), Leben-können (savoir-vivre), Hören-können (savoir-écouter)» (S. 39). Für Habermas jedoch stehen diskursives Wissen und alltägliche Kommunikationspraxis in einem unlösbaren Zusammenhang. Auch schon die tägliche

Kommunikation funktioniert durch die Sprechakte der Interrogation, des Widerspruchs, der Infragestellung und des Nachdenkens als selbst-reflexives Medium. Im Diskurs öffnet sich für uns nicht ein platonischer Himmel der Ideen, sondern wir klammern bestimmte Zwänge von Zeit und Raum aus, suspendieren den Glauben an die Wahrheit von Behauptungen, die Gültigkeit von Normen und die Glaubwürdigkeit des Gesprächspartners und überprüfen die Alltagsgewißheiten, von deren Wahrheit wir nicht mehr überzeugt sind. Lyotard dagegen betont die radikale Diskontinuität von ‹Diskurs› und ‹narrativem Wissen›. Narratives Wissen bedarf seiner Meinung nach keiner Legitimation. Für Lyotard werden in der Pragmatik des narrativen Wissens die Operationen der Infragestellung, des Nachdenkens und des Widersprechens, die die tägliche Kommunikationspraxis ausmachen, von vornherein ausgeschlossen (Kapitel 6).

Obwohl Lyotard seine Sprachphilosophie «Pragmatik» nennt – eine agonistische Pragmatik allerdings –, wäre ‹Rhetorik› eine angemessenere Bezeichnung für seine Überlegungen. Pragmatik wie auch Rhetorik betonen den performativen und nicht den denotativen Gebrauch von Sprache; beide gehen vom Sprechakt statt vom Aussagegehalt als zu analysierender Einheit aus. Die pragmatische Theorie der Sprechakte hält aber daran fest, daß jeder Kommunikationsakt auf bestimmte ‹Geltungsansprüche› ausgerichtet ist. Geltungsansprüche können im Hinblick auf die Wahrheit von Aussagen, die Gültigkeit von Normen und die Glaubwürdigkeit des sprechenden Subjekts formuliert werden.[20] Die Rhetorik der Sprache hingegen, für die Lyotard eher eintritt, unterscheidet nicht zwischen ‹einen Geltungsanspruch erheben› und ‹jemanden zwingen, etwas zu glauben›, zwischen einer Koordinierung der Handlungen der einzelnen auf der Basis einer durch *Übereinstimmung* erlangten Überzeugung und der *Manipulation* des Verhaltens anderer. Lyotard trifft nicht den Sachverhalt, wenn er Habermas vorwirft, er reduziere alle Sprachspiele auf das Metaspiel der Wahrheit. In der Theorie der universellen Pragmatik ist der Wahrheitsanspruch nur einer neben zwei weiteren Geltungsansprüchen: ‹Richtigkeit› und ‹Wahrhaftigkeit›, von denen keiner privilegiert wird.[21] Die Frage ist also nicht, ob Habermas das Metaspiel der Wahrheit privilegiert, sondern welche Vorstellung von Sprache die adäquatere ist: die Habermassche, die in Sprache ein *kognitives* Medium sieht, durch das Normen der Handlungskoordination, kulturelle Interpretationsmuster und Bezugssysteme für die Artikulation unserer Bedürfnisse und Wünsche formuliert werden können[22], oder Lyotards Vorstellung von Sprache als *evokativem* Medium, in dem Rechtmäßigkeit und Gewalt, begründete Überzeugung und manipulierte Meinung nicht länger unterschieden werden können.

Ist diese Kritik an Lyotard berechtigt? Folgen wir ihm noch genauer. Aufschlußreich ist ein langer Abschnitt, in dem Lyotard seine Pragmatik der Sprache erläutert:

«Eine Aussage wie ‹Die Universität ist krank›, die im Rahmen einer Konversation oder Unterredung geäußert wird, teilt ihrem Sender (derjenige, der sie aussagt), ihrem Empfänger (derjenige, der sie erhält) und ihrem Referenten (das, wovon die Aussage handelt) in spezifischer Weise eine Position zu: der Sender ist durch diese Aussage auf jene des ‹Wissenden› festgelegt und in ihr vorgestellt ... Betrachtet man eine Verlautbarung wie: die Universität ist offen, von einem Dekan oder Rektor bei der jährlichen Wiedereröffnung der Universität verkündet, so sieht man, daß die vorangehenden Spezifizierungen verschwinden ... Die zweite, performativ genannte Aussage hat die Besonderheit, daß *sich ihre Wirkung auf den Referenten mit ihrer Äußerung deckt* ... Dies ist also weder ein Gegenstand der Diskussion noch der Verifizierung durch den Empfänger, der sich unmittelbar in den neuen, solcherart geschaffenen Kontext gestellt findet. Was den Sender betrifft, so muß er mit der Autorität ausgestattet sein, sie auszusprechen. Aber man kann diese Bedingung auch umgekehrt beschreiben: er ist nur insoweit Dekan oder Rektor, also *ein mit der Autorität diese Art von Aussagen zu machen Ausgestatteter,* insofern er *durch seine Äußerung die besagte unmittelbare Wirkung auf seinen Referenten, die Universität, ebenso wie auf seinen Empfänger, den Lehrkörper, erzielt*» (S. 21–22; meine Hervorhebungen).

Dieses Beispiel zur Ausführung der pragmatischen Dimension der Sprachspiele verrät, daß Lyotard nicht mehr zwischen Gewalt und Rechtmäßigkeit unterscheidet. Dem ‹Sender› wird die ‹Autorität› erteilt, Behauptungen aufzustellen, «insofern, als er den Referenten und den Empfänger» beeinflussen kann. Aber sicherlich kann man die *Gewährung von Autorität* (einer Person oder einer Institution) und die *wirksame Ausübung* dieser Autorität nicht gleichsetzen. Das erstere ist eine Frage der *Legitimität,* das letztere eine der *Herrschaft.* Genauso wie jemand, dem Autorität erteilt wird, nicht unbedingt wirksam in ihrer Ausübung sein muß, so können andere durchaus wirksam in der Ausübung ihrer Autorität sein, die kein Recht haben, diese einzusetzen. Anscheinend geht Lyotard implizit davon aus, daß nur derjenige, der seine Autorität wirksam ausübt, auch dazu berechtigt ist, Autorität zu haben. Wenn dem so ist, müßte jede Art von Autorität charismatisch sein, das heißt von den individuellen Eigenschaften und Fähigkeiten einer bestimmten Person abhängen, Autorität wirksam auszuüben. Die Verpflichtung, Autorität durch Verfahren, Regeln und Begründungen zu rechtfertigen, bestünde nicht. Herrschaft und Legitimation, Macht und Recht wären damit nicht mehr zu differenzieren.

Lyotard schreibt: «eine denotative Aussage ... teilt ihrem Sender (und) ihrem Empfänger ... in spezifischer Weise eine Position zu: der Sender ist durch diese Aussage auf jene des ‹Wissenden› festgelegt und in ihr vorgestellt ..., der Empfänger ist in die Lage versetzt, seine Zustimmung entweder geben oder verweigern zu müssen» (S. 21). Der Unterschied zwischen universeller und transzendentaler Pragmatik einerseits und Lyotards Agonistik andererseits läuft auf die Frage hinaus, wie dieses ‹Geben› oder ‹Verweigern› von Zustimmung verstanden werden soll. Lyotard sieht hier die Konsequenz eines Sprachspiels, in dem viele Züge möglich sind, und spezifiziert den Prozeß, durch den Zustimmung gewährt oder Ablehnung geäußert wird, nicht weiter. Aber es muß doch einen Unterschied geben zwischen Zustimmen und Nachgeben, zwischen Übereinstimmen und zur Übereinstimmung überredet werden, zwischen Überzeugen durch Argumente und Bestechung, zwischen Ablehnung und Halsstarrigkeit. Lyotard eliminiert diese Unterschiede nicht vollständig, wenn er fortfährt: «... denn sprechen ist kämpfen im Sinne des Spielens, und die Sprechakte sind auf einen allgemeinen Wettstreit bezogen. *Das bedeutet nicht unbedingt, daß man spielt, um zu gewinnen*» (S. 23–24; meine Hervorhebungen). Die Frage bleibt: warum nicht? Warum ist Sprache nicht einfach ein Medium des universellen Machtspiels? Warum ist nicht jedes Gespräch eine Verführung, jeder Konsens eine Unterwerfung? Jede Zustimmung das Resultat einer Täuschung, eines «narcissisme à deux», wie Lacan dies nennt?[23] Trotz einer gewissen Ambivalenz der Argumentation könnte Lyotard sich kaum dieser Schlußfolgerung entziehen.

In Lyotards Agonistik verschwindet die Grenze zwischen Wahrheit und Betrug, zwischen Konsens und Zwang; denn er kann nicht zwischen illokutiven und perlokutiven Sprechakten unterscheiden. Nach Austin «hat der illokutive Akt eine bestimmte *Macht,* etwas zu sagen; der perlokutive Akt ist das *Bewirken* bestimmter Effekte, indem man etwas sagt»[24] (meine Hervorhebungen). Zum Beispiel: *Wenn* ich sage, ich werde jemanden erschießen, drohe ich (illokutiver Sprechakt); *indem* ich aber sage, ich könnte gezwungen sein, Gewalt auszuüben, beunruhige ich (perlokutiver Sprechakt). Die Wirkung des illokutiven Akts kann als der Anfang einer Behauptung in der Form *expliziter* Intention gesehen werden: «Ich habe gedroht, ihn zu erschießen.» Im Fall einer perlokutiven Aussage wird der gewünschte Effekt nur erzielt, solange der/die Sprecher/in seine/ihre Intentionen nicht explizit zum Teil des Sprechakts macht.[25] Wenn es meine Absicht ist, jemanden zu beunruhigen, beginne ich meine Aussage nicht mit: «Ich möchte dich beunruhigen ...» In diesem Fall wäre mein Akt illokutiv und würde beabsichtigen, den Empfänger über eine bestimmte Sachlage zu informieren. Er hätte dann die Möglichkeit, die vom Sprecher gewünschte Reaktion zu zeigen oder sie zu verweigern. In perlokutiven Sprechakten dagegen will der Sprecher eine bestimmte Wirkung beim Adressaten erzielen, *unabhängig* von dessen Ablehnung oder Zustimmung. Um den gewünschten Effekt zu erzielen, ist es gerade notwendig, daß die Intentionen des Sprechers verdeckt bleiben. Für Lyotard ist Sprachgebrauch primär perlokutiv. Die Verwendung von Sprache, um den Adressaten zu irgendeinem Zweck zu beeinflussen oder auf ihn einzuwirken, ist das Paradigma. Aber dann kann die Agonistik der Sprache nicht mehr zwischen manipulativem und nichtmanipulativem Gebrauch von Sprache unterscheiden. Die Konsequenz daraus ist, daß nicht allein Wahrheit, sondern alle Geltungsansprüche bestenfalls fromme Wünsche und schlimmstenfalls zum Zweck des Betrugs fabrizierte Illusionen wären.

Jede Theorie, die Wahrheitsansprüche und auch die Möglichkeit, zwischen Wahrheit und bloßer Rhetorik zu unterscheiden, abstreitet, verwickelt sich in einen «performativen Widerspruch»[26]. Die Behauptung «Alle Sprache ist ein Kampfspiel» unterliegt derselben Paradoxie wie die Behauptung, daß alle Kreter lügen. In beiden Fällen entsteht ein Widerspruch zwischen dem expliziten *Aussagegehalt* eines Sprechaktes und den *Bedingungen der Möglichkeit*, jene Behauptung sinnvoll zu bejahen oder zu verneinen. Mit der Ausweisung dieser Paradoxie aber ist das Problem keineswegs abgetan. Denn es gibt Denker – man denke an Nietzsches Aphorismen, Heideggers Poetik, Adornos stilistische Konfigurationen und Derridas Dekonstruktionen –, die diesen performativen Widerspruch akzeptieren und die selbstbewußt daraus die Konsequenz ziehen und sich auf die Suche nach neuen Wegen des Schreibens und der Kommunikation begeben. Die Tatsache, daß Lyotard, der ja dieser Tradition folgt, in «La condition postmoderne» keine stilistischen Experimente unternommen hat, mag eher dem Zufall zu verdanken sein als dem Bemühen um logische Konsistenz. Wir müssen uns Lyotard daher noch aus einer anderen Richtung nähern.

Die Naturwissenschaften – the same old dream

Richard Rorty hat in seinem kürzlich veröffentlichten Artikel über «Habermas, Lyotard und die Postmoderne» den toten Punkt in der Diskussion zwischen Habermas und Lyotard folgendermaßen beschrieben:

«Stellen wir den Konflikt anders dar: die französischen Autoren, die Habermas kritisiert, nehmen es in Kauf, den Gegensatz zwischen ‹echtem Konsens› und ‹falschem Konsens› oder zwischen ‹Gültigkeit› und ‹Macht› fallenzulassen, um sich nicht auf eine Metanarration, die definiert, was ‹wahr› oder ‹gültig› ist, einlassen zu müssen. Habermas ist dagegen der Ansicht, daß wir, wenn wir die Idee des ‹besseren Arguments› aufgeben, nur eine relative, ‹kontextabhängige› Form der Gesellschaftskritik behalten.»[27]

Rorty bemerkt, daß Lyotard auf Habermas' Behauptung, daß sogar die Naturwissenschaften die Selbstüberschreitung in Richtung Selbstreflexion vollzogen hätten, antworten würde, daß Habermas eben den Charakter der modernen Wissenschaften mißverstehe. Lyotards eigene Diskussion der postmodernen Wissenschaften hat ja eine recht eigentümliche Funktion. Deutlich wird, daß Lyotard die performative Selbstwidersprüchlichkeit à la Derrida allein dadurch vermeidet, daß er dem Dogmatismus verfällt, der darin besteht, eine Praxis des Wissens zu privilegieren und zum Maßstab für andere zu machen, ohne dies jedoch begründen zu können.

Um zu zeigen, daß die Pragmatik der postmodernen wissenschaftlichen Erkenntnis wenig mit Performativität oder mit instrumentellen Kriterien (Kapitel 13)[28] zu tun hat, bricht Lyotard eine Diskussion aus den verschiedensten Anlässen vom Zaun: mit Gödels metamathematischen Untersuchungen, mit der Quantenmechanik, Mikrophysik und den Katastrophentheorien. Lyotard schreibt: «... die postmoderne Wissenschaft (entwirft) die Theorie ihrer eigenen Evolution als diskontinuierlich, katastrophisch, nicht zu berichtigen, paradox. *Sie verändert den Sinn des Wortes Wissen, und sie sagt, wie diese Veränderung stattfinden kann.* Sie bringt nicht Bekanntes, sondern Unbekanntes hervor» (S. 111; meine Hervorhebungen). Die Privilegierung von Erkenntnisansätzen der modernen Mathematik und Naturwissenschaften ist problematisch. Viele Fragen nach der Logik der verschiedenen Wissenschaften werden dadurch vermieden. Die Unterscheidung zwischen Naturwissenschaften, Sozialwissenschaften und Geisteswissenschaften wird vollkommen vernachlässigt. Es kann keineswegs als ausgemacht gelten, daß Probleme der Begriffsbildung, die Formulierung von Gesetzmäßigkeiten, Verifizierungsverfahren und die Interaktion zwischen vortheoretischer und theoretischer Erkenntnis in den Sozial- und Geisteswissenschaften durch das von Lyotard vorgeschlagene Modell postmodernen Wissens erhellt werden können.[29] Die Bevorzugung von Entwicklungen in der Mathematik und in den Naturwissenschaften steht ganz in der Tradition der modernen Wissenschaftsforschung, die die Probleme der Geistes- und Sozialwissenschaften stets vernachlässigt hat.

Für Lyotard hat eine andere Frage größere Bedeutung: «... welche Beziehung besteht zwischen dem durch die wissenschaftliche Pragmatik angebotenen Anti-Modell und der Gesellschaft? Ist sie auf die immensen Wolken sprachlicher Massen, die die Gesellschaften bilden, anwendbar? ... Unerreichbares Ideal eines offenen Gemeinwesens?» (S. 210). Lyotards Antwort auf diese berechtigte Frage ist inkohärent. Zwar gibt er zu, daß gesellschaftliche und wissenschaftliche Pragmatik nicht identisch sind, denn gesellschaftliche Pragmatik ist nicht so einfach zu fassen wie die wissenschaftliche: «... sie ist ein aus dem Ineinandergreifen von Netzen heteromorpher Aussageklassen (denotative, präskriptive, performative, technische, evaluierende etc.) bestehendes Ungetüm» (S. 121). Andererseits behauptet er, die postmoderne Epistemologie der Wissenschaft nähere sich der Praxis der Narrativität («le petit récit»). Entweder privilegiert also Lyotard die modernen Naturwissenschaften und die Mathematik als epistemologisches Modell und verfällt so dem herkömmlichen

szientistischen Dogmatismus, oder aber er hält fest an einem Kriterium
des Wissens, das über die modernen Naturwissenschaften hinausgeht und
diesen zur Legitimation dienen kann und daher auch als solches zu verteidigen wäre. Es scheint, als sei das ‹narrative Wissen› ein solches Kriterium.

Auch Rorty interpretiert Lyotard in diesem Sinn: Lyotard strebe an,
die Distanz zwischen naturwissenschaftlichem und narrativem Wissen
aufzuheben. In Lyotards Konstrukt der Narrativität sieht Rorty Ähnlichkeiten mit seinem eigenen kontextuellen Pragmatismus. Sich auf die Seite
Lyotards stellend, schreibt Rorty, daß «die Schwierigkeit mit Habermas
nicht so sehr in der Tatsache liege, daß er eine Metanarration der Emanzipation erstelle, sondern daß er einem Bedürfnis nach Legitimation nach-
komme und sich damit zufriedengebe, daß die Narrationen, die unsere
Kultur zusammenhalten, einfach funktionieren. Er schaffe ein Problem,
wo es keins gibt» (ebd. S. 34). Rortys Argumentation ist aus zwei Gründen aufschlußreich. Zum einen macht sie deutlich, daß epistemologische
Fragestellungen offensichtlich in kulturelle und gesellschaftliche Bewer-
tungen eingehen. Ob «die Narrationen, die unsere Kultur zusammenhalten, funktionieren», ist eine empirische Frage. Ob die kritische Theorie
«Probleme schafft, wo es keine gibt», hängt von unserem Verständnis der
gegenwärtigen Probleme, Kämpfe, Krisen, Konflikte und Notlagen ab.
Epistemologische Streitfragen sind in der Tat eng mit moralischen und
politischen Voraussetzungen verknüpft.

Zum andern ist festzuhalten, daß Lyotard selbst in bezug auf die Vitalität und anhaltende Bedeutung der Narration in der modernen Kultur und
Gesellschaft nicht derart zuversichtlich ist. Narratives Wissen ist weit davon entfernt, eine Alternative für moderne wissenschaftliche Erkenntnis
zu sein. Häufig wird ja das narrative Wissen als vormodernes Wissen gekennzeichnet, als eine historisch überholte Art des Denkens.[30] Narratives
Wissen wird aber auch als das ‹Andere› des diskursiven Wissens bezeichnet – nicht als ein geschichtlich vergangenes, sondern als ein gleichzeitig
anderes. Narratives Wissen, um eine Formulierung Blochs zu benutzen,
scheint der «ungleichzeitige Zeitgenosse» des diskursiven Wissens zu
sein. «Der Wissenschaftler ordnet sie (die narrativen Aussagen) einer anderen Mentalität zu: wild, primitiv, unterentwickelt, rückständig, verwirrt, bestehend aus Meinungen, Gewohnheiten, Autorität, Vorurteilen,
Unwissenheit und Ideologien. Die Erzählungen sind Fabeln, Mythen,
Legenden, gut für Frauen und Kinder» (S. 53). Impliziert Lyotards postmoderne Epistemologie damit eine Geste der Solidarität mit dem/den
Unterdrückten? Eine Geste der Anerkennung der Andersheit des anderen? – Obwohl es auf den ersten Blick so erscheinen mag, ist die Epistemologie des narrativen Wissens von Lyotard so konstruiert, daß narratives
Wissen keinesfalls eine Herausforderung der Wissenschaften darstellt und

schon gar kein Kriterium sein kann, das über diese hinausweist. Narratives Wissen gehört allemal ins Völkerkundemuseum der Vergangenheit.

«Wir haben gesagt», schreibt Lyotard, «daß dieses letztere (narratives Wissen) die Frage nach seiner eigenen Legitimierung nicht aufwertet, es beglaubigt sich selbst, ohne auf die Argumentation und Beweisbringung zurückzugreifen» (S. 52). Diese globale Charakterisierung des narrativen Wissens als vorreflexiv, als ein sich selbst genügendes Ganzes, glättet die inneren Widersprüche und Spannungen, von denen die narrative Praxis ebenso betroffen ist wie die diskursive.[31] Dabei wird auch angedeutet, daß jede Veränderung dieser Episteme von außen gewaltsam herbeigeführt werden muß. Die narrativen Episteme haben keinen sie selbst vorantreibenden, keinen selbstkorrigierenden Antrieb. Dadurch werden die Subjekte dieser Episteme zur Ahistorizität verurteilt. Es wird abgestritten, daß sie die Welt mit uns teilen. Wir behandeln sie nicht als gleichberechtigte, sondern beobachten sie mit den Augen des Ethnologen und Anthropologen; wir behandeln sie mit Distanz und Gleichgültigkeit. Sollte Lyotard aber nicht dies meinen, sollte vielmehr narratives Wissen das wirklich ‹Andere› unserer Denkweise sein, so müßte er eingestehen, daß narratives und wissenschaftliches Wissen nicht inkommensurabel sind, sondern daß beide durchaus kollidieren können (und dies auch tun) und daß der Ausgang eines solchen Konflikts höchst ungewiß ist.[32]

Diese Möglichkeit einzuräumen würde auch bedeuten zuzugeben, daß narrative und diskursive Praktiken dem gleichen epistemologischen Raum angehören, daß beide Anspruch auf Gültigkeit erheben und daß ein Argumentationsaustausch zwischen ihnen nicht nur möglich, sondern wünschenswert ist. Man kann nicht die ‹Andersheit› des anderen respektieren, ohne diesen als Gesprächspartner zuzulassen, ohne die objektive Indifferenz des Ethnologen aufzugeben und den anderen als gleichberechtigt anzuerkennen. Lyotard stellt sich dem Dilemma von Anerkennung und Distanz, Akzeptierung und Toleranz nicht. Man könne

«... weder die Existenz noch den Wert des Narrativen, ausgehend vom Wissenschaftlichen, beurteilen, und auch die Umkehrung ist unzulässig, denn die pertinenten Kriterien sind hier und dort nicht dieselben. Es könnte schließlich genügen, sich über diese Vielfalt der diskursiven Arten zu verwundern, wie man es bei jenen der Pflanzen- und Tiergattungen macht. Sich über den ‹Verlust von Sinn› in der Postmodernität zu beklagen, bedeutet zu bedauern, daß das Wissen hier nicht mehr hauptsächlich narrativ ist. Das ist eine Inkonsequenz. Eine nicht geringere ist die, das wissenschaftliche Wissen vom narrativen ableiten oder generieren lassen zu wollen (durch Operatoren wie Entwicklung etc.), als ob dieses jenes im Embryonalzustand beinhalte» (S. 52).

Wenn wir weder den Verlust des narrativen Wissens betrauern dürfen noch einen möglichen Übergang von einer Art des Wissens zur anderen

sehen, dann hat narratives Wissen tatsächlich keinen epistemologischen
Vorrang vor wissenschaftlichem Wissen. Uns bleiben nur «Unentscheid-
bares», «Fakta», «Katastrophen und pragmatische Paradoxa» (S. 111)
übrig, um der ‹brave new world› der Postmoderne zu begegnen. So sind
wir vielleicht aus dem faustischen, aber bestimmt nicht aus dem szientistischen Traum erwacht!

Kehren wir daher noch einmal zu der Frage zurück, welche Alternativen sich möglicherweise durch den Niedergang der Episteme der Repräsentation eröffnen.

Politische Strategien der Postmoderne

«Das Problem der Postmoderne ... ist», wie Fredric Jameson erklärt,
«ein ästhetisches und ein politisches zugleich. Welche Haltung man ihr
gegenüber einnimmt und wie man diese formuliert, immer werden An-
schauungen von Geschichte artikuliert, in denen die Bewertung der gegenwärtigen gesellschaftlichen Situation zum Objekt einer im wesentlichen politischen Bestätigung oder Ablehnung wird.»[33] Jean-François
Lyotards politischer Werdegang führte ihn von der Gruppe «Socialisme
ou Barbarie» zur Absage an Marx und Freud und schließlich mit seiner
«Economie libidinale» von 1974 in die Arme Nietzsches. Nachdem er die
Maske des Sozialkritikers abgelegt hatte – die ja nur zur Tarnung klerika-
ler und christlicher Werte dient –, setzt sich Lyotard nunmehr die «heidni-
sche und polytheistische»[34] auf. «– Ihr lehnt damit also die spinozistische
oder nietzscheanische Ethik ab, die die Formen des Mehr-Seins und des
Weniger-Seins, die Aktion und die Reaktion trennt? – Ja, denn wir müssen befürchten, daß im Schutz dieser Dichotomien die ganze Moral und
die ganze Politik wieder auferstehen, mit ihren Weisen, ihren Militanten,
ihren Tribunalen und ihren Gefängnissen ... Wir reden nicht wie die Be-
freier des Wunsches ...»[35] Lyotard schreibt hier als desillusionierter Marxist, als jemand, der erkannt hat, daß die großen Metaerzählungen der
Geschichte zu einer falschen «Ganzheit der Moral» und der Politik geführt haben. Er zieht den spinozistischen oder nietzscheanischen Drang
nach Sein, das Bestreben des Willens, sich selbst zu erhalten, der Republik von Tugend und Schrecken vor. Für Lyotard ist die Entscheidung
zwischen einem Polytheismus des Begehrens und einer Republik des
Schreckens derart zwingend, daß sich ihr niemand entziehen kann, der im
Namen von Humanität, Geschichte oder Emanzipation spricht. Terror
beginnt nicht mit den Bürgerausschüssen der Französischen Revolution,
nicht mit der Verbannung der Menschewiki und der Sozialrevolutionäre.
Nicht bei Pol Pot oder Stalin fängt der Terror an, sondern bei Kant und

Hegel. Der totale Verlust einer historischen Perspektive in der Rhetorik der Desillusion läßt Lyotard seinen Essay «Beantwortung der Frage: Was ist postmodern?»[36] folgendermaßen beenden:

«Es sollte endlich Klarheit darüber bestehen, daß es uns nicht zukommt, *Wirklichkeit zu liefern,* sondern Anspielungen auf ein Denkbares zu erfinden, das nicht dargestellt werden kann. Und man hat sich von dieser Aufgabe nicht die mindeste Versöhnung zwischen den Sprachspielen zu erwarten: Kant, er nannte sie Vermögen, wußte, daß sie durch einen Abgrund voneinander geschieden sind und daß nur eine transzendentale Illusion (die Hegelsche) hoffen konnte, sie in einer wirklichen Einheit zu tolerieren. Aber er wußte auch, daß für diese Illusion der Preis des Terrors zu entrichten ist. Das 19. und 20. Jahrhundert haben uns das ganze Ausmaß dieses Terrors erfahren lassen. Wir haben die Sehnsucht nach dem Ganzen und dem Einen, nach der Versöhnung von Begriff und Sinnlichkeit, nach transparenter und kommunizierbarer Erfahrung teuer bezahlt. Hinter dem allgemeinen Verlangen nach Entspannung und Beruhigung vernehmen wir nur allzu deutlich das Raunen des Wunsches, den Terror ein weiteres Mal zu beginnen, das Phantasma, die Wirklichkeit zu umschlingen, in die Tat umzusetzen. Die Antwort darauf lautet: Krieg dem Ganzen, zeugen wir für das Nicht-Darstellbare, aktivieren wir die Differenzen, retten wir die Ehre des Namens.»[37]

Sicherlich weiß Lyotard, daß Hegel unter der Überschrift «Die absolute Freiheit und der Schrecken» im sechsten Kapitel der «Phänomenologie des Geistes» eine Abhandlung über den revolutionären Terror geschrieben hat, die zu den brillantesten des modernen politischen Denkens gehört.[38] Sicherlich weiß er auch (oder sollte es jedenfalls wissen), daß Habermas und Wellmer, denen er vorwirft, eine «Nostalgie für das Eine und Ganze» zu propagieren, keine deutschen Neoromantiker sind, sondern Denker, die auf der Notwendigkeit insistieren, die zerbrechliche Tradition von Bürgerrechten und liberaler Demokratie weiterzuführen, die es in der deutschen Bundesrepublik gibt. Warum dann dieses Mißverständnis? Was steht hier auf dem Spiel?

Wie die Krise der Episteme der Repräsentation, so läßt auch der Niedergang der Metaerzählung des klassischen Marxismus noch andere Auswege zu, nicht allein die verlockende Rückkehr zu Nietzsche und Spinoza. Wenn der Niedergang der Episteme der Repräsentation eine Wende von der Philosophie des Bewußtseins zu der der Sprache, von Denotation zu Performanz, von der kategorialen Behauptung zum Sprechakt eingeleitet hat, so eröffnet der Niedergang des klassischen Marxismus die Möglichkeit einer postmarxistischen, radikalen, demokratischen Politik. Es steht zur Debatte, ob das von Lyotard vorgeschlagene Konzept des Polytheismus und der Agonistik zu diesem Vorhaben beiträgt, oder ob unter der Tarnung Postmoderne ein Neokonservativismus[39] in der Avantgarde der 80er Jahre entsteht.

Lyotards politischer Entwurf ist ambivalent. Die Verteidigung der moralisch-kompromißlosen Geste der ästhetischen Avantgarde, sein Beharren auf dem Geist der Innovation, des Experiments und des Spiels und sein Aufruf «aktivieren wir die Differenzen, retten wir die Ehre des Namens»[40] könnten Bestandteil einer postmarxistischen, radikalen, demokratischen Politik sein. «Das postmoderne Wissen» skizziert «eine Politik ..., in der der Wunsch nach Gerechtigkeit und der nach Unbekanntem gleichermaßen respektiert sein werden» (S. 125). Aber das Insistieren auf der Inkommensurabilität der Sprachspiele im Namen des Polytheismus kann auch moralische und politische Gleichgültigkeit bewirken. Der Ruf nach Innovation, Experiment und Spiel kann völlig von sozialer Reform und institutioneller Praxis abgelöst werden. Die Aktivierung von Differenzen muß nicht unbedingt zu demokratischer Anerkennung der Daseinsberechtigung des ‹Anderen› führen, sondern kann auch als konservativer Appell aufgefaßt werden, der den anderen wegen seiner Andersheit aus den Schranken unserer gemeinsamen Humanität und Verantwortung herausdrängt.

Im moralischen Streit zwischen Lyotard und der Tradition der kritischen Theorie geht es um die Bestimmung eines Minimums an *kognitiver* und *moralischer* Verbindlichkeit, die notwendig ist, um die Fronten zwischen postmarxistischer, radikaler, demokratischer Politik und postmodernem Neokonservativismus klarzustellen. Die kritische Gesellschaftstheorie definiert diese kognitiven und moralischen Kriterien heute als Verteidigung eines kommunikativen und diskursiven Vernunftbegriffs; sie vertritt die Auffassung, daß Wissen der moralischen Autonomie diene, und ferner, daß das Streben nach einem besseren Leben nicht von diskursiven Praktiken der Verständigungsversuche unter Gleichberechtigten getrennt werden könne. Zugegeben, ob eine nichtfundamentalistische Begründung dieser Verpflichtungen möglich ist, die sich den von Lyotard so wirkungsvoll demontierten Metaerzählungen entziehen müßte, ist eine offene Frage. Dies ist die Herausforderung Lyotards an das Programm einer kritischen Gesellschaftstheorie der Gegenwart. Nur können Lyotards Theorie der Agonistik der Sprache und seine paralogistische Theorie der Legitimation nicht als Basis für eine postmarxistische, radikale, demokratische Politik dienen. Aus Lyotards Epistemologie ergeben sich zwei politische Alternativen: ein vage definierter, neoliberaler Pluralismus und ein kontextueller Pragmatismus.

Lyotard beschließt seinen Essay über das postmoderne Wissen mit dem Plädoyer «für eine Öffentlichkeit, die freien Zugang zu den Speichern und Datenbanken erhalten» müßte (S. 124). Dies wäre nur Rechtens und hätte seinen guten Grund darin, daß so die totale Computersteuerung der Gesellschaft verhindert würde und den Gruppen, die die «Metapräskriptionen diskutieren» (S. 124), die erforderlichen Informationen geliefert würden, um sinnvolle Entscheidungen zu treffen: «Die Sprachspiele werden dann im bezeichneten Moment Spiele mit vollständiger Information sein. Sie werden aber auch zu Nicht-Nullsummenspielen ...» (S. 124). Trotz Lyotards Vorbehalt, daß es nicht seine Aufgabe sei, der Realität Modelle zu liefern, sondern «Anspielungen auf ein Denkbares zu erfinden, das nicht dargestellt werden kann»,[41] wüßte der Leser gern, wer denn diese Gruppen sind, die «Metapräskriptionen» diskutieren. Handelt es sich um soziale Bewegungen, Bürgerinitiativen, Institutionen, Interessenverbände oder Lobbies? Wie weit geht die Forderung, «der Öffentlichkeit freien Zugang zu den Speichern und Datenbanken» zu geben? Kann man sich vorstellen, daß IBM oder andere multinationale Konzerne ihre Geschäftsgeheimnisse und technischen Informationen preisgeben? Wäre das Militär geneigt, seine Methoden der Datenbeschaffung, -verarbeitung und -speicherung öffentlich zu machen? Es ist Lyotard nicht abzuverlangen, daß er einen Entwurf der Gesellschaft der Zukunft skizziert. Doch kann die Vorstellung einer Gesellschaft konkurrierender Gruppierungen mit freiem Zugang zu den Datenbanken wohl kaum als Entwurf einer Politik angesehen werden, «in der der Wunsch nach Gerechtigkeit und der nach Unbekanntem gleichermaßen respektiert sein werden» (S. 125). Lyotards Überlegungen münden in einen neoliberalen Pluralismus der Interessengruppen plus Demokratisierung von Computern.[42]

Zweifellos müssen Elemente der traditionellen liberalen Idee von Pluralismus, Toleranz und öffentlichem Ideenwettstreit in eine postmarxistische, radikale, demokratische Politik eingebracht werden. Aber das Problem des politischen Liberalismus (ob alt oder neu) liegt in der Vernachlässigung der *strukturellen* Ursprünge von Ungleichheit in bezug auf Einfluß, verfügbare Ressourcen und Macht zwischen konkurrierenden Gruppen. Ohne radikaldemokratische Maßnahmen, die die ökonomische, soziale und kulturelle Ungleichheit und die Herrschaftsmechanismen beseitigen, bleibt die pluralistische Vision von Gruppierungen, wie sie Lyotard vorschlägt, naiv. So wäre wohl kaum die hoffnungslose Lage derer zu beseitigen, für die allein die Forderung nach Demokratisierung der Information schon einen Luxus darstellt, da sie als Randgruppen unserer Gesellschaft nicht einmal Zugang zu Organisationsmöglichkeiten geschweige denn zu Informationsquellen haben. Gegenwärtig bestehen diese Randgruppen aus einer steigenden Zahl von Frauen, Minderheiten, Ausländern, arbeitslosen Jugendlichen und den Alten.

Lyotards neoliberaler Pluralismus der Interessengruppen muß auch aus einem weiteren Grund naiv genannt werden. Die Vorstellung, daß Sprachspiele Spiele der perfekten Information seien, geht davon aus, daß diese nicht miteinander konkurrieren, gegeneinander kämpfen oder sich gegenseitig ausschließen. Damit überspielt Lyotard die Tatsache, daß ‹Sprachspiele› sehr oft darin bestehen, sich gegenseitig die Legitimation

abzustreiten, einander zu überwältigen oder das Sprachspiel des anderen
zum Schweigen zu bringen. Lyotard wird doch wohl zum Beispiel nicht
behaupten wollen, daß das Ziel der jetzigen konservativen Abtreibungs-
gegner, eine ‹neue Verehrung für Leben und Schöpfung› zu wecken und
damit die moralische Rechtfertigung der Abtreibung zu bestreiten, und
die Aufforderung an die Wissenschaftler, genaue Kriterien für den Übergang vom Fötus zum Menschen zu entwickeln – daß dies «Narrationen»
unserer Kultur sind, die nur auf einen glücklichen Polytheismus der
Sprachspiele verweisen. Der Polytheismus von Sprachspielen geht entweder davon aus, daß Kultur und Gesellschaft ein harmonisches Ganzes
bilden oder aber daß die stattfindenden Auseinandersetzungen lediglich
Spiele sind. Es gibt jedoch Zeiten, in denen die Philosophie es sich nicht
leisten kann, eine «fröhliche Wissenschaft» zu sein, da die Realität tod-
ernst wird. Es ist zynisch zu leugnen, daß Sprachspiele zu einer Frage von
Leben und Tod werden können und daß der Intellektuelle, statt Diener
mehrerer Herren zu sein, Stellung beziehen muß.

Eine andere politische Haltung, die aus Lyotards Agonistik der Sprachspiele hervorgeht, wurde als die des «kontextuellen Pragmatismus» beschrieben. Richard Rorty vertritt diese Position entschieden. Seine Ansichten sind dabei die direkte Konsequenz aus Lyotards Behauptung:
«Erzählungen ... bestimmen, was in der Kultur das Recht hat, gesagt und
gemacht zu werden, und da sie selbst einen Teil von ihr ausmachen, werden sie eben dadurch legitimiert» (S. 46). Rorty stimmt mit Lyotard darin
überein, daß es Habermas' Problem sei, «Probleme zu schaffen, wo es
keine gibt» [43]. Das würde bedeuten, daß weder unsere Kultur noch unsere
Gesellschaft der Kritik oder Rechtfertigung, der Bewunderung oder Zu-
rechtweisung bedürfen. Wir müßten uns mit den kontextimmanenten
Kriterien zufriedengeben, die uns die politische Praxis der westlichen
Demokratien liefert (ebd., S. 35). Rorty befürwortet die Entwicklung
eines «enttheoretisierten Gemeinschaftssinns» und das Wachsen eines
«Analogons der bürgerlichen Tugenden: Toleranz, Ironie und Bereit-
schaft, kulturelle Sphären gedeihen zu lassen, ohne sich um ihre ‹gemeinsame Basis› und ihre ‹Vereinheitlichung› Gedanken zu machen»
(ebd., S. 38). Die bewundernswerte Forderung von vor einem Jahr-
zehnt, «hundert Blumen blühen zu lassen», wird vom Wunsch motiviert,
die Philosophie zu entpolitisieren. Rorty schreibt: «Dann wird man in
der kanonischen Reihe der Philosophen von Descartes bis Nietzsche
eine Abweichung von der Geschichte des konkreten *social engineering*
sehen, die die nordatlantische Kultur zu dem gemacht hat, was sie heute
ist – mit all ihren Triumphen und Gefahren» (ebd., S. 41).

Vielleicht sollte man die Ehrlichkeit bewundern, mit der einer der füh-
renden Philosophen der angloamerikanischen Kultur in diesem traurigen
Bekenntnis die Randstellung der Philosophie in der «triumphalen nordat-

lantischen Kultur» bestätigt. Traurig aber ist Rortys Behauptung noch aus einem weiteren Grund. Sie enthüllt, wie sehr ein Intellektueller das von Edmund Burke bis Norman Podhoretz die Moderne begleitende Mißtrauen gegenüber den Intellektuellen und die Geringschätzung, mit der diese behandelt werden, verinnerlicht hat. Diese Verinnerlichung wirkt sich dann in dem Vorwurf aus, daß der ‹Weltschmerz› einiger weniger «pessimistischer und typisch deutscher Individuen» (ebd., S. 38) und der Einfluß, den sie haben, dafür verantwortlich seien, daß in den USA überhaupt so etwas wie eine Gegenkultur (adversary culture) hat entstehen können. Ist dies nicht eine eigentümliche Konvergenz von Postmoderne und Neokonservativismus?

Die Agonistik der Sprachspiele führt so zu ihrem Paralogismus. Auf der einen Seite steht Lyotards Glaube an die Intellektuellen der ästhetischen Avantgarde als Boten des «Erhabenen» und Vorläufer auf dem Weg ins «Unbekannte», auf der anderen Rortys Aufforderung, die «Illusion der Intellektuellen, eine revolutionäre Vorreiterrolle einzunehmen»[44], endgültig aufzugeben und zu einer eigenwilligen Synthese von Deweyschem Pragmatismus und britischem Konservativismus zurückzukehren.

Hierauf beruht der frustrierende Eklektizismus postmoderner Philosophie und anderer Zeiterscheinungen in den USA. So wie die postmodernen Architekten der «Chicago Seven»-Gruppe klassische, orientalische und der Renaissance entlehnte Motive und Details in ihren Plänen für die ‹town-houses› von Chicago[45] einfach zusammenbringen, so scheint die gegenwärtige Philosophie, verwirrt durch den Niedergang der Episteme der Repräsentation, einzig darauf bedacht zu sein, amerikanischen Pragmatismus, französische Nietzsche-Rezeption, britischen Konservativismus und Heideggersche Weisheiten in einem Atemzug zu zitieren. Es sieht ganz so aus, als müßten wir mit diesem Polytheismus und dem verwirrenden «Spiel der Oberflächen» (wie Jameson das Phänomen charakterisiert) noch eine ganze Weile leben. Es ist aber durchaus positiv zu sehen, daß die verhärteten Fronten innerhalb der Philosophie wieder in Bewegung geraten sind. Nur ist es notwendig, die epistemologischen Alternativen der Gegenwart in ihren moralischen und politischen Lösungsvorschlägen zu Ende zu denken. Denn Fragen nach Wahrheit, wie Lyotard zugibt und Rorty abstreitet, sind immer noch auch Fragen der Gerechtigkeit. Die Auseinandersetzung darum, was jenseits des klassischen Imperativs liegt, bleibt unentschieden. Vielleicht sollten wir die Postmoderne definieren als eine Zukunft, die wir lieber schon als unsere Vergangenheit sähen.

Anmerkungen

Dieser Beitrag erschien zuerst unter dem Titel «Epistemologies of Postmodernism: A Rejoinder to Jean-François Lyotard» in: New German Critique 33 (Fall 1984), S. 103–127. – Ich möchte mich bei Andreas Huyssen und Wolf Schäfer für Kommentare und Kritik bedanken.

1 Vgl. Paolo Portoghesi: After Modern Architecture. New York 1982, S. 7 ff.

2 Vgl. M. Bermann: All That is Solid Melts into Air. New York 1982, S. 37, 60–71.

3 Peter Eisenmann, Begleittext zum Ausstellungsstück «Cite Unseen», in: Revision der Moderne. Deutsches Architekturmuseum Frankfurt am Main, 1984. Zur Problematik, Eisenmanns Werk zu charakterisieren, vgl. Charles A. Jencks: Late-Modern Architecture and Other Essays. New York 1980, S. 13, 137 ff.

4 Jean-François Lyotard: Das postmoderne Wissen. Ein Bericht. Bremen 1982. Im fortlaufenden Text wird aus dieser Übersetzung zitiert. Dem Aufsatz von Benhabib liegt die englische Übersetzung zugrunde: Jean-François Lyotard: The Postmodern Condition: A Report on Knowledge. Minneapolis 1984.

5 Vgl. Hannah Arendts Behauptung: «Durch Descartes' Philosophie spuken zwei Alpträume der Angst, die in gewissem Sinne die Neuzeit niemals mehr losgelassen haben, nicht weil etwa seine Philosophie sie so tief beeinflußt hätte, sondern weil ihr Auftauchen eigentlich unvermeidlich war, wenn man sich die Implikationen des neuzeitlichen Weltbildes klar machte. Die beiden Angstträume sind sehr einfach und allgemein bekannt. In dem einen wird die Wirklichkeit der Außenwelt wie des Menschen bezweifelt ... Der andere betrifft menschliche Existenz überhaupt, wie sie sich durch die neuen Entdeckungen und die Tatsache, daß der Mensch weder seinen Sinnen noch seiner Vernunft vertrauen kann, darbietet ...» (H. Arendt: Vita Activa. Stuttgart 1960, S. 270).

6 Ich übernehme diesen Ausdruck aus Richard Rortys bekanntem Artikel «The World Well Lost», in: Journal of Philosophy 19 (1972), S. 649–665. Nachdruck in: Consequences of Pragmatism. Minneapolis 1982, S. 16.

7 Vgl. Richard Rorty: Philosophy and the Mirror of Nature. Princeton 1979, S. 131 ff. (Deutsch: Der Spiegel der Natur. Eine Kritik der Philosophie. Frankfurt/M. 1981.)

8 Charles Taylor: Theories of Meaning. Daves Hickes Lecture. Proceedings of the British Academy. Oxford 1982, S. 284.

9 So z. B. in Thomas Hobbes' «Leviathan» (nach der Ausgabe von McPherson', Baltimore 1971, S. 101 ff.). Vgl. hierzu M. Foucault: Die Ordnung der Dinge. Eine Archäologie der Humanwissenschaften. Frankfurt/M. 1974: «In seinem einfachen Sinn als Idee oder als Bild oder als einer anderen assoziierte oder substituierte Perzeption ist das bezeichnende Element kein Zeichen. Es wird nur unter der Bedingung dazu, daß es unter anderem die Beziehung manifestiert, die es mit dem verbindet, was es bezeichnet. Es muß repräsentieren, aber diese Repräsentation muß ihrerseits in ihm repräsentiert sein» (S. 98).

10 Der Schritt vom ‹Bewußtsein› zum ‹Selbstbewußtsein› und von der Repräsentation zur Begierde im dritten Kapitel von Hegels «Phänomenologie des Geistes» enthält ebenso eine Kritik am Zuschauermodell des wissenden Subjekts. Hegel behauptet, daß ein auf das Zuschauermodell beschränkter epistemologischer Ansatz die von ihm aufgeworfenen Fragen nicht beantworten und vor allem nicht die Genese und das Werden des epistemologischen Objekts erklären könne. Nur wenn das wissende Subjekt auch ein handelndes sei, könne es den Mythos des durch Wissen Gegebenen zerstören (Hegel: Phänomenologie des Geistes. Hg. v. J. Hoffmeister. 6. Aufl. Hamburg 1952, S. 133–140).

11 Friedrich Nietzsche: Zur Genealogie der Moral. In: G. Colli/M. Montinari (Hg.): Kritische Gesamtausgabe. Berlin 1968, bes. § 25, S. 420–423.

12 Martin Heidegger: Sein und Zeit. Tübingen 1957, bes. Kap. II, § 14, S. 63–66.

13 M. Horkheimer/Th. W. Adorno: Dialektik der Aufklärung. Frankfurt/M. 1969, S. 12.

14 Vgl. Wittgensteins Kritik an der ‹Benennungs›-Theorie und die Unmöglichkeit, Sprache als private Spiele zu betrachten, in: L. Wittgenstein: Philosophische Untersuchungen. Frankfurt/M. 1971, § 27–32, § 38, § 39, § 180 und § 199 ff.

15 Charles Sanders Peirce: Some Consequences of Four Incapacities. In: Ch. S. Peirce: Selected Writings. New York 1966. Vgl. auch: K.-O. Apel: Von Kant zu Peirce: Die semiotische Transformation der Transzendentalen Logik. In: Transformation der Philosophie. Frankfurt/M. 1973, S. 157–177.

16 Ferdinand de Saussure, zitiert nach: Course in General Linguistics. Hg. von C. Bally/A. Sechehaye. New York 1959, S. 67 ff.

17 Vgl. Manfred Frank: Was ist Neostrukturalismus? Frankfurt/M. 1984, S. 71 ff., 83 ff., 259. Pierre Bourdieu/J. C. Passeron: Sociology and Philosophy in France since 1945: Death and Resurrection of Philosophy without the Subject. In: Social Research 34, 1 (Spring 1983), S. 162–212.

18 L. Wittgenstein: Philosophische Untersuchungen, § 124 und § 49 e.

19 K.-O. Apel: Sprechakttheorie und transzendentale Sprachpragmatik zur Frage ethischer Normen. In: K.-O. Apel (Hg.): Sprachpragmatik und Philosophie. Frankfurt/M. 1982, S. 10–80; J. Habermas: Was heißt Universalpragmatik? In: ebd., S. 174–272.

20 J. Habermas: Exkurs zur Argumentationstheorie. In: ders.: Theorie des kommunikativen Handelns. Bd. 1. Frankfurt/M. 1981, S. 44 ff.

21 Ein wesentliches Anliegen Habermas' in der Entwicklung einer Theorie des Diskurses und der Argumentation war es, ein Konzept der Gültigkeit für ethische Normen zu formulieren, das den Dogmatismus der Naturrechtstheorien (die moralische Gültigkeit mit Tatsachen verwechseln) und der Willkürlichkeit des Emotivismus (der Frage der Moral auf solche des Geschmacks reduziert) vermeidet. Vgl. J. Habermas: Zwei Bemerkungen zum praktischen Diskurs. In: K. Lorenz (Hg.): Konstruktionen versus Positionen. Berlin 1979, Bd. II, S. 107–114; Wahrheitstheorien. In: H. Fahrenbach (Hg.): Wirklichkeit und Reflexion. Pfullingen 1973, S. 211–265.

22 Im Gegensatz zu Lyotards Auslegung möchte ich betonen, daß die sprachlich vermittelte kommunikative Handlung drei Funktionen hat: erstens die Koordination sozialen Handelns zwischen den Individuen, zweitens die Sozialisation und Individuation von Mitgliedern der menschlichen Gemeinschaft und drittens die Aneignung kultureller Tradition und Hervorbringung von Bedeutungen und symbolischen Mustern, die den hermeneutischen Horizont der Kultur bestimmen. Vgl. J. Habermas: Theorie des kommunikativen Handelns. Bd. 1, S. 149 ff., 369 ff.

23 Zitiert nach Frank: Was ist Neostrukturalismus?, S. 111.

24 J. L. Austin: How to Do Things with Words. Cambridge (Mass.) 1962, S. 120.

25 Sicherlich ist die Interpretation der Unterscheidung von «illokutiven» und «perlokutiven» Sprechakten umstritten (vgl. Austin: How to Do Things with Words, S. 120 ff.). Das Problematische an Lyotards Interpretation von Austins Darlegung ist jedoch, daß er die illokutive Macht einer Aussage mit der Produktion gewisser Effekte (intendierte und andere) durch eine Aussage gleichsetzt. Daher beschreibt er eine «performative Äußerung» als eine, «deren Wirkung auf

den Referenten sich mit ihrer Äußerung deckt» (Das Postmoderne Wissen, S. 9). Austin dagegen bezeichnet einen illokutiven Akt als einen, den wir ausüben, *wenn* wir etwas sagen (S. 99).

26 Vgl. hierzu J. Habermas: Die Verschlingung von Mythos und Aufklärung. Bemerkungen zur «Dialektik der Aufklärung» nach einer erneuten Lektüre. In: K. H. Bohrer (Hg.): Mythos und Moderne. Frankfurt/M. 1983, S. 405–431.

27 R. Rorty: Habermas and Lyotard on Postmodernity. In: Praxis International 4, 1 (April 1984), S. 33.

28 Dieses Argument überzeugt nicht, da Lyotard nicht zwischen einer der Wissenschaft eigenen *kognitiven Dynamik* und ihrer gesellschaftlichen Anwendung unterscheidet. Performativität, also das, was von der Kritischen Theorie «Szientismus» genannt wurde, legitimiert Wissenschaft – allerdings nicht ausschließlich – durch ihre gesellschaftlich-technischen Anwendungen. Daß «Szientismus» keine angemessene Theorie der Naturwissenschaften ist, wird auch sonst entschieden behauptet. Vgl. z. B. Mary Hesse: Revolutions and Reconstructions in the Philosophy of Science. Bloomington 1980. Im Angriff auf diese Ideologie ignoriert Lyotard aber die soziale Realität, auf die sie sich bezieht. Die Tatsache, daß die postmodernen Naturwissenschaften mit einer diskontinuierlichen Epistemologie der Instabilitäten arbeiten, entscheidet nicht die Frage ihrer gesellschaftlichen Funktion. Lyotard betont die innere, kognitive Dynamik der modernen Wissenschaften und vernachlässigt ihre gesellschaftlich-technologischen Bezüge. Zur Bedeutung der gesellschaftlichen Dynamik der Wissenschaft vgl. W. Schäfer: Die unvertraute Moderne. Frankfurt/M. 1985, bes. Teil 2.

29 Eine Darstellung dieser Probleme und Fragen gibt R. J. Bernstein: The Restructuring of Social and Political Theory. Philadelphia 1976.

30 Frank: Was ist Neostrukturalismus?, S. 106.

31 Vgl. E. Gellner: Concepts and Society. In: B. R. Wilson (Hg.): Rationality. New York 1970, S. 18–50; Pierre Bourdieu: Outline of a Theory of Practice. Cambridge (Mass.) 1979, S. 20–30.

32 In der Darstellung dieser Beziehung nimmt Lyotard den Standpunkt des *Beobachters* ein, den Standpunkt des Konservators eines Völkerkundemuseums der Vergangenheit. Wäre seine Blickrichtung die eines Partizipanten gewesen, hätte er zugeben müssen, daß ein «sich über die Vielfalt der diskursiven Arten zu verwundern» wohl kaum die angemessene Haltung ist, wenn wir, die Kinder der modernen westlichen Welt, mit den moralischen und epistemologischen Problemen, die die Koexistenz unvereinbarlicher diskursiver Praktiken hervorbringen, konfrontiert werden. Wir können uns den Geltungsfragen, die uns unausweichlich gestellt werden, nicht dadurch entziehen, daß wir verwundert die Vielfalt der Sprachspiele und Lebensformen betrachten. Vgl. hierzu: Steven Lukes/Martin Hollis (Hg.): Rationality and Relativism. Cambridge (Mass.) 1984.

33 Vgl. Fredric Jameson: The Politics of Theory: Ideological Positions in the Postmodern Debate. In: New German Critique 33 (Fall 1984), S. 53 ff., und Jamesons Beitrag in diesem Band.

34 Ich übernehme diese Bezeichnung von Vincent Descombes: Das Selbe und das Andere. 45 Jahre Philosophie in Frankreich 1933–1978. Frankfurt/M. 1981, S. 218.

35 Jean-François Lyotard: Economie Libidinale. Paris 1974, S. 54–55 (deutsch: Jean-François Lyotard: Ökonomie des Wunsches. Bremen 1984, S. 69–70).

36 Deutsch in: Tumult 4 (1984), S. 131–142.
37 Lyotard: Beantwortung der Frage, S. 142.
38 Hegel: Phänomenologie des Geistes, S. 413 ff.
39 Vgl. J. Habermas: Die Moderne – ein unvollendetes Projekt. In: J. Habermas: Kleine politische Schriften (I–IV). Frankfurt/M. 1981, S. 444–464.
40 Lyotard: Beantwortung der Frage, S. 142.
41 Lyotard: Beantwortung der Frage, S. 142.
42 Albrecht Wellmer behauptet ähnliches: Zur Dialektik von Moderne und Postmoderne. Vernunftkritik nach Adorno. Frankfurt/M. 1985, S. 100 ff.
43 R. Rorty: Habermas and Lyotard on Postmodernity, S. 34.
44 R. Rorty: Habermas and Lyotard on Postmodernity, S. 35. Dies ist eine merkwürdige Forderung, denn schließlich war die Kritik an der Illusion einer revolutionären Avantgarde durch die Neue Linke und die Studentenbewegung einer der Hauptgründe für die Wiederbelebung der Kritischen Theorie in den USA und in Europa. Es scheint, als würden einige französische und amerikanische Intellektuelle in den achtziger Jahren unter Gedächtnisschwund leiden, wenn sie der Studentenbewegung und der Neuen Linken gerade das vorwerfen, was diese immer bekämpft haben.
45 Die Arbeiten der «Chicago School» (Stanley Tigerman, Frederick Read, Peter Pran, Stuart Cohen, Thomas Beeby and Anders Nerheim) wurden im Sommer 1984 unter dem Titel «Die Revision der Moderne» im Deutschen Architekturmuseum, Frankfurt, ausgestellt.

Übersetzt von *Hildegard Föcking*

Gérard Raulet

Zur Dialektik
der Postmoderne

Keine toten Hunde

Daß die marxistische Geschichtsphilosophie selber ein Kind der Moderne oder genauer aus einer kritischen Auseinandersetzung mit der Modernisierung entstanden ist, läßt sich kaum bezweifeln. So hält der junge Marx in seiner «Einleitung zur Kritik der Hegelschen Rechtsphilosophie» (1843) den Deutschen vor, daß sie «philosophische Zeitgenossen der Gegenwart (sind), ohne ihre historischen Zeitgenossen zu sein» – im Gegensatz zu England und Frankreich als den eigentlich «modernen Völkern» Europas. Dieser Verweis ist freilich nicht als Lob gemeint. Das einzige Verdienst der französischen und englischen Modernität bestehe vielmehr darin, daß sie die krassen Widersprüche der bürgerlichen Gesellschaft unverhüllt an den Tag legt. Nun ist es gerade die Aufgabe einer wirklich aktuellen Philosophie, diese «moderne politisch-soziale Wirklichkeit» zu erfassen und der Kritik zu unterwerfen. Die kritische Entlarvung der Irrationalität der herrschenden Verhältnisse bildet den Leitfaden der Entwicklung vom Frühwerk zu den späteren ökonomischen Schriften: In jenen wird das Irrationale junghegelianisch an den Ansprüchen der Hegelschen Philosophie gemessen, in diesen als die verkehrte Ratio der kapitalistischen Wirtschaft verstanden.

Dadurch zeichnet sich allerdings bei Marx selber ein dialektisches Verhältnis zwischen Rationalität und Irrationalität ab, in dessen Licht die Modernisierung gleichzeitig als Vollendung der Vernunft und – weil diese Verwirklichung auf *Entzweiung* beruht: etwa ganz konkret auf der Arbeitsteilung oder noch der Trennung zwischen den Produktivkräften und dem Privateigentum an den Arbeitsmitteln – als wachsende Unvernünftigkeit erscheint. Letzterer will die marxistische Praxis ein Ende setzen, so daß es auch keinem Zweifel unterliegt, daß der Marxismus selber die Hoffnung auf eine Verwirklichung der Vernunft teilt und so ganz zur Moderne gehört. Gerade aus diesem Grund unterliegt er der postmodernen Disqualifikation der Vernunft, deren Offensive in erster Linie gegen die heute tatsächlich fragwürdig gewordene Vernünftigkeit der Geschichte gerichtet ist.[1]

Nun zeigt das angedeutete Verhältnis zwischen Rationalität und Irrationalität wie ja auch die ihm implizit zugrundeliegende Unterscheidung

zwischen Vernunft und Verstandesrationalität, daß das Bewußtsein der
Moderne bei Marx die kritische Erfahrung einer *Krise* der Vernunft ist;
ähnliches gilt übrigens bereits von Hegels Philosophieren selbst, der deshalb immer noch nicht als «toter Hund» behandelt werden kann.[2] Solchen
Krisenerfahrungen sind weiterhin – im Gegensatz zur pauschalen Disqualifizierung – Motive, Ansätze oder wenigstens Anregungen zu einer kritischen Auseinandersetzung mit dem ausposaunten Ende der geschichtsphilosophischen Vernunft abzugewinnen. Horkheimers und Adornos
«Dialektik der Aufklärung» und die «Negative Dialektik» Adornos, die
heute nicht von ungefähr wieder im Brennpunkt des philosophischen
Interesses stehen, weisen den Weg. Solche Werke sind hartnäckige Versuche, die ‹Vernunft› nicht schon deshalb zu den Akten zu legen, weil sie
allem Anschein nach von ihrer Realisierung dementiert wurde. Selbst der
utopisch gewordenen Vernunft dämmert noch der Schimmer einer Utopie – wenn er auch erst von einer erneuten Arbeit am Mythos befreit
werden kann. In solchen Versuchen wurden Kategorien und Denkmotive
geprägt, die nicht nur wieder aktuell werden, sondern es u. U. erlauben,
den ‹großen Bruch› mit der Vernunft in der Geschichte zu redialektisieren. Der Durchbruch des postmodernen Zeitbewußtseins hat die Frage
aufgeworfen, ob es bei aller radikalen Veränderung der objektiven
Umstände mit Hilfe archäologisch belegbarer Krisenerfahrungen und
Denkstrukturen bewältigt werden kann. Wird dieses Programm hier
selbstverständlich nicht erfüllt, so ist man wenigstens darum bemüht, unter Berücksichtigung der genannten Vorbilder die Dringlichkeit einer
produktiven Debatte mit den postmodernen Positionen zu betonen.[3]

   Denn auf der anderen Hand verbietet es die neue Phase der Modernisierung, in welche die industriellen bzw. postindustriellen Gesellschaften
des Westen eingetreten sind, daß wir mit dem postmodernen Denken genauso kurzen Prozeß machen, wie dieses es selber mit der Vernunft und
der Geschichte tut. Sein philosophischer Diskurs will zwar nur Mythos
sein: Er beansprucht keine andere Gültigkeit als die einer ‹Erzählung›
unter anderen; aber somit entzieht er sich gerade jeder Kritik und jeder
echten Auseinandersetzung mit der wirklichen Geschichte. Sein Reiz
kommt aber doch von der Suggestion, die er ausstrahlt, indem er sich
soziologische Gültigkeit zumutet, und nicht zu Unrecht läßt sich etwa
Lyotards «Condition post-moderne» als «Versuch einer Geschichtsschreibung der neostrukturalistischen Dekonstruktion» definieren.[4] Es muß
also gefragt werden, ob das Bekenntnis zum Mythos nicht auch einen
Rückfall in die «Allmacht der Gedanken» bedeutet, wie Freud gesagt
hätte,[5] ob der unverkennbare, wie immer implizite soziologische Geltungsanspruch, der über die eigene ‹Wissenschaftlichkeit› nicht mehr Rechenschaft ablegen will, dadurch nicht zu einer ‹animistischen› Soziologie
wird, die nicht mehr recht unterscheidet zwischen dem, was sie selber ist,

und dem, was sie der Welt zuschreibt. Eine so verstandene Postmoderne entzöge sich, wenn man sich nicht auf eine Diskussion mit ihr einließe, der (von ihr allerdings vollbewußt aufgehobenen) Unterscheidung zwischen dem Realen und dem Fiktiven! Man täte nun der postmodernen oder poststrukturalistischen Philosophie unrecht, wenn man sie nicht darauf hin befragte, inwiefern sie die konkreten Bedingungen ihrer Entstehung mitbedenkt, und wenn man ihr gegenüber in dieser Hinsicht a priori das Vorurteil hegte, sie sei gar nicht ernst zu nehmen. Man sollte eher an Marx' Urteil über die «philosophischen Zeitgenossen» anknüpfen: Wenn wir «die Philosophie kritisieren, so steht unsere Kritik mitten unter den Fragen, von denen die Gegenwart sagt: That is the question.»

Modernisierung und Modernität: «Dialektik der Aufklärung»

Über die Grundzüge der Moderne als einer technischen Zivilisation, die vom Vorrang der Technik beherrscht wird, und über die Grundzüge der ‹postindustriellen› Gesellschaft, die der Vorrang des *Wissens* kennzeichnet, herrscht trotz divergierender theoretischer Ansätze im Grunde allseitiges Einverständnis. Habermas wie auch Daniel Bell halten etwa das Wissen für das Hauptagens oder gar die Basis der spätkapitalistischen bzw. ‹postindustriellen› Produktionsweise. Vom Strukturalismus französischer Prägung über Foucault oder Lyotards und Deleuzes Behauptung, der Wunsch gehöre jetzt selber zur Infrastruktur, bis hin zu Habermas' «Theorie des kommunikativen Handelns» wurde die Kapitallogik gleichsam ‹diskursiviert›. Jene «Zirkulation von Intensitäten und Affekten», von der Lyotard 1974 in seiner «Economie libidinale» spricht, gleicht grundsätzlich der «Linguistik der decodierten Ströme» im «Anti-Ödipus» von Deleuze und Guattari (1972). Und noch in «Le différend» (1984) bringt Lyotard das «ökonomische Genre» des Diskurses mit dem Kapitalismus als «Hegemonie des ökonomischen Genres» in Zusammenhang[6]; die «Politik der Begierde» der 70er Jahre[7] wird so bloß in die Begrifflichkeit der Sprachpragmatik übersetzt. Erst im Hinblick auf die Konsequenzen dieser philosophisch ausgedrückten Diagnose scheiden sich die Meinungen, und zwar weniger an der von den meisten festgestellten und bereits auch von Habermas' «Technik und Wissenschaft als Ideologie» implizierten Unbrauchbarkeit des traditionellen marxistischen Basis-Überbau-Schemas, sondern vor allem an der Frage, ob die Vernunft noch zu retten ist und ob sich noch aus dem Aufgehen der Ideologie in der Wirklichkeit[8] – oder aber umgekehrt aus dem Aufgehen der Wirklichkeit in Ideologie – Maßstäbe gewinnen lassen, die ja nichts anderes begründen

sollen als die Legitimität des philosophischen Diskurses und seine geschichtsphilosophische Gültigkeit (die er – wie bereits bemerkt – nichtsdestoweniger unterstellt). Der «Anti-Ödipus» muß z. B. konsequent auf
die geschichtliche Perspektive verzichten, weil dieselbe Klasse und dieselben Individuen ihre Begierde bald in schizoid revolutionärer, bald in
paranoid reaktionärer Form geltend machen. In Lyotards «libidinaler
Ökonomie», die eher «das Triebhafte der politischen Ökonomie» als «das
Politische der Triebe» aufzeigen will, erscheint jede Wahrheit – und insbesondere die historische – als der Ausdruck einer ‹Wahrheitsbegierde›; die
Geschichte selbst wird demgemäß zu einer Fabel, die von dieser Begierde
erzählt. Was man seit alters Logos nannte, war nur Mythos. Gegen den
Universalitätsanspruch des Logos fordert Lyotard in seinen «Anweisungen zum Paganismus»[9] einen neuen Polytheismus und eine «Logik des
Kairos» (der Gelegenheit). Auch Habermas' fragwürdige Theorie des
Konsensus[10] entspringt offensichtlich dieser radikalen Infragestellung
der Wahrheitskriterien und ihrer historischen Belegbarkeit, wie wir noch
sehen werden.

Ist in anderen Worten die Postmoderne ein radikaler Bruch, oder kann
man sie noch als eine dialektische Krise verstehen? Die Beantwortung
dieser Frage setzt – und darauf wird sich unser Beitrag beschränken – eine
Diskussion der Kategorien Bruch und Entzweiung voraus.

Im Gegensatz zu den traditionellen, vorindustriellen Gesellschaften,
die auf dem organischen Zusammenhang einer Lebenswelt beruhen, treten bereits in den modernen industriellen Gesellschaften Spannungen
und Spaltungen zutage: zum einen eine Ausdifferenzierung in autonome
Sphären (Max Weber), zum anderen eine immer stärkere Polarisierung
durch den Klassenantagonismus (Marx). Sie halten doch noch durch die
Kraft eines Wahrheitsbegriffs zusammen, der sich in der Geschichte verwirklicht und zunächst die Affirmation der bürgerlichen Klasse, dann die
Aussicht auf eine proletarische Emanzipation begründet. Aber in den
Jahren zwischen 1920 und 1970 wird diese Fortschrittsideologie von auf-
einanderfolgenden Schlägen zerrüttet: durch den Zerfall der westlichen
Arbeiterbewegung, durch die beginnende neue Etappe der Modernisierung, die dieser Zerfall schon anzeigt, und – auf einer tiefer liegenden
Ebene – durch das metaphysische Trauma des absolut Bösen (Auschwitz
in Adornos Sicht) und der drohenden Möglichkeit einer Zerstörung des
Kosmos durch den technischen Fortschritt. Bringt der Fortschritt selber
sein Scheitern hervor, so muß man entweder mit der «Großen Erzählung»
der Vernunft in der Geschichte brechen, oder aber nachweisen können,
daß die Postmoderne die dialektische Ausgeburt einer krisenhaften Geschichte ist, wie extrem auch immer, und daß ihre Aufgabe darin besteht,
es mit dieser Krise aufzunehmen – sei es, wie man es ihr gern zum Verdienst anrechnen wird, um den Preis einer grundsätzlichen Reformulie-

rung dessen, was man ‹Vernunft› genannt hat –, anstatt sie gleichsam
‹fröhlich positivistisch› gelten zu lassen.

Die direkten oder indirekten Kausalitäten, die jenes kritische Moment
bestimmen, sollen hier nicht nachvollzogen werden; sie erfordern eine
postindustrielle oder ‹postmoderne› Soziologie[11], die allerdings zum Hintergrund der jetzigen Ausführungen gehört. Diese beschränken sich darauf, das Einbrechen von Diskontinuität und Entzweiung in die Kontinuität der Moderne als eine typische Situation darzustellen, die gar nicht
unerhört ist und von der aus möglicherweise die heutige Zeit befragt werden kann. Ist doch die Moderne für diese die Referenzfolie, die zur Bestimmung des eigenen Standorts dient, wenn sie mit einer historischen
Kontinuität bricht, deren Bankrott erwiesen ist und deren Verteidigung
(wie es die Widersprüche in Habermas' Theorie[12] verraten) sicher fragwürdig ist, oder wenn man in der Moderne mit Daniel Bell die unwiderrufliche Vergrößerung einer Entzweiung sieht, die nicht mehr gebannt
werden kann und somit auch zu den Voraussetzungen gehört, die eine
theoretische Auseinandersetzung mit ihr bestimmen. Dabei kann man
sich mit einer gewissen Konsequenz zum Relativismus und zum Eklektizismus bekennen, welche die postmoderne Architektur z. B. zum Programm erhebt. Man kann, wie Lyotard es in «La condition post-moderne» (1979) tut, den absolut agonistischen Charakter aller Sprachspiele
behaupten. Man kann noch, wie Daniel Bell, annehmen, daß jene Ausdifferenzierung der traditionellen Lebenswelt in autonome Sphären
(Wissenschaft, Recht und Moral, Kunst), in der Max Weber – und nach
ihm Habermas – das Wesen der Moderne sieht, auf eine immer schärfere
Trennung von Gesellschaftsstruktur (Ökonomie, Technologie, beruflichgesellschaftlicher Organisation) und Kultur (symbolischem Ausdruck)
hinausläuft, wodurch die westlichen Gesellschaften «in einen ständigen
Krisenzustand» stürzen. Die Krise kann, wie Bell meint, nur durch eine
«politische Entscheidung» (?) oder eine neue, an die Stelle der antinomischen tretende gemeinschaftliche Ethik gebannt werden. Wie dem auch
sei, in allen diesen Stellungnahmen drängt sich die Forderung auf, die
Moderne im doppelten Licht von *Kontinuität* und *Riß* zu betrachten.
Wenn hier eine kritische Prüfung des Bruchs mit dem Modell der Wahrheit in der Geschichte angestrebt wird, die u. a. verständlich machen
sollte, wie Habermas selbst bei aller Verteidigung der Moderne als «unvollendetes Projekt» in seiner «Theorie des kommunikativen Handelns»
die Vorstellung eines radikalen, der modernen Episteme ein Ende setzenden Einschnitts bestätigt, wie er den Hegelschen Wahrheits- und Geschichtsbegriff als ein «Defizit» der früheren Kritischen Theorie bezeichnen und dennoch – wie es uns scheinen will – weder auf die «Wahrheit»
noch auf die «Geschichte» verzichten kann, dann scheint es auf jeden Fall
nützlich, die «Moderne» als eine Dialektik aufzufassen, die sich parallel

zu der 1944 von Horkheimer und Adorno beschriebenen «Dialektik der Aufklärung» vollzieht.[13] Dabei kommt es vor allem darauf an, den Status einer Erfahrung der Entzweiung als ein dialektisches Moment zu bestimmen, welches von der Kontinuitätsideologie gerade verdunkelt bzw. von den Verfechtern eines nicht wieder zu schließenden Einschnitts umgekehrt verabsolutiert wird.

Max Webers idealtypische Rekonstruktion der Modernisierung als Rationalisierung gibt den ersten umfassenden (übrigens von vielen implizit übernommenen) Überblick dieser «Dialektik der Moderne». Wir fassen hier den andernorts bereits ausführlicher dargestellten Befund[14] so knapp wie möglich zusammen. Versteht sich, wie Habermas sagt,[15] der intellektuelle Abschied von der Moderne als Überwindung jenes ‹okzidentalen Rationalismus›, dessen Vollendung Weber beschrieben hat, so hat dieser nun auch gezeigt, daß die Vollendung einer Selbstzerstörung und Selbstauflösung gleichkam, die einen Rückfall der Ratio in den Mythos bewirkte. Weber verstand den Vollzug der Moderne als die Ausdifferenzierung des traditionalen Konzepts der substantiellen Vernunft in autonome Sphären. Was wir Postmoderne nennen, wäre also die äußerste Grenze eben dieses Prozesses, der inzwischen die ehemals einheitliche Weltanschauung dermaßen weiter ausdifferenziert hat, daß auch der innere Zusammenhalt der einmal verselbständigten Sphären zerfällt. Als Rationalisierung wird die Selbstbehauptung der Moderne von einer Entzauberung getragen, die den mythischen Zauber der wissenschaftlichen Ratio unterzieht. Um der gleichzeitig wachsenden Gefahr der Sinnlosigkeit zu widerstehen, muß sich aber diese einerseits auf einen wissenschaftlichen *Glauben* stützen, ohne andererseits die Entstehung von weiteren Ersatzreligionen vermeiden zu können, so daß bei wachsender Entzauberung und Entmythologisierung paradoxerweise auch die Zahl der divergierenden Weltanschauungen anwächst. «Das Schicksal einer Kulturepoche, die vom Baum der Erkenntnis gegessen hat, ist es, wissen zu müssen ..., daß ‹Weltanschauungen› niemals Produkt fortschreitenden Erfahrungswissens sein können, und daß also die höchsten Ideale, die uns am mächtigsten bewegen, für alle Zeit nur im Kampf mit anderen Idealen sich auswirken, die anderen ebenso heilig sind, wie uns die unseren.»[16] Jene Vielfalt der subjektiven Weltanschauungen drückt metaphorisch das an Nietzsche erinnernde Motiv des «Polytheismus der Werte» aus: «Die alten vielen Götter, entzaubert und daher in Gestalt unpersönlicher Mächte, entsteigen ihren Gräbern, streben nach Gewalt über unser Leben und beginnen untereinander wieder ihren ewigen Kampf.»[17]

Die «Dialektik der Aufklärung» von Adorno und Horkheimer sowie die «Kritik der instrumentellen Vernunft» Horkheimers («Eclipse of Reason», 1946) radikalisieren den Grundgedanken einer in den Mythos mündenden Rationalisierung. Gleichzeitig heben sie hervor, daß sich die

Modernisierung in Wirklichkeit auf die Verstandesrationalität der Wissenschaft und der Technik gründet. Daher der radikale Schluß der Studie Horkheimers: «Wenn wir unter Aufklärung und geistigem Fortschritt die Befreiung des Menschen vom Aberglauben an böse Kräfte, an Dämonen und Feen, an das blinde Schicksal – kurz die Emanzipation von Angst – verstehen, dann ist die Denunziation dessen, was gegenwärtig Vernunft heißt, der größte Dienst, den die Vernunft leisten kann.» [18] Die Vernunft zieht gegen die Vernunft zu Felde! Sie stellt sich selbst bloß und reflektiert, soweit sie es noch vermag, ihre Verkehrung: «Hier ist es das Ziel, den Begriff von Rationalität zu untersuchen, der gegenwärtiger industrieller Kultur zugrunde liegt, [um aufzudecken, ob dieser Begriff nicht Mängel aufweist, die sein Wesen selbst verkehren].» [19] Wie die gemeinsam mit Adorno geschriebene «Dialektik der Aufklärung» wendet sich die «Kritik der instrumentellen Vernunft» nicht nur gegen eine bestimmte Abart der Rationalität, sondern gegen eine von Natur aus als Veranlagung vorhandene Entartung – gegen eine «Krankheit der Vernunft», die «in ihrem Ursprung gründet, dem Verlangen des Menschen, die Natur zu beherrschen» [20]. Erst mit dem Industrialismus hat sich allerdings die Schwere dieser Krankheit gezeigt; zugleich wurde die Kultur in jene wahrhaft kritische Lage versetzt, in der sich die Alternative zwischen Selbstzerstörung und Dämmerung einerseits, Neugestaltung und Befreiung andererseits entscheiden wird. Die gescheiterte Beherrschung der äußeren Natur wird nach der «Dialektik der Aufklärung» mit einer Unterdrückung der inneren Natur erkauft, die am eindeutigsten zeigt, wie Entzweiung zum Wesen der modernen Kultur gehört. Sie ergibt sich aus jener «Entsagung, durch die das Ich, das die Gefahr beherrschen lernt» (Odysseus, der dem Zauber der Sirenen nicht verfällt oder dem Kyklopen Polyphem entrinnt), «seine eigene Identität erringt und zugleich vom Glück des archaischen Einsseins mit der Natur, der äußeren wie der inneren, Abschied nimmt» [21]. Die errungene Selbstidentität erweist sich nämlich insofern als Selbstverstümmelung, als «der gefesselte Hörende», der «wie irgendein anderer zu den Sirenen will», der Gefahr entgeht, indem er eine Trennung von Kunstgenuß und Handarbeit – Kunst und instrumenteller Vernunft – hinnimmt. Im Rahmen der von Max Weber beschriebenen Ausdifferenzierung der substantiellen Vernunft wird von nun an die Kommunikation zwischen den verselbständigten Sphären der Arbeit, des Rechts und der Moral und der Kunst unmöglich – eine Konsequenz, die den Kern der heutigen Positionen von Habermas ausmacht. Den Knoten der Subjektivierung als Selbstauflösung spitzt Horkheimers «Eclipse of Reason» dahin zu, daß die auf diese Weise «siegende» Vernunft als eine einseitig subjektive bezeichnet wird. [22]

Fassen wir die Selbstbehauptung der Vernunft zusammen, so ist Entzweiung ihrem Begriff selbst eingeschrieben. Das, was äußerlich ihre

Kontinuität bildet, wird auf der Grundlage einer unwiderstehlichen Entzweiung errichtet, von der die moderne Kunst z. B. durch den Gestus des
ästhetischen Brechens zeugt. Solcher Gestus, wenn er heute auch philosophisch wiederholt wird (vgl. im folgenden Lyotards Position), zeugt
dann aber sowohl gegen ‹die Vernunft› wie auch für einen fälligen neuen
Begriff von Rationalität.

Als Reflex einer innerlich brüchigen ‹Kontinuität› sollte er deshalb
eher als eine kritische Auseinandersetzung mit ihr verstanden werden. Es
ist so gewiß nicht, ob es in Bausch und Bogen der Vernunft und der Geschichte sich zu enthalten gilt, selbst wenn auf der anderen Hand ebensowenig sicher ist, ob eine Neugestaltung der Rationalität noch in eine historische Dialektik sich einschreiben kann, welche das «unvollendete
Projekt» auf einer neuen Basis wiederaufnehmen würde. Nur eines steht
fest, was Foucault mahnend aussprach: «Man muß die Bescheidenheit
aufbringen einzugestehen, daß der Zeitpunkt des eigenen Lebens nicht
der einmalige, grundlegende und umstürzende Augenblick der Geschichte ist, von dem aus sich alles vollendet und neu beginnt ... Wir
müssen uns die Frage stellen: was ist das Heute? Im Anschluß an die
kantische Frage: ‹Was ist Aufklärung?› kann man sagen, daß die Aufgabe
der Philosophie darin besteht, zu erklären, was das Heute ist und was wir
heute sind. Aber ohne sich ein wenig dramatisch und theatralisch in die
Brust zu werfen und von diesem Augenblick zu behaupten, er sei der
Augenblick der größten Verdammnis oder der Tagesanbruch der aufge-
henden Sonne.»[23] Wenn nun keine Veranlassung besteht, voreilig auf
einen «großen Bruch», auf das Ende der Vernunft und das Ende der Geschichte zu schließen, so wird jedenfalls deutlich, daß die Geschichte der
Moderne – wie ja auch der Versuch einer Geschichtsschreibung der Postmoderne – wohl oder übel ein Moment des Bruches privilegieren muß.
Der Gesichtspunkt der Posthistorie vermag diesem methodischen Zwang
einigermaßen Rechnung zu tragen.

Geschichte und Mode

Die 11. der «Geschichtsphilosophischen Thesen» von Walter Benjamin
hebt hervor, daß dem Marxismus von 1891 (Erfurter Programm) bis 1933
(Zusammenbruch der Weimarer Republik) der Glaube an einen Sinn der
Geschichte zum Verhängnis wurde: «Es gibt nichts, was die deutsche Ar-
beiterschaft in dem Grade korrumpiert hat, wie die Meinung, *sie*
schwimme mit dem Strom.» Und Benjamin unterläßt es nicht, daran zu
erinnern, daß jener Strom eben der einer bestimmten Rationalität gewesen ist: derjenigen der technischen Entwicklung. Es gilt also, gegen den

«Historismus», den er auch Konformismus nennt, im Marxismus selber
das Moment des Bruches zu rehabilitieren. Weil dies versäumt wurde
(8. These), war die einzige Reaktion auf den Faschismus «das Staunen
darüber». Den Bruch zu denken ist unmöglich für «die Vorstellung eines
Fortschritts des Menschengeschlechts in der Geschichte ...», die von derjenigen einer «homogenen und leeren Zeit» nicht losgelöst wird
(13. These). Die dialektische Erneuerung des Marxismus in den 20er Jahren geht bei Benjamin wie bei Bloch mit der Ablehnung jener homogenen
Zeit einher. Benjamin scheint ihr vor allem den Bruch entgegenzusetzen –
einen Kairos als plötzlichen Moment der Entscheidung. Leer ist dieser
nur scheinbar unvermittelte Augenblick nicht, insofern als er ihn mit
einem Gehalt versieht, der aus einer eigenartigen Beziehung zur Vergangenheit geschöpft wird. In diesem Sinn verweist Benjamin auf die Mode,
die plötzlich bewußtmacht, was der eine oder andere Augenblick der Geschichte an «Jetztzeit» enthält, die davon sich inspirieren läßt und es
aktualisiert: Indem sie einschneidet ins geschichtliche Kontinuum,
begründet diese brutale Aktualisierung den Bruch. Solch eine scheinbar
gesetzlose Beziehung gehorcht dennoch einer Logik – der der Gegenwart
– in gerade dem Augenblick, in dem sie der Vergangenheit sich zuwendet.
Genau diese Logik, die uns irrational erscheint, gilt es zu erfassen. Die
Moderne ist der geschichtliche Zustand, in dem die Beziehung zur Geschichte nicht mehr die Gestalt homogener Kontinuität annehmen kann;
denn die Geschichte der Moderne ist die einer durchgreifenden Entzweiung. Deren Risse bestimmen die Augenblicke, die den Fluß der Geschichte unterbrechen, indem sie sich in ein Bruchstück der Vergangenheit hineinversetzen, welches dadurch plötzlich Sinn gewinnt. Es sind
Momente der Entscheidung, *die sich selbst zu denken suchen* und sich
nicht mehr mit der Kontinuität identifizieren können, in der sie erscheinen. Das Verhältnis zu ihr formuliert die 6. These so: «sich einer Erinnerung bemächtigen, wie sie im Augenblick einer Gefahr aufblitzt». Etwas,
was keinen Namen hat, wird auf flüchtige und doch unverkennbare Weise
zugleich einem Bruchstück der Vergangenheit gleichgesetzt; gerade dadurch gewinnt aber diese Vergangenheit Sinn und nicht umgekehrt. Hierin liegt die Perspektive der *Posthistoire*. Wie zu revolutionären Zeiten die
Menschen ihre Kostüme den großen Vorbildern entleihen (Marx: «Der
18. Brumaire»), könnte die postmoderne nietzscheanische Geste in diesem Sinne eine ‹Mode› sein – also keine schlechte Nachahmung, sondern
die Suche nach einer Identität und nach einem Gehalt. Und im Lichte
dieser Verhältnisse, die den genauen Status des «Bruchs» umreißen,
könnte dann wohl die Postmoderne eine weitere, wie immer anscheinend
radikalere Krisenerfahrung der Moderne sein.

  Das Modell der «Negativen Dialektik» legt denselben Begriff der Posthistoire nahe: Indem sie die scheinbar abgeschlossene Geschichte

bedenkt und dadurch die ‹posthistorische› Perspektive ihrer (zumindest potentiellen) Vollendung übernimmt, sucht doch die Gegenwart dem Abschluß zu entkommen, zu dem die Dialektik der Aufklärung sie verurteilt haben soll. Erst dann, wie noch zu zeigen ist, kann der Sinn der Geschichte wirklich entschieden werden, und zwar sowohl gegen diejenigen, die ihn im voraus zu kennen glauben, als auch gegen diejenigen, für die es gar keinen Sinn mehr gibt. Der Umweg über Benjamin, der nicht von ungefähr heute wieder aktuell ist, dürfte auf jeden Fall Zeugnis davon ablegen, daß wir den postmodernen «Bruch» nicht auf die leichte Schulter nehmen. Ganz im Gegenteil; aber bei Benjamin steht auch die inzwischen problematisch gewordene Behauptung, daß das vom Augenblick erleuchtete Gewesene «kraft eines Heliotropismus geheimer Art ... der Sonne sich zuzuwenden strebt, die am Himmel der Geschichte im Aufgehen ist» (4. These). Auch daran scheint die Postmoderne zu zweifeln.[24]

Eklektizismus und Historismus

Wir fangen mit der Architektur an, auf die sich Habermas nicht zu Unrecht kritisch bezogen hat, weil sie gleichsam am Kreuzweg der wirtschaftlichen Sachzwänge und der praxisnahen theoretischen Reflexion sich zu einer Art Karikatur gut eignet. Ihr Bezug auf vergangene Stile hat überhaupt nichts mehr mit dem Benjaminschen «Heliotropismus» gemeinsam; sie verwirft gerade jegliche Zentrierung – auch auf ein erst im Aufgehen befindliches Neues. Das Neue ist für sie nicht mehr eine Spannung zwischen Erinnerung bzw. Aktualisierung und einer Erwartung bzw. messianischer Erleuchtung. Das Scheitern der ästhetischen Moderne eröffnet vielmehr die Ära eines Jenseits aller Brüche, die schwimmende Kriterien technisch ausnützt, um die Widersprüche theatralisch-entkräftend zu inszenieren. So Charles Jencks’ «radical eclecticism»[25]. Der von Jencks vorgeschlagene Begriff der Mehrfachcodierung soll es der Architektur ermöglichen, sich an alle zu wenden, an die breite Masse wie an die Elite, und rechtfertigt also den willkürlichen Rückgriff auf die verschiedenartigsten Stile und Epochen. Historistisch macht der Stilpluralismus «geschichtliche Überlieferungen in idealer Gleichzeitigkeit disponibel und ermöglicht einer unsteten, vor sich selbst fliehenden Gegenwart eine Kostümierung in geliehenen Identitäten»[26]. Dabei verschwindet aber der Sinn, den die Benjaminsche ‹Mode› solchen identifizierenden Entlehnungen verlieh: Der Historismus macht das Einmalige wiederholbar – unendlich wiederholbar. Man macht es sich im Zerfall der Moderne bequem und sucht nicht mehr, mit diesem Bruch, der ein Signal ist, eine Wende zu denken. Die profane Erleuchtung, von der Benjamin sprach,

verglich hingegen den Augenblick des Bruchs, in dem das Neue ins Kontinuum einbricht, mit dem der Revolution: «Derselbe Sprung unter dem
freien Himmel der Geschichte ist der dialektische, als den Marx die Revolution begriffen hat» (14. These). Erst dann offenbart sich der Sinn der
Geschichte, indem er sowohl diejenigen, die ihn im voraus kennen wollten (die ‹Historisten›, von denen Benjamin spricht), als auch die anderen,
die ihr jeglichen Sinn absprechen (die neuen Historisten), Lügen straft.
Der Postmodernismus stellt, zumindest in der Architektur, eine Form des
Positivismus dar: Er beruht auf der Billigung einer technischen Rationalität, deren Kritik man sich enthält.

Auffällige Übereinstimmungen mit der philosophischen Postmodernität eines Lyotard können niemandem entgehen. Die «condition postmoderne» bedeutet für Lyotard, daß man nunmehr weder an die Geschichte als Emanzipationsraum und zielgerichteten Prozeß noch an die
Gesellschaft als ein strukturiertes Gebilde glaubt. Wer noch von Sinn,
Legitimation oder Konsensus spricht, bleibt im historisch «veralteten,
meta-erzählerischen Apparat der Legitimation»[27] befangen, während
sich inzwischen die «Krise der traditionellen Motivationen» (Habermas)
zu einer durchgreifenden «Agonistik» gesteigert hat. Im «Anti-Ödipus»
von Deleuze und Guattari oder in Lyotards «Economie libidinale» war
bereits der Wunsch – oder die Begierde – zu einer ungebundenen Zirkulation entlokalisierter Intensitäten geworden. Dieser Auffassung entspricht
in «La condition post-moderne» die sprachpragmatische «Atomisierung
des Sozialen in geschmeidige Netze von Sprachspielen»[28]: «Wir bilden nie
feste sprachliche Kombinationen, und die Eigenschaften derjenigen, die
wir gegebenenfalls bilden, sind nicht unbedingt kommunizierbar.»[29]
Auch die kommunikative Bildung eines Konsensus, wie sie Habermas
anstrebt, täte nach Lyotard dieser «Freiheit» der Sprachspiele Gewalt an.
Auch hier darf man insofern von Positivismus sprechen, als das Nebeneinander und rein zufällige Zusammentreffen der pragmatischen
«Atome» den Zerfall bloß reflektiert. Der Postmodernismus «hat die
Witterung für das Aktuelle, wo immer es sich im Dickicht des Einst bewegt» (Benjamin): dies aber einzig, um einen radikalen Eklektizismus
geltend zu machen – genauer: gelten zu lassen.

Wird anscheinend die von Lyotard beschriebene postmoderne ‹Lage›
einfach hingenommen, so liegt doch darin ein Paradoxon: Mit seinen histo-
rischen Rückgriffen versichert sich der Eklektizismus auf rein formaler
Ebene der Legitimität einer Tradition – wenn er sich auch weigert, sich
explizit auf sie zu berufen –, die in Verbindung mit einer Vielfalt möglicher
Lesarten den größtmöglichen, auf ein außerordentlich verschiedenartiges
Publikum gestützten Konsensus begründen soll. Die Sehnsucht nach dem
Konsensus ist also nicht verschwunden. Lyotards Haltung ist beim ersten
Blick viel radikaler: Er faßt den Konsensus nur mehr als einstweiligen,

lokal begrenzten Vertrag auf, der der feststellbaren Entwicklung des sozialen Handelns entspricht. Man kann trotzdem zeigen, daß er noch implizit an einen Konsens appelliert, insofern als seine Schrift «Le différend» (1984) eine Leserschaft voraussetzt; selbst wenn der eigentliche Adressat ein unvorhersehbares ‹Sich-Ereignen› («Arrive-t-il?»)[30] ist, sorgt der rein punktuelle Vertrag selber dafür, daß das Buch zeugt oder gar überzeugt («Convaincre le lecteur, . . . Témoigner du différend»). Obwohl der philosophische Diskurs keine andere Gültigkeit beansprucht als die einer mythischen Erzählung, käme er nicht einmal zustande, wenn er nicht auf Motive verweise, die zur Lebenswelt seiner Leser gehören.

Ihrerseits schlägt die postmoderne Architektur eine Mitbestimmung der Bürger vor, die nicht mehr über die offiziellen Kanäle läuft und so auch dem Begriff des lokal begrenzten Vertrags durchaus entgegenkommt. Dieser soll nach Lyotard als Produkt des freien Spiels der Sprachspiele die größtmögliche Demokratie garantieren. Bei näherer Betrachtung führt er aber eher zur politischen Ohnmacht.

Politische Ohnmacht

Gerade weil die technische und technokratische Rationalität fortbesteht, bedrohen die strategischen Sprachspiele (wie sie Habermas nennt) diesen frommen Wunsch. Lyotard muß dies symptomatisch erkennen, wenn er am Ende der «Condition post-moderne» eine Alternative offenläßt: «Die Informatisierung der Gesellschaft . . . kann das ‹erträumte› Kontroll- und Regulierungsinstrument des Systems des Marktes werden, bis zum Wissen selbst erweitert werden und ausschließlich dem Prinzip der Performativität gehorchen. Sie bringt dann unvermeidlich den Terror mit sich. Sie kann auch den über die Metapräskriptionen diskutierenden Gruppen dienen, indem sie ihnen die Informationen gibt, die ihnen am meisten fehlen, um in Kenntnis der Sachlage zu entscheiden. Die Linie, die man verfolgen muß, um sie in diesem letzteren Sinn umzulenken, ist *im Prinzip* sehr einfach: die Öffentlichkeit müßte freien Zugang zu den Speichern und Datenbanken erhalten»[31] (Hervorh. von mir). Insofern als in den etablierten Institutionen (etwa in Unterricht und Forschung) die Performativität vorherrschend ist, muß es die Hoffnung auf Befreiung bei einer bloßen petitio principii belassen. Fragt man nach seinen praktischen Perspektiven, so erscheint der Postmodernismus als das Hinnehmen einer zweiten (oder dritten) Natur, welche geboren ist aus dem Scheitern der emanzipatorischen Vernunft und die zu beherrschen die Vernunft somit nicht mehr beanspruchen kann; die Hoffnungen, die er nicht ganz aufgibt, flüchten sich in eine bis zum Äußersten getriebene eklektizistischhistorische Version des Pluralismus, die letzten Endes mit einer Erneuerung des abgedroschensten Liberalismus zusammentrifft. So wie bei Lyotard die Performativität willig oder unwillig akzeptiert werden muß, bekennt sich Jencks bedenkenloser zu einer gesellschaftlichen «Synthesis», die bloß das undialektische Nebeneinander aller möglichen Codes sanktioniert – vor allem der Codes einer gemeinen und einer Experten-Lesart, die gleichsam miteinander einen Kompromiß schließen und nicht einmal mehr Lyotards Nostalgie einer wachsenden Selbstbestimmung des Publikums hegen. Mißt man dem «Anti-Ödipus» von Deleuze und Guattari zumindest die soziologische Gültigkeit einer Zeiterscheinung zu (dasselbe gilt allerdings von Lyotards Schriften), dann erscheint die Mehrfachkodierung, die Jencks ausdrücklich als «schizophrenical coding» auffaßt, als die konsequente praktische Antwort auf jene «Decodierung», von der Deleuze spricht, auf die Zerstörung der Codes und die Deterritorialisierung also, die der Kapitalismus vollbracht hat. Weil sich die Vernunft gleichzeitig vollendet und disqualifiziert hat (eine These, die eine postmoderne Aneignung der «Dialektik der Aufklärung» nahelegt), soll ihre wirkliche Disqualifizierung auch ihre faktische Abschaffung bedeuten; demgemäß richtet sich der Postmodernismus im Zerfall ein. Wie paradox sie angesichts der wachsenden Zersplitterung auch klingen mag, ist Habermas' Meinung, die Postmoderne sei ein Wunsch nach Regression zu ‹undifferenzierten› Lebensformen, so zu verstehen, daß man der sich steigernden und unübersteigbaren Komplexität schlechterdings ihr Spiel beläßt. Es stimmt übrigens, daß die Versuche zur Verwaltung dieser Komplexität unaufhörlich die Ohnmacht der ‹Vernunft› bestätigen. Von der Vernunft, die unaufhörlich scheitert, sieht man dann einfach ab; man verzichtet darauf, sie zu kritisieren und womöglich zu retten.

Erhabenheit und Terror

Im Bereich der Ästhetik stellt Lyotard mittels einer erstaunlichen Verknappung dem Terror eine Ästhetik des Erhabenen entgegen[32] – einen Postmodernismus, der «Anspielungen auf ein Denkbares (erfindet), das nicht dargestellt werden kann»[33]. Diese Strategie hängt mit jener ohnmächtigen Hoffnung zusammen, daß die durchaus konkreten und auf breiter Basis bereits funktionierenden technologischen Produktivkräfte des postmodernen Zeitalters ‹im Prinzip› demokratisch gebraucht werden können. Dieser dubiosen Flucht nach vorn entspricht ästhetisch das Erhabene, das mit der lügnerischen Affirmation schöner Harmonie bricht. Dieser Bruch sei nicht schon deshalb terroristisch; terroristisch sind nach Lyotard eher die strategischen Sprachspiele, die einen Konsens erzwingen und Harmonie durch mehr oder weniger offene Gewalt durchsetzen. Nun beruht u. E. dieses Argument auf Kategorien, die einer kritischen Differenzierung bedürfen. Lyotard zufolge entstünde der Terror aus der Hegelschen transzendentalen Illusion, die mittels der Verwechslung von Denken und Wirklichem die klar geschiedenen Sprachspiele der drei Kantschen Vermögen zu einer Totalität vereinheitlicht. Wenn man aber so argumentiert, verschwindet der Unterschied zwischen Totalitarismus und Terror. Was bei Hegel sich vollendet, ist nämlich der Totalitarismus – derjenige einer Vernunft, die tatsächlich ihre Zwiespältigkeit und Unabgeschlossenheit leugnet. Indem er alle Dinge mit der gleichen Elle meßbar macht, setzt dieser Totalitarismus unbewußt oder verschwiegen die Vernunft dem Verstande und somit *einem* Sprachspiel gleich, wie es die «Dialektik der Aufklärung» zeigt. Nur weil es sich dabei um ein besonderes Sprachspiel, das des Begriffs, handelt, wird der Terror zu seinem *Werkzeug*. Das hat wohl Georg Büchner in seinem Drama «Dantons Tod» als erster eingesehen, indem er den Verfechtern der terreur bald kantische (Robespierre), bald hegelsche (St. Just) Reden in den Mund legt.[34] Nichtsdestoweniger ist der Terror vor dem Totalitarismus vorhanden. Eben jener Terror ist untrennbar vom Erhabenen – vom «erhabenen Drama der Revolution» (Büchner). Wenn es zweifelsfrei ist, daß der Wunsch, mit dem Wirklichen Frieden zu schließen, vom Totalitarismus eingegeben wird und ihn am Leben erhält, so erzeugt das Erhabene ihm den Terror.

In Lyotards Motto einer postmodern-erhabenen Kunst ist der Terror der eines Ästhetizismus, der neben dem totalitären Streben des strategischen Sprachspiels besteht und diesem unmöglich ein Ende setzen kann, ohne in eine Dialektik mit der instrumentellen Vernunft einzutreten – was das postmoderne Denken, wie gezeigt, um einer bloßen Alternative oder gar um eines ‹anything goes› willen gerade unterläßt. Das gleichzeitige Bestehen einer Verwaltung mit totalitärem Streben und des Terrorismus ist heutzutage nur allzu wirklich. Im Gegensatz zur Ästhetik des Schönen und zur Melancholie der Moderne, die besessen ist vom Verlust des Sinns (Adornos «traurige Wissenschaft», Benjamins «Allegorie»), sieht Lyotard in einem Postmodernismus, der «in der Darstellung selbst auf ein Nicht-Darstellbares anspielt»[35], so etwas wie die Perspektive einer fröhlichen Wissenschaft, die gleichsam den fröhlichen Positivismus durch eine Nietzschesche «Bejahung» erlösen würde. Indem Lyotard das Postmoderne gleichzeitig dem Modernen und der ‹Postavantgarde› entgegensetzt, bestimmt er es durch die ständige Infragestellung der Mittel und Ausdrucksformen der Kunst.

Da es aber somit nichts anderes sein kann, als es das Moderne schon war, opfert sich, wie es uns scheinen will, der so aufgefaßte Postmodernis-

mus dem Schicksal des Modernismus der Weimarer Republik: einer Ohnmacht angesichts des Totalitarismus, welche besiegelt wird von einem
unaufhörlichen Brechen mit dem Vorhergehenden, das allein im Gestus
sich verzehrt.

Zerfall und dialektische Strategie

Anstatt den Zerfall hinzunehmen, müßte die Alternative zwischen Demokratie und Terror dialektisch betrachtet werden. Können die ‹postmodernen› Technologien und die Aufsplitterung des sozialen Bandes, die sie
verursachen, nicht geleugnet werden, dann hat ein solches Unternehmen
aus dem Innern der Auflösung heraus zu erfolgen. Dadurch würde es an
die «Dialektik der Moderne» wieder anknüpfen, ihre innere Widersprüchlichkeit und ihre Selbstzerstörung redialektisieren. Aus dem Innern des Zerfalls heraus unternommen, schließt selbstverständlich dieses
Vorgehen die Achtung von Diskontinuitäten und Einzelheiten ein.

Demgegenüber erhebt der Postmodernismus seine bedingte praktische
Unfähigkeit zur Weltanschauung und gibt voreilig jede Bemühung auf,
die getrennten Sphären und Spielarten der Kunst (das Expressive), der
Moral (das Normative) und der Techniken (das Performative) wieder miteinander zu verbinden. Wo und wie diese Bemühung ansetzen kann,
bleibt allerdings recht fragwürdig. Von der Kunst, soweit man ihr nicht
die bloße Expressivität einer ‹erhabenen› Flucht nach vorn zuschreibt,
darf man nicht ohne weiteres absehen, wenn man etwa bedenkt, daß sie
nicht nur in der «Dialektik der Aufklärung» und darüber hinaus als eine
Alternative erscheint, sondern in Adornos «Negativer Dialektik» mit der
Selbstreflexion zusammenfällt. Schon bei Benjamin ist die Aura ein Modell von Erfahrung, das sich Horkheimer und Adorno in der «Dialektik
der Aufklärung» zu eigen machen, um die Rettung des Besonderen zu
bezeichnen. Kunst sei in diesem Sinn das Vorbild der Wissenschaft. Weil
sie eine vergangene und nicht mehr unverändert zu aktualisierende Er-
kenntnisweise und Weltanschauung kennzeichnet, darf die auratische Erfahrung allerdings nicht undialektisch auf die Gegenwart übertragen werden. Der Kürze wegen greifen wir deshalb gleich zu der ‹ästhetischen›
Denkweise, die unter den Bedingungen einer totalen Nivellierung der
Erkenntnisweisen gleichsam negativ von der Möglichkeit des ästhetischen Ansatzes zeugt. Gemeint ist Adornos «Negative Dialektik». «Die
Freiheit der Philosophie», schreibt Adorno, «ist nichts anderes als das
Vermögen, ihrer Unfreiheit zum Laut zu verhelfen»[36]. Die selbstreflexive
Bewegung der Philosophie ‹käut› sozusagen das Scheitern der Moderne
wieder und wiederholt, indem sie ihrer Ohnmacht zum Laut verhilft, die

Erfahrung der modernen Kunst; aber sie verhindert deren Rückzug «auf die anklagende Haltung des esoterischen Kunstwerks» (wie Habermas der «Ästhetischen Theorie» Adornos vorwirft). Im Gegenteil versucht die Selbstreflexion, dem Bruch einen dialektischen Stellenwert zuzuweisen. Auf sich selbst zurückgezogen, ist nämlich die ästhetische Erfahrung nur der Schatten der versäumten Revolution, ihre Parodie.[37] Nichts wäre verhängnisvoller als eine ästhetische Haltung, die gleichsam das Erbe der ohnmächtigen Vernunft anträte; sie erläge dem unhintergehbaren Widerspruch, nach welchem das Erfassen des Besonderen als solchem, wenn es der Mittel entbehrt, dessen historische Substanz freizulegen, im Ununterscheidbaren und Homogenen untergehen muß. So entleeren der historistische Relativismus und der Eklektizismus die der Vergangenheit entliehenen Momente ihrer Substanz, anstatt sie als dialektische Momente der Homogenisierung der Gehalte entgegenzusetzen. Unter dem Etikett von Vielheit und Einzelheit gehorchen sie in Wirklichkeit nur der Logik der «homogenen und leeren Zeit», insofern als alle die Anleihen und Spielarten denselben Wert besitzen und völlig gleichwertig sind – also ihrer Eigenheiten gerade in dem Augenblick entkleidet werden, wo man diese scheinbar erkennt. Als erster hat wohl Walter Benjamin in der allgemeinen Zersetzung einer mit sich selber zerfallenen Moderne den Sieg einer totalen Verdinglichung durchschaut: Die «Einbahnstraße» stellt einen Versuch dar, mittels der Denkbilder die Armut der verdinglichten Erfahrung dialektisch zu sprengen. Die ästhetische Erfahrung des einzelnen, des Abgespaltenen, die Erfahrung des Bruchs nämlich, muß eine Dialektisierung des Bruchs sein. Sonst verurteilt sie sich zum Schicksal der modernen Avantgarde, die Geschichte von der Ästhetik aus aufzufassen und verändern zu wollen. Im «Scheitern der neuen Linken»[38] stellt Marcuse auf politischem Gebiet noch einmal das Scheitern fest, das Adorno für die ästhetische Moderne formuliert hat. Und auch Benjamins «Einbahnstraße» endet bekanntlich in einer Sackgasse, weil sie nur auf eine ästhetische ‹positive› Barbarei vertraute. Ein gar nicht so ferner Anklang daran hallt in Lyotards erhabenem Postmodernismus wider.

Der ästhetische Ansatz muß sich also in eine dialektische Selbstreflexion einschreiben. Das große Verdienst der «Negativen Dialektik» besteht darin, daß sie nicht auf die Rekonstruktion der Totalität verzichtet und, um das Besondere zu retten, dem System «Achtung zollt»[39]. Denn das Besondere läßt sich nur dann retten, wenn man es als das Heterogene auffaßt, das der Gewalt einer tendenziellen Totalität widersteht und in dieser die Keime ihres Zerfalls darstellt: so Marx' Konstruktion des «Gedankenganzen» um des Aufweisens der inneren Widersprüche willen. Die von Marx gedachte Möglichkeit, durch eine derartige Totalisierung das Widersprüchliche auch zu polarisieren und so die Tendenz und den Sinn der Geschichte herauszuarbeiten, scheint zwar heute nicht mehr an

der Tagesordnung zu sein. Ebensowenig kann man sich noch auf Lukács'
Kategorie der Totalität berufen, die von einem wirklichen Träger des konkreten Allgemeinen verkörpert wäre und die man als ‹Standpunkt des
Proletariats› der Erfahrung des Risses (sowohl der bürgerlichen Wissenschaft wie auch der modernen Kunst) entgegensetzen könnte. Man kann
immerhin versuchen, den Zerfall als dialektisches Phänomen zu begreifen, das sich aus der «Dialektik der Moderne» ergibt, anstatt sich im
Bruch einzurichten und die Denkbewegung der Totalität abdanken zu
lassen. Beides, der Bruch und die Totalität, gehören ja zum Grundwider-
spruch der Moderne als Vollendung und Auflösung zugleich. Bloch hebt
im «Prinzip Hoffnung» hervor, daß das Wichtigste an einer Totalität –
handele es sich nun um die schöne Totalität des klassischen Kunstwerks
oder um die Totalität einer Produktionsweise – der Prozeß ihres inneren
Zerfalls ist: Aus ihm erwächst der Kairos.

Es unterliegt dabei keinem Zweifel, daß die Wirklichkeit des Zerfalls
eine neue Logik erfordert, welche das Partikulare gegenüber der Totalität
bevorzugen muß, insofern als sich die ‹Vernunft› gerade als *Zerfall* vollendet hat. Dem versucht etwa Adornos *Konstellation* Rechnung zu tragen; in dieselbe Richtung geht aber auch Blochs *Auszugsgestalt*[40].

Konstellation und Schizophrenie

Beide sind punktuelle Figuren dessen, was Hegel, dann Lukács «Subjekt
– Objekt» nannten. Sie bleiben insofern dem Programm einer die Ent-
zweiungen und Dualismen aufhebenden Vernunft treu, ohne aber den
Universalitätsanspruch des Logos zu hypostasieren. ‹Vernunft› entsteht
vielmehr erst aus ihnen. Intendiert ist damit eine neue Rationalität, die
sich nicht mehr um den Preis einer Unterdrückung des Besonderen – auf
der Seite des Objekts wie auf der des Subjekts – durchsetzen würde.
Denn wie Adorno schreibt, ist «die Konstruktion des Subjekt-Objekts
(bei Hegel) von abgründigem Doppelcharakter. Sie fälscht nicht nur
ideologisch das Objekt in die freie Tat des absoluten Subjekts um, sondern erkennt auch im Subjekt das sich darstellende Objektive und
schränkt damit das Subjekt antiideologisch ein.»[41] Diese «Identifikation
von Subjekt und Objekt auf Kosten des Besonderen» verweist auf die
Ausführungen der «Dialektik der Aufklärung» zurück, in der die Apotheose des Subjekts als Geist zugleich seine Selbstverstümmelung bedeutet. Demzufolge ist moderne Subjektivität, wo sie nicht einer totalen
Verdinglichung zum Opfer wurde, bloß ‹expressiv› und unverbindlich,
und in dieser Hinsicht ist an Habermas' oft kritisierter Reduktion der
Kunst auf Expressivität nichts auszusetzen – es sei denn, daß sie zwei

dialektische Momente (Verdinglichung und Expressivität) voneinander isoliert und verfestigt. Obwohl sie das dialektische Verhältnis dieser Momente zur schlechten Unendlichkeit einer aussichtslosen Selbstreproduktion macht, kommt aus diesem Grund die Vorstellung des «Anti-Ödipus» der Wahrheit doch näher, wenn sie gerade die expressive Subjektivität als die Energie der «Wunschmaschinen» auffaßt. Während technische Maschinen mechanisch funktionieren, und zwar nur «unter der Bedingung ihres störungsfreien Verlaufs»[42], kennzeichnen sich die Wunschmaschinen dadurch, daß «die Dysfunktionen Teil ihres Funktionierens (sind)»[43]. Ähnliches hatte Adornos «Ästhetische Theorie» erkannt. Albrecht Wellmer hebt hervor, daß für Adorno «auch die Emanzipation der ästhetischen Subjektivität, in der eine Entfesselung der Kunst, ein ästhetischer ‹Stand der Freiheit› sich anzukündigen schien, von dieser Dialektik (der Subjektivierung als Verdinglichung) ereilt wird»[44]. In diesem Sinne stellte Adorno fest: «Die unabsehbare Tragweite alles Dissonanten für die neue Kunst seit Baudelaire und dem Tristan – wahrhaft eine Art Invariante der Moderne – rührt daher, daß darin das immanente Kräftespiel des Kunstwerks mit der parallel zu seiner Autonomie an Macht über das Subjekt ansteigenden auswendigen Realität konvergiert.»[45] Der «Anti-Ödipus» drückt nichts anderes aus als diesen Komplex von Entgrenzung und Einsperrung; ihn bezeichnet die aus der Klinik entlehnte Kategorie der Schizophrenie: Der «schizophrene Kapitalismus», der sich mittels der Deterritorialisierung und Decodierung, also einer durchgreifenden Entgrenzung, durchsetzt, nähert sich unaufhörlich seiner äußersten Grenze – der Schizophrenie als einer totalen und nicht mehr zu bewältigenden Decodierung – und entgeht ihr doch immer wieder, indem er sich dieser um sich greifenden Decodierung bedient, um sich zu reproduzieren.[46] Wenn heute eine postmoderne Lektüre der «Dialektik der Aufklärung» und der «Negativen Dialektik» vonnöten ist, dann deshalb, weil in beiden der Versuch unternommen wird, die schlechte Unendlichkeit dieses Prozesses dialektisch zu erfassen und zu sprengen. Adorno selber greift auf die Kategorie der Schizophrenie zurück: «Im Kern des Subjekts wohnen die objektiven Bedingungen, die es um der Unbedingtheit seiner Herrschaft willen verleugnen muß und die deren eigene sind. Ihrer müßte sich das Subjekt entäußern. Voraussetzung seiner Identität ist das Ende des Identitätszwanges ... Schizophrenie ist die geschichtsphilosophische Wahrheit übers Subjekt ... Stürzt es, unter dem unmäßigen Druck, der auf ihm lastet, als schizophrenes zurück in den Zustand der Dissoziation und Vieldeutigkeit, dem geschichtlich das Subjekt sich entrang, so ist die Auflösung des Subjekts zugleich das ephemere und verurteilte Bild eines möglichen Subjekts. Gebot seine Freiheit einmal dem Mythos Einhalt, so befreite es sich, als vom letzten Mythos, von sich selbst. Utopie wäre die opferlose Nichtidentität des Subjekts.»[47] Da, wo

bei Lyotard nur noch die Agonistik des Kairos möglich ist, tritt bei
Adorno eine «Utopie» auf den Plan: ein «ephemeres und verurteiltes
Bild», eine *Konstellation*. Als momentane, flüchtige Synthese des Einzelnen und des Allgemeinen, als eine immer wieder aufgehobene Subjektivierung und Objektivierung, die so jeglicher Universalisierung widersteht, ist diese doch keine Logik des Kairos, sondern eine neue Logik
der Geschichte, die sich nicht mehr auf Kosten des Einzelnen und Besonderen vollziehen würde und dieses trotzdem von seiner unverbind-
lichen Zufälligkeit oder Expressivität rettet. In diesem Sinn wird die
Schizophrenie als «die *geschichtsphilosophische* Wahrheit übers Subjekt» definiert: als ein Zustand, der keineswegs hoffnungslose Dissoziation bedeutet, sondern vielmehr neue Möglichkeiten freisetzt. Diese
Stelle aus der «Negativen Dialektik» darf als eine Variation der Marxschen Dialektik der Entfremdung gelesen werden, nach welcher der
übermäßige Druck, der auf dem Proletarier lastet, ihn zum Träger der
konkreten Allgemeinheit macht. Nur bewirkt hier der Druck, den man
noch drückender macht, keine endgültig feste ‹monotheistische› und,
wenn man will, ‹paranoide› Allgemeinheit. Die Inkohärenz des Denkens
und Empfindens verhindert in der Schizophrenie die Entfaltung des philosophischen Identitätsdenkens, dem es als dem gescheiterten Ideal und
dem Verhängnis der modernen Ratio gerade zu entgehen gilt. Die von
ihm selbst gezeitigte Entzweiung und Entäußerung vervielfältigt sich
eher in ‹Dissoziation und Vieldeutigkeit› – wie es allgemein das postmoderne Denken registriert. Der herrschende Konsens zerfällt, und so
unsystematisch die freigelegten neuen Möglichkeiten des Subjekts dann
auch sind, so entziehen sie sich immerhin der systematischen Ver-
zerrung des strategisch erzwungenen Konsensus. In dieser Hinsicht
mündet die u. a. von Deleuze und Guattari festgestellte Deterritorialisierung – also die spätkapitalistische Steigerung der von Weber diagno-
stizierten Ausdifferenzierung der prämodernen Lebenswelt – nicht in
eine unvermeidliche Abkehr von der Geschichte und vom Historischen
Materialismus. Sie zwingt eher zu einem neuen Verständnis der konkreten Utopie.[48]

Die Adornosche Konstellation will drei Aspekte – Vorrang des Objekts
(dieser ergibt sich aus der totalen Verdinglichung), fragmentarische Expressivität und auch Kommunikation mit einem Anderen – miteinander
vermitteln. Sie verwirft nämlich jedes Subjekt, das mehr wäre als seine
punktuelle Übereinstimmung (Kommunikation) mit einem Objekt; indem letzteres dadurch berücksichtigt wird, vermag es die Konstellation,
sich mit dem unerschöpflich Besonderen auseinanderzusetzen – das Heterogene zu bedenken, anstatt «mit philosophischem Imperialismus das
Fremde zu annektieren»[49] und ihm auf diese Weise um so unbedachter
anheimzufallen. Adorno fordert in diesem Sinne eine polytheistische Er-

fahrung,[50] die jeweils ihren Sinn in sich hat und dennoch nicht einem allegorischen Zerfall des Sinns verfällt.

Man mag einwenden, daß dieses Vorgehen eine philosophische Utopie bleibt, solange sie auf praktischer Ebene dem Zerfall oder – wenn man so will – der Verdinglichung nichts Konkretes entgegenzusetzen hat.

Bei aller «Dreifelderwirtschaft»[51] schenkt Habermas selbst den Indizien einer solchen praktischen Entwicklung große Aufmerksamkeit: «Was sich unterhalb der Schwelle der wohlinstitutionalisierten Lebensordnungen von Wissenschaft und Technik, Recht und Moral, Kunst und Literatur, unterhalb einer aufs Administrative geschrumpften Politik und an den Rändern eines hochmobilen Wirtschaftssystems anbahnt, sind Entdifferenzierungsvorgänge in der Praxis selber, sind neue symbiotische Formen im Alltag, in denen sich das Kognitiv-Instrumentelle mit dem Moralisch-Praktischen und dem Ästhetisch-Expressiven wieder berührt, ist ein Kranz surrealistischer Erscheinungen, die vielleicht doch nicht nur Regressionen anzeigen, sondern Suchbewegungen.»[52] In dieser Richtung soll interdisziplinär gearbeitet werden.[53]

Wenn man von vielen Seiten her gegen Habermas' Hyperformalismus protestiert, verkennt man meistens das dynamische Argument, das in der «Theorie des kommunikativen Handelns» wie in den früheren Schriften[54] das statische unterströmt. Die gemeinte Dynamik ist sicher nicht mehr die Hegelsche Selbstreflexion; doch tritt zweifelsohne die kommunikative Rationalität das Erbe der Hegelschen ‹Interaktion› an. Denn von der gesellschaftlichen Entwicklung selber wird der Spielraum der Kommunikationstheorie eröffnet.[55] Diese unterscheidet sich insofern gleich von der rein synchronischen, mit der Geschichte überhaupt brechenden Perspektive eines Lyotard. Habermas' «Theorie des kommunikativen Handelns» wäre als solche unmöglich gewesen, wenn die Eingriffe des «Systems» das «Hintergrundwissen» und die «unausgesprochene Gewißheit» der Lebenswelt nicht problematisch gemacht hätten. Keinem Sozialwissenschaftler steht «die Totalität des für den Aufbau der Lebenswelt konstitutiven Hintergrundwissens ... zur Disposition», «es sei denn, daß eine objektive Herausforderung aufträte, angesichts deren die Lebenswelt im ganzen problematisch würde. Darum wird eine Theorie, die sich allgemeiner Strukturen der Lebenswelt vergewissern will, nicht transzendental ansetzen können ... Vielleicht kann diese provokative Bedrohung, eine Herausforderung, die die symbolischen Strukturen der Lebenswelt im ganzen in Frage stellt, plausibel machen, warum diese für uns zugänglich geworden sind.»[56] Die Verunsicherung des Hintergrundwissens erweitert auf dem Wege einer «kommunikativ verflüssigten Rationalität ... die Kontingenzspielräume für die aus normativen Kontexten entbundenen Interaktionen so weit, daß der Eigensinn des kommunikativen Handelns sowohl in den entinstitutionalisierten Verkehrsformen der familiären Pri-

vatsphäre wie in der durch Massenmedien geprägten Öffentlichkeit praktisch wahr wird»[57]. Die Aufgabe der kommunikativen Vernunft besteht
dann darin, die Entgrenzung zu bewältigen. Sie sieht sich dadurch allen
Formen des Zerfalls konfrontiert und muß diese in ihren ‹Diskurs› aufnehmen. Wenn man so die Bedingungen ihrer Entstehung ‹dynamisch›
liest, gehört das Wiederherstellen einer Kommunikation zwischen den
einmal getrennten Sphären zu den Aufgaben, denen sie ihre Existenz verdankt. Man kann sich, wenn man sie so versteht, auch auf sie stützen. Die
einen betonen in dieser Hinsicht die Dimension der Kunstrezeption.[58]
Man darf aber daran zweifeln, daß durch die intersubjektive Erweiterung
der mit sich selber zerfallenen subjektiven Expressivität eine grundsätzliche Umwälzung der herrschenden Ratio erreicht wird, solange die technische, rechtliche und moralische Vernunft nicht selber betroffen wird.
Die kommunikativ erweiterte Wirkung der ästhetischen Erfahrung genügt also nicht.

Es muß darüber hinaus eine neue ‹Grammatik› des Subjekt-Objekts
erfunden werden, auf welche die Adornosche Konstellation hindeutet:
die Erfindung einer neuen ‹Sprache› und eines neuen Umgangs mit der
Natur, die der Blochschen «objektiv-realen Hermeneutik» zugrunde liegt
– einer neuen Wissenschaft also, die das praktische Verhältnis zur Natur
von Grund auf ändern würde und so auch auf jene Angst vor dem Verlust
der organischen Grundlagen der Lebenswelt, die zu den postmodernen
Pathologien gehört,[59] antworten würde. Wenn sie heute noch aktualisierbar ist, dann weil die Blochsche «konkrete Utopie» eine ästhetische und
kommunikative Rationalität darstellt, deren «objektiv-reale Hermeneutik» die Auszugsgestalten des Wechselverhältnisses von Mensch und Natur zur Grundlage einer neuen Rationalität macht.

Anmerkungen

Das Konzept, von dem der vorliegende Aufsatz ausgegangen ist, geht auf 1982
zurück. Im Zuge der fortgesetzten Debatte mit den postmodernen Positionen wurden seitdem dessen Argumente in anderen Zusammenhängen detailliert wiederaufgenommen; vgl. insbesondere meinen Aufsatz «Von der Modernität als Einbahnstraße zur Postmoderne als Sackgasse», der 1986 in einem Sammelband «Die unvollendete Zukunft – Moderne versus Postmoderne», hg. v. D. Kamper und W. van
Reijen, erscheint; außerdem: Prolegomena zum post-modernen Subjekt-Objekt.
In: Raulet: Gehemmte Zukunft. Neuwied/Berlin 1986 (im Erscheinen); La fin de
l'utopie. In: Raulet: Une autre Raison. Paris 1986 (i. E.). Eine Erwiderung von J.-F.
Lyotard veröffentlichen wir in: J. Le Rider/G. Raulet/G. Wunberg (Hg.): Verabschiedung der ‹Post-Moderne›. Tübingen 1986 (i. E.). Eine kürzere Fassung des
vorliegenden Aufsatzes ist in der Zeitschrift «Spuren» (1983, Heft 3, S. 33–36)
erschienen. Die Übertragung aus dem Französischen besorgte *Marianne Karbe*; die
hier aufgenommenen Teile dieser Übersetzung wurden vom Autor überarbeitet.

1 Vgl. hierzu Raulet: Disqualifizierung des Marxismus. In: ders.: Gehemmte Zukunft (i. E.). – Eine wegen nachlässiger Fahnenkorrekturen vom Autor nicht anerkannte Kurzfassung erschien in: Praxis International 3, 2 (July 1983).

2 Jürgen Habermas: Der philosophische Diskurs der Moderne. Zwölf Vorlesungen. Frankfurt/M. 1985, S. 13 ff.

3 Vgl. das Forschungsprogramm der Groupe de recherche sur la culture de Weimar (Fondation de la Maison des Sciences de l'homme, Paris), insbes. das Vorwort zu Raulet (Hg.): Weimar ou l'explosion de la modernité. Paris 1984; ferner R. Stäblein: Modernité et postmodernité. In: MHS-Informations, Maison des Sciences de l'homme. Paris 1984, No. 48, S. 3 ff.

4 Manfred Frank: Was ist Neostrukturalismus? Frankfurt/M. 1984, S. 610.

5 Sigmund Freud: Totem und Tabu. Kap. III. Imago-Ausgabe, Bd. IX.

6 Jean-François Lyotard: Le différend. Paris 1984, S. 251 ff.

7 J.-F. Lyotard: Economie libidinale. Paris 1974.

8 Herbert Marcuse: Der eindimensionale Mensch. Neuwied/Berlin 1970, S. 31.

9 J.-F. Lyotard: Instructions paiennes. Paris 1977.

10 Vgl. hierzu Garbis Kortian: Métacritique. Paris 1979, und Raulet: Consensus et légitimité. In: Esprit 1980, Nr. 1 (Jan. 1980), S. 157–169.

11 Daniel Bell: The Coming of Post-industrial Society. New York 1973; s. auch Habermas' Programm im Schlußkapitel seiner «Theorie des kommunikativen Handelns» (Frankfurt/M. 1981).

12 Raulet: La fin de la Raison dans l'histoire. In: Social Science Information 23, 3 (1984), S. 559–571.

13 Vgl. Raulet: Von der Modernität als Einbahnstraße (i. E.).

14 Raulet: Von der Modernität (i. E.).

15 Habermas: Der philosophische Diskurs der Moderne, S. 94.

16 Max Weber: Gesammelte Aufsätze zur Wissenschaftslehre. Tübingen 1968, S. 154.

17 Weber: Gesammelte Aufsätze zur Wissenschaftslehre, S. 604, 665.

18 Max Horkheimer: Zur Kritik der instrumentellen Vernunft. Frankfurt/M. 1967.

19 Horkheimer: Zur Kritik der instrumentellen Vernunft, S. 13. Das Eingeklammerte fehlt in der deutschen Ausgabe.

20 Horkheimer: Zur Kritik der instrumentellen Vernunft, S. 164.

21 J. Habermas: Die Verschlingung von Mythos und Aufklärung. In: Karl Heinz Bohrer (Hg.): Mythos und Moderne. Frankfurt/M. 1983, S. 408.

22 Max Horkheimer: Zur Kritik der instrumentellen Vernunft, S. 174.

23 Michel Foucault/Gérard Raulet: Um welchen Preis sagt die Vernunft die Wahrheit. In: Spuren 2 (1983), S. 39.

24 Zur Kritik an dieser teleologischen Vorstellung, die wörtlich an Kants «Idee zu einer allgemeinen Geschichte in weltbürgerlicher Absicht» erinnert, vgl. meinen Aufsatz «Von der Modernität als Einbahnstraße ...» (i. E.).

25 Charles Jencks: The Language of Postmodern Architecture. London 1977, S. 133.

26 J. Habermas: Moderne und postmoderne Architektur. In: Die andere Tradition – Architektur in München von 1800 bis heute. München 1981, S. 9.

27 J.-F. Lyotard: La condition post-moderne. Paris 1979, S. 7.

28 Lyotard: La condition, S. 34.

29 Lyotard: La condition, S. 34.

30 Lyotard: Le différend, S. 15.

31 Lyotard: La condition, S. 107 f.
32 Auf diese Argumente hat Lyotard in einem Postskriptum zu seinem Aufsatz «Das Erhabene und die Avantgarde» (Merkur H. 2, 38, 1984, S. 151–164) geantwortet (Le Rider/Raulet/Wunberg: Verabschiedung der ‹Post-Moderne›, i. E.).
33 J.-F. Lyotard: Beantwortung der Frage: Was ist postmodern? In: Tumult 4 (1982), S. 131–142.
34 G. Raulet: Georg Büchner – «La Mort de Danton» ou la crise de la Raison dans l'histoire. Catalogue du Théâtre de l'Est Parisien. Paris 1983; wieder aufgenommen in: Büchner: Œuvres. Hg. v. B. Lortholary. Paris 1985, und demnächst in: Raulet: Büchner – Zur Einführung, SOAK – Einführungen (Junius Verlag, i. E.).
35 Lyotard: Beantwortung der Frage, S. 142.
36 Th. W. Adorno: Negative Dialektik. Frankfurt/M. 1966, S. 27.
37 Henri Lefebvre: Introduction à la modernité. Paris 1962, S. 174.
38 «Scheitern der neuen Linken?» ist der Titel eines Vortrags von Marcuse. In: Herbert Marcuse: Zeitmessungen. Frankfurt/M. 1975, S. 37–48.
39 Th. W. Adorno: Negative Dialektik, S. 29.
40 Zur «Auszugsgestalt» s. Raulet: Humanisation de la nature – naturalisation de l'homme. Paris 1982; ders.: Espérance et sécularisation – Contribution du «Principe espérance» à une philosophie pratique de l'histoire (unveröffentlichte Habilitationsschrift).
41 Adorno: Negative Dialektik, S. 341.
42 Gilles Deleuze/Félix Guattari: L'Anti-Œdipe. Paris 1972, S. 38.
43 Deleuze/Guattari: L'Anti-Œdipe, S. 39.
44 Albrecht Wellmer: Wahrheit, Schein und Versöhnung. Adornos ästhetische Rettung der Modernität. In: Wellmer: Zur Dialektik von Moderne und Postmoderne. Frankfurt/M. 1985, S. 17.
45 Th. W. Adorno: Ästhetische Theorie. Frankfurt/M. 1970, S. 30.
46 Deleuze/Guattari: L'Anti-Œdipe, S. 41, 297.
47 Adorno: Negative Dialektik, S. 275.
48 Vgl. Raulet: La fin de l'utopie.
49 Adorno: Negative Dialektik, S. 189.
50 Vgl. Raulet: Von der Modernität (i. E.).
51 Burghart Schmidt: L'irrationalisme allemand de Weimar vu par le néo-marxisme. In: Raulet: Weimar, S. 299.
52 J. Habermas: Stichworte zur «Geistigen Situation der Zeit». Frankfurt/M. 1979, Bd. 1, Einleitung, S. 35.
53 Forschungsprogramm der Groupe de recherche sur la culture de Weimar (vgl. Anm. 3) im Rahmen eines Joint Study Programms des European Institute of Education and Social Policy – zusammen mit der Rijksuniversiteit Utrecht und der Philosophischen Fakultät der Universität Frankfurt (1985/86).
54 S. Assoun/G. Raulet: Marxisme et théorie critique. Paris 1978.
55 Habermas: Theorie des kommunikativen Handelns, Bd. 2, S. 593.
56 Habermas: Theorie, S. 590, 593.
57 Habermas: Theorie, S. 593.
58 Vgl. Wellmer: Wahrheit, Schein, S. 26 ff.
59 Habermas: Theorie, S. 578 ff.

Kenneth Frampton

Kritischer Regionalismus –
Thesen zu einer Architektur
des Widerstands

Architekturideologie und Kulturpolitik 1966 bis 1980

Hölderlins Frage «. . . wozu Dichter in dürftiger Zeit», die Martin Heidegger seiner Vorlesung «Wozu Dichter?» zum Rilke-Gedenktag von 1946 voranstellte, eignet sich als Ausgangspunkt eines erläuternden Prologs zur deutschen Fassung meines Aufsatzes «Towards a Critical Regionalism». Der Text, der folgt, ist zweifellos kaum mehr als eine polemische Skizze für eine größere Arbeit. Die Motivation zu diesem Aufsatz entsprang daraus, Zeuge des fortschreitenden Abbaus dessen zu sein, was Jürgen Habermas das *Projekt der Moderne* genannt hat: Resultat dieser Entwicklung ist ein schwammiger und in vielen Fällen reaktionärer Revisionismus, der noch keineswegs sein Ende gefunden hat.

Was die Architektur betrifft, so manifestierte sich dieser kulturelle Opportunismus öffentlich zunächst in Charles Jencks' Buch «The Language of Postmodern Architecture» von 1977, in dem der Versuch unternommen wurde, Architektur wenn nicht gerade auf Sprache im engeren Sinn, so doch sicher auf ein oberflächliches und höchst eklektisches Repertoire imagistischer Fragmente zu reduzieren. Es ist bezeichnend, daß die dritte Auflage dieses Buches 284 Abbildungen enthält, von denen nur 33 als Architekturzeichnungen in einem deskriptiven Sinne gelten können. Bei allen übrigen Abbildungen beschränkt sich Jencks in seinem illustrierten Lexikon postmoderner Architektur auf Fotografien, wobei jedem Gebäude nur ein Bild zukommt, so daß Architektur definitionsgemäß auf den flüchtigen Eindruck reduziert wird, den man im Vorbeifahren aus einem Auto heraus gewinnen könnte. Fast die gleiche Einstellung manifestierte sich in Arthur Drexlers «Transformation»-Ausstellung, die 1979 im Museum of Modern Art in New York gezeigt wurde. Wieder wurden etwa 500 Ausstellungsstücke gezeigt, wieder gab es nur je eine Fotografie pro Gebäude, und außerdem wurden in diesem Fall überhaupt keine Pläne, Profile oder Aufrisse geboten, weder in der Ausstellung noch im Katalog. Man könnte das als einen weiteren Schritt sehen, durch den sich Victor Hugos Prophezeiung von 1831 allmählich erfüllt: daß das gedruckte Wort die Architektur zerstört. Da die Bedeutung von alldem

dem Nichtfachmann möglicherweise entgeht, sind hier einige zusätzliche Bemerkungen am Platz.

Im Gegensatz zur Reproduktion von Gemälden kann eine einzige Fotografie die Wirkung eines Gebäudes nicht adäquat vermitteln. Ferner ermöglichen selbst zahlreiche Fotografien aus unterschiedlichen Blickwinkeln nur eine Andeutung der Natur einer bestimmten Struktur, eine codierte Simulation dessen, was eine direkte Erfahrung sein könnte. Sicher sind Darstellungen (Simulationen) für den Allgemeingebrauch notwendig; aber diejenigen, die in der Interpretation orthogonaler Pläne versiert sind (unter anderem Architekten), können eher einen klaren Eindruck eines Gebäudes erhalten, wenn ein fotografisches Dossier durch Pläne, Profile und Details ergänzt wird, wie das während der klassisch-modernen Periode der zwanziger und dreißiger Jahre und sogar noch davor der Fall war. Ohne dieses Ergänzungsmaterial geben die niedrige Rasterung von Fotografien mit kurzer Belichtungszeit und der Druckprozeß der Fotolithografie zusammen nicht mehr wieder als ein undeutliches, wenn auch malerisches Bild. Hier sehen wir, wie das Medium selbst die Art bestimmt, wie man etwas betrachtet, und wie es bei weiterer redaktioneller Manipulation nicht nur vorherbestimmt, wie man die Architektur wahrnimmt, sondern auch wie man sie sich zuerst vorstellt und wie man sie dann erlebt. Wie Antonio Gramsci gesagt hätte, reduziert das Medium gleichzeitig und wechselseitig seine Produktion und Reproduktion.

Was die interne Ideologie des letzten Jahrzehnts angelsächsischer Architektur angeht, so beginnt das alles schon viel früher, vor allem mit dem Buch «Complexity and Contradiction in Architecture» des Architekten Robert Venturi aus Philadelphia, das 1966 vom Museum of Modern Art unter dem Patronat Arthur Drexlers veröffentlicht wurde und zu dem der Wortführer der amerikanischen Architekturhistoriker und -kritiker, Vincent Scully, ein preisendes Vorwort schrieb. Obwohl dieses Werk nicht ohne kritischen Wert ist, bezieht es doch letzten Endes eine total reaktionäre Position, und zwar kulturell wie auch politisch. Venturis herablassender, halb ironischer Ratschlag, daß Amerikaner nicht auf öffentlichen Plätzen herumsitzen, sondern zu Hause fernsehen sollten, spricht für sich selbst. Scullys früherer New-Deal-Transzendentalismus im Stil Kennedys wurde ursprünglich von Venturis zynischem Elitedenken zurückgewiesen; denn bis dahin war er der Befürworter der amerikanischen liberativ-poetischen Richtung gewesen, die von Emerson über Sullivan und Wright zu Louis Kahn läuft. Seine Bekehrung oder sozusagen sein ‹Fall› wurde von seinem Schüler Robert Stern gefördert, der inzwischen ein einflußreicher New Yorker Architekt ist. Die post-68er reaktionäre Haltung der New Yorker Architekten und Kritiker hat sich in letzter Zeit immer mehr verstärkt. Weiterhin unterstützen sich Philip

Johnson, Vincent Scully, Robert Stern und der Architekturkritiker der
«New York Times», Paul Goldberger (auch ein Scully-Schüler), gegenseitig in ihrem gemeinsamen Angriff auf das kritische und befreiende Ver-
mächtnis des ‹Projekts der Moderne›. Sie haben durchweg versucht,
an seiner Stelle eine dominant reaktionäre postmoderne Architekturkul-
tur zu etablieren. Das ist ihnen in gewissem Grad gelungen, wenn

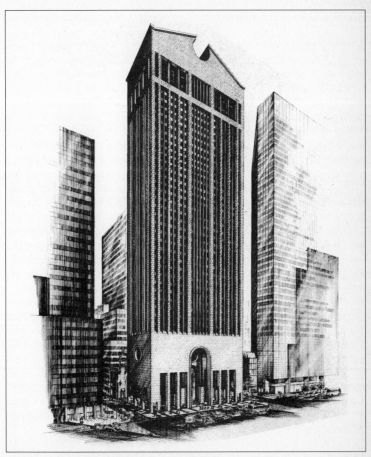

Philip Johnson und John Burgee: AT & T Building, New York City (1978–83); ein
szenographischer Eklektizismus aus verschiedenen historischen Codes bestimmt
die Fassade des im bewußt konventionellen Stil gebauten Wolkenkratzers in Man-
hattan.

auch das Resultat tatsächlich kaum eine Kultur genannt werden kann, da
sie hin und her schwankt zwischen der Befürwortung eines zynischen,
szenographischen Eklektizismus für den (kleinen) Mann der Straße und
der Befürwortung eines Neo-Beaux-Arts-Pastiche-Historismus für die
Fassaden großangelegter kommerzieller Projekte und für vereinzelte
Häuser der Elite. Diese Kulturpolitik paßt gut zum reaktionären Klima
unserer Zeit, nicht nur zu der neokonservativen politischen Richtung des
Kreises um Irving Kristol, sondern auch zu den breiteren und zynischeren
Absichten des internationalen Monopolkapitals: Optimierung des Kon-
sums und imperialistischer Triumph des Monetarismus. In dem hier vor-
gelegten Aufsatz wird die Meinung vertreten, daß das Projekt der Moderne eher eine kritische Weiterentwicklung als ein zynisches Aufgeben
verdient. Eine derartige kritische Weiterentwicklung ist allerdings kaum
in Übereinstimmung zu bringen mit dem paradoxen ‹power-state›-
Triumph der Pax Americana an der Schwelle ihres moralischen und ökonomischen Bankrotts.

Von diesem Standpunkt aus kann 1980 als eine Wasserscheide gesehen
werden, als der Zeitpunkt, zu dem eine neokonservative Kulturpolitik
auf offizieller Ebene nach Europa exportiert wurde. Für die Architektur
geschah dies vor allem 1980 in der Biennale in Venedig, die unter der
Leitung von Paolo Portoghesi im Arsenal stattfand. Bezeichnenderweise
war der Titel dieser Ausstellung «Die Gegenwart der Vergangenheit» mit
dem Untertitel «Das Ende der Prohibition». Die herausragende, um
nicht zu sagen dominierende Rolle, die amerikanische Architekten und
Architekturkritiker bei der Wahl der vorgestellten Architekten spielten,
sollte nicht unbemerkt bleiben. Die Herren Scully, Jencks und Stern waren in vereinter Stärke anwesend, und meine eigene Weigerung, ihren
kritischen Konsens zu legitimieren, bezeugt den Charakter meiner Opposition ebenso wie die Tatsache, daß Johnson zusammen mit Ignazio
Gardella der Ehrenplatz zugewiesen wurde. Beide gelten als Vorläufer
dessen, was ich den Populärrevisionismus nenne. Das Reaktionäre an
dieser Kultur, verkörpert durch das ‹set piece› der Ausstellung – die
Strada Novissima, die von den Bühnenbildnern der italienischen Filmindustrie aufgebaut wurde –, hat Jürgen Habermas genau bemerkt. Seine
wichtige und einflußreiche Adorno-Preis-Rede entstand aus der Konfrontation mit dieser szenographischen und höchst ideologischen Geste
der Biennale. Über die Biennale habe ich in einem kritischen Postskript
geschrieben:

«Die Postmoderne beschäftigt sich nicht nur mit Zeichen, sondern auch mit den
‹Zeichen der Zeichen›, und während diese deplazierten Schemata auf identifizier-
bare Kunsterzeugnisse hinweisen könnten, die aus der Fundgrube der Geschichte
stammen, bleiben sie doch unfähig, die wesentlichen referentiellen Bezüge des
vorgegebenen Bildes zu verwirklichen. Daß Seamozzis falsche Perspektive des Tea-

tro Olympico für den Katalogumschlag verwendet wurde, kann in seiner ideologischen Bedeutung kaum übersehen werden; um so weniger, als dies unter dem Titel ‹Die Gegenwart der Vergangenheit› erscheint, was in hohem Maße suggeriert, daß die Vergangenheit ohne weiteres als Simulation wieder vorgeführt (re-präsentiert) werden kann und daß alles Beliebige hinter der ‹scena› existieren könnte. Diese Gleichgültigkeit gegenüber der Realität hinter der Kulisse ist der Prüfstein der Postmoderne: ein Zeichen des desillusionierten westlichen Intellekts, der vor der Aussicht auf eine ideale Aufklärung, die unwiederbringlich verloren ist, in sardonischer Reflexion versteinert.»

Kultur und Zivilisation

Das moderne Bauwesen wird heute so weitgehend von einer optimierten Technologie bestimmt, daß es nur noch in sehr engen Grenzen möglich ist, eine signifikante städtische Bauform zu schaffen. Die Einschränkungen, bedingt durch die Ausbreitung der Motorisierung und das launische Spiel der Grundstücksspekulation, dienen dazu, den Bereich der Städteplanung in so hohem Maße zu begrenzen, daß jegliche Intervention entweder auf das Manipulieren von einzelnen Elementen beschränkt bleibt, die von den Imperativen der Produktion prädeterminiert sind, oder auf eine Art oberflächlicher Maskierung hinausläuft, die die moderne Entwicklung für die Erleichterung des Marketing und die Aufrechterhaltung der sozialen Kontrolle benötigt. Heute scheint sich die Praxis der Architektur immer mehr zu polarisieren zwischen einem sogenannten ‹hightech›-Verfahren einerseits, das ausschließlich auf Produktion basiert, und der Bereitstellung von kompensatorischen Fassaden andererseits, die die rauhen Realitäten dieses Universalsystems verschleiern sollen.[1]

Vor zwanzig Jahren bot die dialektische Wechselwirkung zwischen Zivilisation und Kultur noch die Möglichkeit, eine gewisse Kontrolle über Form und Bedeutung des Stadtgefüges zu wahren. Die letzten beiden Jahrzehnte jedoch haben die großstädtischen Zentren der entwickelten Welt radikal umgestaltet. Das, was in den frühen sechziger Jahren noch im wesentlichen als Stadtgefüge des 19. Jahrhunderts kenntlich war, wurde seither stufenweise von zwei symbiotischen Instrumenten der Entwicklung in den Ballungsgebieten der Metropolen überlagert – dem freistehenden Wolkenkratzer und den Windungen der Stadtautobahn. Der Wolkenkratzer erfüllt nun den Zweck, den erhöhten Grundstückswert, der durch die Autobahnen entstand, zu realisieren. Die typische Innenstadt, die bis vor zwanzig Jahren noch eine Mischung von Wohngebiet mit tertiärer und sekundärer Industrie darstellte, hat sich zur bloßen Bürolandschaft verwandelt und demonstriert so den Sieg der universalen Zivilisation über die lokale Kultur. Dieses Dilemma, das Paul Ricœur exem-

plarisch benannt hat: «Wie soll man sich modernisieren und zu den An-
fängen zurückkehren?»[2], scheint nun durch den apokalyptischen Vorstoß
der Modernisierung umgangen zu sein, während der Boden, in dem der
mythisch-ethische Kern einer Gesellschaft hätte Wurzeln schlagen können, durch den Raubbau der rasanten Entwicklung abgetragen wurde.[3]

Seit Beginn der Aufklärung war ‹Zivilisation› hauptsächlich auf instrumentelle Vernunft gerichtet, während ‹Kultur› sich den besonderen Aus-
drucksmöglichkeiten widmete – der Verwirklichung des Seins und der
Entwicklung einer ‹kollektiven› psychosozialen Realität. Heute tendiert
die Zivilisation immer mehr dazu, in eine endlose Kette von Mitteln und
Zwecken verwickelt zu werden, in der, nach Hannah Arendt, das «Mittel» zum «Inhalt des Zwecks» wurde, «daß, wo Sinn etabliert, Sinnlosigkeit erzeugt wird»[4].

Aufstieg und Fall der Avantgarde

Das Auftreten der Avantgarde ist von der Modernisierung der Gesellschaft wie auch der Architektur untrennbar. Während der letzten einein-
halb Jahrhunderte hat die Kultur der Avantgarde unterschiedliche Rollen
gespielt. Einerseits hat sie den Modernisierungsprozeß erleichtert und
dabei teilweise als progressive befreiende Kraft gewirkt; andererseits hat
sie sich zeitweise heftig gegen den Positivismus der bürgerlichen Kultur
gestellt. Zunächst spielte die avantgardistische Architektur eine positive
Rolle im Rahmen des progressiven Projekts der Aufklärung. Dafür exemplarisch ist der Neoklassizismus: Seit der Mitte des 18. Jahrhunderts
diente er sowohl als Symbol wie auch als Instrument der Propagierung
einer universalen Zivilisation. Ab Mitte des 19. Jahrhunderts freilich
lehnte die Avantgarde die Industrialisierung wie auch die neoklassischen
Formen ab. Dies war die erste gemeinsame Reaktion seitens der ‹Tradition› gegen den Modernisierungsprozeß. Neugotik und die ‹Arts and
Crafts›-Bewegung bezogen eine kategorisch negative Position gegen Uti-
litarismus und Arbeitsteilung. Trotz dieser Kritik schritt die Modernisierung ungehindert fort, und im späteren 19. Jahrhundert distanzierte sich
die bürgerliche Kunst zusehends von den rauhen Realitäten des Kolonia-
lismus und der paläo-technologischen Ausbeutung. Dabei nahm der
avantgardistische Jugendstil am Ende des Jahrhunderts zu der kompensatorischen These des ‹l'art pour l'art› Zuflucht und zog sich in nostalgische
oder phantasmagorische Traumwelten zurück, die von der kathartischen
Hermetik der Wagnerschen Musikdramen inspiriert waren.

Die progressive Avantgarde trat dann bald nach der Jahrhundertwende
im Futurismus in voller Kraft in Erscheinung. Diese eindeutige Kritik des

‹ancien régime› ließ die primär positiven kulturellen Formationen der zwanziger Jahre entstehen: Purismus, Neoplastizismus und Konstruktivismus. Diese Bewegungen boten dem radikalen Avantgardismus die historisch letzte Gelegenheit, sich rückhaltlos mit dem Modernisierungsprozeß zu identifizieren. Direkt nach dem Ersten Weltkrieg – dem Krieg, der alle Kriege beenden sollte – schienen die Triumphe der Wissenschaft, Medizin und Industrie das Versprechen der Moderne auf Befreiung zu bestätigen. In den dreißiger Jahren jedoch führten die verbreitete Rückständigkeit und chronische Unsicherheit der eben erst urbanisierten Massen so wie die von Krieg, Revolution und Wirtschaftsdepression verursachten Umbrüche, die ein plötzliches und intensives Bedürfnis nach psychosozialer Stabilität hervorriefen, eine Lage der Dinge herbei, in der zum erstenmal in der modernen Geschichte die Interessen von Monopol und Staatskapitalismus von den befreienden Antrieben kultureller Modernisierung getrennt wurden. Man konnte sich schlecht auf universale Zivilisation und Weltkultur berufen, um den ‹Mythos des Staates› aufrechtzuerhalten. Unterschiedliche Reaktionsbildungen folgten einander, während die historische Avantgarde im Spanischen Bürgerkrieg endgültig Schiffbruch erlitt.

Nicht die unwichtigste dieser Reaktionen war die Wiederbelebung neukantianischer Ästhetik als Ersatz für das kulturelle Emanzipationsversprechen der Moderne. Ehemalige linke Vorkämpfer soziokultureller Modernisierung, verwirrt von der Politik und Kulturpolitik des Stalinismus, empfahlen jetzt einen strategischen Rückzug von dem Ziel, die existierende Realität völlig umzugestalten. Dieser Verzicht beruhte auf dem Glauben, daß die moderne Welt nicht an dem Gedanken einer marginalen, emanzipatorischen, avantgardistischen und die bürgerliche Repression anfechtenden Kultur festhalten könne, solange der Kampf zwischen Sozialismus und Kapitalismus andauere und jene manipulative Politik der Massenkultur erfordere, die dieser Konflikt notwendigerweise mit sich bringe. Eine solche, dem ‹l'art pour l'art› ähnliche Position artikulierte Clement Greenberg zuerst als eine ‹Verteidigungsposition› in seinem Aufsatz «Avant-Garde und Kitsch» von 1939, der etwas zweideutig mit den Worten schließt: «Heute halten wir uns nur deswegen an den Sozialismus, um das, was es derzeit noch an lebendiger Kultur gibt, zu erhalten.»[5] Greenberg formulierte seine Ansichten später noch einmal in spezifisch formalistischen Kategorien, und zwar in seinem Aufsatz «Modernist Painting» von 1965, in dem er schrieb: «Nachdem ihnen (den Künsten) von der Aufklärung alle Aufgaben, die sie hätten ernst nehmen können, verwehrt wurden, sah es so aus, als würden sie der reinen und einfachen Unterhaltung angeglichen, und als würde Unterhaltung, wie Religion, zur Therapie. Die Künste konnten sich davor, auf ein tieferes Niveau heruntergezogen zu werden, nur retten, indem sie bewiesen, daß die Art von

Erfahrung, die sie ermöglichten, in sich selbst wertvoll war und nirgendwo sonst gemacht werden konnte.»[6]

Trotz dieser defensiven intellektuellen Haltung tendierten die Künste weiterhin wenn nicht gerade zur Unterhaltung, so doch sicherlich zur Ware und – im Falle dessen, was Charles Jencks seither als postmoderne Architektur klassifiziert hat[7] – zur reinen Technik oder reinen Szenographie. Dabei versorgen die sogenannten postmodernen Architekten die Mediengesellschaft lediglich mit überflüssigen quietistischen Bildern, statt nach dem angeblich bewiesenen Bankrott der emanzipatorischen Moderne einen, wie sie es gern nennen, kreativen ‹rappel à l'ordre› anzubieten. In dieser Hinsicht schreibt Andreas Huyssen mit Recht: «Die amerikanische postmodernistische Avantgarde ist somit nicht nur das Endspiel des Avantgardismus. Sie steht ebenso ein für die Fragmentierung und den Zerfall einer kritischen Gegenkultur.»[8]

Dennoch läßt Modernisierung sich nicht mehr einfach als *per se* befreiend bezeichnen, vor allem deswegen nicht, weil die Medienindustrie die Massenkultur dominiert (allen voran das Fernsehen, das, wie Jerry Mander gezeigt hat, sein Verführungspotential zwischen 1945 und 1975 tausendfach erweitert hat[9]) und weil uns die Logik der Modernisierung an die Schwelle des Atomkriegs und der totalen Vernichtung geführt hat. So kann auch das emanzipatorische Moment des Avantgardismus nicht weiterhin behauptet werden, da dessen ursprünglich utopisches Versprechen von der inneren Rationalität instrumenteller Vernunft überrannt worden ist. Dieser ‹Schluß› wurde vielleicht am besten von Herbert Marcuse formuliert, als er schrieb:

«Das technologische *Apriori* ist insofern ein politisches *Apriori*, als die Umgestaltung der Natur die des Menschen zur Folge hat und als die ‹vom Menschen hervorgebrachten Schöpfungen› aus einem gesellschaftlichen Ganzen hervor- und in es zurückgehen. Dennoch kann man darauf bestehen, daß die Maschinerie des technologischen Universums ‹als solche› politischen Zwecken gegenüber indifferent ist – sie kann eine Gesellschaft nur beschleunigen oder hemmen ... Wird die Technik jedoch zur umfassenden Form der materiellen Produktion, so umschreibt sie eine ganze Kultur; sie entwirft eine geschichtliche Totalität – eine ‹Welt›.»[10]

Kritischer Regionalismus und Weltkultur

Eine kritische Architekturpraxis ist heutzutage nur von einer Position der Arrièregarde her möglich, die sich gleichermaßen von dem Fortschrittsmythos der Aufklärung wie von dem reaktionären und unrealistischen Impuls distanziert, zu den architektonischen Formen der vorindustriellen Vergangenheit zurückzukehren. Eine kritische Arrièregarde muß Abstand nehmen von der Optimierung fortgeschrittener Technologie wie von der immer vorhandenen Neigung, in nostalgischen Historismus oder ins oberflächlich Dekorative zurückzufallen. Ich behaupte, daß nur eine Arrièregarde die Fähigkeit besitzt, eine kritische Kultur mit ausgeprägter Identität zu entwickeln, wobei sie durchaus von universaler Technik einen begrenzten Gebrauch machen kann.

Es ist aber notwendig, den Begriff Arrièregarde weiter zu differenzieren, um seine kritische Reichweite von konservativen Richtungen wie Populismus oder sentimentalem Regionalismus abzusetzen, mit denen er oft assoziiert wird. Um den Arrièregardismus in einer gut fundierten, kritischen Strategie zu begründen, übernehme ich den Ausdruck «kritischer Regionalismus», wie er von Alex Tzonis und Liliane Lefaivre im Aufsatz «The Grid and the Pathway» (1981) geprägt wurde; in diesem Aufsatz warnen die Autoren vor der Mehrdeutigkeit eines regionalen Reformismus, wie er sich seit dem letzten Viertel des 19. Jahrhunderts mehrfach manifestiert hat:

«Während der letzten zweieinhalb Jahrhunderte war der Regionalismus in der Architektur in fast allen Ländern irgendwann vorherrschend. Verallgemeinernd kann man sagen, daß er individuelle und lokale architektonische Tendenzen gegen universellere und abstraktere verteidigt. Zusätzlich jedoch trägt der Regionalismus den Stempel der Mehrdeutigkeit. Einerseits war er mit Reform- und Befreiungsbewegungen verknüpft, ... andererseits erwies er sich als ein mächtiges Werkzeug im Dienste von Repression und Chauvinismus ... Sicherlich hat der kritische Regionalismus seine Grenzen. Der Aufstieg des Populismus – einer weiter entwickelten Form des Regionalismus – hat diese schwachen Punkte ans Licht gebracht. Keine neue Architektur kann entstehen ohne eine Neugestaltung der Beziehungen zwischen Designer und Benutzer, ohne neue Programme ... Trotz dieser Grenzen ist der kritische Regionalismus eine Brücke, die jede humanistische Architektur der Zukunft überschreiten muß.»[11]

Die grundlegende Strategie des kritischen Regionalismus ist es, die Wirkung universaler Zivilisation mit Elementen zu vermitteln, die indirekt auf die Eigentümlichkeiten eines besonderen Ortes zurückzuführen sind. Aus dem Obenerwähnten folgt, daß der kritische Regionalismus ein hohes Niveau kritischen Selbstbewußtseins aufrechterhalten muß. Er kann sich inspirieren lassen von der Art und Qualität des örtlichen Lichtes, von einer strukturell spezifischen Tektonik oder von der Topographie eines gegebenen Bauplatzes.

Wie schon angedeutet, sollte man dabei unterscheiden zwischen einem kritischen Regionalismus und simplistischen Versuchen, die hypothetischen Formen einer vergangenen Volkssprache wiederzubeleben. Im Gegensatz zum kritischen Regionalismus ist das Hauptmedium des Populismus das kommunikative oder instrumentelle Zeichen. Solch ein Zeichen ruft keine kritische Wahrnehmung der Realität hervor, sondern befriedigt ein Verlangen nach direkter Erfahrung durch die Bereitstellung von bloßer Information. Sein taktisches Ziel ist es, mit möglichst sparsamen Mitteln eine genau antizipierte Befriedigung im Sinne des Behaviorismus zu erreichen. In dieser Hinsicht ist die starke Affinität des Populismus zum Verfahren der Rhetorik und zur Symbolik der Werbung kaum zufällig. Wenn man die beiden Richtungen des Regionalismus nicht sorgfältig trennt, läuft man Gefahr, die Widerstandskapazität einer kritischen Praxis mit den demagogischen Tendenzen des Populismus zu verwechseln.

Man kann nun weiterhin behaupten, daß der kritische Regionalismus als kulturelle Strategie ein Träger der ‹Weltkultur› wie auch ein Ausdrucksmittel der ‹universalen Zivilisation› ist. Während es offensichtlich irreführend wäre, unser Erbe der Weltkultur mit dem Erbe der universalen Zivilisation gleichzusetzen, leuchtet doch ein, daß wir keine andere Wahl haben, als die Wechselwirkung beider heute zur Kenntnis zu nehmen, da wir prinzipiell der Wirkung von beiden ausgesetzt sind. In dieser Hinsicht ist die Praxis des kritischen Regionalismus bedingt durch einen Prozeß doppelter Vermittlung. Zunächst muß der kritische Regionalismus das gesamte Spektrum der Weltkultur, das er zwangsläufig erbt, ‹dekonstruieren›; dann aber muß er zweitens durch synthetischen Widerspruch eine eindeutige Kritik universaler Zivilisation anstreben. Die Weltkultur dekonstruieren heißt, sich von jenem Eklektizismus des ‹fin de siècle› freizuhalten, der fremde exotische Formen verwendete, um die Ausdrucksfähigkeit einer enervierten Gesellschaft wiederzubeleben. (Man denke an die Form und Kraft betonende Gestaltungslogik Henri van de Veldes oder die ‹whiplash›-Arabesken Victor Hortas.) Andererseits erfordert die Einbeziehung universaler Technik, daß der Optimierung industrieller und postindustrieller Technologie Grenzen auferlegt werden. Auf die künftige Notwendigkeit, Prinzipien und Elemente verschiedener Herkunft und unterschiedlichen ideologischen Stellenwerts zu re-synthetisieren, verweist Ricœur, wenn er schreibt:

«Niemand kann vorhersagen, was aus unserer Zivilisation werden wird, wenn sie anderen Zivilisationen wirklich begegnet ist, und zwar auf andere Weise als im Zusammenprall von Eroberung und Beherrschung. Aber man muß eingestehen, daß diese Begegnung bislang noch nicht auf der Ebene eines wirklichen Dialogs stattgefunden hat. Aus diesem Grunde befinden wir uns in einer Art Interregnum, wo wir den Dogmatismus der einzigen Wahrheit nicht mehr praktizieren können und zugleich noch nicht in der Lage sind, den Skeptizismus, in den wir eingetreten sind, in seine Schranken zu weisen.»[12]

Ein ähnliches und komplementäres Gefühl drückte der niederländische Architekt Aldo van Eyck aus, der zur gleichen Zeit schrieb: «Die westliche Zivilisation identifiziert sich gewöhnlich mit Zivilisation als solcher und geht von der päpstlichen Annahme aus, daß alles, was nicht ist wie sie, eine Abweichung ist, weniger entwickelt, primitiver oder bestenfalls exotisch interessant in sicherer Entfernung.»[13]

Daß ein kritischer Regionalismus sich nicht einfach auf die autochthonen Formen einer spezifischen Gegend allein stützen kann, schrieb der kalifornische Architekt Hamilton Harwell Harris mit Recht vor jetzt fast dreißig Jahren:

«Dem Regionalismus der Restriktion ist eine andere Form entgegengesetzt, der Regionalismus der Befreiung. Darin findet eine Region den ihr eigenen Ausdruck, der mit dem neu hervortretenden Denken einer Zeit besonders in Einklang steht. Wir nennen eine solche Erscheinung nur deshalb regional, weil sie noch nicht anderswo auftrat ... Eine Region mag Ideen entwickeln. Eine Region mag Ideen akzeptieren. Einbildungskraft und Intelligenz sind für beides notwendig. In den späten Zwanzigern und Dreißigern trafen moderne europäische Ideen in Kalifornien auf einen dynamischen Regionalismus. In Neuengland andererseits traf die europäische Moderne auf einen starren und restriktiven Regionalismus, der zuerst Widerstand leistete und dann kapitulierte. Neuengland akzeptierte die europäische Moderne unverändert, denn Neuenglands eigener Regionalismus war nicht mehr als eine Anhäufung von Restriktionen.»[14]

Die Art, in der man eine selbstbewußte Synthese zwischen universaler Zivilisation und Weltkultur erreichen kann, mag mit Jørn Utzons Bagsværder Kirche veranschaulicht werden, die 1976 in der Nähe von Kopenhagen gebaut wurde. Die komplexe Bedeutung dieses Gebäudes stammt direkt von einer aufschlußreichen Verbindung zwischen der ‹Rationalität› einer normativen Technik einerseits und der ‹Irrationalität› idiosynkratischer Form andererseits. Insofern als der Plan für dieses Gebäude auf dem Rasterprinzip beruht und identische Fertigbauteile einsetzt – Betonblöcke und vorgegossene Betonwandeinheiten –, dürfen wir es mit Recht als das Ergebnis universaler Zivilisation betrachten. Solch ein Bausystem, das aus einem *in situ* Betonskelett mit einsetzbaren Fertigbauteilen aus Beton besteht, findet sich in der Tat unzählige Male überall in der entwickelten Welt. Aber die Universalität dieser Methode – die in diesem Fall ein Glasdach einschließt – wird abrupt gebrochen, wenn man von der optimal geometrisch gerasterten Oberfläche des Äußeren zum weit weniger einheitlichen Muschelgewölbe gelangt, das durch ein Betongerüst verstärkt ist und das Kirchenschiff überspannt. Dieses Gewölbe ist eine offensichtlich ziemlich unökonomische Baumethode, die erstens wegen ihrer direkten assoziativen Fähigkeit gewählt wurde – das heißt, das Gewölbe deutet auf einen heiligen Ort – und zweitens wegen ihrer vielfachen interkulturellen Verweise. Während das verstärkte Betonrippengewölbe seit langem einen festen Platz innerhalb des allgemein anerkannten tektonischen Kanons der westlichen modernen Architektur innehat, ist der komplex konfigurierte Schnitt, der in diesem Fall zur Anwendung gebracht wurde, kaum bekannt. Der einzige Präzedenzfall für solch eine

Jørn Utzon: Kirche in Bagsværd (1974–76)

Form in einem religiösen Kontext ist nicht westlich, sondern östlich –
nämlich das chinesische Pagodendach, das Utzon in seinem wichtigen
Aufsatz «Platforms and Plateaus» (1963)[15] erwähnt hat. Obwohl das
Hauptgewölbe in Bagsværd spontan seine religiöse Natur zu verstehen
gibt, schließt es doch sowohl eine exklusiv okzidentale als auch eine einseitig orientale Interpretation des Codes aus, durch den sich hier öffentli-
cher und heiliger Raum konstituieren. Absicht dieser Ausdrucksform ist
es natürlich, die heilige Form zu säkularisieren, indem man die Häufung
gewohnter semantischer und religiöser Verweise vermeidet und damit
den korrespondierenden Bereich automatischer Reaktionen einschränkt,
die solche Verweise gewöhnlich begleiten. Man könnte mit Recht behaupten, daß dies ein adäquaterer Kirchenbau ist für ein säkularisiertes
Zeitalter, in dem jeder symbolische Hinweis auf das Kirchliche gewöhnlich sofort zu plattem Kitsch degeneriert. Und doch erneuert paradoxerweise die Entheiligung in Bagsværd subtil die Grundlagen des Spirituel-
len, und zwar, wie ich behaupten möchte, mittels einer Wiederbelebung
des Regionalen, die hier den Boden abgibt für eine Form kollektiver Spi-
ritualität.

Kirche in Bagsværd – Innenansicht

Der Widerstand der Raum-Form

Die ‹Megalopolis›, als solche 1961 von dem Geographen Jean Gottmann beschrieben[16], wuchert weiterhin in der entwickelten Welt, und zwar in einem solchen Maß, daß sich definierbare städtische Formen kaum mehr aufrechterhalten lassen. Solche Formen gibt es nur noch in Städten, die vor der Jahrhundertwende angelegt wurden. In den letzten 25 Jahren ist der sogenannte Bereich der Stadtplanung zu einem bloß theoretischen Feld degeneriert, dessen Diskurs wenig zu tun hat mit den Verfahrensrealitäten moderner Planung. Heute befindet sich sogar der Wissenszweig des Super-Managements der Stadtplanung in einer Krise. Das Geschick des Plans, der offiziell für den Wiederaufbau Rotterdams nach dem Zweiten Weltkrieg bekanntgemacht wurde, ist in dieser Hinsicht symptomatisch; die Veränderungen, die jüngst an diesem Plan vorgenommen wurden, bezeugen die aktuelle Tendenz, alles Planen auf wenig mehr als die Logistik der Verteilung und Nutzung des Bodens zu reduzieren. Bis vor relativ kurzem wurde der Hauptplan für Rotterdam alle zehn Jahre revidiert und angesichts der in der Zwischenzeit errichteten Gebäude auf den neuesten Stand gebracht. 1975 jedoch wurde dieses progressive, städtisch-kulturelle Verfahren unerwartet aufgegeben zugunsten eines nicht-physikalischen Infrastrukturplans, der auf regionaler Ebene konzipiert war. Solch ein Plan befaßt sich fast ausschließlich mit der logistischen Projektion von Veränderungen in der Bodennutzung und mit der Vermehrung von existierenden Verteilungssystemen.

In seinem Aufsatz von 1954, «Bauen, Wohnen, Denken», liefert uns Martin Heidegger einen kritischen Ausgangspunkt, von dem aus man das Phänomen universaler Ortlosigkeit denken kann. Dem lateinischen oder besser antik abstrakten Konzept von Raum als einem mehr oder weniger endlosen Kontinuum von regelmäßig unterteilten integralen Raumkomponenten – was er ‹spatium› und ‹extensio› nennt – stellt Heidegger den deutschen Terminus ‹Raum› gegenüber. Heidegger behauptet, daß das phänomenologische Wesen eines solchen Raums von der ‹konkreten›, klar definierten Natur seiner Grenzen abhängt; denn, wie er sagt, «Die Grenze ist nicht das, wobei etwas aufhört, sondern, wie die Griechen es erkannten, die Grenze ist jenes, von woher etwas *sein Wesen beginnt.*»[17] Abgesehen davon, daß Heidegger den Ursprung westlich abstrakter Vernunft in der antiken Kultur des Mittelmeers bestätigt, zeigt er, daß das deutsche Wort ‹Bauen› etymologisch eng verwandt ist mit den archaischen Formen von ‹Sein›, ‹Anbauen› und ‹Wohnen›; und er erörtert weiter, daß der Zustand des ‹Wohnens› und daher letztlich des ‹Seins› nur in einem eindeutig umgrenzten Bereich stattfinden kann.

Wohl können wir skeptisch bleiben gegenüber dem Vorschlag, eine kritische Praxis in einem so hermetisch metaphysischen Konzept wie dem des ‹Seins› zu begründen; aber wenn wir mit der allgegenwärtigen Ortlosigkeit unserer modernen Umwelt konfrontiert werden, müssen wir mit Heidegger nichtsdestoweniger die absolute Vorbedingung eines umgrenzten Raums postulieren, um eine Architektur des Widerstands zu schaffen. Nur solch eine definierte Grenze wird es der Bauform erlauben, sich gegen das krebsartige Wachstum von Ballungsgebieten zu stellen – und damit buchstäblich und in einem institutionellen Sinn zu widerstehen.

Die umgrenzte öffentliche Raum-Form ist darüber hinaus wichtig für das, was Hannah Arendt «den Raum des menschlichen Erscheinens» genannt hat; die Evolution legitimer Macht basierte schon immer auf der Existenz der ‹Polis› und auf vergleichbaren Einheiten physischer und institutioneller Formen. Während das politische Leben der griechischen Polis sich nicht direkt von der physischen Gegenwart und Repräsentation des Stadt-Staates herleitete, legte es doch im Gegensatz zu den Ballungsgebieten heutiger Metropolen auf die kantonalen Attribute städtischen Zusammenlebens größten Wert. In «The Human Condition» schreibt Arendt:

«Die einzige rein materielle, unerläßliche Vorbedingung der Machterzeugung ist das menschliche Zusammen selbst. Nur in einem Miteinander, das nahe genug ist, um die Möglichkeit des Handelns ständig offen zu halten, kann Macht entstehen, und die Stadtgründungen, die durch die antiken Stadtstaaten beispielhaft wurden für die gesamte Geschichte politischer Organisation im Abendland, sind daher historisch in der Tat die eigentliche Voraussetzung für die beispiellose Machtentfaltung der europäischen Völker.»[18]

Nichts könnte vom politischen Kern des Stadtstaates weiter entfernt sein als das Rationalisieren positivistischer Stadtplaner wie Melvin Webber, dessen ideologische Konzepte einer ‹community without propinquity› (Gemeinschaft ohne Nähe) und des ‹non-place urban realm› (nicht ortsgebundenen städtischen Bereichs) nichts als Slogans sind, mit denen die Abwesenheit einer authentischen öffentlichen Sphäre in der modernen Motopie (Motor-Utopie) legitimiert werden soll.[19] Die manipulative Tendenz solcher Ideologien wurde nie offener zum Ausdruck gebracht als in Robert Venturis «Complexity and Contradiction in Architecture» (1966), in dem der Autor versichert, daß Amerikaner keine Piazzas brauchen, da sie zu Hause vor dem Fernseher besser aufgehoben sind.[20] Reaktionäre Haltungen wie diese verweisen auf die Impotenz einer urbanisierten Bevölkerung, die paradoxerweise das Ziel ihrer Urbanisierung aus den Augen verloren hat.

Während die Strategie des kritischen Regionalismus, wie er oben in

groben Zügen dargestellt wurde, hauptsächlich die Aufrechterhaltung
einer ‹expressiven Dichte und Resonanz› in einer Architektur des Widerstands anstrebt (eine kulturelle Dichte, die unter heutigen Bedingungen
als potentiell befreiend an und für sich gelten kann, da sie dem Benutzer
mannigfaltige Erfahrungen ermöglicht), ist die Bereitstellung einer
Raum-Form für eine kritische Praxis ebenso wesentlich; schließlich bleibt
eine Architektur des Widerstands in einem institutionellen Sinn notwendig auf einen klar umrissenen Bereich angewiesen. Vielleicht das allgemeinste Beispiel einer solchen städtischen Form ist der geschlossene Häu-
serblock, obwohl man auch an ähnliche, nach innen gekehrte Formtypen
denken könnte wie die Galerie, das Atrium, den Vorhof und das Labyrinth. Und während heute in vielen Fällen diese Formen einfach zu Vehi-
keln werden für pseudoöffentliche Bereiche (man denke an neuere Mega-
strukturen von Wohngebäuden, Hotels und Einkaufszentren), kann man
selbst in diesen Fällen das latente politische und widerstandsfähige Potential der Raum-Form nicht völlig unberücksichtigt lassen.

Kultur kontra Natur: Topographie, Kontext, Klima, Licht und tektonische Form

Der kritische Regionalismus bringt notwendigerweise einen direkteren
dialektischen Bezug zur Natur mit sich, als es die abstrakteren, formalen
Traditionen der modernen avantgardistischen Architektur erlauben würden. Es versteht sich von selbst, daß die tabula rasa-Tendenz der Modernisierung an den ausgiebigen Gebrauch von Planierraupen gebunden
bleibt. Eine völlig flache Grundlage gilt als ökonomisch optimal für eine
totale Rationalisierung des Bauens. Hier begegnet uns wieder konkret
jener fundamentale Gegensatz zwischen universaler Zivilisation und au-
tochthoner Kultur. Das Planieren eines unebenen Geländes zu einem flachen Bauplatz ist zweifellos eine technokratische Geste, die auf einen
Zustand absoluter Ortlosigkeit abzielt; hingegen kann man von einer
‹Kultivierung› des Bauplatzes sprechen, wenn derselbe Bauplatz etwa ter-
rassenförmig angelegt wird, um ein treppenförmig abgestuftes Bauen zu
ermöglichen.

   Zweifellos nähert man sich so noch einmal Heideggers etymologischem
Denken; gleichzeitig läßt ein solcher Zugriff an das Verfahren denken,
‹den Bauplatz zu bauen›, das der Schweizer Architekt Mario Botta erwähnt. Man kann behaupten, daß dabei die spezifische Kultur einer Region – das heißt ihre Geschichte in einem sowohl geologischen als auch

landwirtschaftlichen Sinn – eingeschrieben wird in die Form und Verwirklichung des Bauens. Diese Einschreibung, das ‹Hineinlegen› des Gebäudes in den Bauplatz, hat viele Bedeutungsebenen; in der Bauform verkörpert sich idealiter die Vorgeschichte des Ortes, seine archäologische Vergangenheit sowie die darauffolgende Kultivierung und Veränderung in der Zeit. Durch solches ‹Hineinlegen› des Gebäudes in den Bauplatz kann den Eigenarten des Ortes Ausdruck verliehen werden, ohne daß man in Sentimentalität zurückfällt.

Was im Falle der Topographie eines einzelnen Gebäudes leicht einzusehen ist, läßt sich auch im Hinblick auf ein existierendes Stadtgefüge oder auf die Klimabedingungen und die jahreszeitlich sich wandelnde natürliche Beleuchtung ausführen. Auch hier muß eine einfühlsame Anpassung und Eingliederung solcher Faktoren fast definitionsgemäß dem maximalen Gebrauch universaler Technik im Grunde entgegengesetzt sein. Das läßt sich im Falle von Licht und Temperatur vielleicht am deutlichsten zeigen. Das gewöhnliche Fenster ist offensichtlich der durchlässigste Punkt, an dem diese beiden Naturkräfte auf die äußere Wand eines Gebäudes treffen. Das Fensterwerk hat daher eine ihm eigene, besondere Fähigkeit, der Architektur den Charakter einer Gegend einzuprägen und so dem Ort, an dem das Gebäude errichtet wird, Ausdruck zu verleihen.

Bis vor kurzem bevorzugte man für die Ausstellungsräume moderner Kunstmuseen ausschließlich künstliche Beleuchtung. Man hat dabei vielleicht nicht genügend beachtet, daß dieses Verfahren dazu neigt, das Kunstwerk zur Ware zu reduzieren. Eine solche künstliche Umgebung trägt unweigerlich dazu bei, das Kunstwerk ortlos erscheinen zu lassen, weil dem örtlichen Licht nie erlaubt wird, auf der Oberfläche des Kunstwerks zu spielen. Hier sehen wir, wie der Verlust der Aura, den Walter Benjamin den Prozessen mechanischer Reproduktion zuschreibt, auch durch eine relativ statische Anwendung universaler Technologie entsteht. Eine Alternative zu dieser ‹ortlosen› Praxis wäre es, dafür zu sorgen, daß alle Kunstgalerien mit Hilfe sorgfältig konstruierter Monitoren Oberlicht bekämen, so daß sich das natürliche Licht in den Ausstellungsräumen je nach Tages- und Jahreszeit oder Luftfeuchtigkeit ändern würde. Solche Bedingungen könnten eine ortsbewußte Poetik ermöglichen – eine Art Filterung, die durch Interaktion zwischen Kultur und Natur, zwischen Kunst und Licht hergestellt wird. Selbstverständlich trifft dieses Prinzip auf jegliches Fensterwerk zu, ungeachtet der Größe und Lage. Eine häufige ‹regionale Abwandlung› der Form ist direkt auf die Tatsache zurückzuführen, daß in gewissen Klimata das Fenster vorgeschoben ist, während es in anderen in die Fassade des Mauerwerks eingesenkt wird (oder, als Alternative, durch verstellbare Sonnendächer geschützt wird).

Die Art, in der Fenster für angemessene Belüftung sorgen, kann auf praktisch unsentimentale Weise ebenfalls den Charakter einer lokalen

Kultur reflektieren. Der Hauptantagonist einer verwurzelten Kultur ist
hier offensichtlich die allgegenwärtige Klimaanlage, die jederzeit und
überall verwendet wird – ungeachtet jener lokalen klimatischen Bedingungen, die den besonderen Platz und die jahreszeitlichen Variationen
des Klimas zum Ausdruck bringen könnten. Wo immer sie auch auftauchen mögen, weisen das nicht zu öffnende Fenster und die ferngesteuerte
Klimaanlage auf die Vorherrschaft universaler Technik hin.

Trotz der kritischen Bedeutung von Topographie und Licht liegt das
Hauptprinzip einer autonomen Architektur eher im Tektonischen als im
Szenographischen. Autonomie wird dabei durch die offen gezeigten Li-
nien des Baues verkörpert und durch die Art, in der die syntaktische
Form der Struktur ausdrücklich der Schwerkraft widersteht. Dieser Diskurs der getragenen Last (des horizontalen Balkens) und der tragenden
Last (der Säule) kann natürlich dort nicht entstehen, wo die Struktur ver-
putzt oder auf andere Weise verdeckt ist. Andererseits darf das Tektonische nicht mit dem rein Technischen verwechselt werden, da es mehr ist
als die einfache Enthüllung der Stereonomie oder eines skelettartigen
Gerüsts. Das Wesen des Tektonischen wurde zuerst von dem Ästhetiker
Karl Böttiger definiert in dessen Buch «Die Tektonik der Hellenen»
(1852), und es wurde vielleicht am besten vom Architekturhistoriker
Stanford Anderson zusammengefaßt, der schrieb: ««Tektonik› bezieht
sich nicht nur auf die Tätigkeit, das materiell erforderliche Bauwerk zu
bauen ... sondern vielmehr auf die Aktivität, die dieses Bauwerk zur
Kunstform macht ... Die funktionell adäquate Form muß so bearbeitet
werden, daß sie ihrer Funktion Ausdruck verleiht. Das Gefühl des Tra-
gens, wie es durch die Entase griechischer Säulen vermittelt wird, ist Prüfstein dieses Konzepts der Tektonik.»[21] Die Tektonik empfiehlt sich heute
als ein potentielles Mittel, das Spiel zwischen Material, Kunstwerkcha-
rakter und Schwerkraft zu destillieren und dabei eine Komponente zu
gewinnen, die sich in der Tat als Verdichtung der gesamten Struktur lesen
läßt. Wir dürfen hier von der Präsentation einer strukturellen Poetik sprechen, die sich deutlich von der bloßen Re-präsentation einer Fassade
unterscheidet.

Visuelle Wahrnehmung und Tastsinn

Die sinnlich ertastbare Elastizität der Raum-Form und die Fähigkeit des
Körpers, die Umwelt auf andere Weise als durch die Sicht allein zu deuten, weisen auf eine weitere mögliche Strategie hin, der Herrschaft universaler Technologie zu widerstehen. Es ist symptomatisch für die Privilegierung der Sehkraft in unserer Kultur, daß wir sehr leicht die Tatsache

vergessen, daß der Tastsinn eine wichtige Dimension der Wahrnehmung einer Bauform ist. Man denkt an ein ganzes Spektrum komplementärer sinnlicher Wahrnehmungen, die vom labilen Körper registriert werden: die Intensität von Licht und Dunkel, Hitze und Kälte; der Grad der Feuchtigkeit; das Aroma des Materials; die fast greifbare Gegenwart des Mauerwerks, das den Körper umschließt; die Erfahrung des Gehens und die relative Trägheit des sich vorwärtsbewegenden Körpers; der Widerhall unserer eigenen Schritte. Luchino Visconti war sich dieser Faktoren sehr wohl bewußt, als er bei den Dreharbeiten zu seinem Film «Die Verdammten» für gewisse Szenen auf einem echten Parkettboden bestand. Er glaubte, daß die Schauspieler ohne einen solchen soliden Boden unter den Füßen nicht in der Lage sein würden, passende und überzeugende Haltungen einzunehmen.

Eine ähnliche Berücksichtigung des Tastsinns zeigt sich in der Vollendung des öffentlichen Rundgangs in Alvar Aaltos Rathaus in Säynätsalo, das 1952 gebaut wurde. Der Gang zum Ratszimmer im zweiten Stock ist in Formen orchestriert, die ebenso ertastbar wie sichtbar sind. Die Haupttreppe ist nicht nur von einer Backsteinmauer eingefaßt, sondern die Tritte und Stufen sind selber aus Backstein. Der kinetische Impetus des die Treppe hinaufsteigenden Körpers wird so gewissermaßen durch Reibung an den Stufen gehemmt, die sich kurz danach im Kontrast zum Holzboden des Ratszimmers ‹lesen› lassen. Dieses Zimmer macht seinen

Alvar Aalto: Rathaus in Säynätsalo (1952)

Haupttreppe des Rathauses in
Säynätsalo

Ehrenplatz geltend durch Klang, Geruch und Textur, ganz zu schweigen
von der Elastizität des glattpolierten Bodens, der den Besucher leicht das
Gleichgewicht verlieren läßt. Die befreiende Bedeutung des Tastsinns in
der Architektur beruht somit darauf, daß er auf direkte Erfahrung angewiesen bleibt: Das Moment des Ertastens kann weder auf reine Information reduziert werden noch auf Repräsentation oder auf die bloße
Beschwörung eines Simulakrums, das für eine abwesende Präsenz einzu-
stehen hätte.

Der kritische Regionalismus strebt also danach, unsere normative visuelle Erfahrung zu vervollständigen, indem er den Bereich des menschlichen Tastsinns anspricht. Er versucht, der Privilegierung des Sichtbaren
gegenzusteuern, und wirkt damit der westlichen Tendenz entgegen, die
Umwelt ausschließlich perspektivisch wahrzunehmen. Etymologisch bedeutet Perspektive rationalisierte oder klare Sicht, und als solche setzt
Perspektive eine bewußte Unterdrückung des Geruchs-, Gehörs- und
Tastsinnes voraus, die unweigerlich zur Distanzierung von einer unmittelbaren Erfahrung der Umwelt führt. Die selbst auferlegte Beschränkung
aufs Sichtbare bringt das mit sich, was Heidegger einen «Verlust von
Nähe» genannt hat. Um diesem Verlust entgegenzuwirken, stellt der
Tastsinn gegen das Szenographische und gegen die Verschleierung der
Oberfläche die Realität. Die Fähigkeit, den Tastsinn zu wecken, bringt
den Architekten zur Poetik der Konstruktion zurück und zu Bauten, in
denen der tektonische Wert des einzelnen Bestandteils von der Dichte
seiner Dinglichkeit abhängt. Das Ertastbare und das Tektonische gemeinsam sind in der Lage, den bloßen Schein des Technischen zu überschreiten, ähnlich wie die Raum-Form es ermöglicht, dem unerbittlichen An-
sturm globaler Modernisierung zu widerstehen.

Anmerkungen

Dieser Beitrag ist eine für die deutsche Übersetzung bearbeitete Fassung meines Aufsatzes «Towards a Critical Regionalism: Six Points for an Architecture of Resistance», in: Hal Foster (Hg.): The Anti-Aesthetic: Essays on Postmodern Culture. Port Townsend 1983, S. 23–38.

1 Daß dies lediglich zwei Seiten derselben Medaille sind, wurde vielleicht am dramatischsten mit dem Portland City Annex demonstriert, der 1982 nach Michael Graves' Plänen in Portland (Oregon) vollendet wurde. Das Baumaterial steht in absolut keiner Beziehung zur ‹repräsentativen› Szenographie, die sowohl das Innere als auch das Äußere des Gebäudes kennzeichnet.
2 Paul Ricœur: Geschichte und Wahrheit. München 1974, S. 284.
3 Fernand Braudel teilt uns mit, daß der Begriff ‹culture› vor Beginn des 19. Jahrhunderts kaum existierte. Erst dann findet man ihn im angelsächsischen Bereich in den Werken von Samuel Taylor Coleridge, wo er dem Terminus ‹civilization› entgegengesetzt wird, so etwa in Coleridges «On the Constitution of Church and State» von 1830.
4 Hannah Arendt: Vita Activa oder Vom tätigen Leben. Stuttgart 1960, S. 141.
5 Clement Greenberg: Avant-Garde and Kitsch. In: Art and Culture. Boston 1961, S. 3–21.
6 Clement Greenberg: Modernist Painting. In: Gregory Battcock (Hg.): The New Art. New York 1966, S. 101f.
7 Siehe Charles Jencks: The Language of Post-Modern Architecture. New York 1977 (dt.: Die Sprache der post-modernen Architektur. 2. erw. Auflage. Stuttgart 1980).
8 Andreas Huyssen: The Search for Tradition: Avant-Garde and Postmodernism in the 1970s. In: New German Critique 22 (Winter 1981), S. 34.
9 Jerry Mander: Four Arguments for the Elimination of Television. New York 1978, S. 134.
10 Herbert Marcuse: Der eindimensionale Mensch. Neuwied / Berlin 1967, S. 168/169.
11 Alex Tzonis / Liliane Lefaivre: The Grid and the Pathway. An Introduction to the Work of Dimitris and Susana Antonakakis. In: Architecture in Greece 15 (1981), S. 178.
12 Ricœur, Geschichte und Wahrheit, S. 293.
13 Aldo van Eyck: Forum. Amsterdam 1962.
14 Hamilton Harwell Harris: Liberative and Restrictive Regionalism. Vortrag der Northwest Chapter of the AIA in Eugene, Oregon, im Jahre 1954.
15 Jørn Utzon: Platforms and Plateaus: Ideas of a Danish Architect. In: Zodiac 10 (1963), S. 112–114.
16 Jean Gottmann: Megalopolis. Cambridge 1961.
17 Martin Heidegger: Bauen Wohnen Denken. In: Vorträge und Aufsätze. Pfullingen 1954, S. 155.
18 Hannah Arendt: Vita Activa oder vom tätigen Leben. Stuttgart 1960, S. 195.
19 Melvin Webber: Explorations in Urban Structure. Philadelphia 1964.
20 Robert Venturi: Complexity and Contradiction in Architecture. New York 1966, S. 133.
21 Stanford Anderson: Modern Architecture and Industry: Peter Behrens, the AEG, and Industrial Design. In: Oppositions 21 (Summer 1980), S. 83.

Übersetzt von *Ingrid Pierson*

Craig Owens

Der Diskurs der Anderen –
Feministinnen und Postmoderne

> «Das postmoderne Wissen (le savoir postmoderne) ist
> nicht allein das Instrument der Mächte. Es verfeinert
> unsere Sensibilität für die Unterschiede und verstärkt
> unsere Fähigkeit, das Inkommensurable zu ertragen.»
> J.-F. Lyotard

Dezentriert, allegorisch, schizophren . . . unabhängig davon, welche Symptome wir vorzugsweise als postmodern ausmachen würden: Einig sind sich Fürsprecher und Gegner darin, die Postmoderne als Krise der kulturellen Autorität zu verstehen, besonders der Autorität, mit der die westeuropäische Kultur und ihre Institutionen ausgestattet sind. Die Erkenntnis, daß es mit der Hegemonie der europäischen Zivilisation zu Ende geht, ist kaum neu; spätestens seit Mitte der 50er Jahre haben wir die Notwendigkeit erkannt, fremden Kulturen anders entgegenzutreten als durch den Schock von Dominanz und Unterwerfung. Wichtig in diesem Zusammenhang sind Arnold Toynbees «Studies in History» zum Ende der Moderne (einem Zeitalter, so behauptet Toynbee, das im späten 15. Jahrhundert begann, als Europa ansetzte, seinen Einfluß auf riesige Landflächen und fremde Völker auszuüben) und zum Anfang eines neuen, strenggenommen postmodernen Zeitalters, das durch die Koexistenz unterschiedlicher Kulturen gekennzeichnet ist. In diesem Zusammenhang könnte ebenso Claude Lévi-Strauss' Kritik des westlichen Ethnozentrismus angeführt werden und Jacques Derridas Kritik dieser Kritik in seiner «Grammatologie». Die wohl überzeugendste Argumentation zum Ende westlicher Souveränität hat jedoch Paul Ricœur geliefert, wenn er 1962 schreibt, daß die Entdeckung des kulturellen Pluralismus stets eine einschneidende Erfahrung ist:

«In dem Augenblick, wo wir entdecken, daß es Kulturen und nicht nur eine Kultur gibt, in dem Augenblick also, wo wir das Ende eines illusorischen oder realen kulturellen Monopols zugeben, in diesem Augenblick bedroht unsere eigene Entdeckung uns mit zerstörerischer Kraft. Plötzlich schält sich die Möglichkeit heraus, daß es nur noch die ‹Anderen› gibt, daß wir selbst ein anderer unter den anderen sind; wenn jede Bedeutung und jedes Ziel verschwunden ist, dann wird es möglich, durch Zivilisationen zu spazieren wie durch Ruinen oder Überreste; die ganze Menschheit wird so etwas wie ein imaginäres Museum: Wo wollen wir dieses Wochenende hingehen? Besuchen wir die Ruinen von Ankor oder machen wir einen Rundgang durch Kopenhagens Tivoli? Wir können uns sehr gut eine

nicht mehr gar so weit entfernte Zeit vorstellen, wo jeder durchschnittlich vermö-
gende Mensch unbegrenzt außer Landes weilen und Geschmack an seinem eigenen
Tod in Form einer end- und ziellosen Reise finden kann.»[1]

Seit kurzem deuten wir nun diesen Zustand als postmodern. Und
Ricœurs Darstellung der ziemlich entmutigenden Folgen des gegenwärtigen Autoritätsverlustes in unserer Kultur nimmt auch die Melancholie
und den Eklektizismus vorweg, die die heutige kulturelle Produktion
durchziehen – ganz zu schweigen von ihrem laut beschworenen Pluralismus. Der Pluralismus ist es, der uns darauf reduziert, ein anderer unter
den anderen zu sein; es gilt nicht die auszeichnende Anerkennung, sondern die Reduktion von Differenz auf absolute Indifferenz, Äquivalenz
und Austauschbarkeit (von Jean Baudrillard als «Implosion» bezeichnet). Damit ist nicht nur die Hegemonie der westlichen Kultur, sondern
auch unsere Vorstellung von kultureller Identität erschüttert. Diese beiden Stützen der Kultur sind unlösbar miteinander verbunden (wie Foucault uns gelehrt hat, ist die Postulierung eines ‹Anderen› ein notwendiges
Moment bei der Konsolidierung, Bildung jedes kulturellen Systems). So
kann man annehmen, daß unsere Souveränitätsansprüche eben gerade
durch die Erkenntnis ins Wanken gebracht wurden, daß unsere Kultur
weder so homogen noch so monolithisch ist, wie wir einst dachten. Die
Gründe für den Tod der Moderne und dessen Auswirkungen, wie Ricœur
sie beschreibt, sind gleichermaßen innere wie äußere. Ricœur befaßt sich
nur mit den äußeren Differenzen. Wie steht es aber um die innere Differenz?

In der Moderne lag die Autorität des Kunstwerks, sein Anspruch, ein
authentisches Weltbild zu repräsentieren*, nicht, wie oft gesagt wird, in
seiner Einmaligkeit oder Einzigartigkeit begründet, sondern eher in der
Universalität, die die moderne Ästhetik den *Formen* der Darstellung
beimaß. Formale Konzeptionen setzte sie dabei über inhaltliche Differenzen, die der Werkproduktion aus konkret-historischen Umständen
zukamen.[2] Man denke an Kants Forderung, daß das Geschmacksurteil
allgemeingültig sein soll, d. h. universell mitteilbar: «Der Anspruch eines
ästhetischen Urteils auf allgemeine Gültigkeit für jedes Subjekt bedarf als
ein Urteil, welches sich auf irgend ein Prinzip *a priori* fußen muß, einer
Deduktion (d. i. Legitimation seiner Anmaßung), welche über die Expo-
sition desselben noch hinzukommen muß, wenn es nämlich ein Wohlgefallen oder Mißfallen an der *Form des Objekts* betrifft.»[3] Das postmo-

---

* Der Begriff «representation» wird je nach Kontext sowohl mit «Repräsentation»
  als auch mit «Darstellung» wiedergegeben; im Heidegger-Kontext mit «Vorstellen» (A. d. Ü.).

derne Werk beansprucht keine derartige Autorität; es versucht vielmehr
energisch, derartige Ansprüche zu unterlaufen – daher seine zumeist auf
Dekonstruktion gerichtete Stoßrichtung. Wie neuere Analysen des
«enunziativen Apparats» visueller Darstellungen – seiner Pole Emission
und Rezeption – bestätigen, lassen die Repräsentationssysteme der westlichen Welt nur eine Sichtweise zu: die des konstitutiven männlichen Subjekts. Das Subjekt der Repräsentation wird als absolut im Zentrum ste-
hend, einheitlich und männlich definiert.[4]

Das postmoderne Werk versucht, diese sich noch einmal ihrer eigenen
Standhaftigkeit versichernde Herrschaftsposition zu Fall zu bringen.
Eben dieses Projekt wurde allerdings von Autoren wie Julia Kristeva und
Roland Barthes schon der avantgardistischen *Moderne* zugeschrieben,
die ein Neues brachte an Heterogenität, Diskontinuität, Glossolalie etc.
und damit angeblich bereits die Krise des Subjekts der Repräsentation
verursachte. Die Avantgarde war allerdings eher darauf aus, die Repräsentation zugunsten von Präsenz und Unmittelbarkeit aufzuheben. Sie
verkündete die Autonomie des Signifikanten, seine Befreiung von der
«Tyrannei des Signifikats». Die Vertreter der Postmoderne dagegen dek-
ken die Tyrannei des *Signifikanten* auf, die Gewalttätigkeit seines Gesetzes.[5] (Lacan sprach von der notwendigen Unterwerfung unter die ‹Be-
schränkungen› des Signifikanten. Sollten wir nicht besser fragen, wer
denn in unserer Kultur durch den Signifikanten eingeschränkt wird?) Vor
kurzem hat Derrida vor einer generellen Verdammung der Repräsentation gewarnt, und zwar nicht nur, weil eine derartige Verdammung die
Rehabilitierung von Präsenz und Unmittelbarkeit fördern und damit den
Interessen reaktionärster Politik dienen könne, sondern auch – was wahrscheinlich wichtiger ist – weil das, was «die Summe der insgesamt möglichen Repräsentation übertrifft» und überschreitet, sich am Ende als ...
das eigentliche Gesetz herausstellen könnte. Und eben dies zwingt uns, so
Derrida, «allesamt *differentiell* zu denken».[6]

Die Wirkungsstrategien der Postmoderne werden genau in diesem re-
gulativen Grenzbereich zwischen Darstellbarem und Nichtdarstellbarem
inszeniert – nicht, um die Repräsentation zu transzendieren, sondern um
jenes Machtsystem aufzudecken, das bestimmte Repräsentationsweisen
autorisiert, während es andere blockiert, verbietet oder für ungültig erklärt. Zu jenen, die aus der westlichen Repräsentation ausgeschlossen
werden und deren Darstellungen jegliche Legitimität abgesprochen wird,
gehören die Frauen. Die Herrschaftsstruktur der Repräsentation schließt
sie prinzipiell aus und läßt sie erst wieder zu im Modus einer Darstellung
des Nichtdarstellbaren – von Natur, Wahrheit, des Erhabenen etc. Aus-
schluß bezieht sich dabei vor allem auf die Frau als Subjekt, kaum aber als
das Objekt der Darstellung; denn einen Mangel an Bildern *von* Frauen
gibt es sicher nicht. Obwohl sie von der dominierenden Kultur dargestellt

wurden, waren sie in ihr abwesend. Michèle Montrelay behauptet dies, wenn sie fragt, «ob die Psychoanalyse nicht gerade entwickelt wurde, um Weiblichkeit zu unterdrücken (im Sinne der Herstellung ihrer symbolischen Repräsentation)»[7]. Um überhaupt zu sprechen, sich selber darzustellen, nimmt die Frau eine männliche Haltung an. Vielleicht ist das der Grund dafür, daß mit Weiblichkeit oft Maskerade, unechte Darstellung, Verstellung und Verführung assoziiert werden. Montrelay jedenfalls identifiziert die Frauen als diejenige Kraft, die die Repräsentation zum Einsturz bringt: Nicht nur, daß sie nichts zu verlieren haben, durch ihre Exterritorialität wird das in der westlichen Zivilisation geltende Repräsentationsprinzip in Frage gestellt.

So gesehen können wir feststellen, daß feministische Kritik des Patriarchats und postmoderne Kritik an der Repräsentation zusammenfallen. Im folgenden soll, gewiß vorläufig, erkundet werden, was dieses Zusammentreffen bedeutet. Die beiden Tendenzen der Kritik sind nicht gleichzusetzen, auch nicht als Opposition oder Antagonismus zu begreifen. Die gefährliche Gratwanderung zwischen Postmoderne und Feminismus sei riskiert, um das Thema des Unterschieds der Geschlechter in die Moderne/Postmoderne-Debatte einzubringen – in eine Debatte, die sich diesem Thema gegenüber bis heute auf skandalöse Weise als *indifferent* erwiesen hat.[8]

Eine Vernachlässigung, die so bezeichnend ist (Lacan)[9]

Vor einigen Jahren habe ich zwei Essays geschrieben über den Reiz des Allegorischen in der zeitgenössischen Kunst, ein Phänomen, das als postmodern auszumachen war. Am Anfang des zweiten Essays stand eine Besprechung von Laurie Andersons Multi-Media-Performance «Americans on the Move»[10]. Andersons Performance bezog sich auf das Transportieren als Metapher für Kommunikation – den Bedeutungstransfer von einem Ort zum anderen – und war vor allem ein verbaler Kommentar zu sichtbaren Bildern, die auf eine Leinwand hinter den Darstellern projiziert wurden. Kurz nach Beginn stellte Anderson das schemenhafte Bild eines nackten Mannes und einer nackten Frau vor. Mit diesem Bild als Wappen wurde das Raumschiff «Pioneer» verziert. Der Mann hat seinen Arm zum Gruß gehoben. Zu diesem Bild spricht Laurie Anderson folgenden Text (bezeichnenderweise mit einer unverkennbar männlichen Stimme: ihrer eigenen Stimme, die mit einem Harmonizer um eine Oktave gesenkt wurde – eine Art elektronische Stimmen-Transvestie): «In unserem Land schicken wir Bilder mit unserer Zeichensprache ins All.

Die Figuren in diesen Bildern sprechen unsere Zeichensprache. Meinen
Sie, die fremden Wesen werden glauben, daß er seine Hand ständig auf
diese Weise halten muß? Oder meinen Sie, daß sie unsere Zeichen lesen
werden? In unserem Land sieht ‹good-bye› wie ‹hello› aus.» Ich habe
diese Stelle folgendermaßen kommentiert: «Zwei Möglichkeiten: Entweder wird der außerirdische Empfänger dieser Botschaft annehmen, daß
das Bild der menschlichen Gestalt analog ist, sie widerspiegelt, und in
diesem Fall könnte er den logischen Schluß ziehen, daß männliche Erdbewohner mit ständig erhobenem rechtem Arm herumlaufen. Oder er wird
irgendwie erahnen, daß diese Geste an ihn gerichtet ist, und versuchen,
sie zu lesen – in diesem Fall wird er mattgesetzt, weil eine einzige Geste
sowohl Gruß als auch Abschied bezeichnet und jede Auslegung zwischen
diesen beiden Extremen oszillieren muß. Dieselbe Geste könnte ebenso
‹Halt!› bedeuten oder das Schwören eines Eides bezeichnen. Wenn Laurie Andersons Text diese Alternativen nicht berücksichtigt, dann deshalb,
weil die Geste mit Ambiguität und Mehrfachbedeutungen, die durch ein
einziges Zeichen erzeugt werden, gar nichts zu tun hat. Zwei *klar definierte, aber gegenseitig nicht kompatible* Lesarten sind derart in einer blinden Gegenüberstellung verzahnt, daß es unmöglich ist, zwischen ihnen zu
wählen.»

Diese Analyse erscheint mir jetzt als ein Fall von grober kritischer
Fahrlässigkeit. Denn in meinem Eifer, Andersons Text auf die Kontro-
verse ‹bestimmte vs. unbestimmte Bedeutung› hin zu reproduzieren,
hatte ich etwas übersehen – etwas, das so offensichtlich, so ‹natürlich› ist,
daß es offenbar keinen Kommentar lohnte. Heute scheint mir dies nicht
mehr der Fall zu sein. Denn es handelt sich natürlich um ein Bild sexueller
Differenz oder besser: sexueller Differenzierung nach dem Phallussym-
bol, hier markiert und neu markiert durch den rechten Arm des Mannes,
der beim Grüßen weniger gehoben denn erigiert aussieht. Allerdings war
ich der ‹Wahrheit› des Bildes ziemlich nah – aber nicht nah genug –, als mir
dazu einfiel, daß die Männer auf der Erde ja durchaus mit etwas permanent Erhobenem herumlaufen könnten. (Vielleicht wäre meine Lesart
differenzierter gewesen oder weniger in-different, wenn ich gewußt hätte,
daß Laurie Anderson darüber eine Arbeit ausgeführt hatte, die aus Fotografien von Männern bestand, von denen sie auf der Straße angesprochen
worden war?) Die Darstellung sexueller Differenz in unserer Kultur ist
kein einfaches Abbild anatomischer Differenz, sondern der ihr zuge-
schriebenen Werte. Dabei ist der Phallus Signifikant (d. h. er repräsentiert das Subjekt für einen anderen Signifikanten); und zwar ist er der
privilegierte Signifikant, der Signifikant des Privilegs, der Stärke und des
Prestiges, das den Männern in unserer Gesellschaft zukommt. Als solcher
kennzeichnet er die Signifikationseffekte überhaupt. Denn in dieser (Lacanschen) Bildlichkeit, die hier gewählt wurde, um die Erdbewohner für

einen anderen im Außerirdischen darzustellen, ist es der Mann, der spricht und die Menschheit repräsentiert. Die Frau ist nur einfach präsent. Für sie ist (wie immer) schon gesprochen worden.

Wenn ich hier noch einmal auf diesen früheren Text zurückkomme, dann nicht nur, um das, was ich damals bezeichnenderweise übersehen habe, zu korrigieren, sondern vielmehr, um einen blinden Fleck in unserer Postmoderne-Diskussion zu kennzeichnen: unser Versäumnis, das Thema der sexuellen Differenz überhaupt anzusprechen – nicht nur bei den Objekten, über die wir diskutieren, sondern ebenso in unserer eigenen Ausdrucksweise.[11] Jeder Diskurs der Postmoderne mit dem Anspruch, die neueren Entwicklungen auf einem einzigen Gebiet zu erfassen, strebt den Status einer allgemeingültigen Theorie zeitgenössischer Kultur an. Als eine der bedeutsamsten Entwicklungen der letzten zehn Jahre – und es könnte gut sein, daß es die wichtigste ist – kann die neuentstandene feministische Praxis gelten, die sich auf nahezu alle Bereiche der Kultur erstreckt. Auf die Wiederentdeckung und Neubewertung bis dahin marginalisierter oder unterbewerteter Werke wird große Anstrengung verwendet, und allenthalben wird das feministische Projekt durch vitale künstlerische Produktionen begleitet. Wie Martha Rosler, eine selber aktive feministische Künstlerin, bemerkt, haben diese Aktivitäten bedeutend dazu beigetragen, den privilegierten Status, den die Moderne dem Kunstwerk beimaß, vom Heiligenschein zu befreien: «Die Interpretation des Gehalts, des sozialen Ursprungs und der Wurzeln der früheren Kunstformen trug dazu bei, den Grundsatz der Moderne von der Trennung der ästhetischen Form vom übrigen menschlichen Leben zu unterminieren. So konnten die wie selbstverständlich angesehenen Darstellungsformen der Hochkultur auf ihren Unterdrückungscharakter hin untersucht werden.»[12]

Obwohl eine der hervorstechendsten Erscheinungen unserer postmodernen Kultur die Präsenz einer beharrlichen weiblichen Stimme ist (ich benutze die Termini ‹Präsenz› und ‹Stimme› mit Bedacht), so tendieren postmoderne Theorien dennoch weiterhin dazu, diese Stimme entweder zu überhören oder zu unterdrücken. Die fehlenden Diskussionen über das Thema der sexuellen Differenz im Kontext der Postmoderne und auch die Tatsache, daß sich nur wenige Frauen bislang an der Modernismus / Postmodernismus-Debatte beteiligt haben, läßt darauf schließen, daß der Postmodernismus eine weitere männliche Erfindung sein könnte, die die Frauen ausschließt. Dagegen möchte ich behaupten, daß das Insistieren der Frauen auf Differenz und Inkommensurabilität mit postmodernem Denken nicht nur zu vereinbaren ist, sondern geradezu ein zentrales Moment dieses Denkens ausmacht. Postmodernes Denken ist nach Lyotard nicht mehr Denken in Gegensätzen, «das den lebendigsten Formen des postmodernen Wissens (le savoir postmoderne) nicht entspricht»[13]. Die

Kritik an binären Strukturen wird manchmal als intellektuelle Mode abgetan. Sie ist jedoch eher als intellektueller Imperativ anzusehen, denn
die hierarchische Opposition von markierenden und nichtmarkierenden
Termini (die entscheidend/scheidende Anwesenheit/Abwesenheit des
Phallus) ist in unserer Gesellschaft die dominierende Form, Differenz
darzustellen und als untergeordnetes Prinzip einzustufen. Was wir noch
lernen müssen, ist, die Differenz zu begreifen, ohne gleich in Oppositionen zu denken.

Obwohl sympathisierende männliche Kritiker den Feminismus respektieren (ein altes Thema: Respekt für Frauen[14]) und ihm alles Gute wünschen, schlagen sie in der Regel den Dialog aus, zu dem ihre weiblichen
Kolleginnen sie bringen wollen. Feministinnen werden beschuldigt, zu
weit oder nicht weit genug zu gehen.[15] Die feministische Stimme sieht
man gewöhnlich als eine unter vielen, ihr Insistieren auf Differenz als
Beweis für den Pluralismus der Zeit. Und so wird der Feminismus schnell
einer ganzen Reihe von Befreiungs- oder Selbstbestimmungsbewegungen
zugeordnet. Ein prominenter männlicher Kollege zählt auf: «Ethnische
Gruppen, Bürgerinitiativen, Feminismus, verschiedene ‹counter cul-
tures› oder Alternativgruppen, Arbeitsverweigerer, Studentenbewegun-
gen, Einzelinitiativen.» Diese Zwangskoalition behandelt nicht nur den
Feminismus selbst als monolithisch und unterschlägt damit seine vielen
internen Differenzen (essentialistisch, kulturalistisch, linguistisch, Freu-
dianisch, Anti-Freudianisch …). Behauptet wird auch eine weitge-
dehnte, undifferenzierte Kategorie der ‹Differenz›, unter die alle Randgruppen und unterdrückte Gruppen subsumiert werden können und für
die dann Frauen als Symbol dienen dürfen, als ein *pars totalis* (wieder ein
altes Thema: Die Frau ist unvollständig, nicht ganz). Damit wird eben das
Spezifische von feministischer Kritik am Patriarchat verleugnet wie auch
jede andere Form des Widerstands gegen sexuelle Rassen- und Klassen-
diskriminierung.

Außerdem wenden sich Männer nur unwillig Themen zu, die von
Frauen auf die Tagesordnung gesetzt wurden, es sei denn, diese Themen
sind zuerst ‹neutr(um)alisiert› worden. Aber auch das ist ein Assimila-
tionsproblem: Anpassung an bereits Gewußtes oder bereits Geschriebe-
nes. In seinem Buch «The Political Unconscious», um nur ein Beispiel
anzuführen, fordert Fredric Jameson «erneutes Gehör für die oppositionellen Stimmen der schwarzen und ethnischen Kulturen, der Frauen- und
Schwulenliteratur, Aufmerksamkeit für eine ‹naive› oder marginalisierte
Volkskunst *und dergleichen*». Die Kulturproduktion von Frauen wird also
auf anachronistische Weise mit Volkskunst gleichgesetzt. Und sogleich
wird das Plädoyer modifiziert: «Die Behauptung dieser nichthegemonia-
len kulturellen Stimmen bleibt wirkunglos», so argumentiert Jameson,
«wenn sie nicht vorab im Blick auf einen ihnen angemessenen Ort im

Dialogsystem der Gesellschaftsklassen»[16] umgeschrieben werden. Sicher
wird oft übersehen, daß Sexualität und sexuelle Unterdrückung klassen-
bedingt sind. Aber sexuelle Ungleichheit kann nicht auf das eine Moment
der ökonomisch bedingten Ausbeutung – den Austausch von Frauen
unter Männern – reduziert und nicht allein in Klassenkampfbegrifflich-
keiten erklärt werden. Wird das Argument der ökonomischen Unterdrückung forciert, so werden andere Formen der Unterdrückung ausgeblendet.

Zu behaupten, daß die Trennung der Geschlechter nicht reduzierbar
auf Arbeitsteilung ist, heißt, die Polarisierung von Feminismus und Marxismus zu riskieren. Da der Marxismus auf einem patriarchalischen Fun-
dament ruht, ist das eine reale Gefahr. Der Marxismus privilegiert die
charakteristische männliche Produktionstätigkeit als *bestimmende
menschliche* Tätigkeit (Marx: die Menschen «selbst fangen an, sich von
den Tieren zu unterscheiden, sobald sie anfangen, ihre Lebensmittel *zu
produzieren* ...»)[17]. So werden die Frauen, die historisch für die Nicht-
produktions- oder Reproduktionssphäre bestimmt sind, auf einen Platz
außerhalb der Gesellschaft männlicher Produzenten festgelegt, auf einen
Naturzustand. (Wie Lyotard schreibt, trennt «die Grenze, die zwischen
den Geschlechtern verläuft ..., nicht zwei Teile ein und desselben gesellschaftlichen Ganzen»[18].) Zur Debatte stehen jedoch nicht nur die Unter-
drückungsmechanismen des marxistischen Diskurses, sondern seine tota-
lisierenden Ambitionen, sein Anspruch, eine Erklärung für jede Form
gesellschaftlicher Praxis zu liefern. Dieser Anspruch ist jedoch für jeden
theoretischen Diskurs charakteristisch. Und darin liegt einer der Gründe
dafür, daß ihn Frauen häufig als phallokratisch beurteilen.[19] Frauen lehnen Theorie nicht *per se* ab, und auch nicht nur, wie Lyotard meint, die
Priorität, die ihr die Männer sichern, indem sie auf dem rigiden Antagonismus von Theorie und praktischer Erfahrung beharren. Vielmehr wenden sie sich energisch gegen die von der Theorie aufrechterhaltene Distanz zu ihren Objekten – eine Distanz, die Objekte schafft und
beherrscht.

Da es einer unendlichen Anstrengung zur Fundierung der neuen Begrifflichkeit bedarf, um einen phallologischen Rückfall im eigenen Diskurs zu verhindern, haben viele feministische Künstlerinnen eine neue
(oder erneuerte) Allianz mit der Theorie geschlossen, am erfolgreichsten
wohl in den Schriften von Frauen, die von Lacans Psychoanalyse beeinflußt wurden (Luce Irigaray, Hélène Cixous, Montrelay u. a.). Viele der
Künstlerinnen lieferten selbst bedeutende theoretische Beiträge: Der Essay «Visual Pleasure and Narrative Cinema» (1975) der Filmemacherin
Laura Mulvey zum Beispiel provozierte vielfache Kritik an der Männlichkeit des cinematischen Blicks.[20] Nicht selten sehen feministische Künstlerinnen – von der Psychoanalyse beeinflußt oder nicht – in kritischen oder

theoretischen Aufsätzen einen wichtigen Kampfplatz der strategischen Intervention. Martha Roslers kritische Texte zur Tradition der Dokumentarfotografie – sie gehören zu den besten Texten auf diesem Gebiet – machen einen entscheidenden Teil ihrer Tätigkeit *als Künstlerin* aus. Schon immer haben die modernen Künstler Texte über ihre Werke geschrieben. Dabei wurde allerdings das Schreiben fast ausschließlich als Ergänzung zu ihrer jeweiligen Hauptarbeit als Maler, Bildhauer, Fotograf etc. angesehen.[21] Die Eigenart simultaner Tätigkeit an mehreren Fronten dagegen, die die feministische Praxis kennzeichnet, ist ein postmodernes Phänomen. Die Herausforderung gilt vor allem der strengen Entgegensetzung von künstlerischer Theorie und Praxis, die für die Moderne charakteristisch ist.

Die als postmodern zu bezeichnende feministische Praxis könnte Theorie überhaupt in Frage stellen, nicht nur ästhetische Theorie. Lacans Theorie wird angewendet, aber auch kritisch in Frage gestellt, so in Mary Kellys «Post-Partum Document» (1973–1979), einem Kunstwerk in sechs Teilen und 165 Unterteilungen (plus Anmerkungen), in dem sie die unterschiedlichsten Formen der Repräsentation (literarische, naturwissenschaftliche, linguistische, archäologische usw.) nutzt, um eine Chronik der ersten sechs Lebensjahre ihres Sohnes aufzuzeichnen. Mary Kellys Arbeit ist nicht gegen Theorie gerichtet, demonstriert jedoch – wie der Einsatz vielfacher Darstellungsmodi beweist –, daß eine Erzählung unmöglich alle Aspekte menschlicher Erfahrung erklären kann. Oder, wie die Künstlerin selber sagt: «Es gibt keinen übergreifenden theoretischen Diskurs, der eine Erklärung für alle gesellschaftlichen Beziehungen oder für jegliche politische Praxis anzubieten hätte.»[22]

À la recherche du récit perdu

«Keinen übergreifenden theoretischen Diskurs …»: Diese feministische Devise kennzeichnet auch eine der ‹conditions› der Postmoderne. Für Lyotards Diagnose des postmodernen Wissens ist entscheidend, daß die *grands récits* der Moderne – die Dialektik des Geistes, der Emanzipationskampf der Arbeiterbewegung, die Akkumulation von Reichtum, die klassenlose Gesellschaft – allesamt ihre Glaubwürdigkeit verloren haben. Lyotard definiert einen Diskurs als modern, wenn er sich auf die eine oder andere dieser *grands récits* zu seiner Legitimierung beruft. Mit dem Eintritt in die Postmoderne wird dann eine Krise der Legitimationsfunktion solcher Erzählungen signalisiert, ihrer Fähigkeit, Konsens zu erzwingen. Die Erzählung, argumentiert er, bewegt sich heute außerhalb ihres Elements – fern von den «großen Gefahren, (den) großen Irrfahrten und (dem) große(n) Ziel». Statt dessen «zerstreut (sie) sich in Wolken, die aus

sprachlich-narrativen, aber auch denotativen, präskriptiven, deskriptiven etc. Elementen bestehen, von denen jedes pragmatische Valenzen sui
generis mit sich führt. Jeder von uns lebt an Punkten, wo viele von ihnen
einander kreuzen. Wir bilden nicht sprachlich notwendigerweise stabile
Kombinationen, und die Eigenschaften derer, die wir formen, sind nicht
notwendig mitteilbar.»[23]

Lyotard beklagt jedoch keineswegs das Hinscheiden der Moderne, obwohl seine eigene Tätigkeit als Philosoph auf dem Spiel steht. «Die Sehnsucht nach der verlorenen Erzählung (le récit perdu) ist für den Großteil
der Menschen selbst verloren.»[24] Zum «Großteil der Menschen» gehört
demnach ein Fredric Jameson nicht, obwohl er das postmoderne Wissen
auf ähnliche Weise bestimmt: als Verlust der gesellschaftlichen Funktion
von Erzählung. Moderne und postmoderne Werke unterscheidet
Jameson nach ihren unterschiedlichen Beziehungen zum ‹Wahrheitsgehalt› von Kunst und zu deren Anspruch, Erkenntnis zu vermitteln. Seine
Beschreibung einer Krise der modernen Literatur steht metonymisch für
die Krise der Moderne selbst:

«Als sie am lebendigsten war, war das Erlebnis der Moderne keineswegs das einer
historischen Bewegung oder eines Prozesses, sondern ein ‹Schock der Entdeckung›
– eine Verpflichtung ihren individuellen Formen gegenüber und ein Festhalten
daran in einer Folge ‹religiöser Bekehrungen›. Man las nicht einfach D. H. Lawrence oder Rilke, sah Jean Renoir oder Hitchcock oder hörte Strawinsky als besondere Offenbarung dessen, was wir heute als Moderne bezeichnen. Man las statt
dessen das Gesamtwerk eines einzelnen Schriftstellers, erlernte dessen Stil und
lernte eine phänomenologische Welt kennen, zu der man konvertierte … Das be-
deutete jedoch, daß die Erfahrung einer Form der Moderne mit der einer anderen
unvereinbar war und man nur in die eine Welt eintrat um den Preis des Verzichts
auf eine andere … Zur Krise der Moderne kam es dann, als mit einemmal klar
wurde, daß ‹D. H. Lawrence› keinesfalls eine Absolutheit war, nicht die unwiderruflich erreichte Verkörperung der Wahrheit der Welt, sondern nur eine Kunst-
Sprache unter vielen, nur ein Regal voller Werke in einer in ihrer Fülle schwindel-
erregenden Bibliothek.»[25]

Obwohl Foucault-Leser diese Erkenntnis eher am Ursprung der Moderne (Flaubert, Manet) als an ihrem Ende ausmachen würden,[26] be-
eindruckt mich Jamesons Erklärung der Krise der Moderne als ebenso
überzeugend wie auch problematisch. Wie Lyotard stößt er uns in einen
radikalen Nietzsche-Perspektivismus: Jedes Œuvre stellt nicht einfach
eine andere Sicht derselben Welt dar, sondern entspricht einer völlig anderen Welt. Im Gegensatz zu Lyotard jedoch will Jameson uns aus diesem
Perspektivismus befreien. Für Jameson entspricht der Verlust der Erzählung dem Verlust unserer Fähigkeit, uns historisch zu identifizieren; daher seine Diagnose der Postmoderne als «schizophren», womit gemeint
ist, daß ein zusammenbrechendes Zeitgefühl für sie charakteristisch ist.[27]

So drängt er in seinem Buch «The Political Unconscious» nicht nur auf die
Wiedergeburt der Erzählung – «Narrative as a Socially Symbolic Act» –,
sondern auf das, was er als marxistische «master narrative» bezeichnet:
die Geschichte im «kollektiven Kampf der Menschheit um die Erringung
eines Reichs der Freiheit aus dem Reich der Notwendigkeit».[28]

«Meistererzählung», «master narrative» – wie sonst kann man Lyotards
«grand récit» wiedergeben? In dieser Übersetzung schimmert eine andere
Begrifflichkeit, die vom Tod der Moderne, durch, die nicht von der Inkompatibilität der verschiedenen modernen Erzählungen spricht, sondern von ihrer fundamentalen Einheitlichkeit. Denn was machte die
«grands récits» der Moderne zu Meistererzählungen, wenn nicht die Tatsache, daß sie alle Erzählungen von Herrschaft waren, von Menschen, die
ihr Telos in der Eroberung und Unterwerfung der Natur suchten? Welchen anderen Zweck erfüllten diese Erzählungen als den, die sich selber
zuerkannte Sendung des abendländischen Menschen zu legitimieren, den
gesamten Planeten nach seinem Bild umzuwandeln? Und welche Form
nahm dieses Sendungsbewußtsein an, wenn nicht die, daß dieser Mensch
allem Existierenden seinen Stempel aufdrückte? Die Welt, verwandelt in
eine einzige Repräsentation dieses Menschen als Subjekt! Hier wird die
Rede von der Meistererzählung fast tautologisch, da jede Narration
schließlich auf Grund «ihrer Macht, die Desillusionierung durch die Zer-
störungskraft der Zeit zu meistern»[29], im Prinzip eine Erzählung von
Herrschaft sein kann.[30]

Damit steht nicht nur der Status der Erzählung, sondern der der Repräsentation selbst auf dem Spiel. Denn das Zeitalter der Moderne im weitesten Sinne war nicht nur das Zeitalter der «Meistererzählung», sondern
ebenso das der Repräsentation. Dazu sprach Martin Heidegger 1938 in
einem Vortrag in Freiburg, der erst 1952 unter dem Titel «Die Zeit des
Weltbildes»[31] veröffentlicht wurde. Nach Heidegger erfolgte der Übergang zur Moderne nicht durch die Ablösung eines mittelalterlichen durch
ein modernes Weltbild, sondern «... dies, daß überhaupt die Welt zum
Bild wird, zeichnet das Wesen der Neuzeit aus». Für den Menschen der
Moderne existiert alles und jedes nur in und durch Vor-stellen. Daraus
folgt, daß die Welt nur in und durch ein *Subjekt* existiert, das glaubt, die
Welt zu schaffen, indem es ihre Vorstellung, ihre Repräsentation,
erzeugt:

> «Der Grundvorgang der Neuzeit ist die Eroberung der Welt als Bild. Das Wort Bild
> bedeutet jetzt: das Gebild des vorstellenden Herstellens. In diesem kämpft der
> Mensch um die Stellung, in der er dasjenige Seiende sein kann, das allem Seienden
> das Maß gibt und die Richtschnur zieht.»[32]

Mit der «Verschränkung der beiden Vorgänge, daß die Welt zum Bild und
der Mensch zum Subjectum wird, (beginnt) jene Art des Menschseins ...,

die den Bereich der menschlichen Vermögen als den Maß- und Vollzugs-
raum für die Bewältigung des Seienden im Ganzen besetzt». Denn was
heißt «vorstellen», wenn nicht «das vor sich hin und zu sich her Stellen»
(Aneignung), «das Vorhandene als ein Entgegenstehendes vor sich bringen, auf sich, den Vorstellenden zu, beziehen und in diesen Bezug zu sich
als den maßgebenden Bereich zurückzwingen»? [33]

Wenn nun Jameson «die Rückeroberung bestimmter Repräsenta-
tionsformen» verlangt (die er mit Erzählung gleichsetzt: «‹Erzählung› ist,
meine ich, im allgemeinen das, was die Leute im Kopf haben, wenn sie die
übliche poststrukturalistische ‹Kritik der Repräsentation› einüben» [34]),
dann fordert er damit nichts anderes als die Rehabilitierung des gesamten
Gesellschaftsprojekts der Moderne. Da die große marxistische Erzählung
nur eine Version unter vielen modernen «Meistererzählungen» darstellt
(denn wozu führt der «kollektive Kampf der Menschheit um die Erringung eines Reichs der Freiheit aus dem Reich der Notwendigkeit», wenn
nicht zur fortschreitenden Ausbeutung der Welt durch die Menschheit?),
ist Jamesons Ziel, diese Erzählung wiederaufleben zu lassen, ein moderner Wunsch, ein Wunsch *nach* Moderne. Und eben dies ist ein Symptom
unserer ‹Condition postmoderne›, die heute überall als ungeheurer Verlust an Herrschaft erfahren wird und infolgedessen therapeutische Programme der Linken und der Rechten zur Bewältigung dieses Verlustes
aufkommen läßt. Obwohl Lyotard – wie ich meine, mit Recht – davor
warnt, Veränderungen in der modernen/postmodernen Kultur primär als
Auswirkungen einer gesellschaftlichen Veränderung zu erklären (die hy-
pothetische Ankunft einer postindustriellen Gesellschaft z. B. [35]), ist doch
klar, daß das, was verlorengegangen ist, nicht primär kulturelle Herrschaft ist, sondern ökonomische, technische und politische. Wer hat denn
den Anspruch der westlichen Zivilisation auf immer größere Vorherrschaft und Kontrolle in Frage gestellt, wenn nicht das Auftauchen und
Aufbegehren der Länder der Dritten Welt, der Ökologie- und der
Frauenbewegung – also die Stimmen der Unterdrückten?

Symptome dieses unseres Verlusts an Meisterschaft und Herrschaft
werden heutzutage in allen kulturellen Aktivitäten sichtbar – nirgends so
sehr wie in den darstellenden Künsten. Das Projekt der Moderne, das
gemeinsam mit der Wissenschaft und der Technologie die Lebenswelt
nach rationalen Prinzipien der Funktionalität und Nützlichkeit neu gestalten wollte (Produktivismus, das Bauhaus), ist längst aufgegeben worden. Was wir an seiner Stelle heute gewahren, ist ein verzweifelter, oft
hysterischer Versuch, den Eindruck von Meisterschaft durch die Wiederbelebung der heroischen, großformatigen Malerei und der monumentalen Bronzeskulpturen zu erreichen – d. h. mit Mitteln, die als Ausdruck
der kulturellen Hegemonie Westeuropas verstanden werden müssen.
Doch zeitgenössische Künstler sind allenfalls in der Lage, Meisterschaft

zu *simulieren*, ihre Zeichen zu manipulieren. Da in der historischen Epoche der Moderne die Meisterschaft stets mit menschlicher Arbeit verknüpft war, ist die künstlerische Produktion von heute darauf verfallen
bzw. darauf zurückgefallen, die Zeichen künstlerischer Arbeit – gewalttätige, ‹leidenschaftliche› Pinselführung von Neoexpressionisten z. B. –
massiv einzusetzen. Derartige Simulakren der Meisterschaft bezeugen
aber nur deren Verlust. Es scheint oft so, als würden die zeitgenössischen
Künstler an einem kollektiven Verleugnungsakt arbeiten – und Verleug-
nung hat immer mit Verlust zu tun: an Stärke, Männlichkeit, Potenz.[36]
Ist dies die eine Kunstrichtung, so gibt es eine andere, welche das Simulieren von Meisterschaft zugunsten eines melancholischen Meditierens
über deren Verlust ablehnt. So spricht einer dieser Künstler von «der Unmöglichkeit einer Leidenschaft in einer Kultur, in der individueller Ausdruck institutionalisiert ist», ein anderer hält «die Ästhetik für etwas, was
eher mit Sehnsucht und Verlust zu tun hat als mit Vollendung». Ein Maler
gräbt das aufgegebene Genre der Landschaftsmalerei lediglich deshalb
wieder aus, um daraus für seine eigenen Gemälde (in der gedachten
Gleichsetzung von rauher Leinwand und öden Flächen) etwas von der
Erschöpfung des Erdreichs an sich (das darin auch noch verherrlicht wird)
ins Bild zu setzen. Ein anderer dramatisiert seine Ängste in der konven-
tionellsten Form, die sich Männer für ihre Kastrationsangst ausgedacht
haben – in der Frau: distanziert, entfernt, unnahbar. Ob diese Künstler
nun ihre eigene Machtlosigkeit leugnen oder mit ihr werben, ob sie sich
als Helden oder als Opfer ausgeben: Selbstverständlich wurden sie be-
stens rezipiert von einer Gesellschaft, die nicht willens ist anzuerkennen,
daß sie aus dem Zentrum verdrängt ist. Diese verfügt über eine ‹offizielle›
Kunst, die – wie die Kultur, die sie hervorgebracht hat – sich erst noch
darüber klarwerden muß, wie verarmt sie ist.
Postmoderne Künstler sprechen auch von Verarmung – aber auf ganz
andere Weise. Gelegentlich steht das postmoderne Werk direkt für eine
absichtliche *Verweigerung* von ‹Meisterschaft›, z. B. in Martha Roslers
«The Bowery in Two Inadequate Descriptive Systems» (1974–1975),
worin Fotografien von Geschäftsfronten der Bowery abwechseln mit Se-
rien von Schreibmaschinenwörtern, die das Thema Trunksucht signalisieren. Ihre Fotos sind absichtlich flach und banal, doch ist die Ablehnung
jeder «Meisterschaft» mehr als nur technisch. Zunächst einmal verweigert Martha Rosler der Bildunterschrift/dem Text die konventionelle
Funktion, das Bild durch etwas zu ergänzen, was ihm fehlt. Ihr Nebeneinander zweier Repräsentationssysteme, des visuellen und des verbalen, ist
viel mehr darauf angelegt (wie der Titel nahelegt), den Wahrheitsgehalt
jedes dieser Systeme eher zu ‹unterwandern› als zu ‹unterstreichen›.[37]
Wichtiger noch ist, daß Martha Rosler es ablehnte, auch die *Bewohner*
der Skid Row zu fotografieren und so *für sie* zu sprechen, sie aus sicherer

Distanz fotografisch zu beleuchten (Fotografie als Sozialarbeit in der Tradition von Jacob Riis). Denn ‹engagierte› oder, wie Rosler es nennt, ‹Opfer›-Fotografie übersieht die konstitutive Rolle ihrer eigenen Arbeit, die
vorgibt, rein repräsentativ zu sein (der ‹Mythos› fotografischer Transparenz und Objektivität). Auch wenn der Fotograf oder die Fotografin voller Sympathie diese Leute darstellt, denen ja der Zugang zu den Dar-
stellungsmitteln verwehrt ist, fungiert er oder sie zwangsläufig doch als
Vertreter des Machtsystems, das sie von Anfang an zum Schweigen verurteilt hat. So werden sie zweifach unterdrückt: durch die Gesellschaft,
dann auch noch durch den Fotografen, der sich anmaßt, für sie zu sprechen. Auf einem solchen Foto posiert der Fotograf mehr als das Fotogra-
fierte; er gibt dem fotografierten Gegenstand das Bewußtsein, macht ihn
zu seiner Gewissenssache. Martha Rosler hat in ihrer Arbeit wohl kaum
einen Gegendiskurs der Trunkenheit ins Werk gesetzt (der müßte aus den
Einsichten der Trinker in ihre eigenen Existenzbedingungen entstehen).
Doch hat sie ex negativo auf das schwierige Problem einer aktuellen, politisch motivierten Kunstpraxis hingewiesen: «die Schmach, für andere zu
sprechen»[38].

Martha Roslers Haltung bedeutet ebenso eine Herausforderung an die
Kritik, besonders an deren Praxis, den Diskurs des Kritikers an die Stelle
des Kunstwerks zu setzen. Sie selber bringt am besten zur Sprache,
worum es in ihrem Bild geht:

«Wenn es sich hier um Verarmung handelt, dann sicher eher um die Verarmung
von Darstellungsstrategien, die einsam umhertorkeln, als um die Überlebensstra-
tegien der Trinker. Die Fotografien sind machtlos, sich mit der Realität, die immer
noch durch Ideologie völlig vor-verstanden ist, auseinanderzusetzen, und sie um-
gehen das Problem genauso wie die Phalanx der Wörter. Die allerdings ist im Trin-
kermilieu heimisch und muß nicht, wie die Fotografie, von außen daraufgedrückt
werden.»[39]

Das Sichtbare und das Unsichtbare

Eine Arbeit wie «The Bowery in Two Inadequate Descriptive Systems»
legt nicht nur die ‹Mythen› fotografischer Objektivität und Transparenz
bloß, sie stellt ebenso den (modernen) Glauben an das Sehvermögen als
privilegierten Zugang zu Gewißheit und Wahrheit («Sehen ist Glauben»)
in Frage. Die moderne Ästhetik behauptete, die Sehkraft sei allen anderen Sinnen überlegen, weil sie von ihren Objekten losgelöst existiert. Das
Auge, so meinte schon Hegel in seinen «Vorlesungen über die Ästhetik»,
befindet sich in einer rein theoretischen Beziehung zu den Objekten, und
zwar durch die Vermittlung durch das Licht, diese immaterielle Materie,

die Objekten wirklich ihre Freiheit läßt, sie beleuchtet und erleuchtet, ohne sie zu verzehren.[40]

Postmoderne Künstler bestreiten dieses Losgelöstsein nicht, aber ebensowenig zelebrieren sie es. Man versucht, dahinterzukommen, welchen Interessen dieser Umstand eigentlich entgegenkommt. Denn das Sehen ist kaum ‹desinteressiert›, und es ist auch nicht indifferent. Luce Irigaray bemerkt dazu: «Sich des Blickes zu bedienen ist das Privileg der Männer und nicht der Frauen. Denn das Auge objektiviert und beherrscht stärker als die anderen Sinne. Es stellt eine Distanz her, hält diese Distanz aufrecht. Die Dominanz des Blickes über Geruch, Geschmack, Berührung und Hören hat körperliche Beziehungen in unserer Kultur verkümmern lassen ... In dem Moment, in dem der Blick dominiert, verliert der Körper seine Materialität.»[41] (Das heißt, er wird in Bildlichkeit transformiert.) Daß die Priorität, die unsere Gesellschaft dem Sehen einräumt, eine sensorische Verarmung mit sich bringt, ist kaum eine neue Erkenntnis. Die feministische Theorie verbindet allerdings die Privilegierung des Sehens mit dem sexuellen Privileg. Freud identifizierte den Übergang von der matriarchalischen zur patriarchalischen Gesellschaft mit der gleichzeitigen Abwertung des Geruchssinns und seiner sexuellen Bedeutung und dem Aufkommen einer vermittelten, sublimierten visuellen Sexualität.[42] Wichtiger ist, daß im Freudschen Szenario das Kind die sexuelle Differenz durch Blicke entdeckt, die An- oder Abwesenheit des Phallus, nach der das Kind seine sexuelle Identität erhält. Wie Jane Gallop in ihrem Buch «Feminism and Psychoanalysis» in Erinnerung ruft, «läuft nach Freud die ‹Entdeckung der Kastration› über das Sehen ab: Anblick einer Phalluspräsenz beim Jungen, Anblick einer Phallusabwesenheit beim Mädchen, schließlich der Anblick einer Phallusabwesenheit bei der Mutter. *Sexuelle Differenz gewinnt ihre maßgebende Bedeutung aus einem Anblick.*»[43] Wurde nicht der Phallus zum «privilegierten Signifikanten», weil er das sichtbarste Zeichen sexueller Differenz ist? Doch nicht nur die Entdeckung von Differenz, sondern auch deren Leugnen hängt von diesem Anblick ab. Wie Freud 1926 in seiner Arbeit über «Fetischismus» ausführt, hält das männliche Kind häufig den letzten visuellen Eindruck vor dem ‹traumatischen› Anblick als einen Ersatz für den ‹fehlenden› Penis der Mutter:

«So verdankt der Fuß oder Schuh seine Bevorzugung als Fetisch – oder ein Stück derselben – dem Umstand, daß die Neugierde des Knaben von unten, von den Beinen her nach dem weiblichen Genitale gespäht hat; Pelz und Samt fixieren – wie längst vermutet wurde – den Anblick der Genitalbehaarung, auf den der ersehnte des weiblichen Gliedes hätte folgen sollen; die so häufig zum Fetisch erkorenen Wäschestücke halten den Moment der Entkleidung fest, den letzten, in dem man das Weib noch für phallisch halten durfte.»[44]

Wie also steht es um die darstellenden Künste in einer patriarchalischen Ordnung, in der der voyeurhafte Augensinn vor allen anderen Sinneswahrnehmungen privilegiert wird? Müssen wir nicht erwarten, daß sie eine Domäne männlicher Privilegien sind – so wie ihre Geschichte dies ja tatsächlich bestätigt –, vielleicht ein Mittel, der ‹Bedrohung› durch das Weibliche mittels der Repräsentation Herr zu werden? In den letzten Jahren hat sich eine Praxis der darstellenden Künste entwickelt, die auf feministischer Theorie basiert und die mehr oder weniger explizit auf die Problematik der Repräsentation der männlichen und weiblichen Sexualität reflektiert. Männliche Künstler haben mehr das soziale Konstrukt der Männlichkeit untersucht (Mike Glier, Eric Bogosian, die frühen Arbeiten von Richard Prince). Frauen haben mit etwas begonnen, was längst überfällig war: mit der Dekonstruktion des Weiblichkeitskomplexes. Einige von ihnen haben ‹positive› Bilder einer neu zu setzenden Weiblichkeit aufgestellt. Dies allerdings würde die bestehende Repräsentationsmaschinerie nur erhalten und verlängern. Manche Künstlerinnen lehnen es überhaupt ab, Frauen darzustellen, in dem Glauben, daß keine der Darstellungen des weiblichen Körpers in unserer Kultur frei von phallischem Vorurteil sein kann. Die meisten dieser Künstlerinnen arbeiten jedoch mit dem vorhandenen Repertoire kultureller Symbolik – nicht weil ihnen Originalität abginge oder weil sie Originalität kritisieren wollten, sondern weil ihr Subjekt, weibliche Sexualität, sich immer in und als Repräsentation konstituiert, in einer Repräsentation der sexuellen Differenz. Es muß betont werden, daß diese Künstlerinnen nicht in erster Linie daran interessiert sind, was in den Darstellungen *über* Frauen ausgesagt wird. Sie erforschen vielmehr, was die Repräsentation von Frauen den Frauen antut (z. B. die Art, in der die Frau immer Objekt des männlichen Blicks ist). Denn, wie Lacan schreibt, «Imagines und Symbole *von* der Frau (dürfen) nicht von den Imagines und Symbolen *für* die Frau isoliert werden ... Die Vorstellung (Vorstellung in dem Sinne, in dem Freud diesen Ausdruck verwendet, wenn er feststellt, daß da das Verdrängte ist) von der weiblichen Sexualität, ob verdrängt oder nicht, bedingt deren Inkrafttreten.»[45]

Die Kritik feministischer Kunst vermeidet im Bemühen, kontroversen Themen aus dem Weg zu gehen, beharrlich das Thema der Geschlechter. Ihre künstlerische Praxis wird manchmal wegen ihrer allgemeinen Dekonstruktionsambitionen mit der Entmystifizierungtradition der Moderne in Zusammenhang gebracht. (Und damit wird dann die Kritik der Repräsentation in diesen Arbeiten einfach mit Ideologiekritik in eins gesetzt.) In einem Essay, der den allegorischen Verfahren in der zeitgenössischen Kunst gewidmet ist, bespricht Benjamin Buchloh die Arbeiten von sechs Künstlerinnen – Dara Birnbaum, Jenny Holzer, Barbara Kruger, Louise Lawler, Sherrie Levine, Martha Rosler – und beansprucht sie für das Modell einer sekundären Mythifizierung, wie Roland Barthes es in den «Mythen des Alltags» (1957) entwickelt hat. Buchloh berücksichtigt nicht, daß Barthes später diese Methodologie verworfen hat, widerrufen im Zusammenhang mit seiner wachsenden Ablehnung von Herrschafts-diskursen seit seinem Buch «Die Lust am Text».[46] Buchloh mißt auch der Tatsache keine besondere Bedeutung bei, daß alle erwähnten Künstler Frauen sind. Dafür stattet er sie mit der ausgeprägt männlichen Genealo-gie der dadaistischen Tradition der Collage und Montage aus. So wird von allen sechs Künstlerinnen gesagt, daß sie die Sprachen der populären Kul-tur – Fernsehen, Werbung, Fotografie – derart manipulieren, daß «ihre ideologischen Funktionen und Wirkungen *transparent* würden», und daß außerdem in ihrem Werk «die peinlich genaue und scheinbar unauflös-bare Wechselwirkung von Verhalten und Ideologie» angeblich zu einem *«beobachtbaren* Muster» werde.[47]

Aber was besagt die Behauptung, diese Künstlerinnen machten Un-sichtbares sichtbar, besonders in einer Gesellschaft, in der Sichtbarkeit immer auf der männlichen Seite ist, Unsichtbarkeit auf der weiblichen? Und was sagt der Kritiker damit, wenn er feststellt, daß diese Künstlerin-nen versteckte ideologische Konzepte in einer Massenkultur aufdecken, preisgeben, ‹enthüllen› (letzteres zieht sich durch Buchlohs gesamten Text)? Über eine Arbeit der Video-Künstlerin Dara Birnbaum, «Techno-logy/Transformation: Wonder Woman» (1978–1979), die auf der populä-ren gleichnamigen Fernsehserie basiert, schreibt Buchloh, daß sie «die pubertären Phantasien von ‹Wonder Woman› enthüllt». Aber wie alle Ar-beiten Birnbaums behandelt dieser Streifen nicht irgendeine Symbolik der Massenkultur, sondern massenkulturell verbreitete Weiblichkeitsbil-der. Sind nicht die Aktivitäten des Entschleierns, Entkleidens (stripping) und Entblößens des weiblichen Körpers unmißverständlich männliche Privilegien?[48] Außerdem sind die Frauen, die Dara Birnbaum re-präsen-tiert, meistens Athletinnen und Darstellerinnen, die ganz in der Vorfüh-rung ihrer eigenen körperlichen Perfektion aufgehen. Sie sind ohne Feh-ler, ohne Mangel und folglich ohne Geschichte oder Begehren. («Wonder Woman» ist eine perfekte Verkörperung der phallischen Mutter.) Was wir in dieser Video-Arbeit erkennen können, ist nichts anderes als der Freu-dianische Tropus der narzißtischen Frau oder Lacans ‹Motiv› der Weib-lichkeit als gezügeltes Schauspiel, das nur als Darstellung männlichen Verlangens existiert.[49]

Der dekonstruktive Impetus, der in eine Arbeit wie diese eingegangen ist, legt auch gewisse Affinitäten zu poststrukturalistischen Textstrategien nahe, und viele Artikel über diese Künstlerinnen, inklusive meiner eige-nen, neigen dazu, ihre Arbeiten ganz nach französischen Mustern zu beurteilen. Sicher scheinen Foucaults Diskussion der westlichen Margi-nalisierungs- und Ausschlußstrategien, Derridas Vorwurf des «Phallozentrismus» und Deleuzes und Guattaris «organloser Körper» einer feministischen Perspektive kongenial zu sein. (Und, wie Irigaray schreibt: ist nicht der «organlose Körper» der historische Zustand der Frau?)[50] Die Affinitäten zwischen poststrukturalistischen Theorien und postmoderner künstlerischer Praxis können jedoch einem Kritiker die Augen davor verschließen, daß, wenn es um Frauen geht, einander ähnliche Techniken sehr unterschiedliche Bedeutungen haben. Wenn z. B. Sherrie Levine Fotos der verarmten Landbevölkerung von Walter Evans buchstäblich in Besitz nimmt oder, vielleicht hier passender, wenn sie Edward Westons Fotos von seinem Sohn Neil in der Haltung eines klassischen griechischen Torsos bearbeitet, betreibt sie dann einfach nur eine Dramatisierung der schwindenden Möglichkeiten für Kreativität in einer imagegesättigten Kultur, wie des öfteren gesagt wird? Oder ist nicht ihre Ablehnung der Rolle des Autors in Wirklichkeit eine Ablehnung der Rolle des Schöpfers als ‹Vater› seiner Arbeit, der väterlichen Rechte, die dem Autor kraft Gesetz übertragen werden?[51] Sherrie Levines Nichtanerkennung der väterlichen Autorität läßt darauf schließen, daß ihre Tätigkeit weniger eine *Aneignung*, ein «vor sich hin und zu sich her stellen» (Heidegger), sondern mehr *Enteignung* ist: Expropriation der Exropriateure![52]

Sherrie Levine hat gelegentlich mit Louise Lawler zusammengearbeitet unter dem gemeinsamen Titel «A Picture is No Substitute for Anything» – eine eindeutige Kritik an der Repräsentation im herkömmlichen Sinne. (E. H. Gombrich: «Jede Kunst ist Image-Erzeugung, und jede Image-Erzeugung schafft Surrogate.») Es taucht hier die Frage auf, wofür das Bild Surrogat sein soll, was es ersetzt, welche Abwesenheit es verbirgt. Wenn Louise Lawler ihr «A Movie without the Picture» 1979 in Los Angeles und nochmals 1983 in New York zeigt, kommt es ihr dann nur darauf an, vom Zuschauer Mitarbeit bei der Herstellung des Bildes zu verlangen? Oder verweigert sie nicht auch dem Betrachter das visuelle Vergnügen, das mit den männlichen Perversionen: mit Voyeurismus und Skopophilie verbunden ist?[53] Und so scheint es in diesen Zusammenhang zu passen, daß sie in Los Angeles «The Misfits», Marilyn Monroes letzten vollendeten Film, auf ihre Leinwand brachte (und das heißt: nicht auf die Leinwand brachte). Das, was sie auf diese Weise dem Zuschauer entzog, war eben nicht einfach ein Film, sondern das archetypische Bild des weiblichen Begehrtwerdens.

Wenn Cindy Sherman in ihren Schwarzweißstudien für Filmstandfotos ohne Titel (hergestellt in den späten 70er und frühen 80er Jahren) sich zuerst wie die Heldinnen aus zweitklassigen Hollywoodfilmen der späten 50er und frühen 60er Jahre kostümiert und sich dann in Situationen fotografiert, die lauernde Gefahr neben dem Bild vermuten lassen, hat sie bei diesem Unterfangen nur, wie gesagt wurde, «die Rhetorik des Autorenkinos durch die Gleichsetzung der erkennbaren Künstlichkeit der Schauspielerin vor der Kamera mit der angeblichen Authentizität des Regisseurs hinter ihr»[54] attackiert? Oder war ihr Schauspielern nicht auch ein Spielen aus der psychoanalytischen Vorstellung von Weiblichkeit als Maskerade heraus, also als Darstellung des männlichen Begehrens? Wie Hélène Cixous schreibt, «repräsentiert man ständig, und wenn eine Frau aufgefordert wird, an dieser Repräsentation teilzunehmen, dann fordert man sie natürlich dazu auf, das Begehren des Mannes zu repräsentieren»[55]. In der Tat fungieren Shermans Fotografien selbst als Spiegel-Masken, die auf den Betrachter sein eigenes Begehren zurückwerfen (und der Zuschauer, der bei dieser Arbeit vorausgesetzt wird, ist ausnahmslos männlich), besonders das männliche Begehren, die Frau auf eine beständige und stabilisierende Identität zu fixieren. Aber genau das ist es, was Shermans Arbeit verweigert: Denn obwohl ihre Fotos immer Selbstporträts sind, scheint auf ihnen die Künstlerin niemals dieselbe zu sein, ja nicht einmal dasselbe Modell. Während wir annehmen dürfen, dieselbe Person zu erkennen, werden wir gleichzeitig dazu gebracht, die Ränder dieser Identität vibrieren zu sehen.[56.] In einer weiteren Arbeitsserie gab Cindy Sherman das Standfotoformat zugunsten von Klappseiten in Herrenmagazinen auf und setzte sich dem Vorwurf aus, Komplizin ihrer eigenen Objektwerdung zu sein, das Bild der im Bilderrahmen gefesselten Frau zu verstärken.[57] Das mag richtig sein; aber auch wenn Sherman als Pin-up-Girl posiert, kann man sie eben nicht auf diese Bedeutung festnageln (pin down).

Wenn schließlich Barbara Kruger die Worte «Your gaze hits the side of my face» zur Collage über einer weiblichen Büste anordnet, die sie aus einem Foto-Jahrbuch der 50er Jahre herausgesucht hat, «stellt sie dann lediglich einen Vergleich her ... zwischen der ästhetischen Reflexion und der Entfremdung durch den Blick, die beide verdinglichen»?[58] Oder spricht sie nicht statt dessen von der *Männlichkeit* des Blicks, den Formen, in denen er objektiviert und beherrscht? Oder wenn die Worte «You invest in the divinity of the masterpiece» über einem vergrößerten Detail der Schöpfungsszene von der Decke der Sixtinischen Kapelle erscheinen, parodiert sie damit einfach nur unsere Ehrfurcht vor Kunstwerken, oder ist das nicht auch ein Kommentar zur Kunstproduktion als Kontrakt zwischen Vätern und Söhnen? Krugers Arbeiten sprechen uns immer geschlechtsspezifisch an. Ihr Kernpunkt ist jedoch nicht, daß Männlichkeit und Weiblichkeit festgelegte Positionen sind, die von vornherein durch die Repräsentationsmaschinerie bestimmt sind. Kruger gebraucht statt dessen einen Terminus ohne fixierten Inhalt, den linguistischen Shifter («I/you»), um zu demonstrieren, daß selbst ‹weiblich› und ‹männlich› keine festen Identitäten sind, sondern dem Aus-Tausch unterliegen.

Es liegt Ironie in der Tatsache, daß alle genannten künstlerischen Praktiken und ebenso die theoretischen Arbeiten, die sie rechtfertigen, in einer historischen Situation auftauchen, die vermeintlich von totaler Indifferenz gekennzeichnet ist. In der darstellenden Kunst, der visuellen Kunst bis zum Video sind wir zu Zeugen einer allmählichen Auflösung einst grundlegender Unterscheidungen geworden: Original/Kopie, authentisch/nichtauthentisch, Funktion/Ornament. Jeder Terminus scheint nun auch sein Gegenteil zu enthalten, und diese Unbestimmtheit bringt die Unmöglichkeit einer Wahl mit sich, oder treffender, die absolute Gleichwertigkeit und daher Austauschbarkeit von Möglichkeiten. Das jedenfalls wird so behauptet.[59] Die Existenz des Feminismus mit seinem Insistieren auf Differenz zwingt uns, hier neu zu überlegen. Denn in unserem Land, den USA, mag ‹good-bye› genauso wie ‹hello› aussehen, aber eben nur von einer männlichen Position aus. Frauen haben gelernt – vielleicht haben sie es auch schon immer gewußt –, wie man die Differenz erkennen kann.

Anmerkungen

Dieser Beitrag erschien zuerst unter dem Titel «The Discourse of Others: Feminists and Postmodernism», in: Hal Foster (Hg.): The Anti-Aesthetic. Port Townsend, Washington 1983, S. 65–90.

1 Paul Ricœur: Weltzivilisation und nationale Kulturen. In: ders.: Geschichte und Wahrheit. München 1974, S. 285.

2 Hayden White: Getting Out of History. In: diacritics 12, 3 (Herbst 1982), S. 3. White räumt nirgendwo ein, daß es genau diese Universalität ist, die heute in Frage gestellt ist.

3 I. Kant: Kritik der Urteilskraft. In: Akademie Textausgabe Bd. 5. Berlin 1968, S. 279.

4 Vgl. z. B.: Louis Marin: Toward A Theory of Reading in the Visual Arts: Poussin's The Arcadian Shepherds. In: S. Suleiman/I. Crosman (Hg.): The Reader in the Text. Princeton 1980, S. 293–324. Dieser Essay wiederholt die Hauptargumente aus dem 1. Teil von Marins «Détruire la peinture» (Paris 1977). Vgl. auch Christian Metz' Erörterungen zum ‹enunziativen Apparat› (enunciative apparatus) der cinematischen Repräsentation: «History/Discourse: A Note on Two Voyeurisms». In: Metz: The Imaginary Signifier. Bloomington 1982. Für einen Gesamtüberblick zu diesem Problem vgl. C. Owens: Representation, Appropriation & Power. In: Art in America 70, 5 (Mai 1982), S. 9–21.

5 Daher J. Kristevas problematische Identifikation der Avantgarde-Praxis als weiblich – problematisch, weil sie den Anschein erweckt, all jenen Diskursen zu folgen, die Frauen aus dem Repräsentationssystem ausschließen und sie statt dessen mit dem Vorsymbolischen assoziieren (die Natur, das Unbewußte, der Körper etc.).

6 Jacques Derrida: Sending. On Representation. In: Social Research 49, 2 (Summer 1982), S. 325f. (Hervorhebung von mir). In diesem Essay diskutiert Derrida Heideggers «Die Zeit des Weltbildes». «Heute macht man sich viele Gedanken gegen Repräsentation», schreibt Derrida. «Mehr oder weniger deutlich oder rigoros ist dieses Urteil mühelos zu der Feststellung gelangt: Repräsenta-

tion ist schlecht ... Dennoch, wie stark und unverständlich diese dominierende Strömung sein mag, die Autorität der Repräsentation zwingt uns, sie unserem Denken aufzuerlegen durch eine dichte, rätselhafte und stark stratifizierte Geschichte. Sie programmiert uns und geht uns voraus und warnt uns zu ernsthaft, um aus ihr ein reines Objekt zu machen, eine Repräsentation, ein Objekt der Repräsentation, das uns konfrontiert, und vorangeht wie ein Motiv» (S. 304). Derrida schließt: «Die Essenz der Repräsentation ist keine Repräsentation, ist nicht repräsentierbar, es gibt keine *Repräsentation der Repräsentation*» (S. 314, Hervorhebung von mir).

7 Michèle Montrelay: Recherches sur la femininité. In: Critique 278 (Juli 1970). Englisch: Inquiry into Femininity. In: m/f 1 (1978), bzw. Nachdruck in: Semiotext(e) 10 (1981), S. 232.

8 Viele der Themen, die auf den folgenden Seiten behandelt werden – die Kritik des binären Denkens z. B. oder die Privilegierung des Sehens vor den anderen Sinnen –, haben in der Philosophie eine lange Geschichte. Mich interessiert daran, wie die feministische Theorie dies mit dem Thema der sexuellen Privilegien zusammenbringt. So stellt sich heraus, daß Themen, die häufig als rein epistemologisch verworfen wurden, politisch sind. Vgl. Andreas Huyssen: Critical Theory and Modernity. In: New German Critique 26 (Frühjahr/Sommer 1982), S. 3–11.

9 «Daß es sich dabei um eine begriffliche Aufwertung der Sexualität der Frau handelt, steht außer Zweifel und erlaubt, eine *bezeichnende Vernachlässigung* zu beobachten» (Jacques Lacan: Leitsätze für einen Kongreß über weibliche Sexualität. In: Schriften III. Olten/Freiburg i. Br. 1980, S. 223).

10 Vgl. meinen Essay: The Allegorical Impulse: Toward a Theory of Postmodernism (Teil 2). In: October 13 (Sommer 1980), S. 59–80. «Americans on the Move» wurde im Kitchen Center for Video, Music, and Dance in New York City im April 1979 uraufgeführt; die Multi-Media-Performance wurde inzwischen überarbeitet und ist nunmehr Teil von Laurie Andersons über jeweils zwei Abende laufender Arbeit der «United States, Parts I–IV», die zum erstenmal in voller Länge im Februar 1983 an der Brooklyn Academy of Music gezeigt wurde.

11 Wie Stephen Heath schreibt: «Jeder Diskurs, der nicht in seiner eigenen Form der Äußerung und Zielrichtung das Problem der sexuellen Differenz berücksichtigt, und zwar präzise unparteiisch, ist innerhalb einer patriarchalischen Ordnung ein Spiegelbild männlicher Dominanz» (Difference. In: Screen 19, 4, Winter 1978/79, S. 53).

12 Martha Rosler: Notes on Quotes. In: Wedge 2 (Herbst 1982), S. 69.

13 Jean-François Lyotard: Das postmoderne Wissen. Bremen 1982, S. 31.

14 Vgl. hierzu Sarah Kofman: Le Respect des femmes. Paris 1982.

15 Warum ist das immer eine Frage der ‹Distanz›? Edward Said z. B. schreibt: «Kaum jemand, der literarische oder kulturelle Studien verfaßt, bedenkt die allgemeingültige Wahrheit, daß alle intellektuellen oder kulturellen Werke irgendwo erscheinen, irgendwann, auf genau eingeteiltem und zugelassenem Terrain, das letzten Endes staatliches Terrain ist. Feministische Kritiker haben diese Frage halbwegs gestellt, *aber sie sind nicht den ganzen Weg gegangen*» (Edward Said: American ‹Left› Literary Criticism. In: The World, the Text, and the Critic. Cambridge, Mass. 1983, S. 169. Hervorhebung von mir).

16 Fredric Jameson: The Political Unconscious. Ithaca 1981, S. 84.

17 Vgl. Karl Marx/Friedrich Engels: Die deutsche Ideologie. MEW Bd. 3. Berlin

(DDR) 1978, S. 21. Der Feminismus hat u. a. die skandalöse Blindheit des Marxismus gegenüber der sexuellen Ungleichheit aufgedeckt. Marx und Engels sahen das Patriarchat als der vorkapitalistischen Produktionsweise verhaftet; sie behaupteten, der Übergang von der feudalen zur kapitalistischen Produktionsweise sei der Übergang von männlicher Herrschaft zur Herrschaft des Kapitals. Im «Manifest der Kommunistischen Partei» schrieben sie: «Die Bourgeoisie, wo sie zur Herrschaft gekommen, hat alle feudalen, patriarchalischen idyllischen Verhältnisse zerstört.» Der revisionistische Versuch (wie bei Jameson in seinem Buch «The Political Unconscious»), das Fortbestehen des Patriarchats mit dem Überleben der früheren Produktionsweise zu erklären, ist eine unangemessene Antwort auf die Herausforderung des Feminismus an den Marxismus. Seine Schwierigkeiten mit dem Feminismus sind nicht auf ideologische Einflüsse von außen zurückzuführen, sondern ergeben sich aus der Privilegierung der Produktion als bestimmender menschlicher Tätigkeit. Zu dieser Problematik vgl. Isaac D. Balbus: Marxism and Domination. Princeton 1982; Stanley Aronowitz: The Crisis in Historical Materialism. Brooklyn (N. Y.) 1981, besonders Kap. 4.

18 Jean-François Lyotard: Ein Einsatz in den Kämpfen der Frauen. In: Lyotard: Das Patchwork der Minderheiten. Berlin 1977, S. 67.

19 Die vielleicht lautstärkste Äußerung einer Theoriefeindlichkeit des Feminismus stammt von Marguerite Duras: «Das Kriterium, nach dem Männer Intelligenz beurteilen, ist immer noch die Fähigkeit zu theoretisieren, und in allen Tendenzen, die aktuell zu beobachten sind, gleich auf welchem Gebiet – Kino, Theater, Literatur –, verliert der Theoriebereich an Einfluß. Er wurde schon seit Jahrhunderten attackiert. Jetzt sollte er zermalmt werden, sollte sich in den wiedererwachenden Sinnen verlieren, erblinden und still sein» (In: E. Marks/I. de Courtivron (Hg.): New French Feminisms. New York 1981, S. 111). Richtiger ist wohl, daß die meisten Feministinnen sich der Theorie gegenüber eher ambivalent verhalten. In Sally Potters Film «Thriller» (1979), der die Frage «Who is responsible for Mimi's death?» in «La Bohème» stellt, bricht die Heldin in Gelächter aus, als sie Kristevas Einleitung zur «Théorie d'ensemble» laut vorliest. Potters Film wurde aus diesem Grund als antitheoretisches Statement aufgenommen. Ihr Thema scheint jedoch eher die Unangemessenheit gegenwärtiger Theoriegebäude zur Begründung spezifisch weiblicher Erfahrung zu sein.

20 Veröffentlicht in: Screen 16, 3 (Herbst 1975). Deutsch: Visuelle Lust und narratives Kino. In: Frauen in der Kunst. Hg. v. Gislind Nabakowski/Helke Sander/Peter Gorsen. Bd. 1. Frankfurt/M. 1980, S. 30–46.

21 Vgl. meinen Aufsatz «Earthwords». In: October 10 (Herbst 1979), S. 120 bis 132.

22 No Essential Femininity: A Conversation between Mary Kelly and Paul Smith. In: Parachute 26 (Frühjahr 1982), S. 33.

23 Lyotard: Das postmoderne Wissen, S. 8.

24 Lyotard: Das postmoderne Wissen, S. 77.

25 Fredric Jameson: «In the Destructive Element Immerse»: Hans-Jürgen Syberberg and Cultural Revolution. In: October 17 (Sommer 1981), S. 113.

26 Vgl. z. B. Fantasia of the Library. In: D. F. Bouchard (Hg.): Language, Counter-memory, Practice. Ithaca 1977, S. 87–109; Douglas Crimp: On the Museum's Ruins. In: Hal Foster (Hg.): The Anti-Aesthetic. Port Townsend 1983, S. 51–64.

27 Vgl. Fredric Jameson: Postmodernism and Consumer Society. In: Hal Foster
    (Hg.): The Anti-Aesthetic. Port Townsend, Washington 1983, S. 119–134.

28 Jameson: Political Unconscious, S. 19.

29 White: Getting Out of History, S. 3.

30 Die Antithese zur Erzählung kann gut die Allegorie sein, die Angus Fletcher als
    die «Miniatur der Gegen-Erzählung» bezeichnet. Durch die moderne Ästhetik
    abgewertet, weil sie von der unvermeidbaren Rückforderung der menschlichen
    Werke durch die Natur spricht, ist die Allegorie ebenso die Miniatur der Anti-
    moderne, denn sie sieht Geschichte als irreversiblen Prozeß der Auflösung und
    des Verfalls. Der melancholische, nachdenkliche Blick des Allegorikers
    braucht jedoch kein Zeichen von Niederlage zu sein; er könnte die überlegene
    Weisheit von jemandem ausdrücken, der jeglichen Anspruch auf Herrschaft/
    Meisterschaft aufgegeben hat.

31 Martin Heidegger: Die Zeit des Weltbildes. In: Holzwege. Frankfurt/M. 1977,
    S. 75–95. Heideggers komplexe und, wie ich denke, sehr wichtige Position ist
    hier allerdings vereinfachend zusammengefaßt.

32 Ebd., S. 94.

33 Ebd., S. 90–94. Heideggers Definition der Moderne als Zeitalter der Vor-stel-
    lung (Repräsentation) zum Zweck von Herrschaft fällt mit Theodor W. Ador-
    nos und Max Horkheimers Bestimmung der Moderne in der «Dialektik der
    Aufklärung» zusammen: «Was die Menschen von der Natur lernen wollen, ist,
    sie anzuwenden, um sie und die Menschen vollends zu beherrschen» (Frank-
    furt/M. 1981, S. 8). Entscheidend für die Realisierung dieses Begehrens (wie
    Heidegger es sehen würde) ist die Repräsentation (Vor-stellung). «Die mannig-
    faltigen Affinitäten zwischen Seiendem werden von der einen Beziehung zwi-
    schen sinngebendem Subjekt und sinnlosem Gegenstand, zwischen rationaler
    Bedeutung und zufälligem Bedeutungsträger verdrängt» (Dialektik der Auf-
    klärung, S. 13). Noch wichtiger ist in unserem Zusammenhang, daß Adorno
    und Horkheimer diese Handlung als «patriarchalische» bezeichnen.

34 Fredric Jameson: Interview. In: diacritics 12, 3 (Herbst 1982), S. 87. – Jamesons
    Beitrag in diesem Band läßt sich wohl als Antwort auf Owens' Kritik lesen
    (Anm. der Hg.).

35 Lyotard: Das postmoderne Wissen, S. 71. Lyotard argumentiert hier, daß den
    «grands récits» der Moderne «die Keime der ‹Delegitimierung›» innewohnen.

36 Ausführlicher hierzu mein Aufsatz «Honor, Power and the Love of Women».
    In: Art in America 71, 1 (Januar 1983), S. 7–13.

37 Martha Rosler interviewt von Martha Gever: Afterimage. In: October (1981),
    S. 15. «The Bowery in Two Inadequate Descriptive Systems» ist veröffentlicht
    in: Martha Rosler: 3 Works. Halifax 1981.

38 Vgl. auch: Intellectuals and Power: A conversation between Michel Foucault and
    Gilles Deleuze. In: Language, Counter-memory, Practice. Ithaca 1977, S. 209.

39 Martha Rosler: in, around, and afterthoughts (on documentary photography).
    In: 3 Works, S. 79.

40 Vgl. Heath, Difference, S. 84.

41 Interview mit Luce Irigaray in: M.-F. Hans/G. Lapouge (Hg.): Les femmes, la
    pornographie, l'erotisme. Paris 1978, S. 50.

42 Sigmund Freud: Das Unbehagen in der Kultur. In: ders.: Studienausgabe
    Bd. 9. Frankfurt/M. 1982, S. 229f., 235f.

43 Jane Gallop: Feminism and Psychoanalysis: The Daughter's Seduction. Ithaca
    1982, S. 27.

44 Sigmund Freud: Fetischismus. In: ders.: Studienausgabe Bd. 3. Frankfurt/M. 1982, S. 386.

45 Jacques Lacan: Leitsätze, S. 226.

46 Über Barthes' Negation des Herrschaftsdiskurses vgl. Paul Smith: We Always Fail – Barthes' Last Writings. In: SubStance 36 (1982), S. 34–39.

47 Benjamin Buchloh: Allegorical Procedures: Appropriation and Montage in Contemporary Art. In: Artform 21, 1 (September 1982), S. 43–56.

48 Lacans Vorschlag, daß «der Phallus nur seine Rolle spielt, solange er verhüllt ist», legt eine andere Bedeutung auf den Terminus «enthüllen», ganz anders als bei Buchloh.

49 Über Birnbaums Arbeit vgl. meinen Essay: Phantasmagoria of the Media. In: Art in America 70, 5 (Mai 1982), S. 98–100.

50 Vgl. Alice A. Jardine, Theories of the Feminine: Kristeva. In: enclitic 4, 2 (Herbst 1980), S. 5–15.

51 «Der Autor ist üblicherweise Vater und Besitzer seiner Arbeit: deswegen lehrt Literaturwissenschaft *Respekt* für das Manuskript und die vom Autor deklarierten Intentionen, während die Gesellschaft die Legalität des Verhältnisses Autor–Werk geltend macht (das ‹droit d'auteur› oder ‹copyright› sind tatsächlich erst neueren Datums, denn es wurde erst während der Französischen Revolution legalisiert). Was den Text betrifft, so liest er sich ohne die Zueignung durch den Vater» (Roland Barthes: De l'œuvre au texte. In: Revue d'esthéthique 3, 1971. Owens zitiert nach der englischen Ausgabe: From Work to Text. In: Image/Music/Text. New York 1977, S. 160 f.).

52 Levines erste ‹Aneignungen› waren Mutterschafts-Images (Frauen in ihrer natürlichen Rolle) aus Frauenzeitschriften. Später benutzte sie Landschaftsfotografien von Eliot Porter und Andreas Feininger, dann Westons Portraits von Neil, dann Walter Evans' FSA-Fotos. In ihrer jüngsten Arbeit hat sie es mit expressionistischen Gemälden zu tun, aber ihr Interesse an Bildern vom Anderssein ist geblieben: Sie stellte Reproduktionen von Franz Marcs ländlichen Tierszenen und Egon Schieles Selbstportraits (madness) aus. Über die thematische Konsistenz von Levines «Werk» vgl. meine Besprechung: Sherrie Levine at A & M Artworks. In: Art in America 70, 6 (Sommer 1982), S. 148.

53 Vgl. Metz: The Imaginary Signifier (Anm. 2).

54 So Douglas Crimp: Appropriating Appropriation. In: Paula Marincola (Hg.): Image Scavengers: Photography. Philadelphia 1982, S. 34.

55 Hélène Cixous: Entretien avec Françoise van Rossum-Guyon. Zitiert nach Heath: Difference, S. 96.

56 Shermans wechselnde Identitäten erinnern an die Strategien von Eugenie Lemoine-Luccioni. Vgl. hierzu Jane Gallop: Feminism and Psychoanalysis, S. 105.

57 Vgl. z. B. Martha Roslers Kritiken (in: Notes on Quotes, S. 73): «Die Wiederholung des Bildes der durch den Rahmen gefesselten Frau wird bald, wie die Massenkultur, von der ‹post-feministischen› Gesellschaft als *Bestätigung* gewertet werden» (vgl. Anm. 12).

58 Hal Foster: Subversive Signs. In: Art in America 70, 10 (November 1982), S. 88.

59 Für eine Darstellung dieser Position im Verhältnis zur zeitgenössischen künstlerischen Produktion vgl. Mario Perniola: Time and Time Again. In: Artforum 21, 8 (April 1983), S. 54 f.

Übersetzt von *Sylvia Klötzer*

Jochen C. Schütze

Aporien der Literaturkritik – Aspekte der postmodernen Theoriebildung

«Vielleicht wäre authentisch
erst die Kunst, die der Idee von
Authentizität selber, des so und
nicht anders Seins, sich entledigt
hätte.»

Theodor W. Adorno

Daß heute soviel über Kritik debattiert wird, liegt nicht am endlich erfolgten Ausgang des Menschen aus seiner selbstverschuldeten Unmündigkeit, sondern ist ein Symptom ihrer Krise. Kritik als Vermögen des bürgerlichen Geistes, sich gegen die Herrschaft jedweder Autorität zu setzen, wird ihrerseits eines Machtanspruchs überführt, der ihr Anliegen stets zu korrumpieren droht. Es würde kaum verwundern, den ‹Tod der Kritik› im Arsenal postmoderner Invektiven wiederzufinden, war doch die allgemeinste Definition der Moderne in jenem Satz Kants enthalten: «Unser Zeitalter ist das eigentliche Zeitalter der Kritik, der sich alles unterwerfen muß.»[1] Unser Zeitalter ist das längst nicht mehr; nicht, weil diese Unterwerfung abgeschlossen wäre, sondern weil es in der Logik des Spätkapitalismus weder den exterioren Freiraum gibt, in dem sich ein fundamentaler Kritizismus organisieren könnte, noch den klassischen Adressaten in Form einer aufklärungswilligen Öffentlichkeit. Die Kritik des kritischen Bewußtseins reagiert darauf, daß es selbst dazu beigetragen hat, Auswege zu verbauen und der Macht neue Nahrung zu verschaffen. Zugleich sollte es aber ihr Ziel sein, die verordnete Absage an alle Kritik zu subvertieren, um die Differenz zwischen kritikloser Informativität und Freiheit offenzulegen. Im Rückzug der negativen Funktion der Kritik kündigt sich eine Haltung an, die jenseits der eingeübten Dichotomie von Delinquenz und richtendem Urteil nun durch und durch kritisch sein möchte, indem sie eben diese Ordnung aufhebt.

Literatur- und Kunstkritik teilen nicht nur den Namen ‹Kritik›, sie sind auch ein Seismograph ihres Problemstands insgesamt. Jener postmoderne Einstellungswandel, wie er im Bereich des Ästhetischen stattfindet, erlaubt gewiß keine voreiligen gesellschaftstheoretischen oder politisch-praktischen Rückschlüsse, weder euphorischer noch resignativer

Art. Das Ausufern ästhetischer Denkmodelle war noch immer von der
Verdrängung der gesellschaftlichen Dimension begleitet, von der Flucht
vor bedrohlichen Realitäten in kompensierende Phantasmagorien. Dennoch sieht es so aus, als könnten tradierte Denkverbote heute am ehesten
in den Künsten und den mit ihnen befaßten Theorien zersetzt werden,
ohne daß sogleich diskreditierende Bekenntnisse gefordert wären. Deren
gibt es genug. Je heftiger der Streit um Begriffe wie ‹modern› und ‹postmodern› geführt wird, desto eintöniger wird die Auseinandersetzung
über ihre Gehalte; Aufklärung und Gegenaufklärung geraten zu habitu-
ellen Klischees, zu Stereotypen im Kampf um akademische Machtpositio-
nen, in denen die Sache, über die verhandelt werden sollte, verschwindet.
Dagegen ist an die Möglichkeit einer Aufklärungskritik zu erinnern, die
ihrerseits kritisch und aufgeklärt bleibt – in diesem Sinn hat Franz Meh-
ring einmal Herder das ‹schlechte Gewissen der Aufklärung› genannt.
Mit solcher Rücksicht versuchen die folgenden Erörterungen, einige
rationale Motive des postmodernen Einstellungswandels auf dem Gebiet
der Kritik zu beschreiben.

1.

In der programmatischen Einleitung zum «Kritischen Journal der Philosophie» hat Hegel als Bedingung aller Kritik ausgesprochen, daß sie einen
Maßstab fordere, «der, von dem Beurteilenden ebenso unabhängig als
von dem Beurteilten, nicht von der einzelnen Erscheinung noch der Besonderheit des Subjekts, sondern von dem ewigen und unwandelbaren
Urbild der Sache selbst hergenommen sei»[2]. Wie philosophische Kritik
die Idee der Philosophie, so muß Kunstkritik die Idee schöner Kunst vor-
aussetzen, um dem Geschäft der Subsumtion von Gegenständen unter
diese Idee überhaupt nachgehen zu können. Hat sie kein derart unabhän-
giges und übergeordnetes Kriterium oder ist sie mit Werken konfrontiert,
die der Idee entbehren, so verkommt ihr Anspruch zum «einseitigen
Machtanspruch»[3]. Die gegenseitige Anerkennung von Kritik und Werk,
ohne welche Kritik bloß Verwerfung wäre, hängt von der Existenz dieser
äußeren Instanz ab. Beide Seiten werden in beziehungsloser Gleichbe-
rechtigung aufgehoben, wenn sie sich nicht dem Objektivität verbürgen-
den Gerichtshof unterwerfen. Dieses Gericht, an dem die Idee der Schönheit Richterin ist, gewinnt sein Gesetz aber weniger aus Interesse am
Schönen als vielmehr an der Idee selbst. Denn das Schöne erweist sich im
Verlauf des Prozesses als «das sinnliche Scheinen der Idee»[4], mithin bloß
als notwendige Station auf dem Weg der Idee zu sich selbst. Den Anspruch auf Objektivität bezahlt diese Kritik mit einer zweifachen Verfeh-

lung ihres Gegenstands. Sie substituiert ihn durch ein Urbild, an dem er sich messen soll, und sie muß das Urbild im Hinblick auf die noch ausstehende Wahrheit des ganzen Systems formulieren, die philosophisch sein wird. Philosophische Kritik überwindet die nur sinnliche Repräsentation der Wahrheit, indem sie dem Geist zur Befriedigung seines Bedürfnisses auch im Anderen seiner selbst verhilft. Hegel hat in diesem Aufsatz nicht das letzte Wort über Kunstkritik gesprochen; er wird in den «Vorlesungen über die Ästhetik» Auflösungsformen der romantischen Kunst thematisieren[5], denen auch die strenge, an absoluten Maßstäben orientierte Kritik unterlegen ist. Er hat hier allerdings Grundstrukturen des Phänomens Kritik dargelegt, die erlauben, zwischen objektivem Urteil und subjektiver Polemik zu unterscheiden und so Philosophie von Unphilosophie, schöne Kunst von ästhetischer Willkür zu trennen.

Eine Form der Kritik, die weder ihren Gegenstand vor das Tribunal der Vernunft zitiert noch ihn an seinem Urbild bewahrheitet wissen will, ist in der hermeneutischen Tradition ausgebildet worden. Die universalhermeneutische Kritik beansprucht, die Sachen selbst auszulegen, ohne dabei von der nötigen Selbstreflexion des Redens über Kunst, von der Geschichtlichkeit der Kunst wie auch der Kritik abzusehen. In diesem Konzept wird zwar die methodische Strenge der klassischen Kritik gemäß einem durchgängig in Fluß geratenen Weltbild relativiert; gleichzeitig soll aber das subjektive Meinen vermieden werden, zu dem das Kunsturteil absinken müßte, wenn aus der Inkommensurabilität der ästhetischen Phänomene auch deren Gleichwertigkeit abzuleiten wäre. Deshalb unterstellt die hermeneutische Kritik einen gemeinsamen Sinnhorizont, vor dem die unhintergehbare Subjektivität des Interpreten mit der wirkungsgeschichtlichen Offenheit des Werkes verschmilzt. Aufgabe des Kritikers ist die verstehende Rekonstruktion eines ursprünglichen Sinns, wie er unantastbar im Werk beschlossen liegt, und erst auf Grund dieser wiederhergestellten Originalität werden ästhetische Wertungen möglich. Von einem solchen Verfahren wird erwartet, daß es «ausdrücklich und bewußt den Zeitenabstand überbrückt, der den Interpreten vom Text trennt und die Sinnentfremdung überwindet, die dem Text widerfahren ist»[6]. Interpretation ist Verstehenshilfe[7], die jene Schwierigkeiten ausräumen soll, die durch die konstitutive Distanz des Rezipienten zum Werk, aber auch zu sich selbst, entstehen. Denn, so Gadamer, «geschichtlich sein heißt, nie im Sichwissen aufgehen»[8]. Um das Verstehen dennoch der geschichtlichen Substanz anzunähern, muß es sich über sich selbst aufklären, und die hermeneutische Innervation besteht darin, «daß alles solche Verstehen am Ende ein Sichverstehen ist»[9]. Ästhetische Erfahrung, weit entfernt davon, dogmatisch richten zu wollen, wird zum Anlaß für historische Erkundungen des sich im Verstehen entwerfenden Menschen. Kunstwerke sind Zeugnisse dieses Bildungsprozesses; die Restitution ihres originären, geschichtlich entfalte-

ten Gehalts schafft sie zu Äquivalenten im «Ganzen unserer geistigen
Überlieferung»[10] um und verleibt sie dem kanonisierten Kulturbesitz ein.
Auch wo sich die hermeneutische Kritik dem «überlegenen Anspruch des
Textes»[11] unterordnet, wird sie bestrebt bleiben, ihn aus seiner äußeren
Form zu erlösen und in ein Existential im universalen Akkulturationspro-
zeß zu übersetzen.[12] Gadamer versteht das als Dienst am Text und nicht als
Herrschaft über ihn, als Fürsprache gewissermaßen, die dem Text zu seiner
wahren Bedeutung verhilft.

Die Gegenstände dieser Kritik genießen die Dignität individueller Un-
vergleichlichkeit, jedoch ohne radikal in ihrer Andersheit wahrgenommen zu werden. Als Faktoren des umfassenden Geistesgeschehens, das
sie trägt, hängt ihre Gültigkeit von ihrer Identifikation im Kontext des
subjektiven Sinnverstehens ab. Das erinnert an ein Moment in Kants Bestimmung des Erhabenen: Wenn etwas schlechthin, über alle Vergle-
chung groß ist, «so sieht man bald ein: daß wir für dasselbe keinen ihm
angemessenen Maßstab außer ihm, sondern bloß in ihm zu suchen ver-
statten. Es ist eine Größe, die bloß sich selber gleich ist. Daß das Erhabene also nicht in den Dingen der Natur, sondern allein in unsern Ideen zu
suchen sei, folgt daraus.»[13] Die befremdliche Gewalt des Erhabenen ist
dadurch gebannt, daß sie als unsere eigene Idee erscheint, als welche sie
in uns das Gefühl eines übersinnlichen Vermögens erweckt und so als
Stimulans der Vernunft funktioniert. Ähnlich bewirkt die Verschmelzung
der offenen Horizonte des Sichverstehens und des Sichversetzens in
Fremdes «die Erhebung zu einer höheren Allgemeinheit, die nicht nur die
eigene Partikularität, sondern auch die des anderen überwindet»[14].
Selbststeigerung noch in der Durchdringung des Fremden ist das Anliegen hermeneutischer Bildung. An ihrem Ziel, den Sinn der Welt mittels
authentischer Auslegungen des in ihr Ausgesprochenen zu erschließen,
wird sich die postmoderne Hermeneutik-Kritik entzünden. Der substantielle Gesamtsinn erscheint ihr nicht mehr als Reichtum der Traditionen,
sondern als eine Schattenwelt, aus der die Kunst selbst verdrängt wurde.
Und die geistesgeschichtlich ent-fremdende Leistung der Interpretation
ist, nach einem Wort Susan Sontags, die «Rache des Intellekts an der
Kunst», denn: «Interpretieren heißt die Welt arm und leer machen.»[15]

Während die hermeneutische Theorie dem Problemkreis verhaftet ist,
wie im Wandel der Zeiten und unter Einschluß der subjektiven Situation
gültige Interpretationen zu bewerkstelligen sind, findet die Kritik der Kritischen Theorie, die sich explizit an den Werken der Moderne orientiert,
ihren vornehmen Maßstab an deren eigenem kritischem Charakter. Das
Verhältnis gegenseitiger Anerkennung von Werk und Kritik tritt erneut in
sein Recht, und Kritik wird recht eigentlich zur kritischen Kritik, wenn sie
im Eigensinn der Kunstwerke, ihrer konstitutiven Heterogenität gegenüber dem gesellschaftlichen Tauschprinzip, deren gesellschaftskritische

Bedeutung ausmachen kann. «Der Wahrheitsgehalt der Kunstwerke ist fusioniert mit ihrem kritischen», schreibt Adorno[16]; kritisch aber sind die modernen Künste, sofern sie den avanciertesten Stand ästhetischer Produktivkräfte repräsentieren. Indem sie sich dem verhärteten und entfremdeten gesellschaftlichen Zustand angleichen, reflektieren sie zugleich dessen Negativität, und die kritische Kritik gewinnt an dieser Opposition ihr objektives Korrelat. Sie wird weder von außen herangetragen, noch ist sie reproduzierende Einfühlung in ursprüngliche Intentionen. Adorno scheint vielmehr die Figur dialektischer Aufhebung der Kunst mit dem romantischen Postulat ihrer Vollendung zu verknüpfen: «Die geschichtliche Entfaltung der Werke durch Kritik und die philosophische ihres Wahrheitsgehalts stehen in Wechselwirkung ... Zugleich ist das Bedürfnis der Werke nach Interpretation als der Herstellung ihres Wahrheitsgehalts Stigma ihrer konstitutiven Unzulänglichkeit.»[17] Die philosophische Kunstkritik verhält sich zu den Werken wie diese sich zu ihrem gesellschaftlichen Substrat, kritisch durch darstellende Konstruktion. Im Zentrum der Theorie steht nicht mehr die epistemologische Frage nach der begrifflichen Angemessenheit von Interpretationen, da beide, der reflektierende ästhetische Diskurs und die künstlerisch-mimetische Darstellung, in ihrer Unterschiedenheit korrespondierende Erkenntnisformen sind. Sie ergänzen einander im Aufweis der Unfreiheit, Unversöhntheit der Realität. Ästhetische Theorie ist gerade deshalb auch Gesellschaftstheorie, weil sie mit moderner Kunst im Paradigma der Kritik übereinkommt.

Allerdings dementieren zwei Tendenzen diese geschichtsphilosophische Affinität. Zur modernen Kunst gehört wesentlich, daß sie sich selbst thematisiert, ihre medialen Grenzen sprengt und das Axiom des Kunstseins von sich aus in Frage stellt. «Es handelt sich darum», so Michel Foucault, «daß die Literatur als privilegiertes Objekt der Kritik seit Mallarmé sich unaufhörlich dem nähert, was die Sprache in ihrem Wesen selbst ist, und dadurch fordert sie eine zweite Sprache heraus, die nicht mehr die Form der Kritik, sondern die Form eines Kommentars hat.»[18] Erst recht gilt das für die Malerei, die sich der Kritik ihrer Grundlagen und Materialien im eigenen Medium nicht mehr enthalten kann. Die Kritik hat sich, wie Hegel es für die nachromantische Kunstform beschrieb[19], der künstlerischen Reflexion bemächtigt und ist zum integralen Bestandteil der Werke geworden. Angesichts solch heilsamer Sprachverwirrung hat die notorische Scheidung von begriffsloser Kunst und diskursiver Entfaltung ihrer Wahrheit an Evidenz eingebüßt, ist die Dialektik von ästhetischer Immanenz und kritischer Transzendenz gleichsam vom Werk her unterbrochen. Schwerer wiegt aber der Umstand, daß die geschichtliche Bewegung der Künste zu einer Situation geführt hat, in der ihr kritisches Potential aufgebraucht und von der gesellschaftlichen Unwahrheit aufgesogen worden ist. Hatte Adorno noch der autonomen Kunst den Vorzug

vor der engagierten gegeben, weil sie allein durch ihre Gestalt dem Welt-
lauf widerstehe und sich nicht in kompromittierbaren Aussagen er-
schöpfe, so scheint dieser Streit heute obsolet zu sein[20], da beide ästhetischen Einstellungen das Schicksal ereilt hat, das Sartre als schlechtes
Gewissen schon des Dichters am Ende des 19. Jahrhunderts diagnosti-
ziert: «Gerne würde er, wie der Held der ‹Räuber›, dem abscheulichen
Lauf der Welt das Gesetz seines Herzens entgegenstellen, wenn er nicht
fürchtete, am Grunde seines Herzens die Welt wiederzufinden.»[21] An die
Stelle halbherziger Furcht vor der Gewichtlosigkeit der Kunst und der
Geringfügigkeit antibürgerlicher Affekte ist freilich inzwischen ein ver-
wirrender Verzicht auf den Luxus kritischer Präponderanzen getreten;
die kritische Kritik hat damit ihren akuten Einsatzpunkt verloren.

2.

Die Kunst der sechziger Jahre ist in weiten Bereichen von der Ablehnung
ehemals moderner Impulse bestimmt, und in eins damit hat sich die Auffassung von den Aufgaben der Kunstkritik gewandelt. Moderne ist zur
«Schulbuchmoderne»[22] verkommen, sie wird «als *der* Kanon für das Museum und die Akademie»[23] bekämpft. Diese Modernismus-Kritik zeichnet
ihr «unkritischer» Charakter aus; es ist nicht ihr Anliegen, die ältere Tradition in neue künstlerische Gestaltungsformen zu überführen, sie benutzt
willkürlich historische Vorbilder, sie setzt sich unengagiert und vulgär über
herkömmliche ästhetische Standards hinweg. Die neue Erlebnisweise gilt
als «konsequent ästhetische Erfahrung der Welt»[24], deren hedonistischer
Impetus mit der strapaziösen Bloßstellung und Entmächtigung des falschen Lebens nichts zu tun hat. Statt der «Kritik des Lebens» soll die Kunst
der sensorischen «Erweiterung des Lebens» dienen.[25] Sie liefert keine Kulturkritik, ist vielmehr zur Komplizenschaft mit den Ikonen der herrschenden Konsumwelt bereit. Für die etablierte Kunstkritik wurde diese einver-
nehmliche Affirmation, namentlich der amerikanischen Pop-Art, zum
Skandalon: «Lange Zeit wollte man hier (in Europa, J. S.) nicht einsehen,
daß damit kein kritischer Reflex verbunden, sondern ein bestenfalls wert-
neutrales, meist zustimmendes Zitieren von Umwelt gemeint war.»[26]
   Der Einzug kritischer Distanz und die mit den Mythen des Fortschritts
amalgamierende Bilderproduktion finden in einem historischen Augenblick statt, in dem die Logik des Spätkapitalismus hermetisch geworden
ist und kein Terrain mehr für Positionen offenläßt, von denen aus sie als
Ganzes rekonstruierbar oder gar aus den Angeln zu heben wäre. Während moderne Kunst ihre Kraft aus der Darstellung der entmenschlichten
Lebenswelt bezog, läßt sich die Postmoderne – im Unterschied zu älteren

Formen des Ästhetizismus – unsentimental bis zur zynischen Gleichgültigkeit auf die beschädigte Gegenwart ein. Massenkultur und Kulturindustrie erzeugen nicht mehr jenen sensiblen Überdruß, der sich am distinguierten Geschmack schadlos hielt; der Geschmacklosigkeit sind keine Grenzen gesetzt. Für die Verfassung der nachmodernen Künste gilt ebenso, was Lyotard vom heutigen Wissen generell behauptet: «Man kann heute sagen, daß diese Arbeit der Trauer (die die Moderne geleistet hat, J. S.) abgeschlossen worden ist. Sie ist nicht wiederzubeginnen.»[27] Daß sie jedoch wiederaufgenommen wird, weniger in Form rückwärts gewandter Sehnsucht als unter dem Zeichen der aktuellen Bedrohungen der Menschheit, zeugt von wesentlichen Widersprüchen im postmodernen ästhetischen Denken. Performance-Künstlerinnen wie Meredith Monk und Laurie Anderson begreifen ihre Arbeiten als Angriffe auf den amerikanischen Mythos, und Jean-François Lyotard äußert in einem Interview: «‹Was machen wir, wenn wir keinen Horizont der Emanzipation haben, wo bieten wir Widerstand?›, das ist für mich *die* Frage.»[28] Daß diese Frage heute so elementar gestellt wird und es den Anschein hat, als suspendiere das Fragen allein schon von sinnvollen Antworten, ist Ausdruck eines paralysierenden Effekts der spätkapitalistischen Logik, deren Integrationskraft objektiv ausreicht, radikal kritischen Optionen und utopischen Gegenentwürfen die Spitze zu nehmen. Wo kein Horizont der Emanzipation sichtbar ist, scheint noch eher das bewußte Degagement der Künste, ein subtiler Minimalismus die verwaiste Stelle der Kritik zu vertreten als der widerstandslose Regreß auf neu-erhabene Eigentlichkeiten.

Die Merkmale des Modernismus, die einst seine bürgerlich aufgebrachte Zurückweisung als häßlich und unmoralisch provozieren konnten, sind kraftlos geworden. Daß der Haß auf ‹entartete› Kunst heute geringer scheint, zeugt dabei weniger von gewachsenem Kunstverstand als von der unaufhaltsamen Durchdringung von Kunst und gesellschaftlichem System. Das künstlerische und das Bild der Reklame sind nicht länger Widersacher; auch die einseitige Indienstnahme ästhetischer Innovationen durch die Ökonomie ist überholt. Beide konvergieren im Prozeß der Bebilderung der Welt. Die Wurzeln der Entsakralisierung der Künste reichen in die Moderne zurück und bilden in ihr gleichsam eine postmoderne Subgeschichte. Die Dadaisten etwa suchten durch wahllose Zitate aus dem Abfall der Alltagswelt «eine grundsätzliche Entwürdigung ihres Materials zu erreichen», in der Absicht, «öffentliches Ärgernis zu erregen».[29] Wenn solche respektlosen Inszenierungen heute kein Ärgernis mehr bedeuten, so liegt das vor allem daran, daß sich die soziale Position der Künste gewandelt hat, daß auch ihre offensivsten Ausbrüche keine Skandale mehr produzieren, sondern institutionalisiert und mit der offiziellen Kultur der westlichen Gesellschaft eins geworden sind.[30] Gerade der Gegensatz zur offiziellen Kultur war aber für die authentische Kunst der Moderne und

ihre kritische Kritik von Belang gewesen. In dem Maße, in dem die ästhetische Produktion heute völlig in die Warenproduktion integriert ist,
wird notwendig ihre kritisch-mimetische Distanz neutralisiert. Diese
Situation kann keine ernsthafte ästhetische Auseinandersetzung mehr
ignorieren.

Die totale Verschränkung der Kunst in die Warenwelt macht nicht nur
ihre imaginären Eskapaden zur Illusion; auch das probate Zitieren außer-
ästhetischen Materials ins ästhetische Bild ist jetzt kein aussagekräftiges
künstlerisches Mittel mehr. Das Kunstwerk wird vielmehr selbst zum Unternehmen und dieses zum Kunstwerk. Christos «Surrounded Islands,
Biscayne Bay, Greater Miami, Florida 1980–83» zum Beispiel sind ein
ökonomisches Projekt von gigantischen Ausmaßen. Von ersten Verhand-
lungen über rechtliche Voraussetzungen der Realisierung bis zur Ausstat-
tung der Produzenten mit firmeneigenen T-Shirts entspricht alles einem
strategisch geleiteten Betrieb, dem der Künstler als Generaldirektor vor-
steht. Spätere Ausstellungen gelten nicht allein dem vollendeten oder
auch bloß beendeten Werk, sie dokumentieren den gesamten Produktionsprozeß einschließlich Materialproben und Reaktionen der Öffentlichkeit. Dem konventionell gestimmten Kunstgenuß wird sich dieses Unternehmen nicht erschließen; pikanter erscheinen da schon Proteste von
Umweltschützern, die Flora und Fauna der Inseln durch die riesigen pink-
farbenen Planen bedroht sahen.[31] Welche Anforderungen derartige In-
stallationen und Arrangements an das Publikum stellen, hat der französische Musikwissenschaftler Daniel Charles am Beispiel des Musikzugs
verdeutlicht, den John Cage 1978 in Bologna eingerichtet hatte. Auch
Cage übertrug hier nicht mehr außermusikalische Elemente in Musik,
sondern präparierte den Zug, der den Untertitel «Auf der Suche nach der
verlorenen Stille» trug, so, daß er mitsamt seinen Passagieren selbst zu
einem musikalischen Geschehen wurde. Den Mitreisenden wird eine
ungewöhnliche Einstellung abverlangt. Sie «sind nicht nur ein ‹braves
Publikum›, sondern sie *interpretieren* mit ihren Gesten und durch deren
Abwesenheit, durch ihr eigenes Agieren oder Nicht-Agieren, durch ihr
Geschrei und ihre Stille, durch ihr Zuhören oder ihre Zerstreutheit, kurz,
durch ihre An- *und* Abwesenheit zu dem, was sich im Zuge *und* an seinem
Äußeren abspielt, einen Musik- oder Geräuschtext, der eng, um nicht zu
sagen völlig von der *Natur* der Apparate bedingt ist.»[32]

Die Durchlässigkeit der Schranken zwischen Kunstwerk und Lebenswelt, die zur Aufhebung der gängigen Einteilung gesellschaftlicher Subsysteme tendiert, korrespondiert der sozialen Topographie der Künste im
Gesamtsystem, wie sie Jameson analysiert. Sie zwingt zur elementaren
Neuorientierung der ästhetischen Erfahrung, zur Modifikation überkom-
mener Rezeptionsweisen, die nicht zuletzt eine lebenspraktische Bedeutung erhält: Es ist zu vermuten, daß eine Choreographie wie die von

Merce Cunningham, die nicht lineare Abfolgen symbolischer Figuren
vorführt, sondern Erforschung der Bewegung sein will, heutigen Raum-
vorstellungen und kinetischen Dispositionen auf eine ähnliche Weise
entspricht, wie Benjamin es für die Schockwirkung des Films und ihr Verhältnis zur damals zu bewältigenden Lebensgefahr im Großstadtverkehr
festgestellt hat.[33] Aktuelle Apperzeptionsgewohnheiten müssen sich auf
eine Art gesellschaftlicher Unvernunft einstellen, der mit kausalen Erklärungen und zweckrationalem Handeln allein nicht beizukommen ist, und
im Bereich des Ästhetischen können Verhaltensweisen erprobt werden,
die zum Parieren dieser Unvernunft befähigen. Für den Kritiker werden
deshalb Bestandsaufnahmen zur vordringlichen Aufgabe. Ein künstlerisches Ereignis wie das des musikalischen Zugs ist in seiner Komplexität zu
beschreiben, seine vielfältigen, oft anthropologischen Dimensionen sind
zu entdecken und, wie Roland Barthes sagt, «mit der eigenen Sprache zu
decken»[34], anstatt sie auf willfährige Aussagen zu reduzieren. Der Kritiker
ist weder Richter, der über Sinn oder Unsinn des Ereignisses entscheidet,
noch sein Meister, der es durch adäquate Übersetzung in den kritischen
Diskurs beherrschen würde. Wenn Cages Inszenierung darauf abzielt, daß
alles Musik ist[35], so umschließt das auch den Kritiker und fordert von ihm
einen Einstellungswandel, der sein bislang unmusikalisches Geschäft im
Innersten tangieren wird.

3.

‹Alles ist Literatur›, so könnte auch das Leitmotiv der neueren Literaturkritik lauten; «auch der Kritiker ist Teil der Literatur», heißt es bei Roland
Barthes[36], dessen Arbeiten seit den frühen sechziger Jahren entscheidend
zur Revision des Kritik-Begriffs beigetragen haben.[37] Die neue Kritik begegnet der Literatur in der Überzeugung, daß Sprache das beiden gemeinsame Medium ist. Medium ist die Sprache nicht als symbolisches Mittel zur
Ausdeutung der nichtsprachlichen Welt, sondern als materialer Horizont,
von dem her geschrieben wird. Die Blickrichtung hat sich verändert. Die
natürliche Einstellung, der zufolge ein vorgängiges Erfahrungssubstrat,
ein Gegebenes nachträglich mit sprachlichen Bedeutungen belehnt wird,
ist der Auffassung gewichen, daß der Gegenstand literarischer Darstellung
selbst ein genuin sprachliches Produkt ist. Nachträglich ist vielmehr der
Sinn, der durch Arbeit am Medium Sprache erzeugt wird. Es kommt also
nicht darauf an, ihn aus seiner textuellen Entfremdung zu befreien, wie es
die Hermeneutik nahelegt, sondern sie als den einzig möglichen Ort seiner
Existenz zu begreifen. «Es gibt kein Signifikat», schreibt Jacques Derrida,
«das dem Spiel aufeinander verweisender Signifikanten entkäme, welches

die Sprache konstituiert ...»[38] Wahrheit ist nur als diese Unendlichkeit innersprachlicher Verweisungen und Bezüge zugänglich, als ein unerreichbarer Gegenstand, der immer umschrieben und umgeschrieben werden muß. In der Sprache, in ihrer eigenen und in der ihres Objekts, hat sich dementsprechend auch die Kritik zu plazieren.

Die literarische Sprache ist Reflexion jener Unabschließbarkeit von Bedeutungen, ihres Gleitens und Entgleitens. Auch wenn ein Text kein Fragment bleibt, ist er niemals zu Ende geschrieben, seine Totalisierung wäre eine mit dem Wesen der Sprache unvereinbare Subreption. Was alltägliche Kommunikation und normierte Wissenschaftssprachen beeinträchtigen muß, ist ein wesentlicher Bestandteil der Literatur. Daß sie die unbezwingbare Vieldeutigkeit sprachlicher Phänomene zuläßt, ist kein Mangel an Präzision oder Ausdruckskraft, sondern notwendiges Element einer Tätigkeit, deren bewußte Intention mit einer stets vorstrukturierten Materie konfrontiert ist. Sie geht als Sprache im Ganzen und unbewußte Voraussetzung des Schreibens in die sistierten Bedeutungen eines Textes ein, die dadurch nie völlig erfüllt werden, sondern die kontrollierte Funktion des empirischen Textes ins Wanken bringen. Dieser unreduzierbaren Vielfalt der Literatur muß die Kritik sich stellen: Sie hat es «offen und auf eigene Gefahr darauf abgesehen ..., dem Werk eine spezielle Bedeutung zu geben»[39]. Das Werk verlangt nach Kritik, aber nicht, wie Adorno behauptet hatte, auf Grund seines unzulänglich entfalteten Wahrheitsgehalts, sondern um überhaupt *etwas* zu bedeuten, wobei die je festgelegte Bedeutung lediglich der Anfang einer nicht abreißenden Kette von neuen Bedeutungen ist.

Aus dieser Perspektive, deren manifester Fluchtpunkt in der Schrift liegt, erscheint es verfehlt, die Qualität eines Textes nach der Fähigkeit seines Verfassers zu bemessen, die Welt mimetisch zu beleuchten und in originelle Metaphern zu kleiden. Die Bestimmtheit des künstlerischen Stils verdankt sich nicht den beherrschten Emanationen eines schöpferischen Individuums oder dem kollektiven Kunstwollen, sondern Differenzierungen und Interpolationen im Sprachraum, die den Autor erst zu dem machen, als das er uns gegenübertritt: als das Subjektive, das sich, nie endgültig oder von massiver Identität, in der Schreibweise herstellt. Ein Blick auf Musik und Malerei verdeutlicht, worum es geht. Pierre Boulez hat Werke komponiert, die nur den Rahmen festlegen, innerhalb dessen der Musiker – nun nicht mehr nur Ausführender, sondern selbst entschieden kreativ – einen bestimmten Verlauf wählt. Jede neue Aufführung schafft auch neue Möglichkeiten der Interpretation und Rezeption, und der Komponist verschwindet hinter der musikalischen Praxis, die er initiiert hat. Von Willem de Kooning stammt der Ausspruch, daß Stil Betrug sei. Seine Malerei hat mit dem Vertrauen auf eine vordenkliche Ordnung der Dinge gebrochen, sie wird zum Ereignis des Unvordenklichen, Uner-

warteten. Weder die ingeniöse Gedankentiefe des Malers noch die abbil-
dende Anverwandlung an gegenständliche Vor-Bilder kann erklären,
warum ein Bild jetzt und nicht zu einem anderen Zeitpunkt des maleri-
schen Prozesses fertiggestellt wird. De Kooning hat serienweise gemalt
und wieder übermalt, einmal beendete Bilder zurückgenommen, und aus
den unbetitelten Wiederholungen ragt kein einzelnes Exemplar als Meisterwerk heraus. Seine abstrakten Topographien konstruieren keine
repräsentative Form, weil ihnen der Hintergrund fehlt, von dem sie sich
definitiv unterscheiden würden; de Kooning spricht deshalb auch vom
‹Non-Environment›.

Diese Bilder illustrieren die Angst erregende Maßlosigkeit menschlicher Verrichtungen, die Aischylos einst beklagte: «Wir haben ja nichts,
das ein Maß uns wäre, so wir alles messend bedenken.»[40] Ohne Maß,
ohne ersichtlichen Ursprung, auf den ihre Zeichen zurückführbar wären,
ist auch die literarische Sprache. In ihr übernimmt jene «reine Abwesenheit» die Funktion des grundlosen Grundes, von der Derrida sagt, daß auf
Grund ihrer «alles in Erscheinung zu treten vermag und alles sich in der
Sprache erzeugen kann»[41]. Sprache ist hier Medium einer ‹Offenbarung›,
die nur rein sprachlich zu begreifen ist. Sie baut und erweitert imaginäre
Räume, deren Koordinaten nicht außerhalb der Sprache aufzufinden
sind. Wenn James Joyce den Satz «Finsternis, leuchtend im Licht, doch
vom Licht nicht begriffen»[42] schreibt, wird man Mühe haben, die Bedeutung dieses Satzes durch Entzifferung seines Sinns zu erfassen. Er begibt
sich auf unerforschtes Gebiet, streift vielleicht längst Erahntes, könnte
gar eine allzu helle und dadurch geblendete Aufklärung meinen. Doch
jenseits der Sprache bleibt er ‹unverstanden›: Die Finsternis ist ein Licht
ohne Quelle. Ebenso ist das literarische Werk, mit Derrida gesprochen,
«Verkleidung des Ursprungs», der ewig blind bleibt, was den Wunsch
nach angemessenen Interpretationen hintertreibt. Die bestürzende Entsicherung im Umgang mit Kunst ist durch hermeneutische Sinn-Versiche-
rung nicht ausgleichbar: «Diese Vakanz als Situation der Literatur ist das,
was die Kritik als die Eigentümlichkeit ihres Gegenstands erkennen muß:
sie ist das, um das *herum* immer gesprochen wird.»[43]

Die Eigentümlichkeit ihres Gegenstands ist die der Kritik selbst. Da sie
ebenfalls eine Sprache ist, erfährt auch sie ihre Bestimmungen durch die
Sprache und kann sich nicht auf eine gesicherte Reflexionsbasis außerhalb ihrer zurückziehen. Autor und Kritiker werden von Zeichen affi-
ziert, die nicht in dem aufgehen, was sie bezeichnen wollen. Ihnen geht es
mit der Sprache wie Jakob von Gunten mit der Moral: «Es ist mir nicht
möglich, mir die Wahrheit zu sagen.»[44] Die Arbeit des Kritikers nimmt
zwar von einem vorliegenden Werk in identifizierbarer Gestalt ihren Ausgang, aber das Werk ist ein unerschöpfliches Bedeutungsuniversum, das
seine Gestalten wechselt und unzählige Lektüren herausfordert, für die

ITALIEN

«Die große Masse ...

... der jedes Unterscheidungsvermögen fehlt, wird immer das ehren, was sie verachten sollte, und das lieben, wovor sie zurückschrecken müßte.»

Michelangelo Buonarroti

In künstlerischen Fragen mag das auch heute noch gelten; auf anderen Gebieten hat auch die sogenannte Masse schon lange zu unterscheiden gelernt – bei der Vermögensbildung zum Beispiel.

kein vernünftiges Telos existiert. «... alle Geschichten hängen zusammen», heißt es in einer Geschichte von Joseph Roth, deren Protagonist einen Eindruck mittels einer Erzählung veranschaulichen will, die in keinem einsehbaren Verhältnis zu ihrem Zweck steht. «Weil sie einander ähnlich sind oder weil jede das Entgegengesetzte beweist.»[45] Sie hängen in ihrer Unterschiedenheit zusammen, und was sie beweisen, ist bloß der bodenlose Umstand des Sichunterscheidens. Die Kritik hat dafür weder ein äußeres noch ein inneres Urteilskriterium: kein äußeres, weil sie selbst aus sprachlichem Stoff ist, und kein inneres, weil sich Strukturen, die Werke annehmen, nicht mit einem Sinndestillat vergleichen lassen. Sie steht vor demselben Problem wie die Literatur, nämlich um eine unbezwingbare Fülle, das Korrelat der unauffüllbaren Leere, herum sprechen zu müssen. Das hat Roland Barthes zu der Vorstellung inspiriert, «daß Kritik und Werk, indem sie ihre Stimme vereinen, immerzu sagen: *ich bin Literatur*»[46].

Die neue Kritik, die ein Stück Literatur ist, verliert zuoberst die traditionelle Funktion aller Kritik, Urteile zu fällen. Was auf den ersten Blick wie leichtfertige Abstinenz vom kritischen Geist überhaupt aussieht, ist Roland Barthes zufolge dessen selbstkritische Erneuerung: «Um subversiv zu wirken, braucht die Kritik nicht zu urteilen, sie braucht nur von der Sprache zu sprechen, statt sich ihrer einfach zu bedienen.»[47] Von der Sprache sprechen bedeutet, die auf gesellschaftliche Rollen – etwa des Kritikers und des Poeten – verteilten Sprachen anzugreifen. Dieses Unterfangen reagiert nicht nur auf die moderne Selbstreflexion der Künste, es stellt auch die gültige Scheidung von Kunst und Wissenschaft, und zwar von der Seite der Kunst aus, in Frage. Durch Vervielfältigung der Sprachen läßt sich das institutionalisierte Schema des intellektuellen Diskurses, an dem die Kritik partizipierte, erschüttern, und Barthes knüpft daran die Überzeugung: «Die Klassifikation ändern, das Sprechen verschieben heißt, eine Revolution machen.»[48] Der Literatur traut er zu, «die außerhalb der Macht stehende Sprache in dem Glanz einer permanenten Revolution der Rede» hörbar zu machen.[49] Auch wenn diese Erwartungen überzogen wirken, muß doch das Einreißen bewährter Grenzen die akademische Kritik untergraben. Mit der zureichenden Interpretierbarkeit von Texten gerät ihre kulturpolitische Hegemonie in Gefahr; denn die neue Kritik widerspricht der Einrichtung normativer Deutungsmodelle und bestreitet das Privileg einer kompetenten Geschmackszensur. Ihr Wort wiegt nicht schwerer als das jeder Lektüre, die nicht bevormundet wird; sie verweigert es, vermittelnd zwischen Lektüre und Werk zu treten, und respektiert die eigensinnige Subjektivität des Lesers, wohl wissend, daß in ihr der literarische Gegenstand seine Substanz hat.[50] Kant hatte den Vorgang des überschreitenden Lesens gut verstanden, als er empfahl, Kindern das Romanlesen zu verbieten. «Indem sie sie lesen, bilden sie sich in dem Romane wieder einen neuen Roman, da sie die Umstände sich selbst anders ausbilden, herumschwärmen und gedankenlos da sitzen.»[51] Genau diese Art des Lesens ist das Präludium der neuen Kritik.

4.

Da die neue die zentralen Belange der alten Kritik, die Konformität ihrer Wertungen und den Willen zum Sinnverstehen, diskreditiert, fragt es sich, was sie zu leisten imstande ist. Sie tritt unter zwei Bedingungen an, dem Wissen um ihr sprachliches Wesen und um die extreme Dissolutionsmöglichkeit literarischer Texte. Die Reflexion ihres sprachlichen Wesens führt die Kritik in eine paradoxale Situation. Einerseits ist sie jetzt dazu angehalten, ihre eigenen Voraussetzungen in einer Art «Autohermeneutik»[52] offenzulegen: «Jede Kritik muß in ihrem Diskurs ... einen impliziten Diskurs über sich selbst enthalten. Jede Kritik ist Kritik des Werkes und Kritik ihrer selbst.»[53] Allein darin besteht ihre Verbindlichkeit, daß sie Rechenschaft über ihr Verfahren – es sei welches es wolle – ablegt, und nicht in der Hypostasierung einer Auslegung zur einzig adäquaten. Das aleatorische Verfahren der Kritik leistet weniger einem willkürlich einfühlenden Umgang mit Texten Vorschub, als daß es die erschlichene Autorität des Interpreten destruiert. Er wird die Schwierigkeit zugeben, in die Sprache geworfen, aus ihr wieder aufzutauchen. Die selbstkritische Revision des kritischen Diskurses enthält andererseits das Eingeständnis, daß kein gerader Weg zur Wahrheit des Werkes führt: «... the ‹authentic› critic begins his job by accepting the inevitable discrepancy between the original text and his critical discourse.»[54] Barthes beschreibt diese Relation als «Anamorphose»[55] oder «Paraphrase»[56], als gebrochenes Verhältnis also, das eher der Fortsetzung des Werkes mit anderen Mitteln als einer Übersetzung gleicht.

Nutzlos sind Versuche, mittels Kritik die ursprüngliche Sinn- oder Bedeutungseinheit eines Werks rekonstruieren zu wollen, wenn es sich jeder erschöpfenden Auslegung entzieht, stets mehr Bedeutungen besitzt, als die Interpretation zu erfassen vermag. Statt auf einheitliche Ansichten aus zu sein, wird sie auf den Surplus abzielen, der gerade durch diesen Gebrauch von Wörtern und Sätzen, immer nur einer von vielen Möglichkeiten, im Kontext des Werks entsteht. Die neue Kritik macht aus der hermeneutischen Not, in Beliebigkeit zu verfallen, die Tugend eines kreativen Prozesses. Dem zermürbenden Rekurs auf adäquate Verständnisbedingungen entgegnet sie mit einem entschränkenden ‹Textbegehren›, das – gleichwohl nicht unkontrolliert – über die Werke hinausschießt: «Die Bedeutung, welche die Kritik dem Werk gibt, ist schließlich nur ein neues Aufblühen der Symbole, aus denen das Werk sich zusammensetzt. Ein Kritiker ... bezeichnet keine letzte Wahrheit des Bildes, vielmehr ein neues Bild, das seinerseits in der Schwebe bleibt.»[57] Unbefangen angesichts ihres Unvermögens, den Versuchungen literarischer Sprache standzuhalten, versteht sich Kritik selbst als unablässige Untersuchung im Bereich der Sprache, als Arbeit auf dem Gebiet, das ein Text eröffnet hat. Sie erweitert dieses Gebiet, indem sie Zugang zur Funktionsweise des Textes sucht, sich seine innere Gesetzmäßigkeit zu eigen macht und in seiner Sprache spricht. Sie bringt Motive und Strukturen eines Werks noch einmal ins Spiel, dekomponiert sie und fügt sie wieder zusammen. Auf diese Weise wird ein neuer, mit Bedeutungen angereicherter Text erzeugt, ein «Simulacrum»[58], die Rekonstruktion eines Objekts, das es so zuvor nicht gegeben hat. Werturteile sind hierbei von geringem Interesse, sie würden ein empathisches Verhältnis zum Werk verhindern. Statt dessen spielt die eigene Leidenschaft des Kritikers im Weiterschreiben des Textes eine beträchtliche Rolle. Die Wahrheitsfrage darf so weit vernachlässigt werden, daß sie schließlich eskamotiert wird. Oscar Wilde paraphrasierend, schreibt Ihab Hassan, «that the aim of the critic is to see the object as it really is not»[59]. Das Werk hört auf, der Gegenstand zu sein, auf den Kritiker «ihr Löschpapier» drücken und «ihre dicken Pinselstriche» schmieren.[60] Es wird aus der Perspektive der neuen Kritik gar nicht als fertiger Gegenstand betrachtet, sondern zum Anlaß genommen, die Sprachverschiebungen, die es insinuiert hat, weiterzuweben und Orte zu schaffen, die noch nicht besetzt sind. Die Nähe, in die sich diese Kritik zur Literatur bringt, könnte als neuerliche Anmaßung des Intellekts oder als Camouflage eines schlechten Irrationalismus mißverstanden werden. Doch das Denken, das von der Sprache ausgeht, greift ein zentrales Moment der «Dialektik der Aufklärung» auf, die Trennung von Wissenschaft und Kunst, und widerspricht ihrer Berechtigung. In ihm kommt die moderne Tradition der Selbstreflexion der Künste mit der postmodernen Ästhetisierung der Wissenschaften überein.[61] Ein Beispiel dafür, daß solche Grenzgänge praktische Folgen haben, gibt die Notiz Umberto Ecos zur Konzeptualisierung seines Romans «Der Name der Rose». Er hat sich die Frage nach der «Möglichkeit zu einem neuen, nicht versöhnlerischen, hinreichend problemhaltigen und dabei amüsanten Roman» gestellt und antwortet: «Diese Kombination, verbunden mit der Wiederentdeckung nicht nur der Handlung, sondern auch des Vergnügens, mußte erst noch von den amerikanischen Theoretikern des Postmodernismus besorgt werden.»[62] Hier entsteht ein Wechselspiel von Theorie und literarischer Praxis. Der postmoderne Roman übernimmt gleichsam die Rolle, Theorien zu erläutern, die ihrerseits von ästhetischen Entwicklungen zehren. Zwischen beiden gibt es keine methodische Kongruenz – es wäre äußerst langweilig, die ‹theoretischen› Parts der Kunstwerke in einem zweiten ‹theoretisierten› Aufguß vorgeführt zu bekommen –, sondern einen dynamischen Prozeß, in den das gemeinsame Material Sprache hineingerissen wird.

Literatur und Kritik sind, trotz wesentlicher Überschneidungen, auch verschiedene Diskurse. Beide betreiben Sprachkritik, aber auf unterschiedliche Weise. Das wissenschaftliche Feld, auf dem die Kritik vorrangig operiert, ist für Barthes die Semiologie. Sie ist Kritik an der durch die Macht bearbeiteten Sprache, an den zur zweiten Natur gewordenen Mythen des Alltags. Die Semiologie gebraucht den Text als «eigentliche(n) Index der Machtentblößung», vertieft sich in Schreibweisen, nicht um sie begrifflich kommensurabel zu machen, sondern um ihr Anwachsen so zu komplizieren, daß es womöglich nicht vereinnahmt werden kann. Sie tritt in den Austauschprozeß mit der literarischen Praxis ein: «Literatur und Semiologie vereinen sich so, um einander zu korrigieren.»[63] Ein korrektives Verhältnis bleibt natürlich diskursiv, Kunstwerke könnten einander nicht einmal Empfehlungen geben. Schon durch die notwendige Selektion der Objekte, mit denen sie sich beschäftigt, trifft die Kritik, obwohl ihr prinzipiell jedes Objekt ‹gut genug› ist, markante Entscheidungen. Aus dieser Aporie kommt sie nicht heraus, sie kann sich jedoch in ihr einrichten. Genau das ist die Strategie, die Barthes einschlägt, um das Paradigma der neuen Kritik zu errichten. «Lust am Text» ist das Stichwort, mit dem eine genuin ästhetische Erfahrung, unbekümmert um ihre Rechtfertigung und ungehindert durch Topoi der wissenschaftlichen Ästhetik, zur Basis eines über Texte vermittelten Selbst- und Weltverständnisses wird. Die Partikularität der Triebe ist dabei kein defizienter Modus des noch nicht auf die Höhe der Vernunft gelangten Aneignungsverfahrens, sondern untilgbares Residuum im Umgang mit Kunst. Ihm verdankt sich die phantastische Fülle sprachlich erschlossener Dimensionen, die von der akademischen Kritik stets nur sistiert und beschnitten wurde. «Lust am Text» ist ein Programm, das dem szientistischen Objektivismus jene Ohrfeige versetzt, die einst Benjamin der Wissenschaft zugedacht hatte.[64] Auf den ersten Blick scheint die hedonistische Lektüre, die unter diesem Titel zu verstehen ist, allen Kriterien des wissenschaftlichen Arbeitens zu widersprechen, der harten Disziplin, dem analytischen Verstand, auch der synthetisierenden Vernunft. Sie scheint der Leidenschaft einseitig den Vorzug vor der Arbeit zu geben, Befreiung vom Intellektualismus zu suggerieren und so mit einiger Verspätung dem alten Verdikt Max Webers über die «moderne intellektualistische Romantik des Irrationalen»[65] zu verfallen. Aber die «Lust am Text» ist auch eine textkritische Technik, der politische Erwägungen zugrunde liegen. «Die Modernität», schreibt Roland Barthes, «ist ständig bemüht, sich dem Tausch zu entziehen»; doch «der Tausch absorbiert alles, indem er akklimatisiert, was ihn zu negieren scheint.»[66]

Diese Feststellung, die mit Jamesons Beschreibung der spätkapitalistischen Bedingungen postmoderner Kultur übereinstimmt, legt nahe, daß

die Möglichkeit politisch motivierter Kritik nur in einer zeitweiligen Se-
zession aus der Politik bestehen kann: «Weder die Kultur noch ihre Zerstörung sind erotisch; erst die Kluft zwischen beiden wird es.»[67] In dieser
Kluft treffen Gegensätze aufeinander, die für sich je schon so entwertet
sind, daß die Parteinahme für eine der Seiten gegen die andere keine
Befreiung verspricht. Weder die alten Polarisierungen noch nivellierende
Synthesen führen zur Wiederbelebung der in verfestigten Diskursen erstarrten Kritik. Kultur, die gesellschaftliche Praxis schlechthin, und die
Zerstörung ihrer geronnenen Formen bilden vielmehr einen Prozeß, in
dem unweigerlich neue Mächte errichtet werden, und nur im Moment
ihres Zusammenpralls kann Lust entstehen, Lust am beständigen Boykott eben dieser Mächte. Der Text ist ein exemplarischer Boykott, indem
er Bedeutungen, die er setzt, zugleich überlagert, aushöhlt und in ein
konnotatives Umfeld rückt, das sie ins Wanken bringt. Die Lektüre ver-
zweifelt daran nicht, sondern nimmt dieses Spiel auf, anstatt zu perhor-
reszieren, was sich ihr in den Weg stellt. In dem Maße, in dem die ‹Lese-
rei› latente Bedeutungen eines Textes manifest werden läßt, macht sie
auch umgekehrt Manifestes wieder latent.

Die Nobilitierung der leidenschaftlichen Leseerfahrung zum Inbegriff
der Literaturkritik erhält zugleich eine politische Bedeutung. Die Lust sei
«ein Treiben, etwas, was zugleich revolutionär und asozial» und vor allem
«atopisch» ist.[68] Ortlosigkeit, gepaart mit ideologischer Enthaltsamkeit,
scheint der einzige Ort zu sein, der nicht mit Beschlag belegt werden
kann. Ein listiges Verhalten wird dem Ästheten abverlangt, die Bereit-
schaft, sich selbst zurückzunehmen, um durch die Maschen der unzähli-
gen Diskurse zu schlüpfen, die ja gerade die Lust durchdringen und kon-
trollieren.[69] Stellt man die Abhängigkeit literarischer Werke von ihren
Lesern in Rechnung, ist es durchaus plausibel, der hedonistischen Lektüre eine wesentliche Suspensionskraft zuzusprechen: «... was die Lust
suspendiert, das ist der *signifikante* Wert: die (gute) SACHE.»[70] In die
Leerstellen, die durch den Ausfall vorgefertigter Sachbezüge und linguistisch repräsentabler Wertigkeiten entstehen, kann die Lektüre dissozia-
tiv einbrechen. Die kommunizierbare Sprache, die der Text auch über-
mittelt, wird außer Kraft gesetzt; statt dessen mobilisiert er latente und
marginale Gedanken und Gefühle, gewinnt er beinahe analytische Funktion: Textanalyse und durch den Text ausgelöste Selbstreflexion ergänzen
einander. Soll aber die Kluft zwischen Kultur und ihrer Zerstörung analog
dazu als existentieller Freiraum gedacht werden, müßte der ‹Nicht-Ort›
angegeben werden können, an dem es möglich wäre, sich der Kooptie-
rung durch die Macht zu widersetzen. Absage an Kritik, die sich in Ausübung ihres Amtes immer auch bloßstellt, reicht hierfür nicht aus; dem
«Nullpunkt der Literatur» entspricht kein soziales Vakuum. Es ist das
Paradox des zeitweiligen Auszugs aus der Politik, daß er bestenfalls neue

Perspektiven innerhalb des gesellschaftlichen Systems erlaubt, aber kaum wirkungsvolle Subversionen.

Überdies ist «Lust am Text» eine Formel, die *moderne* Rezeptionsweisen betrifft. Ihr liegt allemal Geschmack zugrunde, wie Barthes an Hand von Flaubert ausführt: «... niemals wurde dem Leser die Lust so gut dargeboten – sofern er nur Geschmack an kontrollierten Brüchen, verfälschten Konformismen und indirekten Destruktionen hat.»[71] Intellektuelle Genußfähigkeit ist vorausgesetzt, ähnlich der Vorstellung Kants, dem zufolge «die allgemeine Mitteilungsfähigkeit des Gemütszustandes» als «subjektive Bedingung des Geschmacksurteils» der Lust vorhergehen muß, damit sie überhaupt ausgelöst wird.[72] Die Nähe zur Erkenntnis und der Bezug auf moralische Ideen kultivieren die Lust und heben ihren bloß privaten Charakter auf, der niemals ein Urteilskriterium sein kann. Geschmack ist eine sozialisierte Form der Lust, schwer vereinbar mit ihrer von Barthes behaupteten Asozialität. Deshalb stellt er der Lust, der modernen ästhetischen Selbstbestätigung, das *postmoderne* Pendant der «Wollust» gegenüber. Wollust ist die völlige Offenheit für alles, was auf mich einströmt, ein gefährliches Extrem jenseits der bloß maskierten Figur der Nichtidentität. Wollust überbietet die Lust, indem sie auch von kulturell verankerten Ichfunktionen suspendiert. Erst durch Preisgabe der bewährten Ökonomie der Selbstbehauptung wird jene ungenierte Hingabe an den Text möglich, jenes totale Sichverlieren, das im Leben nie so recht gelingen will. Barthes greift hiermit ein Thema auf, das im Kontext des neostrukturalistischen Denkens breiten Raum einnimmt: die Dezentrierung oder Dekonstruktion des Subjekts.

5.

Die rein ästhetische Betrachtungsweise, die durch die Metaphern der «Lust am Text» und des «wollüstigen Ichverlusts» wiedererweckt wird, ist an ein kulturelles Kapital gebunden, das klassenspezifisch erworben wird. Illogismus, die Fähigkeit, logische Widersprüche zu ertragen, ist eine Haltung, die demütigenden Antagonismen nicht hautnah ausgesetzt und auf Kritik auch nicht angewiesen ist. Pierre Bourdieu hat die ästhetische Einstellung, die sich dem Zwang der Notwendigkeit entziehen kann, als «Dimension eines objektiven, Sicherheit und Abstand voraussetzenden, distanzierten und selbstsicheren Verhaltens zur Welt»[73] charakterisiert und in seiner weit angelegten Untersuchung der «Feinen Unterschiede» in den Lebensstilen der französischen Gesellschaft gezeigt, «daß nicht alle gesellschaftlichen Klassen im gleichen Umfang dazu verleitet werden und darauf vorbereitet sind, in dieses Spiel sich gegenseitig ablehnender Ablehnungen, sich gegenseitig überschreitender Überschreitungen einzutreten».[74] Der souveräne Genuß des Ästheten ist vielmehr negativ dadurch bestimmt, daß er sich «vom gedankenlosen Genuß des ‹Naiven› ... ebenso wie vom vorgeblich lust-losen Denken des Kleinbürgers und ‹Parvenus›» absetzt.[75] Der versöhnliche Schein, der die demokratische Lustempfindung im Gegensatz zum distinguierten Geschmack umgibt, kann als Ausdruck eines Paradigmenwechsels interpretiert werden, der die kompetenten Verwalter der legitimen ästhetischen Urteile zum bislang stigmatisierten ‹Leichten›, gar ‹Leichtfertigen› Zuflucht nehmen läßt, nachdem dessen Ablehnung kein Prestige mehr garantiert. Die vergnügliche Postmoderne hat die Barrieren zum ‹Vulgären› eingerissen, nur um es sich in idealisierter gesellschaftsfähiger Form anzueignen. «Massenkultur» ist nach Roland Barthes «von der Kultur der Massen zu unterscheiden ... wie das Wasser vom Feuer»[76]. Obwohl sich seine Literaturkritik nicht als Umschlagplatz kulturell höherer Werte begreift, ist ihre lustvolle Prinzipienlosigkeit nichtsdestoweniger ein objektives Erkennungszeichen jener «Gesellschaft der Freunde des Textes»[77], die sich den Dissens als raffinierte Form des Kunstgenusses leisten kann. Der Verzicht auf semantische Verifikationen und außerästhetische Mittelbarkeit, das Kreisen um Abwesenheiten und die Substitution des Kunsturteils durch unverstellte Lust jenseits der ambitionierten Kritik sind neue Distinktionsmerkmale eines höchst subtilen ästhetischen Vermögens. Es hat sich dem Gegensatz von gutem Geschmack und Geschmacklosigkeit entzogen, der vormals die Klassen unterschied und definierte. Gleichwohl verdankt es sich der privilegierten Fähigkeit, noch am Ausfall entlastender ästhetischer Genüsse in den modernen Künsten Gefallen zu finden.

Hier taucht im Ästhetischen ein Widerspruch auf, der die nachmoderne Subjekt-Kritik insgesamt kennzeichnet. Gerade die Freilegung metaphysischer Voraussetzungen des neuzeitlichen Ich-Begriffs im Zuge von Psychoanalyse und Texttheorie hat deutlich aufklärerische Impulse, indem die bürgerliche Konstruktion der Subjektivität als Vermittlungsinstanz von Herrschaftsmechanismen ins Blickfeld rückt. Einsicht in die Haltlosigkeit ideologisch und psychologisch induzierter Selbsterhaltungsansprüche erfordert aber einerseits ein ‹starkes Ich›, das imstande ist, seinen «sozialen Tod»[78] auf sich zu nehmen und ohne die – freilich immer ambivalente – Sicherheit institutioneller Entlastungen zu existieren. Das Projekt der Dekonstruktion des Subjekts reagiert andererseits auf die realgeschichtliche Destruktion von Subjektivität, ohne sich mit der Übermacht des Systems zu identifizieren. Überlegungen zum ganzheitlichen Leben und Ideen der Selbstentmachtung bestehen gegenwärtig nebeneinander. Auch wenn Texttheorien sich bisher kaum ernsthaft in gesellschaftstheoretische Auseinandersetzungen eingelassen haben, geben sie doch Anlaß, die überkommene Auffassung vom selbstmächtig agierenden Subjekt in Frage zu stellen. Im Hinblick auf den möglichen politischen Stellenwert einer Bedeutungstheorie, die das Repräsentationsmodell der Sprache hinter sich läßt, schreibt Jan Broekman: «Die Zunahme an Komplexität hinsichtlich der Bedeutungsstruktur impliziert eine Relativierung der sprachlichen Macht des Subjekts. Das ‹Ich› des Sprechers, das die Bedeutung als Oberfläche ausspricht, ist selber als Funktion der Sprache zu betrachten.»[79] Einen vergleichbaren Akzent setzt Roland Barthes, wenn er das durch den Text hindurchgegangene Subjekt als «Fiktion» und nicht länger als «Illusion» versteht.[80] Das fiktive Individuum weiß um die Relativierung seiner – nicht nur sprachlichen – Macht; es hat aufgehört, den Verlust der auf sie gegründeten Autonomie zu beklagen. Was als unreglementierte ästhetische Praxis Lossage von ausgrenzenden Normen und Absetzung selbst noch des modernen Ideals der Authentizität bedeutet, ist jedoch nicht unmittelbar der neuen Gestalt gesellschaftlicher Freiheit gleichzusetzen.

Unter postmodernen Vorzeichen ist allerdings eine Diskussion in Gang gebracht worden, die Strategien der Macht bis in ihre anthropologische Grundlegung verfolgt und damit unverzichtbare Voraussetzungen des modernen Denkens angreift. Jürgen Habermas zitiert in seinem programmatischen Vortrag «Die Moderne – ein unvollendetes Projekt» Octavio Paz, der das geheime Thema des Modernismus in der «Sehnsucht nach der wahren Präsenz» sieht.[81] Genau dagegen, gegen die «Bestimmung des Seins als Präsenz», richtet sich Derridas Metaphysik-Kritik.[82] Das flüchtige, transitorische, sich selbst nie präsente Sein ist nicht nur die besondere Erfahrung eines Ichs, das sich als Funktion der Sprache zu thematisieren versteht, sondern ist zur alltäglichen Erfahrung geworden, in der die Gesinnung der ästhetischen Moderne ihre subversive Kraft eingebüßt hat. Der postmoderne Einstellungswandel ist ein Versuch, dieser Erfahrung gerecht zu werden. Ob das unkalkulierbare, nicht auszulotende Subjekt der Kolonialisierung durch die Macht des Systems allein deshalb schon ausreichend Widerstand bietet, weil es sich der Mittel begibt, seinerseits Fremdes zu kolonialisieren, ist gewiß eine offene Frage, ebenso die, wie sich die durch die Zurückweisung des abendländischen ‹Logozentrismus› entbundenen kreativen Kräfte emanzipatorisch artikulieren können, wenn die «großen Erzählungen» allesamt unglaubwürdig geworden sind.[83] Die sophistische literaturkritische Praxis scheint dieses Verhalten jedenfalls zu erproben. Sie gibt das Deutungsmonopol auf, das ihr im Wissenschaftsbetrieb zugesichert ist, nicht um mit der Welt, wie sie ist, Frieden zu schließen, sondern um die vermeintlich unschuldige Selbstgewißheit des kritischen Bewußtseins, aber auch die der «Lust am Text» zu verspielen.

Aporien der Literaturkritik   215

Anmerkungen

1 Immanuel Kant: Kritik der reinen Vernunft, Bd. 1. Frankfurt/M. 1974, S. 13 (AXI)
2 Georg Wilhelm Friedrich Hegel: Über das Wesen der philosophischen Kritik überhaupt und ihr Verhältnis zum gegenwärtigen Zustand der Philosophie insbesondere. In: F. W. J. Schelling/G. W. F. Hegel: Kritisches Journal der Philosophie 1802/03. Leipzig 1981, S. 7.
3 Hegel: Über das Wesen der philosophischen Kritik, S. 9.
4 G. W. F. Hegel: Vorlesungen über die Ästhetik I, Werke Bd. 13. Frankfurt/M. 1970, S. 151.
5 G. W. F. Hegel: Vorlesungen über die Ästhetik II. Werke Bd. 14. Frankfurt/M. 1970, S. 231 ff.
6 Hans-Georg Gadamer: Wahrheit und Methode, 2. Aufl. Tübingen 1965, S. 295.
7 Vgl. Richard E. Palmer: Phenomenology as Foundation for a post-modern Philosophy of Literary Interpretation. In: Cultural Hermeneutics 1(1973), S. 218: «Interpretation ... helps when it reaches into the ‹sense› that lies behind the articulation.» – Nicht zu Unrecht reklamiert Palmer die Hermeneutik Gadamers und die phänomenologische Tradition, in der sie steht, für eine postmoderne Literaturwissenschaft. Sein Versuch wird aber dadurch begrenzt, daß er die im Zusammenhang des Neostrukturalismus geäußerte Hermeneutik-Kritik außer acht läßt. Vgl. dazu Manfred Frank: Was ist Neostrukturalismus? Frankfurt/M. 1984.
8 Gadamer: Wahrheit und Methode, S. 285.
9 Gadamer: Wahrheit und Methode, S. 246.
10 Hans-Georg Gadamer: Zur Fragwürdigkeit des ästhetischen Bewußtseins. In: Dieter Henrich/Wolfgang Iser (Hg.): Theorien der Kunst. Frankfurt/M. 1982, S. 69.
11 Gadamer: Wahrheit und Methode, S. 294.
12 Palmer: Phenomenology as Foundation, S. 220: «Referentiality ... is extential and not a matter solely of inner relationships in a text.»
13 Immanuel Kant: Kritik der Urteilskraft. Frankfurt/M. 1974, S. 171 (B 84).
14 Gadamer: Wahrheit und Methode, S. 288.
15 Susan Sontag: Gegen Interpretation. In: dies.: Kunst und Antikunst. Frankfurt/M. 1982, S. 15.
16 Theodor W. Adorno: Ästhetische Theorie. Frankfurt/M. 1970, S. 59. – Die Auseinandersetzung mit der Kritischen Theorie vertritt hier das moderne kritische Bewußtsein par excellence; für die amerikanische Tradition wäre sie mit dem New Criticism zu führen.
17 Adorno: Ästhetische Theorie, S. 194.
18 Michel Foucault: Die Ordnung der Dinge. Frankfurt/M. 1974, S. 118.
19 Hegel: Vorlesungen über die Ästhetik II, S. 235.
20 Theodor W. Adorno: Engagement. In: ders.: Noten zur Literatur. Gesammelte Schriften. Bd. 11. Frankfurt/M. 1974, S. 409–430. Adornos Kritik gilt neben Brecht v. a. Jean-Paul Sartres «Was ist Literatur?» (1950ff., 1958, zuletzt 1981).
21 Jean-Paul Sartre: Mallarmés Engagement. Reinbek bei Hamburg 1983, S. 26.
22 Helmut Heißenbüttel: Frankfurter Vorlesungen über Poetik 1963. In: ders.: Über Literatur. Olten/Freiburg 1966, S. 147.
23 Andreas Huyssen: Stationen der Postmoderne. In: Spuren 6 (1984), S. 34.

24 Susan Sontag: Anmerkungen zu ‹Camp›. In: dies.: Kunst und Antikunst, S. 335.

25 Susan Sontag: Die Einheit der Kultur und die neue Erlebnisweise. In: dies.: Kunst und Antikunst, S. 349. – «Kritik des Lebens» ist Definition der Kunst in der Tradition Matthew Arnolds.

26 Lothar Romain: Von der Botschaft zur Kommunikation. In: Katalog der Documenta 6, Bd. 1. Kassel 1977, S. 23.

27 Jean-François Lyotard: Das postmoderne Wissen. Bremen 1982, S. 77.

28 Jean-François Lyotard u. a.: Immaterialität und Postmoderne. Berlin 1985, S. 69.

29 Walter Benjamin: Das Kunstwerk im Zeitalter seiner technischen Reproduzierbarkeit. In: ders.: Gesammelte Schriften. Bd. I. 2. Frankfurt/M. 1974, S. 463.

30 Vgl. den Aufsatz von Fredric Jameson in diesem Band.

31 Vgl. den Katalog: Christo, Surrounded Islands, Biscayne Bay, Greater Miami. Florida 1980–83, Köln 1984.

32 Daniel Charles: John Cage oder die Musik ist los. Berlin 1979, S. 16f.

33 Benjamin: Kunstwerk, S. 464.

34 Roland Barthes: Literatur oder Geschichte. Frankfurt/M. 1969, S. 67.

35 Charles: John Cage, S. 12.

36 Barthes: Literatur oder Geschichte, S. 35.

37 Der Begriff der «nouvelle critique» wurde Barthes ursprünglich polemisch von Raymond Picard als Antwort auf sein Racine-Buch aufgezwungen. Barthes machte ihn sich zu eigen, und im folgenden steht er für neue Parameter der strukturalistischen bzw. neostrukturalistischen Literaturkritik. – Zum Streit zwischen Picard und Barthes vgl. Serge Dubrovsky: Pourquoi la nouvelle critique? Paris 1966.

38 Jacques Derrida: Grammatologie. Frankfurt/M. 1983, S. 17.

39 Roland Barthes: Kritik und Wahrheit. Frankfurt/M. 1967, S. 67.

40 Zit. nach Paul Ricœur: Arbeit und Rede. In: ders.: Geschichte und Wahrheit. München 1974, S. 205.

41 Jacques Derrida: Kraft und Bedeutung. In: ders.: Die Schrift und die Differenz. Frankfurt/M. 1976, S. 17.

42 James Joyce: Ulysses. Übertragung v. H. Wollschläger. Frankfurt/M. 1981, S. 40.

43 Derrida: Kraft und Bedeutung, S. 18.

44 Robert Walser: Jakob von Gunten. Ein Tagebuch. Frankfurt/M. 1982, S. 62.

45 Joseph Roth: April. In: ders.: Der Leviathan. Erzählungen. München 1976, S. 62.

46 Barthes: Kritik und Wahrheit, S. 83.

47 Barthes: Kritik und Wahrheit, S. 23f.

48 Barthes: Kritik und Wahrheit, S. 57. – Vgl. Ihab Hassan: The Critic as Innovator. In: Amerikastudien 22, 1 (1977), S. 61: «... that innovation in criticism finally aspires to epistemological as well as cultural revolution, perhaps even to basic political change.»

49 Roland Barthes: Leçon/Lektion. Frankfurt/M. 1980, S. 23. – In dieselbe Richtung zielt Kristevas Vergleich der «signifikanten Praxis» des Textes mit «politisch revolutionärer Praxis»; Julia Kristeva: Die Revolution der poetischen Sprache. Frankfurt/M. 1978, S. 30.

50 Vgl. z. B. Sartre: Was ist Literatur?, S. 40.

51 Immanuel Kant: Pädagogik. In: Akademie Textausgabe. Bd. IX. Berlin 1968, S. 473.

52 Marek Siemek: Marxismus und hermeneutische Tradition. In: B. Waldenfels/ J. M. Broekman/A. Pažanin (Hg.): Phänomenologie und Marxismus. Bd. 1: Konzepte und Methoden. Frankfurt/M. 1977, S. 70.

53 Barthes: Literatur oder Geschichte, S. 65.

54 Hassan: The Critic as Innovator, S. 59, in Anlehnung an Paul de Man.

55 Barthes: Kritik und Wahrheit, S. 76.

56 Barthes: Kritik und Wahrheit, S. 83.

57 Barthes: Kritik und Wahrheit, S. 83.

58 Roland Barthes: Die strukturalistische Tätigkeit. In: Kursbuch 5 (1966), S. 191.

59 Hassan: The Critic as Innovator, S. 51, anspielend auf Oscar Wildes Essay «The Critic as Artist».

60 Friedrich Nietzsche: Vom Nutzen und Nachteil der Historie für das Leben. In: Werke. Bd. 1. Hg. v. K. Schlechta. Frankfurt/Berlin/Wien 1976, S. 242.

61 Der Terminus ‹Ästhetisierung› ist zwar durch Benjamins Formel «Ästhetisierung der Politik» versus «Politisierung der Kunst» okkupiert (Benjamin: Kunstwerk, S. 469). Hier verstehe ich ihn aber nicht ‹kritisch›, sondern als Hinweis auf konstruktivistische bzw. dekonstruktionalistische Tendenzen in der Wissenschaftstheorie; vgl. zuletzt Paul Feyerabend: Wissenschaft als Kunst. Frankfurt/M. 1984.

62 Umberto Eco: Nachschrift zum ‹Namen der Rose›. München/Wien 1984, S. 76. – Vgl. auch den Aufsatz von Teresa de Lauretis in diesem Band.

63 Barthes: Leçon/Lektion, S. 51.

64 Nachdem sein «Ursprung des deutschen Trauerspiels» als Habilitationsschrift abgelehnt worden war, schrieb Benjamin in einer neuen Vorrede: «Zu lange schon ist die Ohrfeige fällig, die schallend durch die Hallen der Wissenschaft gellen soll» (Gesammelte Schriften. Bd. I. 3. Frankfurt/M. 1974, S. 902).

65 Max Weber: Vom inneren Beruf zur Wissenschaft. In: ders.: Soziologie. Universalgeschichtliche Analysen, Politik. Stuttgart 1973, S. 322.

66 Roland Barthes: Die Lust am Text. Frankfurt/M. 1974, S. 36.

67 Barthes: Lust am Text, S. 13. – Diese Kluft, als ständige Kollision des Semiotischen mit dem Symbolischen verstanden, ist für Kristeva die Entstehungsbedingung des Textes als einer «signifikanten Praxis mit gesellschaftlich-historischer Funktion» (Revolution der poetischen Sprache, S. 60f.).

68 Barthes: Lust am Text, S. 34f.

69 Vgl. Michel Foucault: Sexualität und Wahrheit. Bd. 1: Der Wille zum Wissen. Frankfurt/M. 1983, S. 21.

70 Barthes: Lust am Text, S. 95.

71 Barthes: Lust am Text, S. 16.

72 Kant: Kritik der Urteilskraft, S. 131 (B 28).

73 Pierre Bourdieu: Die feinen Unterschiede. Kritik der gesellschaftlichen Urteilskraft. Frankfurt/M. 1982, S. 104.

74 Bourdieu: Die feinen Unterschiede, S. 107.

75 Bourdieu: Die feinen Unterschiede, S. 122.

76 Barthes: Lust am Text, S. 58.

77 Barthes: Lust am Text, S. 23.

78 Vgl. Mario Erdheim: Die gesellschaftliche Produktion von Unbewußtheit. Eine Einführung in den ethnopsychoanalytischen Prozeß. Frankfurt/M. 1984, S. 75ff.

79 Jan M. Broekman: ‹Meaning in the use› oder die praktisch-philosophische Be-
     deutungslosigkeit der Theorie der Bedeutung. In: B. Waldenfels/J. M. Broek-
     man/A. Pažanin (Hg.): Phänomenologie und Marxismus. Bd. 2: Praktische
     Philosophie. Frankfurt/M. 1977, S. 116.
80 Barthes: Lust am Text, S. 91 f.
81 Jürgen Habermas: Die Moderne – ein unvollendetes Projekt. In: ders.: Kleine
     politische Schriften I–IV. Frankfurt/M. 1981, S. 447.
82 Jacques Derrida: Die Struktur, das Zeichen und das Spiel im Diskurs der Wis-
     senschaften vom Menschen. In: ders.: Die Schrift und die Differenz, S. 424.
83 Lyotard: Das postmoderne Wissen, S. 71.

Dietmar Voss

Metamorphosen des Imaginären – nachmoderne Blicke auf Ästhetik, Poesie und Gesellschaft

Die nachfolgenden Überlegungen sollen nicht jene vermehren, die es sich zur Aufgabe machen, unter dem Markenzeichen des ‹Postmodernen› eine geschichtlich neue ‹Kunstepoche› auszurufen. Sie handeln indessen von ihrem Gegenstand, dem neuzeitlichen Wandel des Bildlichen (ob in manifester oder in Vorstellungsform), in dem Bewußtsein, daß die um die Mitte des 20. Jahrhunderts eingeleiteten, auf den Nenner der ‹Zweiten industriellen Revolution› gebrachten Veränderungen[1] eine strukturelle Mutationsdynamik entfalten, welche nur vergleichbar ist mit jener anderen, einhundert Jahre zuvor einsetzenden, die – mit dem Auftauchen von proletarischen Massen und großer Maschinerie, Kino und Leuchtreklamen – die Geburtsstunde der ästhetischen Moderne gewesen ist: in dem Bewußtsein also, daß es ein *Nach* dieser Moderne gibt, daß allerdings nicht absehbar ist, ob und wie sich dieses *Nach* in der Kunstentwicklung (dauerhaft) niederschlagen wird.[2]

Die unabweisliche Materialität der ‹condition postmoderne› hat in den poststrukturalistischen Theorien ihre affirmative, ihre mal fröhlich (Lyotard), mal zynisch (Baudrillard) einverstandene Gedankenform gefunden. Deren destruktive Energien, die auf die bis zum Unsäglichen beschworene Entsubstantialisierung sinnhafter Einheiten (Geschichte, Klasse, Persönlichkeit, Trieb, Wort usw.) hindrängen, beziehen sich dabei eigentlich auf soziale Funktionseinheiten, deren Substanzcharakter stets schon, wie Marx an ‹der Klasse›, Freud an ‹der Persönlichkeit›, de Saussure an ‹den Worten› zeigten, objektiver Schein ist. Was die Poststrukturalisten oft unterschlagen, ist, daß die theoretische ‹Substanz› ihrer Destruktionsgeschäfte von eben jenen Klassikern theoretischer Moderne erborgt wurde. Nur eben war bei diesen die Einsicht in das relativ Substanzlose säkularisierter sozialer Einheiten jeweils noch gekoppelt an praktische Operationsprojekte, die auf den Horizont einer vernünftigeren Wiederherstellbarkeit abhoben. Im Poststrukturalismus wird die Unglaubwürdigkeit von Versöhnungsperspektiven zum Anlaß genommen, den operativen Horizont zu zerreißen und die destruktiven Energien der modernen Auflösungsbewegungen kombinatorisch zu perpetuieren, um sie schließlich als ‹ästhetisches Faszinosum› zu verselbständigen. Auf diesem Stand wird die Theorie dann genauso unvernünftig wie die Wirklich-

keit – nur gleichsam andersherum unvernünftig, als es die Leute sind, die
«spontanen Jedermannsphilosophen» (Gramsci), die – aller Substanzlo-
sigkeit zum Trotz – nicht davon ablassen, personal zu interagieren, zu
sprechen, sich zu befriedigen usw. – und dabei notwendigerweise die Einheit des Selbst, des Wortes, des Triebs usw. praktisch unterstellen. (Und
das funktioniert nach wie vor!) Allein daß es das beides gibt, schafft Anlaß, ein nachmodernes Denken in den Bahnen einer ‹sich von sich selbst
distanzierenden Vernunft› für möglich zu halten, nicht unähnlich jenem
von Walter Benjamin propagierten «labyrinthischen Denken», das lernt,
sich zu verirren, um für den Ernstfall gewappnet zu sein[3]: ein Denken,
das aus vernünftigen Gründen unvernünftig und aus Überlebensgründen
vernünftig zu agieren versteht.

Zur ‹heiteren› Bildlichkeit
in der bürgerlichen Traditionsästhetik

Der junge Hegel sprach euphemistisch von der «Macht» des Subjekts, die
Bilder aus der «Nacht des Selbst», d. h. aus Bewußtlosigkeit und Verdrängung, «hervorzuholen oder sie hinunterfallen zu lassen»[4]. Die hervorge-
holten, das sind zunächst die schönen Bilder, die auratischen Bilder, d. h.
– nach Benjamin – solche, die, wie nahe sie auch sind, zum Betrachter von
ferne zurückblicken, die in seinen Augen die Augen aufschlagen. Das
Subjekt imaginiert dann, es sei, wie Hegel meinte, im Anschauen das
Angeschaute «sein Besitz», sein symbolisches Wahrnehmungseigentum –
eben ein ihm zugehöriges «Bild». Die ästhetische Einverleibung durch
das Subjekt, ja selbst seine Illusion davon, gelingt indessen nur, weil die
schönen Bilder den Betrachter gewissermaßen stets schon kennen, in ihnen eine Struktur gesetzt ist, die ihn anblicken macht. Diese Struktur mag
man sich in aus der Renaissance überkommenen Kategorien oder solchen
der Ästhetik Baumgartenscher oder klassizistischer Provenienz wie Voll-
kommenheit, innere Harmonie, Proportionalität usw. vorstellen. Die
Schemata, Zeichen, Konfigurationen der Welt der schönen Imagines
(Zentralperspektive, Goldener Schnitt etc.) kreisen jedenfalls – ob indirekt oder direkt, metaphorisch oder metonymisch – stets um ein Referential, das für die Kunstlehrer der Renaissance vergleichsweise noch offen, gleichsam auf dem Seziertisch dalag (oder auch faktisch, man denke
an Leonardos Anatomiebegeisterung!): die organische Gestalt des
menschlichen Körpers, seine immanente Lebendigkeit, seine organische
Totalität.[5] Dieses Referential ist allerdings hier nur scheinbar ein eigent-
liches; denn nicht um das Sosein eines konkreten Körpers ging es, sondern um die Imago des eigenen als eines ganzheitlichen Körpers. Diese

Imago bildet nach psychoanalytischer Lehre (Freud, Lacan) die jeweils unverzichtbare metaphorische/imaginäre Triebgrundlage der Ich-Funktionen. So unverzichtbar, daß Freud gelegentlich davon spricht, es sei das Ich im Wesen ein Körper-Ich, bestehend aus Wahrnehmungsfunktionen, die von außen und innen die Körpergrenzen einkreisen und taktil fixieren.[6] Im Anschluß an Jacques Lacan könnte man von einer ich-internen bzw. ich-funktionellen Mythologie sprechen.[7]

Die bürgerliche Welt des schönen Scheins feiert – angesichts der im Unterschied zur imaginativen Fülle höfisch-aristokratischer Lebensformen beunruhigenden Kälte und Nüchternheit der Prosa des bürgerlichen Alltags – genau diese imaginative Triebvermittlung der Ich-Funktionen. In dem durch die Sachgesetze des Kapitalismus bedrängten Einzelsubjekt[8] wird der verdeckte und verschüttete «primäre Narzißmus» wiedererkannt, das einstige Lust-Ich der Kindheit, darin Selbstliebe und Objektbesetzung verschmolzen.[9] Die bürgerliche Welt des schönen Scheins, die Welt der freien Landschaften und des autonomen Geschmacks, erwirkt damit «eine Kindlichkeit, wo sie nicht mehr erwartet wird»[10]. Dabei ist diese Welt durchaus auch patriarchalisch kodiert: Es sei der Reiz schöner Frauen, der ästhetisch besticht aufgrund ihrer «seligen Selbstgenügsamkeit und Unzugänglichkeit», d. h. ihrer vor-bildhaft erlebten narzißtischen ‹Lebendigkeit›[11]: ein Reiz, der prototypisch ist für die «Anmut», die eben im Unterschied zur bloß «architektonischen Schönheit»[12] nicht nur sinnlich anzieht, sondern zugleich – und dadurch erst ästhetisch schön – auratisch zurückblickt, an die lustvolle Ich-Imago appelliert.

Jenen untergetauchten Primärnarzißmus weltmännisch kultivierend, verformt die schöne Bilderwelt umgekehrt die prosaische Welt des bürgerlichen Ichs: Sie läßt in den Werken des schönen Scheins die entstehende kapitalistische Gesellschaft als lebendiges Ganzes von wechselseitigen Vermittlungen, als Welt menschlicher Beziehungen, als Welt von organischer Totalität, letztlich als symbolisches Körper-Äquivalent erscheinen. Dieses sozialmythologische Äquivalent zur ganzheitlichen Körper-Imago, die Imago von Gesellschaft als Organismus, wurde flankierend philosophisch vorbereitet von Rousseau und Kant,[13] ausformuliert dann in der Ästhetik Hegels und in der Folge – als Einspruch gegen Radikalisierungen in der Moderne – insbesondere bei Lukács. Die ins soziale Feld verlängerte ästhetische Subjekt-Mythologie abstrahiert konsequent von Phänomenen der Verdinglichung, Kontingenz und Willkür, die – idealistisch – als unwesentlich gelten, da sie der narzißtischen Besetzung ebenso wie dem dialektischen Begriff widersprechen.

Die Bildlichkeit der Kunst des schönen Scheins ist daher von ihren Protagonisten Schiller und Hegel zu Recht als ‹heiter› bestimmt worden. Jedoch nicht im Sinne fröhlich naiver Animation, auch nicht in der Bedeutung eines ideologischen Trugbildes, sondern in der Bedeutung

einer – bis zum Morgengrauen der ästhetischen Moderne – legitimierba-
ren ästhetischen Mythologie. Im ‹heiteren› Bildraum können und sollen
wohl Widersprüche, Kämpfe und Probleme des prosaisch formierten gesellschaftlichen Weltzustands erscheinen, «aber in dem Ernste eben bleibt
die Heiterkeit in sich selbst ihr (der Bilder) wesentlicher Charakter», mit
jenen ernsten Dingen darf es ihnen «kein letzter Ernst» sein.[14] Die Heiterkeit ist letztlich mythologischer Ausdruck für ein semiotisches Arran-
gement der Welt, durch das gesichert wird, daß das einzelne Ich bei allen
Abenteuern und Kollisionen nicht verlorengehen kann im – durch allgemeine Arbeit gestifteten – «*ungeheuren* Vermittlungszusammenhang»
der bürgerlichen Gesellschaft (Hegel); daß es – allen nicht zu leugnenden
Widrigkeiten zum Trotz – dialektisch besonnen und selbstbezüglich lustvoll in ihr aufgehoben ist und bleibt.

Auf diese Weise kann der ursprünglich theologisch fundierte, kapitali-
stisch erschütterte «Glauben, daß die Welt auf Korrespondenzen aufgebaut ist»[15], im Medium des ästhetischen Scheins reorganisiert werden.
Das bereitet den ästhetisch-mythologischen Boden zur Entfesselung von
literarischer Metaphernbildung: Der Dichter imaginiert die geheimen
Entsprechungen der Dinge, die sie symbolhaft, wie Goethe glaubte, zum
Ganzen zusammenbinden, und entrückt sie so ihrer prosaischen Identitätsform, ihrer denotativen Codierung. So entsteht eine Art sekundäre,
das «konnotative Rauschen der Sprache»[16] erfassende Verbindlichkeit.
Durch die «poetische», nämlich symbolisch-bedeutungsbildende «Ansicht der Gegenstände» wird nach Schiller «eine *Welt* in das einzelne gelegt und die flachen Erscheinungen gewinnen dadurch eine unendliche
Tiefe»[17]. Durch Worte das vereinzelte und allzu blendende Erlebte zum
empfindungsreichen *Bild* machen – das wäre eine Operationsformel der
bürgerlichen Literatur des schönen Scheins, in dem nach einem Hegel-
Wort ‹das Scheinen als solches zum Bild› werde. Das Erlebte verliert so,
wortbildgeworden, seine prosaische Identität (seinen einzelnen, klassifi-
zierbaren und Informationscharakter). Die neu gewonnene Bildlichkeit
schützt jedoch gleichzeitig vorm Schockhaft-Beunruhigenden und Ge-
fährlich-Zerstreuenden des souveränen, d. h. grenzüberschreitenden
subjektiven Erlebens. Dieser Operation ordnet sich auch die bürgerliche
Vorbildfunktion der antiken Kunst unter, die von der Weimarer Klassik ja
nicht mehr schwärmerisch klassizistisch, sondern struktiv instrumentell,
nämlich zum Zweck der ‹idealischen› Überformung der problematischen
Sujets avancierter bürgerlicher Gegenwart reklamiert wird.

Die schönen Bilder feiern daher nicht, ohne auszugrenzen. Urbild des
Ausgegrenzten sind die Traumata «des zerstückelten Körpers», die das
Komplement bilden zum imaginären Körper-Ich[18] und die ihm seit früh-
kindlicher Zeit anhaften und es nicht mehr loslassen. Sie leben fort in den
Angstphantasien der Subjektauflösung, die für das dem gesellschaftlichen

Identitätszwang ausgesetzte Ich die Erfahrung des Todes und des Sexuellen konnotieren. Solche Ausgrenzung wäre schwächlich, beruhte sie auf schlichter Verdrängung der als häßlich stigmatisierten Phänomene. Die Ordnung des Schönen bekämpft traditionell deren Wiederkehr präventiv, d. h. durch *integrierende* Verbildlichung. Wollte sie die zum Häßlichen denaturierten Phänomene des Triebhaften und Kontingenten mit «Gewalt» zum «Schweigen» bringen, sie würden, wie Schiller mutmaßte, dem Subjekt «noch Macht entgegenzusetzen» haben. Darum ist strategische List angesagt: «Der bloß niedergeworfene Feind kann wieder aufstehen, aber der versöhnte ist wahrhaft überwunden.»[19] Als «gereinigter Ausdruck» willkürlicher und zufälliger Modalitäten[20] des Erlebbaren, d. h. als abstraktives Repräsentationszeichen der Desintegration des menschlichen Körpers (ob dem Lusterleben, der Askese, der sozialen Unterdrückung geschuldet, wird hier signifikant gleichgültig) und des symbolisch verlängerten Gesellschaftskörpers erlangen die heterogenen Phänomene das Bürgerrecht, ziehen sie ein ins «Reich der Bilder», werden «Momente einer harmonischen Totalität»[21]. Darin sind sie heilsam verkapselt. Darauf deutet nicht zuletzt das traditionelle Szenario des bürgerlichen Romans. Seiner idealtypischen Konstruktion nach setzt er bei Zufällig-Heterogenem an, hebt es indes durch eine strukturale «Fatalität» der Ereignisse auf,[22] um eine imaginäre Totale von sozialen Charaktermasken und typischen Milieus zu entfalten. So präpariert, fällt auch das verdächtig Häßliche in die selbstreferentielle Struktur auratischer Wahrnehmung: Es blickt, verschämt, zurück.

Was zurückbleibt hinter dem «Strahl des selbstbewußten Auges» (Hegel), das ist die dunkle Nacht jenseits der Pupille: «In phantasmagorischen Vorstellungen ist es ringsum Nacht, hier schießt dann ein blutiger Kopf, dort eine weiße Gestalt plötzlich hervor und verschwinden ebenso. Diese Nacht erblickt man, wenn man dem Menschen ins Auge blickt – in eine Nacht hinein, die furchtbar wird, es hängt die Nacht der Welt hier einem entgegen.» Die flüchtige Gegenwärtigkeit und das leibhaftige Rauschgefühl souveränen subjektiven Erlebens werden durch die ebenso integrale wie (ich)transparente Bildlichkeit des Schönen in diese Nacht verbannt.

Zur paradoxalen Bildlichkeit der ästhetischen Moderne

In die von Hegel beschworene Nacht des Auges zu blicken, das unternahm, literarisch früh und protagonistisch für die Moderne, Georg Büchner. So spürt in der Lenz-Erzählung der Dichter einen «elementarischen

Sinn»: «Er (Lenz, D. V.) halte ihn nicht für einen hohen Zustand, er sei nicht selbständig genug, aber er meine, es müsse ein unendliches Wonnegefühl sein, so von dem eigentümlichen Leben jeder Form berührt zu werden; für Gesteine, Metalle, Wasser und Pflanzen eine Seele zu haben.» Es überfällt ihn in «Augenblicken»: «Da rauschte die Quelle, Ströme brachen aus seinen Augen ... Es war ihm als müsse er sich auflösen, er konnte kein Ende finden der Wollust»; «es war eine Lust, die ihm wehe tat ... Die Erde tauchte sich in einen brausenden Strom.»[23] Solches Eintauchen in die Welt des Scheins, der noch ‹ästhetisch› ist, aber jenseits der Dispositive des Schönen und Häßlichen, wäre, mit Bataille gedacht, gleichbedeutend mit der Behauptung der «souveränen Sphäre menschlicher Subjektivität».[24] Sie bietet die Möglichkeit einer transitorischen Auflösung der psychischen Kommandantur des Ichs, der vorübergehend unlimitierten Freisetzung libidinöser Besetzungsenergien, der Verflüssigung von Körper- bzw. Ich-Grenzen in der (Selbst-)Wahrnehmung. Das Subjekt erscheint (sich) dezentriert, über libidinöse, zeichenvermittelte Besetzungen und Vernetzungen mit Dingen und Menschen verschmelzbar: «Dachte er an eine fremde Person oder stellte er sie sich lebhaft vor, so war es ihm, als würde er sie selbst.»[25] Die Souveränität transitorischer Selbstüberschreitung und geregelter Verschwendung, stets, wie Bataille betont, mit der Kraft verbunden, «wieder zu sich zu kommen» – sie ist, wie bereits Büchner wußte, in bürgerlich-kapitalistischen Gesellschaften, ihren abstrakten Identitäts- und Rollenzwängen, recht eigentlich nicht lebbar. Sie wird als gefährlich therapiebedürftiger ‹Wahnsinn› stigmatisiert. Die «Heilung», die Lenz widerfahren sollte, produzierte «eine entsetzliche Leere in ihm, er fühlte keine Angst mehr, kein Verlangen, sein Dasein war ihm eine notwendige Last. So lebte er hin.»[26]

Das Licht, das so z. B. Büchner in der diskursiven, distanzierten Form einer referierenden Erlebnisbeschreibung in jene ‹Nacht jenseits des selbstbewußten Auges› warf, macht eine Reproduktion des traditionellen, transparenten wie integralen Bildraums zunehmend obsolet. Wie aber könnte die flüchtige Gegenwart, das leibhaftige (taktile) Rauschgefühl ästhetischen Erlebens/Scheins ins kunstgemäße Bild gesetzt werden? Sollte dies überhaupt der Fall sein (können)? Die Frage stellt sich Adorno in der «Ästhetischen Theorie»: «Ist apparition das Aufleuchtende, das Angerührtwerden, so ist das Bild (in künstlerischer Moderne, D. V.) der paradoxe Versuch, dies Allerflüchtigste zu bannen.»[27] Adorno meint also: ja, aber: «Nicht durch apparition unmittelbar, einzig durch die Gegentendenz zu ihr wird Kunst zum Bild.»[28] Das hieße weitergedacht: Der Bildraum der Moderne sagt sich dadurch von der trügerisch transparenten Bildlichkeit traditioneller Ästhetik los, daß er die Beziehung zu unvermittelter imaginärer Faszination überhaupt kappt, sich abdichtet gegenüber irgend sinnlichen ‹Erlebnissen›. Dieser Schluß ist nicht nur von Adorno,

sondern auch von anderen prominenten Radikalisten der Moderne wie
Valéry, Eliot oder Benjamin bezogen worden.[29] Durch eine – im Unterschied zur bürgerlichen Klassik, ja ästhetischem Realismus überhaupt –
jetzt ausdrückliche und sichtbare *Konstruktion* des Imaginären und dessen
Brechungen in Chiffren, Allegorien, Iterationen und Zitationen, Vexier-
bildern usw. hält moderne Kunst sozusagen eine formgewordene intellektuelle Erinnerung an das Flüchtige und Beunruhigende des ästhetischen
Scheins fest.

Diese Bewegung einer formgebundenen Sublimierung vollzieht sich jedoch nicht jenseits von Geschichte, denn das Sublimierte selber, die Komplexität souveräner ästhetischer Erfahrung, weist ja sogleich, wie der
Büchner-Hinweis zeigen sollte, in die geschichtliche Problematik der gesellschaftspraktischen Konstruktion von Subjektivität hinüber. Deren Erfahrung wird für die ästhetische Moderne zentral. Sie sucht Bildräume zu
entwickeln, darin sich artikuliert, was eo ipso nicht zum Bild, zur sinnlich
individuierten Vorstellung werden kann: die inneren Dissonanzen des bürgerlich vergesellschafteten Individualsubjekts zwischen Selbstrepräsen-
tanz, Rollenfixierungen und Triebdynamik. Es sind Dissonanzen, die sich
ins Ich hinein – als Antagonismen von unbewußten und bewußten Funktionen – fortschreiben. So können z. B. die rätselhaften Gesten in Kafkas
Prosa als Chiffren verstanden werden für die innere Fremdheit der vergesellschafteten Einzelsubjekte ihren ‹Eigenschaften› gegenüber. – Diese
Dissonanzen haben ihr objektives Komplement in signifikanten Brüchen
des gesellschaftlichen Vermittlungszusammenhangs, im systematisch re-
produzierten Zufall, in blind gemachten Katastrophen, in objektiven «Anweisungen auf Überraschungsmanöver», die im Kapitalismus «eingebaut»
sind.[30] Wie die klassische Imago des ganzheitlichen, integralen Körpers
geht auch deren sozialmythologisches Äquivalent (die Imago von Gesellschaft als Organismus) in der Moderne zu Protest. Damit entfällt die in
bürgerlicher Klassik und Realismus ästhetisch-mythologisch erwirkte Sicherheit, es sei die Welt letzthin auf sinnhafte, ‹menschliche› Vermittlungs-
bezüge gegründet, die im und durch das poetische ‹Bild› entborgen werden
könnten.

In der Moderne wird die geschichtliche Erfahrung ratifiziert, daß Verdinglichung, Zufall und Heterogenität ebenso dem Vollzug der kapitalistischen Vergesellschaftung wie der Bildung der Identität der Person
wesentlich zugehören. Sie können daher weder, wie etwa in der Realismus-
Theorie von Lukács, als verzerrende Oberflächenerscheinungen bzw. ab-
norme Fehlentwicklungen abgetan noch als etwas an sich Besonderes fasziniert werden wie in den romantischen Kulten des Geheimnisvollen und
Abweichenden. Jene Erfahrung, die in der Moderne gleichsam zur Form
wird, verändert u. a. auch den Status literarischer Metaphernbildung. Die
literarische Bildersprache ist jetzt nicht mehr der homogene Raum, darin

dem Erlebten eine heiter besonnene Tiefe (klassisch) oder ein merkwürdig entlegenes Geheimnis (romantisch) abgerungen werden könnte. Seine (sprach)bildhafte Tiefe besteht in der Moderne nur mehr im konstitutiven Kontext der Verfremdung fort, sei es durch prosaische, logisch oder sachlich disparate Sprachelemente, sei es durch Überblendungen des Wortbilds aus dem symbolischen Schatz literarischer Tradition. So werden in moderner Lyrik, etwa bei T. S. Eliot, sinnliche Empfindungszustände nicht mehr direkt (d. h. im stillschweigenden Bezug auf die erörterte ästhetische Subjektmythologie) ins Bild gesetzt, sondern in Vermittlung durch das literarische *Zitat*. Zitierte Poeme aus den Werken der Klassiker gewinnen die Gestalt «gegenständlicher Entsprechungen (objective correlatives)» von sprachlichen Sensibilitätszuständen.[31] Lyrische Empfindungen sprechen sich gar nicht mehr selber aus, sondern nur noch in Form der zitierten Bildlichkeit literarischer Tradition. Das aber ist nicht als verlegener Behelf zu verstehen, vielmehr als paradoxale Konstruktion bildhaft literarischer Tiefe. Denn eine akute, drängende Empfindung, sehr oft, wie bei Joyce und Eliot, im Kontext großstädtischer Anarchie, chaotischer Real-Imagines, verbindet sich über die Zitate mit der Aura einer ebenso vergangenen wie überlegenden Bildsprache. Auf diese Weise wird eine Empfindung eingeschaltet in eine Korrespondenz-Konstellation, und darin wird als gelungen vorgestellt, was jener objektiv verbaut ist: emphatisch-besonderer Ausdruck. Daraus wiederum entsteht eine bezwingende melancholische Magie: Die Zeichen verwirrendster sensitiver Aktualität verschränken sich, gehen Korrespondenzen ein mit dem Abglanz und der Autorität vergangener, überlieferungsmächtiger Wortbilder. Die anarchische und chaotische Gegenwartswelt wird mythisches «Panorama» (Eliot), wird zum paradoxalen Bildraum.

Der darin erwirkte melancholische Akzent ist somit, statt auf irgend Intentionales zurückzuverweisen, ganz zur Form geworden. Kein Zugang ist mehr zum ‹sinnlichen Erlebnis›, das die Dichtung ‹bestimmte›. Gleichwohl ist auch die paradoxale Bildersprache des Literarischen noch mit dem Konstruktionsbemühen um *Tiefe* verbunden: Ineinander verschachtelte Imagines im Zitat lassen die Empfindung ins Bodenlose kultureller Überlieferung gleiten. Allerdings ist offensichtlich, daß solche Tiefe nicht mehr auf relativ Vorsprachliches, auf sensitive Einfühlung bzw. libidinöse Besetzung von ‹aufgefundenen› oder ‹ein-gebildeten› Zusammenhängen zurückverweist (und zu deren rezeptiver Wiederholung einlädt). Sie kann vielmehr nur durch eine ausgeprägt intellektuellisierte, den bürgerlich-literarischen Traditionszusammenhang potentiell ableuchtende Rezeption erschlossen werden.[32]

Konsequenten Protagonisten der Moderne, wie etwa Paul Valéry, gelten poetische, gar noch «harmonische» Empfindungszustände als «Privatangelegenheiten» der Künstler, ästhetische Inspirationen als «durch Zufall» entstandene und daher substanzlose Elemente künstlerischer Produktion.[33] Diese sei in ihrem Wesen «Arbeit des Geistes» und bedeute als solche «Kampf gegen ... den Zufall der Assoziation.»[34] Die den Zufall bezwingende «zähe Arbeit» der Kunst – intellektuelle Konstruktion par excellence – führt indessen den Künstler nicht – etwa dialektisch, per Entäußerung – zu einer spezifischen kulturellen Souveränität, sondern zum *souveränen Werk* allein. Und das ist, so die Moderne über sich selber, dem Produzierenden konstitutiv überlegen. Ähnlich wie Benjamin mit der Parabel vom chinesischen Maler, der in seinem eigenen Bild verschwindet[35], Döblin in seinem Geständnis, als literarisch Schreibender sich selber bis zur Verständnislosigkeit zu übertreffen[36], oder wie Adorno mit seinem philosophischen Theorem, es sei die Hegelsche Begriffslehre ästhetisch zu legitimieren[37], bestimmt auch Valéry die ästhetisch-literarische Entäußerung in der Moderne als eine das individuelle Subjekt *unwiderruflich überholende* Vergegenständlichung.[38]

Die ‹Entsubjektivierung› des Imaginären ruft auch eine funktionelle Veränderung von (literarisch-)ästhetischer Bildlichkeit hervor. War die Welt der schönen Bilder eben dadurch auratisch und imaginierend, daß sie die individuellen Subjekte im Kontext einer – durch Werke des schönen Scheins produzierten – ästhetischen Subjekt- bzw. Sozialmythologie wesentlich *umschloß*, ihren fragilen Ichs metaphorische Äquivalenzen schuf, so gebärdet sich der paradoxale Bildraum der Moderne notwendig spröde. Sein gebrochen Bildliches ist nicht mehr personal ausdrückbar. Döblin oder Koeppen, Eliot oder Kafka bieten wohl ‹mythische Panoramen› von komplexer, anarchischer Gegenwartswelt; deren Faszination hat jedoch etwas explosiv Überrumpelndes und Entmächtigendes, dem nur durch philosophische Anstrengung und Exegese entgegenzuarbeiten ist. Die Konstruktionsbilder der klassischen Moderne blicken nicht zurück – sie übersehen. Damit verfehlen sie den Betrachter dennoch nicht. Denn daß dieser sich, selber gebannt, fasziniert übersehen läßt, liegt daran, daß auch diese apokryphen Bilder etwas von ihm stets schon kennen. Dies Etwas ist, so scheint es, die Zerstörung der eigenen, primärnarzißtisch gebundenen Erlebniswelt in der ödipalen Dramatik, die Installierung von Unterwerfungslust, von triebmäßig wie symbolisch vermittelten Identifikationsritualen mit – zunächst übermächtigen – Überich-Instanzen. Diese initiale Beschädigung kann ästhetisch wiederholt werden – lustvoll entäußert und in der Distanz von akutem Leidensdruck. Was Jürgen Manthey als Wesensmerkmal des auratischen Blicks schlechthin konstruieren will: die Wiederholung ödipaldramatischer Identifikationsakte[39], das bezeichnet womöglich gerade ein unterschwelliges Triebelement, ein triebhaftes Attraktivitätsmoment des nicht mehr eigentlich auratischen, verschlossen paradoxalen Bildraums der klassischen Moderne.

Mit dem Bildraum der Moderne wird auch die patriarchalische Codie-

rung des Imaginären paradox und zwiespältig. So ist für die modernen
Dichter die ‹schöne Frau› nicht mehr gegenständliches Paradigma einer
heiter selbstbezüglichen Imaginationswelt. Bei Baudelaire erscheint der
Künstler als verkappte Lesbierin: Die modernen «Künstler, die sich (was
unumgänglich ist, D. V.) das Studium dieses rätselvollen Wesens (der an-
ziehenden Frau, D. V.) zur eigentlichen Aufgabe gemacht haben, sind in
das Ganze der weiblichen Sphäre ebenso vernarrt wie es selber»[40]. Das
‹schöne Geschlecht› ist nunmehr, statt erlebtes Bild zu sein, selber Erleb-
nismodell: Das Eintauchen in weibliche Erfahrungsperspektiven, in den
mundus muliebris, wird zur Bedingung, welche «die überlegenen Genies
schafft»[41]. Daß dies ‹männlich› codiert ist, versteht sich für Baudelaire
von selbst. Aber seine, des ‹Genies› Männlichkeit ist nicht gelebte Grund-
struktur des Wahrnehmens und Produzierens, sondern ein das Künstler-
subjekt überschreitender Symbolgehalt, transzendierendes Ergebnis: das
souveräne Werk. Jene ‹Männlichkeit› ist nur, indem sie – im anerkannten
Werk – «*wiedererrungen* ist. Sie ... muß ständig auf die Probe gestellt
werden, muß mitten aus einer Weiblichkeit sich erheben, in der sie unter-
zugehen droht.»[42]

In die avantgardistischen Bildräume, so konnten wir feststellen, geht
das, was nicht symbolisch, als Bild sich artikulieren kann (die souveräne
und flüchtige Struktur ästhetischen Erlebens, damit zusammenhängende
geschichtliche Gehalte), vor allem via Konstruktion und formgebundene
Reflexion ein – als allegorischer Verweis, literarische Zitation, Chiffren-
sprache usw. Gegenüber diesem intellektualisierten Unternehmen darf
aber nicht vergessen werden, daß sich paradoxale Bildlichkeit in der Moderne auch faßlicher und ‹profaner› herstellen läßt. Denn die Spannung
zwischen Bild und Nichtbild kann auch direkt und reflexionslos im Bildraum artikuliert werden. Das geschieht durch die – technologisch, durch
Fotografie und Film konditionierte – Ausstellung des unmittelbaren, zufälligen, ‹sinnlosen› Gegebenseins von Dingen, Räumen, Gesichtern inmitten eines semantischen Raums ästhetischer Konstruktion. Das ist paradigmatisch der Fall bei künstlerischen Montagefilmen und – wenngleich
schwieriger, da wieder durch innere Vorstellung vermittelt – bei der literarischen Applikation der Filmmontage in Romanen von Dos Passos, Döblin oder Koeppen. In der Filmmontage sind es weniger die Bilder selber
als vielmehr deren Korrelationen, die ‹Bedeutungen› herstellen. Dadurch
kann bei den einzelnen Einstellungen und Momentaufnahmen der Blick
frei werden für das vor-bildliche, vorsemantische ‹Geradesosein› der
Dinge. Momenthaft gelingt die Präsentation von Nichtbildhaftem im
Rahmen eines strukturellen Bildraums, welcher dazu einlädt, «das win-
zige Fünkchen Zufall, Hier und Jetzt, zu suchen, mit dem die Wirklichkeit den Bildcharakter gleichsam durchsenkt hat»[43]. In solchen Augenblicken, so formulierte Siegfried Kracauer, wird eine «Welt» freigelegt,

«die sich dem Blick so entzieht wie Poes gestohlener Brief, der nicht gefunden werden kann, weil er in jedermanns Reichweite liegt»[44]. Das ist, so scheint es, die Welt souveräner, affektiver Kommunikation, die kollektiv ist, die sich indes der bewußtseinszentrierten Wahrnehmung (des Auges allein) entzieht. Bildräume solcher Art sind daher nicht auratisch; sie blicken nicht zurück, übersehen aber auch nicht – sie nehmen ein. Gleichwohl bleibt auch hier noch die Spannung zwischen Bild und Nichtbild auf den Bezirk des Werks, seinen Konstruktionscharakter bezogen. Das ändert sich erst im Surrealismus.

Die Euphorie des Bildlichen im Surrealismus

Der Surrealismus, so der junge Aragon enthusiastisch, bestehe «in dem unmäßigen und leidenschaftlichen Gebrauch des Rauschgifts *Bild* oder vielmehr in der unkontrollierten Beschwörung des Bildes um seiner selbst willen ... Denn jedes Bild zwingt euch immer wieder von neuem, das ganze Universum zu revidieren.»[45] Nicht zuletzt in puncto Bildlichkeit setzt sich der Surrealismus, der ‹Schwanz der Moderne›, von dieser ab. Der Bilderrausch ist für Aragon praktische Kritik am bürgerlichen Vernunft- und Nützlichkeitsprinzip. Das «poetische Bild», die literarische Metapher werden im surrealistischen Programm von André Breton rehabilitiert mit Rücksicht auf neu entdeckte «Korrespondenzen», auf «erhellende Verbindungen, welche fähig sind, zwei Elemente zu vereinigen, die so verschiedenen Kategorien der Wirklichkeit entstammen, daß die Vernunft sich weigern würde, sie einander in Beziehung zu setzen»[46].

Die Korrespondenzen unterscheiden sich freilich diametral von den in bürgerlicher Klassik und im Realismus unterstellten vorrationalen Sinn-Verbindungen: Nicht die triebvermittelten Imagines des selbstbewußtseinszentrierten Blicks sind ihr Ausgangspunkt, sondern Imagines, die sich der Produktivität des Unbewußten verdanken (und zwar des gewöhnlichen, nicht erst des ‹genialischen›). Im Anschluß an Freud wird die Entdeckung genutzt, daß der ins Unbewußte abgedrängte Triebwunsch permanent ‹zufällige› Bildproduktion leistet – sei es, indem er sich an indifferente Wahrnehmungen, Erinnerungsspuren usw. ankoppelt und so ‹manifestiert›[47], sei es, indem er bei unbewältigten Konflikten die Phantasie zu einer dramatischen Inszenierung, einer ‹inneren› Theatralisierung der Konfliktsituation veranlaßt. Man geht, wie es Alexander Kluge ausdrückt, davon aus, daß es schon längst vor aller Kunst «Film in den menschlichen Köpfen (gab bzw. gibt)» und Kino und Literatur diesem «lediglich reproduzierbare Gegenbilder» hinzufügen.[48] Waren die Dissonanzen des bürgerlich vergesellschafteten Ichs in der Moderne sonst eher eine melancholische Folie verfremdender Konstruktionen, so sind sie den Surrealisten vielmehr *Quelle eines imaginären Vermögens*, das literarisch genutzt werden soll.

Objektives Pendant dazu ist, daß der Kapitalismus gerade in seinen sonst von der Moderne kritisch akzentuierten Aspekten von Verdinglichung, Kontingenz und Sinn-Dispersion für den Surrealismus sozusagen eine positive Arbeitsgrundlage darstellt: ein Treibhaus der Fiktions- und Imaginationsbildungen. Diese Transformation ist durchaus rationalisierbar; denn sie nimmt zunächst Rücksicht auf den bereits von Marx namhaft gemachten Sachverhalt, daß kraft der Gesetzmäßigkeiten der kapitalistischen Ökonomie zwischen personaler und sozialökonomischer Identität, zwischen individuellen und Klassencharakteren der Menschen eine Kluft entsteht, in die sich gesellschaftliche ‹Zufälligkeit als solche› schiebt.[49] In der Folge verlieren die sozialen Distinktions- und Kohärenz-Zeichen, im Gegensatz etwa zu vorbürgerlichen Stände- oder Kastenordnungen, ihren sozialen Verbindlichkeitswert. Daher kann man heute mit Baudrillard davon ausgehen, daß die Semiotik des Sozialen im Kapitalismus ihr soziales Referential verliert.[50] Der springende Punkt ist dann: Diese noch fortbestehenden Zeichen sozialen Verkehrs und Gebrauchs (ob im soziolektischen, gestischen oder mimischen Bereich) werden durch jenen Referentialverlust als nun – etwa in Mode und Reklame – frei flottierende und relativ arbiträre Zeichenwelt gerade *freigesetzt* für libidinöse Besetzungsenergien, aufgeladen mit vorbewußten oder unbewußten Triebwünschen. Dies geschieht, über Klassenschranken hinweg, auf dem Terrain der Märkte, ihrer naturwüchsigen Dialektik, der gemäß sich die Bedürfnisse und Wünsche eines jeden durch Spekulationen und Fiktionen anonymer anderer konstituieren.[51]

Die surrealistischen Korrespondenzen stellen sich her – manifestiert z. B. in den «objets trouvés» –, wenn sich ein unvordenkliches Zusammentreffen («hasard objectif») einstellt zwischen einer psychoneurotischen Imagination aus der Zone des subjektiven Unbewußten und einem – etwa auf dem Trödelmarkt – objektiv zufallenden Wunschbild auf der Folie sozialer Zeichen. In solchen Zusammentreffen wird «poetisches Bild ..., daß alles was innen ist, außen ist»[52]. Im paradoxalen Bildraum der klassischen Moderne galten z. B. die durch verfremdende Zitation mythologisierten literarischen Traditionselemente als Autorität: An ihre Stelle tritt im Surrealismus die Autorität des gewöhnlichen Kapitalismus und, vermittelt über dessen Warenästhetik, die des gewöhnlichen Unbewußten. Die daraus hervorgehenden Imaginationsbildungen (ob Tanksäulen oder Leuchtreklamen, veraltete Moden oder verlassene, ruinierte Bahnhöfe) bekommen nun den Stellenwert, den vorher – esoterisch – etwa zitierte Poeme einnahmen: den Stellenwert von ‹objektiven Korrelaten› der Sensibilitätszustände, die nunmehr aus dem Bildraum exiliert, ‹profanisiert› oder exoterisch geworden sind.

Was der Surrealismus an Bildhaftem euphorisiert, ist also Ergebnis eines vorliterarischen Erlebnisexperiments, in dem eine zufällige gegenständliche Wahrnehmung durch einen aus dem Unbewußten überspringenden signifikanten Funken plötzlich zum Bild aufblitzt, das mithin selber ephemere und zufällige Züge trägt. Auf der Ebene der literarischen Darstellung impliziert das eine sich verlierende Beschreibung banaler faktischer Details, «willkürlicher Anordnungen von Fakten» (Aragon). Den beschriebenen Details wächst ein metaphorischer Gehalt jedoch erst im Spannungsfeld einer Erwartung zu: der Erwartung, die etwa überraschenden Fakten mögen zu «unerkannten Sphinxen», zu «Türen» werden, die in die «eigenen Abgründe» weisen (Aragon), zu Schlüsseln des Zugangs zum eigenen Unbewußten. Das muß man keineswegs mystisch verstehen. Denn zu den historischen Voraussetzungen des surrealistischen Projekts gehört auch ein aufklärender Impuls. Im ‹Dschungel› des kapitalistischen Alltags wird ein Erkenntnismodell wieder aktuell, das den alten Sammler- und Jägergesellschaften angehörte. Carlo Ginzburg hat es «Indizienparadigma» genannt und dessen Aufstieg gegen Ende des 19. Jahrhunderts in der Kunsthistorie (Morelli), der populären Prosa (Kriminalgeschichten) und in der Psychoanalyse (Freud) rekonstruiert.[53] Danach ist die Identität des Subjekts – ob Autor, Verbrecher, Wunschsubjekt – nicht von begrifflichen Vorstellungen her, sondern ‹von unten› an Hand unscheinbarer, normalerweise übersehener Details zu rekonstruieren. Im Surrealismus wird genau dieses epistemische Modell ästhetisch gewendet und, der rationalen Auflösung des Rätselhaften zuvorkommend, stillgestellt.

Die surrealistische Euphorie der Bilder ist also bei näherer Betrachtung ein durchaus ambivalentes Geschehen: Der Ort der Bildproduktion ist aus der Kunstsphäre, das Aufblitzen der Bilder aus dem Bildraum des Werks exiliert. Bilderproduktion geschieht jetzt nur mehr vermittelt durch die kapitalistische Warenwelt, in seltenen Augenblicken der souveränen Selbstüberschreitung und -verschwendung, da das Subjekt unvermutet in den ‹Abgrund› des eigenen Unbewußten blickt. Gegenüber solchen «Zuständen vollkommener Empfänglichkeit», «welche gewisse poetische Sätze und Bilder an entlegenen Stellen in mir hervorrufen»[54], ist die literarische Darstellung eher ein nachträglicher Akt emphatischen Beschreibens und Kommentierens.

Die Exilierung der Bilder aus dem Bezirk des Werks, die relative Gleichgültigkeit der Surrealisten ihm gegenüber ist dabei für die Autoren selber nicht unproblematisch. Denn damit entledigen sie sich zugleich des modernen Restpostens von männlichkeitssymbolischen bzw. persönlichkeitszentrierten Äquivalenzen. Die ostentative Feminisierung, das hingebungsvolle Unterlegenseinwollen («Verbiete mir nichts mehr, du siehst: ich bin ganz Hingabe»[55]) sind alles andere als affektierter Gestus. Sie sind Gefühl der universalen Lebenswirklichkeit, gewollter Preis für bildhaftes Erleben, das die Ichgrenzen pulverisiert. Aus dieser Situation, welche die männliche Rollenidentität prekär werden läßt, sind freilich kompensatorische Blüten hervorgegangen: die tabuistische Strenge, die patriarchalische Organisation und die überkommenen Rituale der surrealistischen Gruppe.

Im Surrealismus scheint die von Hegel vorschnell reklamierte Macht des Subjekts, die Bilder aus seiner Nacht hervorzuholen, erst eigentlich – allerdings gestützt auf eine Vielzahl von Vermittlungen – sich artikuliert zu haben. Der Vorgang des Aufbrechens der Ich-Sicherungen, des Eindringens in die nächtlichen Bilder jenseits der Pupille, der Destruktion der auratischen Wahrnehmungsstruktur und der ästhetischen Subjektmythologie – all das könnte wohl nicht prägnanter ins Bild gesetzt werden, als dies Luis Buñuel in zwei Einstellungen seines Films «Un Chien Andalou» getan hat: der Aufnahme des durch dahineilende Wolken durchschnittenen Mondes folgt diejenige des Auges, das mit einer Rasierklinge aufgeschnitten wird.

Zur Besonderheit der postmodernen Vermittlung von Realem und Imaginärem

Wenn Aragon und Buñuel später bekundeten, daß vieles von dem, was sie in der ‹heißen› Zeit des Surrealismus einmal faszinierte (Phantasien unmotivierten Terrors, skandalöse Überraschungsclous, die Apotheose des Sinnlosen und Zufälligen, die Collagen von Traumbildern usw.), heute in alltägliche Lebenswirklichkeit übergegangen sei[56], so ist damit etwas allgemein Gültiges getroffen. Denn was einmal den originären Schock, das Plötzliche und Aufblitzende, das Beunruhigende und Innervierende des ästhetischen Scheins/Erlebens ausmachte und was die Surrealisten in experimentellen Anordnungen nachzubilden und vom Bildraum des Werks zu emanzipieren suchten, das ist heute – will sagen: nachmodern – in die gesellschaftspraktische Lebensrealität selbst hineinvermittelt, ohne daß diese darum schon ästhetisch zu nennen wäre.

Es genügt, sich zu vergegenwärtigen, daß heutzutage Kinder mit Heimcomputern und digitalen Taschenrechnern aufwachsen, um abzusehen, daß die alltägliche Lebenswelt der ‹coolen› Gegenwart (jedenfalls in ihren zukunftsweisenden Tendenzen) ganz und gar von Wissenschaft durchdrungen ist. Und diese Wissenschaft kennt nicht mehr die Gegenüberstellung von ‹Wirklichem› und ‹Scheinhaftem›, sie kennt nur mehr

‹Simulakren›.[57] Solche Simulakren sind weder aus einer Generalisierung
empirischer Tatbestände hervorgegangen, noch verdanken sie sich ratio-
nalistischen Konstruktionen. Verstehbar wären sie als Resultate von
«Abduktionen» (Ch. S. Peirce)[58], d. h. von ebenso strukturalen wie imaginativen Operationen, welche von einzelnen Erfahrungen ‹wegführen›,
die ohnehin nicht mehr apparatfrei zu haben sind und stets schon technologisch determiniert und in ihrem Zusammenhang unanschaulich geworden sind.[59] Jene Operationen verwirklichen sich in Modellen, welche
schrittweise standardisiert und maschinisiert werden. Die Simulakren
sind also im Gegensatz zu deduktiven Modellen stets schon auf industria-
lisierte, mithin gesellschaftliche Reproduktion hin angelegt. Diese übernimmt «die Rolle, die in der bislang anerkannten Methodologie von der
Erfahrung gespielt wurde»[60]. Das Simulakrum bildet die reale Basis der
Programmierung. Als Software einer Computeranlage ist es der ‹Maßstab
des Wirklichen›, auf Grund dessen der Roboter selbstregulierend-syste-
matisch tätig wird. Die im Simulakrum vollzogene Konvergenz von Realem und Imaginärem wird in der selbststeuernden Aktivität des Compu-
ters ‹gesellschaftliche Realität›.

Die Tendenzen der imaginativen Maschinisierung bzw. Digitalisierung
geistiger Arbeit bezeichnen dabei nur einen Entwicklungsaspekt der Automation. Sie sind eingefügt in den Entwicklungskomplex der neuen elektronischen Kommunikationsmedien, von Kabelfernsehen, Bildschirm-
text, Bildplatte bis zu Computerverbundsystemen. Bedenkt man deren
gesamtgesellschaftliche Bedeutung unter dem Aspekt der ‹Metamorphosen des Imaginären›, dann tun sich interessante Zusammenhänge auf.
Walter Benjamin hatte – in einer noch geschichtsphilosophischen und
-operativen Perspektive – an dem seinerzeit avancierten *filmischen* Imagi-
nationsraum folgende befreiend nüchterne Qualitäten ausgemacht: einmal, daß dessen Bilder vor allem *Testbilder* sind (das Kinopublikum testet
z. B. die filmisch analysierten und ausgestellten Haltungen und Gesten
der Filmschauspieler im einzelnen auf ihre Exemplarität, auf ihre massen-
hafte Erlernbarkeit und Nützlichkeit hin); zum anderen, daß die filmischen Bilder wesentlich *taktile* Qualität besitzen, d. h. dem Betrachter
gleichsam körperlich, innervierend zustoßen, ihn schockhaft berühren
und eine unmittelbare Reaktion verlangen.[61] In genau diesen Funktionsbestimmungen wird in der postmodernen Situation das Imaginäre zur
Kerngestalt gesellschaftlicher Vermittlung: *als taktiles Testbild*. Die
schockparierende Arbeit am Fernseh-Terminal, die datenverarbeitende
Btx-Aktivität, die Monitor-Überwachung einer automatischen Anlage –
das avanciert heute zur prototypischen Gestalt gesellschaftlichen Handelns. Die gesellschaftlichen Akteure befinden sich so tendenziell in der
Lage eines elektronisch vernetzten und medial testierten Filmschauspie-
lers, der virtuell zugleich testendes Publikum ist.[62] In medialer Perspek-

tive wird das gesellschaftlich Imaginäre (statt wie noch ‹modern›: als Reklame auf Straßen, Film auf der Leinwand usw., also stationäres und subaltern vermittelndes Element im kapitalistischen Reproduktionsprozeß zu sein) jetzt zur bewegenden Mitte dieses Prozesses selber. Damit verwandelt es sich von einer alltagspraktischen *Repräsentationsform*, in welcher es auch noch Gegenstand ästhetischer Kontemplation sein konnte, zu einer *Aktivitätsmatrix*, die universell testet und körperlich inneriviert, die augenblickliche Entscheidungen digitalisiert und – diese und einen selber – ins Unendliche und Unabsehbare des gesellschaftlichen Funktionsbetriebs schickt.

Entsprechende Wandlungen zeichnen sich im herkömmlichen Reproduktionsbereich ab. Dessen öffentliche Seite verliert an ‹realer›, ‹handgreiflicher› Effizienz, was die Zirkulation der Waren und Dienstleistungen angeht, und deren Zirkulation verliert an Öffentlichkeit. So wird einschlägigen Prognosen zufolge[63] die Auswahl und Bestellung von Waren und Diensten, die Abwicklung von Zahlungsmodalitäten (von der Konserve bis zur Weltreise) in absehbarer Zeit nur mehr eine Angelegenheit am heimischen Btx-Terminal sein, der über elektronische Verbundsysteme an Warenhäuser, Kreditinstitute, Bordelle und Reiseunternehmen etc. angekoppelt ist. Andererseits transformiert sich die Sphäre materieller Reproduktion, was ihre traditionell öffentliche Seite von Straßen, Schaufenstern, Moden usw. betrifft, heute bereits zu *industriellen Simulationsöffentlichkeiten*.[64] Was in der Sprache postmoderner Verkaufsmanager unter dem Etikett des «Erlebnishandels» Konjunktur macht, der dem medial ‹privatisierten› «Versorgungshandel» zur Seite gestellt werden soll[65], läßt sich bündig begreifen als Transformation des traditionell öffentlichen, des urbanen Raums zur Fernsehwelt, zur ‹Video-City›.[66] Dort müssen gerade die zum Faszinosum der Moderne gehörenden großstädtischen Erlebnisse ausfallen. In den – ‹verkehrsbefreiten› – City-Center, den PR-Räumlichkeiten von Banken und Konzernen, den elektronischen Computerspielhallen werden Simulakren inszeniert von all dem, was in der Tradition der klassischen bürgerlichen Öffentlichkeit, nüchtern und rational wie sie war, ausgeblendet wurde und was mithin seltsam referentiallos erschien: Geschichte, Heimat, Sexualität, Produktion, lustvolle Gewalt. In den urbanen Räumen der Gegenwart, die zunehmend austauschbar oder sich zum Verwechseln ähnlich werden, sind soziokulturell differenzierende Symbole und Milieus nicht mehr verkörpert, ohne Referential. Die repräsentativen Herrschaftsvillen einer noblen Bürgergegend sind ebenso verschwunden wie die roten Gürtel der Arbeitersiedlungen. Gleichwohl *verfallen* sie aber auch nicht mehr, was, einst modern, noch faszinieren konnte und was die Surrealisten als «revolutionäres Gesicht der Stadt» feierten. Wo soziokulturelle Symbole als industrielle Simulakren beliebig situierbar und kombinierbar geworden sind, ist es ja gerade mit ihrem Verfall vorbei und damit auch mit den «revolutionären Energien, die im ‹Veralteten› erscheinen, in den ... Gegenständen, die anfangen auszusterben, den Salonflügeln, den Kleidern von vor fünf Jahren» usw.[67] Damit ist auch der surrealistischen Entdeckung und Faszinierung von geschichtlich objektiver, gegenständlicher Melancholie der Prozeß gemacht worden.

Die Reinszenierung des Verdrängten als Simulation geschieht dabei auch der Form nach fernsehgerecht: als medialer Programmsalat. Das hat auf der subjektiven Seite ein Pendant, das bereits Oskar Negt und Alexander Kluge auf den Begriff brachten: die *Programmsinnlichkeit*.[68] Der Bereich sinnlichen Erlebens wird, so scheint es, psychointern nach dem Funktionsmodell des Umgangs mit den Medien organisiert: Ein ‹exotisches›, ‹historisches›, ‹erotisches› usw. Erlebnis wird solchermaßen über semiotische/imaginäre Arrangements gleichsam vor- und einprogrammiert und als solches libidinös besetzt. Die Objektbeziehungen selber sind folglich relativ beliebig und austauschbar: Wer auf Schwierigkeiten stößt, wechselt das Medium (d. h. die Bezugsperson, den atmosphärischen Raum usw.). Bürgerliche Tugenden, von der Psychoanalyse als ‹anale Ich-Funktionen› theoretisiert, wie Wartenkönnen, allmähliche Akkumulation von Triebspannungen, das ‹Aufbauen› von Beziehungen, Existenzsicherungen etc. geraten so zunehmend außer Kurs. Der postmoderne Mensch, so könnte man pointiert formulieren, wartet weder noch erwartet er – er schaltet vielmehr um. Er produziert sein ‹eigenes› Simulationsprogramm.

Geschieht also sinnliches Erleben zunehmend auf der Basis industrieller Simulation, wodurch sich die Unterscheidungen zwischen privat und öffentlich, real und imaginär verschleifen, so ist umgekehrt der industrielle gesellschaftliche Produktionsprozeß in seinen bestimmenden Elementen gerade nicht mehr sinnlich erlebbar, und das paradoxerweise im Zusammenhang der industriellen Promotion des Imaginären. War schon für Brecht nach dem damaligen Stand der kapitalistischen Modernisierung an der fotografischen Ansicht einer Fabrik deren spezifische soziale Funktion, deren ökonomische Formbestimmung nicht mehr ablesbar[69], so ist an Entsprechendem in der nachmodernen Perspektive auch schon nicht mehr ablesbar, daß es sich überhaupt um eine ‹Fabrik› handeln könnte. Es verschwindet wohl nicht, wie Baudrillard meint[70], die Produktion als solche, es verschwinden aber die *sinnlich signifikanten Koordinaten* von gesellschaftlicher Produktion: die ‹Fabrik› als sinnlich manifestes und ausgezeichnetes Raumgefüge unmittelbarer Vergesellschaftung; das ‹Kollektiv› in sinnlich faßbarer Gestalt von organisierten Massen, von körperlich vermittelter Kooperation; die ‹Maschine› als sinnlich gegenständliche Erscheinungsform des capital fixe, als dessen ‹Anhängsel› der Arbeiter erschien. Nicht also verschwinden Produktion, Kooperation oder gar ‹Realität› an sich selber, sie verändern sich jedoch derart, daß ihre in der Moderne geschichtlich hergestellte sinnliche Signifikanz und manifeste Funktionalität unkenntlich wird. Die ‹heiße› Betriebsamkeit moderner Produktion weicht einer ‹coolen› Digitalität. So wird im automatischen Produktionsprozeß der Kooperationszusammenhang objektiv spiritualisiert, der ‹Arbeiter› zur elektronisch verschalteten Wahrnehmungsmonade, sind die über Mikroprozessoren sich selbst regulierenden Produktionssysteme und Computeranlagen gar nicht mehr als ‹Produktionsmittel› identifizierbar, sind automatisierte Fabrikationsstätten – auf der Ebene der Zeichen – von Verwaltungsbüros, Warenhäusern usw. nicht mehr sinnlich-qualitativ unterscheidbar.

Analog verhält es sich mit der Massenexistenz der Menschen der ‹condition postmoderne›. Nicht verschwindet ‹die Masse› einfach; die Massierung findet jedoch nicht mehr sinnlich manifest und situativ statt wie noch an den für die Moderne paradigmatischen Orten – den Fabrikhallen und Kinos, den Bahnhöfen und Sporthallen. Der postmoderne Mensch hingegen bringt es im Spiel wie in der Arbeit mit Hilfe der medienelektronischen Vernetzung fertig, zu Hause und ohne sinnlich konkrete Situationen und Interaktionen Massenmensch zu sein.

Mit der materiellen Transformierung der industriellen Modernität ist jedoch das Ende der kulturellen, kunstavantgardistischen Moderne vorprogrammiert. Denn in welchen heterogenen artistischen oder philosophischen Wegmarken man deren Projekt auch verorten mag – ob Brecht oder Adorno, Benjamin oder E. Jünger, Picasso oder Chaplin, Aragon oder Kafka –, der Kitt ihrer Spannungsbögen ist nicht zuletzt die oft gewaltsame, mit Schrecken und/oder Euphorie abgemischte sinnliche Faszinationskraft der Monumente von Großer Industrie, technologischer Kollektivierung und Innovation, der bis dato unbekannten Räume, Medien und Innervationen, darin sich mehr oder weniger organisierte Ströme von Menschenmassen bewegten. In dieser Faszination technologischer Subjektformierung, wie immer sie auch jeweils ‹besetzt› und ‹differenziert› wurde, kontaminieren die konstruktiven und destruktiven Tendenzen im Projekt der Moderne.[71]

Postmoderne Perspektiven von Kunst und Literatur: Die Rücknahme von imaginativen zugunsten performativer Impulse

Kennzeichnend für die postmoderne Situation des Imaginären ist also, daß es die gesellschaftliche Funktionswelt nicht mehr nur stationär repräsentierend vermittelt, sondern zu ihrer prägenden Vermittlungskraft selber wird; daß es Lebenswelten, statt sie zu repräsentieren, jetzt industriell simuliert; daß es, statt nur *Gegenstand* sinnlichen Erlebens zu sein, das Erleben selber zunehmend herstellt und organisiert. Insofern sind – im Gegensatz zu Adornos noch modernistischer Annahme[72] – die Bilder selber ‹wirklich› geworden und nicht bloß ihr «erscheinender geschichtlicher Gehalt». In dieser Lage drängt sich eine These von Jean Baudrillard auf, deren Konsequenzschärfe sicherlich im Kontext seiner theologisch-eschatologischen Theoriebestände zu sehen ist, sich aber darauf nicht reduzieren läßt. Wenn, so meint er, das Reale und Imaginäre heute zu einer «operationellen Totalität verschmolzen» sind, dann herrscht das, was früher Kunst und ästhetische Faszination war, heute eigentlich überall, und dann gelte: «Kunst ist daher tot, nicht nur weil ihre kritische Transzendenz tot ist, sondern weil die Realität selbst … mit ihrem eigenen Bild verschmolzen ist.»[73] Kunst wäre mithin von der Wirklichkeit wieder einmal geschichtlich überholt worden: jetzt allerdings nicht nur, wie das einst Hegels These vom ‹Ende der Kunst› veranschlagte, was ihre Darstellungskompetenz von Wahrheit angeht, sondern vielmehr was ihre sinnlich-imaginativen Darstellungsmodi betrifft. Dem wäre auch mit den paradoxalen Strategien der künstlerischen Moderne nicht mehr beizukommen, die Spannung von Bildlichem und Nichtbildlichem ins Bild zu setzen, da ja nun das Bildliche als Repräsentationsform – und sei es seines schieren Gegenteils – zum geschichtlichen Anachronismus geworden ist.

Jedoch reicht diese Lage nicht zur Nötigung hin, sich zu einer Neuauflage der alten apokalyptischen Kunstvision verführen zu lassen. Denn Baudrillards These gewinnt ja ihre sachliche Schärfe nur durch die implizite Unterstellung, daß die Kunst unbeirrbar an ihren imaginären Impulsen, ihrer je originären Bildersprache festhält. Dem braucht aber nicht so zu sein. Ebensogut könnte man im Sinne einer konstruktiven Hypothesenbildung sagen: Angesichts der durchgreifend realen Vermittlung von Realem und Imaginärem kann Kunst lebendig bleiben, gerade insofern als sie ihre eigens imaginären Impulse, ihre sie jeweils von ‹der Realität› absetzenden Bildersprachen zurücknimmt. Und wenn das, worauf einiges hindeutet, der Fall ist, dann kann man auch gleich andeuten, was an deren Stelle tritt – das sind, so scheint es, performative Impulse, denen gemäß ‹Kunst› als besonderer operativer Ereignis-Raum sich darstellen wird.

Zuvor jedoch noch ein Blick auf das, was im Verschwinden begriffen ist. Denn wie sich gezeigt hat, besitzt die postmodern radikalisierte Perspektive nicht zuletzt den Vorteil, die zurückliegenden Kristallisationen von bürgerlicher Kunst um so transparenter und klarer hervortreten zu lassen. So zeigt sich, daß, solange in der Kunst die imaginativen Impulse dominieren, sie auch mit dem Konstruktionsbemühen um bildliche *Tiefe* verknüpft ist und daher auch auf den Anspruch orientiert, Ort der Erscheinung von *Wahrheit* zu sein. Und zwar gilt das nicht nur vom ‹heiteren› Bildraum der traditionellen Kunst und Ästhetik, sondern auch vom paradoxalen Bildraum der Moderne, der mit der Zweidimensionalität von (imaginärer) Repräsentation bricht, nicht jedoch mit dieser selber. Gerade in ihrer radikalen Negativität bleibt moderne Kunst repräsentativ aufs Ganze und Wahre bezogen: auf daß «nicht ... das Ganze des Systems, sondern ... das *Ganze des Chaos* sichtbar» werde.[74] Ihr Ziel war es, statt wie bürgerlich-traditionell das Allgemeine im/durch das Besondere aufzusuchen, den Schock, daß das Besondere gerade in seiner Vermittlung durch das Allgemeine zufällig und verlassen ist, ins Bild zu setzen. Darum versucht sie, auch die «vertrautesten Dinge zum Aufheulen zu bringen» (Henri Matisse). In radikaler Konsequenz wird jener Schock dadurch ins Bild gesetzt, daß wie bei Mallarmé, Malewitsch oder Beckett eben ostentativ *nichts* mehr ins Bild, ans Ohr, aufs Papier kommt. Gerade so macht moderne Kunst ihren Wahrheitsanspruch, der zu Recht als problematischer, reflektierter und partialer bestimmt wurde[75], spezifisch geltend. Seine Spezifik ist, nicht mehr explizit aus dem ästhetisch-imaginären Gebilde herauszuscheinen, sondern sich erst im Zusammenhang mit philosophischer Begriffsanstrengung, welche die in den Werken chiffriert, allegorisch, reflektorisch usw. gegebenen Anweisungen expliziert, herauszustellen.[76] Alle relevante Ästhetik der Moderne ist darum umgekehrt auch eine letztlich auf ‹Wahrheit› hin orientierte gewesen[77], suchte Bilder vom umgedrehten Stein der Weisen.[78]

In der postmodernen Situation muß dieses Projekt den Boden unter den Füßen verlieren. Denn im Kontext von Automation, technologischer Mediatisierung der Welt und elektronisch-imaginativer Vergesellschaftung ist es ja nun gerade nicht mehr die Anarchie und das Chaos, das Naturwüchsige im gesellschaftlichen Vermittlungsganzen, sondern umgekehrt dessen unentrinnbar scheinende ‹Geschlossenheit›, was – im Zustand fortdauernder Kapitalherrschaft – das Leben des Besonderen bedroht. Dagegen ist ein Ganzes und Wahres auch im Modus der Negation nicht mehr einklagbar. Darum ist auch das gegenwärtige Verschwinden einer bündigen philosophischen Auslegungskultur, welche (sei es hermeneutisch, kunst- oder geschichtsphilosophisch) den negatorischen, verzweifelten Wahrheitsanspruch der Moderne einzulösen suchte, nur folgerichtig und nicht sentimental als Verlust zu beklagen.

Wenn in nachmoderner Perspektive die Kunst ihre imaginativen Impulse zurückzunehmen scheint, dann geschieht das nicht voraussetzungslos. Es gibt eine Subgeschichte dessen in der Moderne. Dazu gehören die im Umkreis des Surrealismus unternommenen Versuche, die ästhetische Wahrnehmung neu zu bestimmen: z. B. der von Aragon erhobene[79] Einspruch gegen die kognitiv-visuelle Hierarchie in der Struktur ästhetischer Wahrnehmung, gegen die Modellhaftigkeit des Visuellen, ebenso Ernst

Jüngers Modell der ästhetischen als einer «stereoskopischen Sinnlichkeit», bei der ein Sinnesorgan stets mehrere, vor allem auch ‹taktile› Sinnesqualitäten eines Gegenstands erschlösse[80] und die besonders von André Breton emphatisch betriebene Rehabilitierung der körperlichen, erotischen, triebenergetischen Bindungen von ästhetischer Sensibilität.[81] Dieser Trend zu einer ‹Entsublimierung› ästhetischer Wahrnehmung bedeutet strenggenommen auch ihre ‹Entimaginisierung›: Denn was mich körperlich inneviert, was rauschhaft die Ich-Funktionen außer Kraft setzt, von dem kann ich ja gerade kein (auch nur inneres) Bild haben. Demgegenüber hat sich der Surrealismus, in Hinwendung zur Bilderproduktion des Kapitalismus und des neurotisierten Unbewußten, letztlich reintegriert in die paradoxalen Strategien der Moderne, aus dem eigentlich Bildlosen nun doch wieder Bilder zu machen. – Zu der erwähnten modernen Subgeschichte der ‹Entimaginisierung› zählt insbesondere der Modus filmästhetischer Wahrnehmung, diskutiert in Begriffen der «Zerstreuung» (Benjamin) oder der «kinematographischen Performanz» (Guattari). Sie laufen darauf hinaus, daß die unbewußten Triebaufladungen, die latent auf den sozialen Zeichen, Gesten etwa, liegen, im Kino freigesetzt, in affektiven Reaktionen nachvollzogen werden, d. h. «therapeutisch gesprengt» werden (Benjamin) und «der Diktatur des Signifikanten entgehen» (Guattari).[82] Dieser Wahrnehmungsmodus ist beim Film indessen nur latent wirksam, da ständig überlagert von filmischer Semantik und deren Einordnung in die Genres, die sich zu jenem meist nur äußerlich verhalten.

Dadurch, daß taktile, körperlich innevierende Elemente zunehmend Eingang finden in die Struktur ästhetischer Wahrnehmung, wird diese stets weniger von einem *Bildraum* her organisiert und definierbar, als daß sie sich als operativer Praxis- oder Ereignisraum darbietet, der explizit von libidinösen Besetzungsenergien durchströmt wird. Was ‹Kunst› ist, entfernt sich vom Bildraum des Werks zum sich selbst genügenden *operativen Ereignisraum*. Darin können im Kontext avancierter sozialer Zeichenpotentiale Experimente mit dem eigenen Unbewußten veranstaltet werden. Mit den environmentalen, kinetischen und luminokinetischen Kunstformen der 60er Jahre wurde ein Schritt in diese Richtung unternommen, der strukturell über die Innovationen der klassischen Moderne hinausweist. Denn wenn die Moderne das Paradoxale des Imaginären auch auf die Spitze zu treiben sucht und so z. B. das ‹signifikante Nichts› ins Bild setzt, so hält sie darin via negativa am imaginären Zentrum fest. Und was innerhalb des modernen Projekts unter dem Titel der ‹operativen Ästhetik› (Tretjakow, Brechts Lehrstücke) Schule gemacht hat, das bleibt gleichwohl (indirekt) am Wahrheitsanspruch von Kunst orientiert, nur daß dieser im Konjunktiv der Zukunft, im Sinne eines geschichtsoperativ und klassenpraktisch herzustellenden Ganzen und Wahren gesetzt ist. Demgegenüber scheinen die environmentalen und (lumino)kinetischen Kunstformen geeignet, eine *post*moderne Perspektive von Kunst zu markieren, indem sie an die Stelle von imaginärer Repräsentation und Tiefen-Konstruktion einen atmosphärischen und operativen Ereignisraum setzen, der, unter Einschluß des Rezipienten, sich selbst genügt. So schreibt z. B. Sartre über die Mobiles von Alexander Calder: «... ich kenne keine Kunst, die weniger täuschend ist als die seine. Die Skulptur deutet die Bewegung an, die Malerei den Raum, die Tiefe und das Licht. Calder aber deutet nichts an: er fängt die wirklichen, lebendigen Bewegungen ein und formt sie. Seine Mobiles bedeuten nichts, beziehen sich auf nichts als auf sich selbst.» [83] Statt zu imaginieren und zu repräsentieren, inszeniert er «nur die Skalen und Akkorde unbekannter Bewegungen». Diese Kunstformen beziehen auf durchaus vorkalkulierte Weise aleatorische und operationale Elemente, die der ‹Betrachter› unmittelbar mitbestimmt und variiert, in den ästhetischen Raum hinein und emanzipieren diesen somit vom imaginären Telos. Jener Raum wird, im Unterschied noch zum Film, nun endgültig entauratisiert und zum ‹experimentellen Ereignis›. Die vorbewußten und unbewußten Vorgänge des ‹Betrachters›, der zum integralen Moment des ästhetischen Raums wird, können auf spielerische Weise gleichsam physikalische Gestalt gewinnen, und die unter den Herrschaftsbedingungen der ‹toten Arbeit› entzogenen wissenschaftlichen, kybernetischen Simulakren erhalten eine traumartig subjektive Gestalt. [84] – Was gegenwärtig bei den als ‹postmodernen Kultbauten› annoncierten Gebäuden, etwa den neuesten Stuttgarter und Frankfurter Museen, in postmoderner Perspektive sich als tragfähig erweisen könnte, das ist weniger ihr verlegener Historismus und ihre manieristische Ornamentik als vielmehr just der Umstand, der den besorgten Kunstfreund so irritiert: daß hier die Bilder zu nebensächlichen Einrichtungsgegenständen degradiert sind, eingespannt in das ästhetische Ambiente, das spielerisch Environmentale der Räume.

Wie allerdings könnte sich diese Dominanzverschiebung auf der Ebene der ästhetischen *Texte*, ihrer Produktion und Wahrnehmung artikulieren? Als von vornherein anachronistisch müßte die Möglichkeit ausgeschlossen werden, daß etwas, das auf vorliterarischem Feld als ästhetisches ‹Erlebnis› oder verrückendes Rauschgefühl fasziniert wurde, auf dem Umweg über Literatur nachträglich wieder bebildert und metaphorisiert wird. Das war bekanntlich bei den meisten surrealistischen Prosaschriften der Fall, bei Bretons «konvulsivischer Schönheit» in literarischen Bildern oder Ernst Jüngers Schreckensbildern einer Ästhetik der «Frontlandschaft». Um auf die Höhe der postmodernen Geschichtssituation zu kommen, müßten die ästhetischen Texte vielmehr selber einen atmosphärischen und operativen Ereignisraum inszenieren, anstatt am struktiven

Telos eines imaginativen und metaphorischen Szenarios festzuhalten. Im literarischen Bereich macht sich jene postmoderne Verschiebung daher in der *Zurücknahme von eigens literarisch hergestellter Bildersprache*, von der zum «Literaturzeichen» heruntergekommenen originären und ‹stilsicheren› Metaphorik[85], die den Text gegenüber ‹der Realität› der Gebrauchssprachen angeblich noch auszeichne, geltend. So wundert es nicht, daß in den USA «das Auftauchen einer neuen Art von Flachheit oder Tiefenlosigkeit, eine neue Art von Oberflächlichkeit in einem sehr literarischen Sinne» als ein, wenn nicht das «constitutive feature of the postmodern» ausgemacht worden ist.[86] An die Stelle der heruntergewirtschafteten Tiefe tritt in ästhetischer Prosa eine eigentümliche literarische Wiederherstellung von *gesprochener, performativer Sprache* – das allerdings weder im Sinn einer frivolen ‹Bereicherung› von metaphorischer Literatursprache (wie etwa im naturalistischen Roman) noch im Sinne einer paradoxalen Brechung des metaphorischen Bildraums von Sprache (etwa durch Einmontierung sachlich oder sozial disparater sprachlicher Codes). Die Wiederherstellung performativer Sprache bekommt jetzt, so scheint es, den Sinn eines literarischen Zitierens von metaphorischen Reden, mit denen die erlebbaren und beschreibbaren Lebenswelten von vornherein durchsetzt, unentrinnbar ‹codiert› sind.

In diese Richtung weist ein fiktionaler Text wie Wolfgang Koeppens «Jugend» (1976), nicht zuletzt deshalb, weil er sich der postmodernen Situation (der neuartigen Vermittlung von Realem und Imaginärem) rückhaltlos zu stellen sucht, natürlich ohne die Auflage der jetzt aktuell gewordenen Debatte um Moderne und Postmoderne. Hier eine Kostprobe:

«... der Park von Putbus und im Hintergrund das Schloß des Fürsten von Putbus, und das Schloß sieht genau wie das Schloß des Fürsten von Putbus auf der Ansichtskarte aus, die sie am Eingang des Parkes verkaufen, für zehn Pfennig eine schwarzweiße, nein eine graue nebelfleckige Natur, für zwanzig Pfennig das weiße Schloß unter azurblauem, fast tropischem Himmel ... Auf dem schwarzen Schieferdach des Schlosses weht die Standarte des Fürsten, der Schullehrer des Ortes Putbus sagt, das Banner seiner Hoheit ist gesetzt, die Kurgäste flüstern, der Fürst ist zu Hause. Was ahnen die Kurgäste? Der Fürst speist von goldenen Tellern, des Fürsten Krone ist in das Tischtuch gestickt ... er umarmt die Fürstin, er zeugt den nächsten Fürsten von Putbus, der nicht herrschen, der fallen wird, gemeuchelt unterm Schnee, verscharrt im Wüstensand, begraben im Eis der Fjorde, versenkt in die Tiefen des Ozeans. Der alte Fürst liebt eine Mätresse und zeugt einen Schriftsteller oder einen Minister oder einen Volksverderber oder einen Hotelbesitzer, aber manche der Einheimischen sagen auch, ons Först is dood. Der Park ist nach englischer Weise angelegt ..., ein Einflüsterer, ein Schmeichler, ein Bodenspekulant, vielleicht ein echter Engländer, der homosexuell und emigriert war und seine Erinnerung an den Hydepark bekämpfte oder pflegte, vielleicht an einen Knaben mit einem Mädchenteint, oder ein Milchmädchen knäbischen Gesichts ... Der

Sand ist weiß, feinkörnig, meergewaschen, manchmal knirscht eine Muschel, und immer ist ein alter Mann beschäftigt, der dem Fürsten ähnlich sieht und vielleicht sein Bruder ist, die Pfade zu harken.»[87]

Offensichtlich ist die Metaphorik nicht mehr Mittel oder gar Telos dieses literarischen Textes. Die in seinem atmosphären Raum artikulierte Lebenswelt erscheint vielmehr selber als von metaphorischen Diskursen durchdrungene, d. h. als immer schon je zum Bild gewordene und durcherzählte Welt. Die metaphorischen und ideologischen Reden bzw. Sprachspiele werden im Erzählen transparent gemacht und als Folie von Geschehnissen zitiert, welche ihrerseits relativ austauschbar sind. Die erlebbare Real-Welt hat die Bildlichkeit, in nahezu unendlichen ‹Erzählungen› kolportierbar, als ihr eigenes Implikat in sich. Im Text wird gerade das – Ereignis.

Die für eine über die Moderne hinaus tendierende Literatur spezifische Wiederherstellung von performativer Sprache kann gleichzeitig die Bedeutung einer Reduktion von personalen Einheiten (die des ‹Autors› inbegriffen) bekommen: Bedeutungen gerade aus der Reduktion auf jeweils sozial und triebhaft gebundene Reden, Sprachmaterien, kurz auf *Diskurse*. Diese sind – wie sich im Anschluß an Lacan, Foucault und Althusser sagen läßt – gleichsam die Schienen, auf denen sich die Individuen als ‹Subjekte› konstituieren, indem im Medium der Sprachzeichen sozialhistorisches ‹Schicksal›, ideologische Klischees und Triebwünsche amalgamiert werden.

Solche Reduktion von personalen Einheiten auf diskursive Sprachmaterien ist neben dem erwähnten Text von Wolfgang Koeppen z. B. auch in Elfriede Jelineks jüngstem Roman «Die Klavierspielerin» gelungen. Wohl treten hier Romanfiguren noch hervor, sind unterscheidbar. Aber es wird niemals irgend ‹über› sie und die in ihrem Horizont befindlichen Sachverhalte ‹erzählt›, sondern das ‹Erzählen› versinkt gänzlich in die gesprochenen Sprachen ihrer ‹eigenen› Reden, d. h. in das Sprechen der sie als ‹Subjekte› konstituierenden und zusammensetzenden Diskurse. So werden die Romanfiguren in textual verwobene diskursive Sprachmaterien aufgelöst. Dabei wird auf Bildlichkeit von Sprache keineswegs verzichtet: «der Nachschöpfer ... würzt die Suppe seines Spiels stets mit etwas Eigenem, etwas von ihm selber. Er tropft sein Herzblut hinein ... Schmutzige Leiber bilden einen schmutzigen Wald ringsumher ... Sie (die Kunstschüler, D.V.) machen sich breit, fette Inseln, schwimmend im Fruchtwasser der Töne.»[88] Keineswegs verwendet der Text stilistische ‹Literaturzeichen›, ja nicht einmal literarische Metaphorik. Die metaphorischen Figuren sind vielmehr diskursive Indikatoren für die psychische, triebhafte Verankerung der jeweiligen gesellschaftlichen Diskurse. So sind in der Hauptfigur Erika Kohut die mütterlichen Reden der kleinbürgerlichen Aufstiegsphantasien, die elitären Diskurse romantischer Kunstkennerschaft und sadomasochistische Diskurse verschränkt, die Figur *ist* diese Verschränkung. Sprachliche Metaphorik wird auch hier zum Element des im Text ausgestellten Materials, während der Text zum «Intertext» wird, gewebt aus den Differenzierungen und Interpolationen der subjektstiftenden Diskurse.[89] Was einmal Erzählsprache war, geht auf in der Vielheit gesprochener Sprachen und doch gleichsam sie hindurch. Der literarische Text wird auf neue Weise intentional – nicht im Sinne der Expression des Autors, sondern im Sinne einer *polyphonen* Intentionalität, welche der Identitätsform des Subjekts subversiv untergelegt ist: «Der Roman entwickelt sich aus einem Gemurmel. Plätschern einer Quelle. Zwei Stimmen, nicht zwei Personen. Erst langsam wird deutlich, daß eine Geschichte erzählt wird, die Geschichte dieser Stimmen.»[90]

Texträume solchen Kalibers sind als literarische nicht (Sprach-)Bild, sondern *(Diskurs-)Ereignis:* In ihnen stellt sich jeweils neu und rezipientenabhängig (d. h. nie eindeutig und ein für allemal auf Begriffe zu bringen[91]) eine besondere Verfassung von Subjektivität her, die es so sonst nicht gäbe. Die Texte stellen (auch metaphorische, romanhafte) Diskurse unterschiedlicher Ebenen und Funktionen aus (Wunsch-, Rollen-, ideologische Diskurse), welche hinter die lebenspraktischen, funktionellen Identitätsformen von Personen und Dingen zurückgreifen. Ohne daß sie einen fiktionalen Meta-Diskurs involvieren, sind sie Ausstellung der diskursiv/semiotischen Zusammensetzungen jener Identitäten. Sie werden Ereignis in dem Augenblick, da, wie struktiv vorgesehen, der Leser, seine Vorstellungskraft, gleichsam ins Innere der gesellschaftspraktischen oder triebgeschichtlichen Konstruktion jener Einheiten hineingreift, die sie stiftenden Reden weiterspinnt und in sich hineinerzählt.

Vergleichbare performative Impulse finden sich in den neueren Gedichten von Ernst Jandl. Seine Dichtung, so Jandl über sich selbst, «kennt keine Tiefe, Perspektive, Dreidimensionalität, und täuscht sie auch nicht vor. Sie täuscht nichts vor. Wie Bilder ist sie – einzig – Fläche, Oberfläche.»[92] (Daß sie ‹wie Bilder›, wie flächige Leinwand seien, bedeutet hier selber metaphorisch, daß seine Gedichte *ohne* bildhafte Sprache auskommen wollen, die ja eine Tiefe der Empfindung hervorrufen würde.) Davon, daß dies auch praktisch wird, daß Jandls Gedichte die Bildlichkeit des lyrischen Sprechens aufzulösen bestrebt sind, kann man sich ohne weiteres überzeugen.[93] Dabei läßt dieser Lyriker nichts aus, weder herkömmliche noch die modern verrätselte lyrische Bildlichkeit noch auch die metaphorische Fiktionalität des ‹prosaischen› gelebten Ichs.[94] Dies letztere wird zum Agens der Dichtung: Statt im Bildraum des Sprachkunstwerks oder in einem fiktiven lyrischen Ich zu verschwinden, erlebt man es als *alltägliches* Ich bei der Arbeit an sich selbst, d. h. genauer an

seiner alltagsneurotischen Fiktionalität. Das Abarbeiten und Transparent-
werden dieser Fiktionalität *ereignen* sich in Jandls Gedichten. Somit hat
Helmut Heißenbüttel zu Recht behauptet: «Text wird Realität ... Es gibt
die Person Ernst Jandl nicht mehr ..., weil es den Text Ernst Jandl gibt.»[95]

Wie Jandls Gedichte die bildererzeugende Kraft eines lyrischen Ichs
ostentativ zurücknehmen, so greifen sie zurück auf schlichte Benennun-
gen von alltäglichen Dingen und Verrichtungen des empirischen Ichs. Die
benennenden Worte, wie im Gedicht «wasser, allein», sind ohne jede emphatische Überhöhung und geheimnisvolle Tiefe gesetzt.[96] Auf diese
Weise kann der lyrische Text aus einem intentionalen Bildraum zu einem
taktilen Sprachereignis werden: Herausgeätzt sowohl aus der überkommenen Sphäre kultureller Metaphorik wie auch aus derjenigen der metaphorischen Routineverwendungen, der alltagsneurotischen Obsessionen, können die Worte wieder zu den Kräften ihrer archaischen, animistischen Qualitäten kommen. Wie für das Kind einzelne Worte, deren Bedeutungen es nicht genau kennt, noch belehnbar sind mit beseelenden
Fähigkeiten, sie zu Schlüsseln ins Reich der triebgeladenen Phantasmen
werden können, so wagt die Dichtung hier das Experiment, die Worte
gleichsam wieder freizuschaufeln, um zu den – durch die Dominanz des
Imaginären – verschütteten ‹magischen›, ‹animistischen› und ‹taktilen›
Restbeständen vorzudringen. Das freilich ‹stellen› die Texte nicht ‹dar›;
sie schaffen nur die Voraussetzungen dafür, daß es sich ereignen kann.

Die Kunst stellt sich – so unsere These – der ‹condition postmoderne›
dann am kraftvollsten, wenn ihr struktives Zentrum sich von imaginativen Impulsen, die in den Stand von Materialien geraten, auf performative
Impulse verschiebt, wenn sie also von der Tiefenkonstruktion des Bildraums zur «new kind of flatness» eines operativen Ereignisraums fort-
geht. Es fragt sich allerdings, wie sie sich damit zu einem Wesensmerkmal
des Nachmodernen, das in der industriellen Simulation des Ereignishaften und Erlebnishaften besteht, verhält. Ist sie davon dann überhaupt
unterscheidbar, oder macht sie sich auf der Höhe des Weltlaufs zu einer
«Modalität des Spektakels»?[97]

Die Kunst mit performativer Dominante ist sicherlich nicht jenseits der
Simulation zu situieren. Sie ist wahrscheinlich deren ausdrücklichster Bereich. Wenn man sich indessen den Unterschied zu den industriellen Simulationsöffentlichkeiten klarmachen will, tut man gut daran, einen
Blick in deren psychosoziale Funktionsweise zu werfen. Die Menschen
der postmodernen Zeit, in der sich durch zunehmende Automation der
Arbeitscharakter gesellschaftlicher Produktion zusehends verflüchtigt,
befinden sich ja in einer Situation, in der die Infrastruktur der industriellen Kolonisierung des Subjektiven (Aufschub und Verdrängung von
Triebwünschen, mechanische Arbeitsdisziplin, verdinglichte Zeitorien-

tierung, ‹anale› Ich-Funktionen usw.) immer mehr abgebaut wird, da sie funktionslos geworden ist. Die Ich-Strukturen selber verändern sich, werden ‹dezentriert› und ‹triebdurchlässig›. Die dadurch vom industriellen Reglement freigesetzten Energien haben jedoch unter Fortdauer der bürgerlichen Rollen- und Identitätszwänge die Tendenz, in *narzißtische* Besetzungsenergien umzuschlagen.[98] Dieser Effekt wird durch das Getriebe der industriellen Simulationen nachhaltig verstärkt. Denn diese bedienen permanent den Narzißmus des Publikums: Sie produzieren imaginäre Szenarios, die unmittelbar in die ‹Programmsinnlichkeit› des einzelnen aufgenommen werden können und umstandslos ein ‹Erlebnis› simulierbar machen. Daß in der Folge zwischen ‹realen› und ‹simulierten› Objektbeziehungen nicht mehr zu unterscheiden ist, gibt dem Narzißmus neue Nahrung. Dabei produzieren die Medien die relative Beliebigkeit und Austauschbarkeit des ‹Erlebnisses› gleich mit und appellieren somit an die narzißtischen Befriedigungsillusionen des Konsumenten, der allmächtige Dirigent zu sein, der ‹sein› Erlebnisprogramm selber wählt und die Medien nach Belieben wechselt.

Damit hat sich die postmoderne Lage des Imaginären und seiner Triebbindung ins genaue Gegenteil derjenigen historischen Konditionierung verdreht, welche das Zeitalter der bürgerlichen Klassik und Romantik bestimmte. Denn dort war es ja – im Kontext des Zusammenbruchs der höfisch-aristokratischen Ordnungen und Bilderwelten – die vielbeschworene kalte und harte Prosa des bürgerlichen Alltagslebens, d. h. der *Mangel* an Imaginärem und an narzißtischen Befriedigungschancen, was den Einsatz und die metaphorische Blüteperiode der Kunst letztlich motivierte. Nach der der Moderne zuzurechnenden Kultivierung der Lust an der Unterwerfung (unter die ‹erhabene› Ökonomie, die Geschichte, die Masse, das Werk, die Tradition usw.) ist der Kunst heute eine gesellschaftliche Situation vorausgesetzt, die durch einen Überfluß an Imaginärem und an narzißtischer ‹Erlebbarkeit› geprägt ist. Motiviert das von neuem die Kunst?

Wohl kann sie, wie die literarischen Beispiele zeigen, sich der postmodernen Situation stellen. Etwa indem sie die Wucherungen des Imaginären in all unseren Lebenswelten herausstellt, indem sie die zu Klischees geronnenen imaginären Szenarios zerbricht und deren diskursive und triebenergetische Zusammensetzungen freilegt. So unterbricht sie beim Leser die Zyklen der eingeschliffenen Erlebnissimulation, stellt ihm einen möglicherweise lustvollen Textraum, ein Operationsfeld zur Verfügung, auf dem er, wozu er sonst schwerlich käme, mit seinen eigenen Obsessionen, Traumata, Idiosynkrasien experimentieren kann – und zwar auf heilsame Weise, da sie ja so aus dem inneren Gefängnis neurotischer Verkrustungen Ausgang haben. So vermöchte Kunst heute gerade in lustvolle Abstinenz von narzißtischen Befriedigungsritualen zu versetzen (ohne darum Angst-

und Unterwerfungslüste einzuspannen). – Ob jedoch daraus eine dauerhafte und substanzhaltige Möglichkeit von Kunst erwächst, ob es je eine Kunst jenseits der ästhetischen Meta-Mythologien des Subjekts und des Sozialen, des Geheimnisvollen und des Schreckens, des Chaos und des Nichts wird geben können, bleibt gegenwärtig fraglich und unabsehbar.

Anmerkungen

1 Im Zeichen der Automatisierung der Produktion, der Maschinisierung ihrer ‹geistigen Potenzen›, der elektronisch unmittelbaren Vergesellschaftung, der Dezentrierung von Ich-Strukturen usw.

2 Was den US-amerikanischen Begründungsversuchen einer «art of postmodernism», die anfangs an Theoremen von Leslie Fiedler und Susan Sontag orientiert waren und vorwiegend phänomenologisch argumentierten, eine gewisse Plausibilität verleiht, ist in der Regel erkauft durch eine ästhetizistisch verengte Sichtweise der ‹klassischen Moderne›. Deren destruktive, provokatorische und aktionistische Seiten, die in den USA durch Mäzenatenimport und elitäre Repräsentation nie richtig durchgeschlagen haben, werden, wo sie nun verspätet gesichtet werden, oft allzu schnell in ‹postmodernistische› Erkennungsmarken umgetauft.

3 Siehe dazu Walter Benjamin: Berliner Chronik. Mit einem Nachwort hg. v. Gershom Scholem. Frankfurt/M. 1970, S. 20; Walter Benjamin: Berliner Kindheit um Neunzehnhundert. In: Gesammelte Schriften. Bd. IV. 1. Frankfurt/M. 1972, S. 237.

4 Georg Wilhelm Friedrich Hegel: Jenaer Realphilosophie. Hg. v. Johannes Hoffmeister. Hamburg 1969, S. 180f.

5 Vgl. dazu Rudolf zur Lippe: Naturbeherrschung am Menschen. Bd. 2. Frankfurt/M. 1974, S. 214, 220; Georges Bataille: Der heilige Eros. (Deutsch) Frankfurt/Berlin/Wien 1982, S. 142.

6 Sigmund Freud: Das Ich und das Es. In: Werke, Studienausgabe. Bd. III. Frankfurt/M. 1975, S. 294f.

7 Jacques Lacan: Schriften 1. Hg. v. Norbert Haas. Frankfurt/M. 1975, S. 63ff.

8 Siehe paradigmatisch Friedrich Schiller: Über die ästhetische Erziehung des Menschen in einer Reihe von Briefen. In: Schillers Werke. Bd. 4: Schriften. Frankfurt/M. 1966 (Insel-Ausgabe), S. 195, 203, 205–210.

9 Siehe dazu Sigmund Freud: Zur Einführung des Narzißmus. In: Werke, Studienausgabe. Bd. III. Frankfurt/M. 1975, S. 44.

10 Friedrich Schiller: Über naive und sentimentalische Dichtung. In: Schillers Werke. Bd. 4: Schriften. Frankfurt/M. 1966, S. 292.

11 So Freud: Zur Einführung des Narzißmus, S. 55.

12 Friedrich Schiller: Über Anmut und Würde. In: Schillers Werke. Bd. 4: Schriften. Frankfurt/M. 1966, S. 143, 145f.

13 Vgl. Jean-Jacques Rousseau: Der Gesellschaftsvertrag. Frankfurt/M. 1978, S. 51ff., 116 (dort findet sich die erstaunliche These, es sei «die Körperbeschaffenheit des Staates das Werk der Kunst»). Im Anschluß vgl. Immanuel Kant: Kritik der Urteilskraft. Einzelausgabe nach den Bdn. IX und X der Theorie-Werkausgabe. Hg. v. Wilhelm Weischedel. Frankfurt/M. 1974, S. 322f.

14 Georg Wilhelm Friedrich Hegel: Vorlesungen über die Ästhetik I. In: Werke. Bd. 13. Frankfurt/M. 1970, S. 208.

15 So Peter Szondi im Nachwort zu Walter Benjamin: Städtebilder. Frankfurt/M. 1963, S. 95.

16 Jean Guillaumin: Das poetische Schaffen und die bewußte Bearbeitung des Unbewußten. Deutsch in: Mechthild Curtius (Hg.): Seminar: Theorien der künstlerischen Produktivität. Frankfurt/M. 1976, S. 181f.

17 Schiller in einem Brief an Goethe vom 7.9.1797. In: Schiller/Goethe: Briefwechsel. Hg. v. Emil Staiger. Frankfurt/M. 1977, S. 462f.

18 Siehe Lacan: Schriften 1, S. 67.

19 Schiller: Über Anmut und Würde, S. 170.

20 Siehe dazu Karl Rosenkranz: Ästhetik des Häßlichen (1853). Nachdruck Darmstadt 1977, S. 38ff.

21 So Rosenkranz: Ästhetik, S. 44.

22 Ference Fehér: Ist der Roman eine problematische Gattung? In: Lukács/Heller u. a.: Individuum und Praxis. Positionen der ‹Budapester Schule›. Frankfurt/M. 1975, S. 181.

23 Georg Büchner: Werke und Briefe. Historisch-kritische Ausgabe. Hg. v. W. R. Lehmann. München/Wien 1980, S. 69–75.

24 Vgl. Georges Bataille: Die Souveränität (1956). München 1978, S. 52f.

25 Büchner: Werke, S. 86.

26 Büchner: Werke, S. 89.

27 Theodor W. Adorno: Ästhetische Theorie. Frankfurt/M. 1970, S. 130.

28 Adorno: Ästhetische Theorie, S. 126.

29 Vgl. Paul Valéry: Zur Theorie der Dichtkunst. (Deutsch) Frankfurt/M. 1975, S. 144f., 164f.; Walter Benjamin: Charles Baudelaire. Ein Lyriker im Zeitalter des Hochkapitalismus. In: Gesammelte Schriften. Bd. I. 2. Frankfurt/M. 1974, S. 615; Thomas Stearns Eliot: Tradition und individuelle Begabung. In: ders.: Ausgewählte Essays. 1917–1947. (Deutsch) Berlin/Frankfurt 1950, S. 109f. Vgl. indessen auch Bertolt Brecht: Der Dreigroschenprozeß. In: ders.: Gesammelte Werke. Bd. 18. Frankfurt/M. 1967, S. 162.

30 So Benjamin: Berliner Chronik, S. 19.

31 Thomas Stearns Eliot: Milton: In: Ausgewählte Essays. 1917–1947. (Deutsch) Berlin/Frankfurt 1950, S. 308.

32 Eben dies nötigte etwa T. S. Eliot, seinen Versen in «The Waste Land» verweisende und erläuternde Anmerkungen («Notes») beizufügen.

33 Valéry: Theorie der Dichtkunst, S. 144.

34 Valéry: Theorie der Dichtkunst, S. 166.

35 Walter Benjamin: Das Kunstwerk im Zeitalter seiner technischen Reproduzierbarkeit. In: Gesammelte Schriften, Bd. I. 2. Frankfurt/M. 1974, S. 465.

36 So Alfred Döblin im Gespräch mit Günther Anders. In: G. Anders: Mensch ohne Welt. Schriften zur Kunst und Literatur. München 1984, S. XXX.

37 Adorno: Ästhetische Theorie, S. 521.

38 Paul Valéry: «Ganz andere Kräfte als ein ‹Verfasser› arbeiten am Werk ... Das Werk verändert den Autor. Bei jeder Bewegung, die es aus ihm (!) herausholt, erfährt er eine Veränderung ... Ein Werk dauert gerade, insofern es ganz anders zu erscheinen vermag, als es sein Verfasser geplant hat» (In: Windstriche: Aufzeichnungen und Aphorismen. Deutsch Frankfurt/M. 1959, S. 48, 90, 175). – Vgl. auch T. S. Eliot: Tradition, S. 103.

39 Jürgen Manthey: Wenn Blicke zeugen könnten. München/Wien 1983, S. 24f., 62f.

40 Charles Baudelaire: Ein Schilderer des modernen Lebens. Constantin Guys.
   In: Ausgewählte Werke: Kritische und nachgelassene Schriften. Hg. v. Franz
   Blei. München o. J., S. 194.
41 Baudelaire, zitiert nach: Michel Butor: Ungewöhnliche Geschichte. Versuch über einen Traum von Baudelaire (1961). Frankfurt/M. o. J., S. 50.
42 Butor: Ungewöhnliche Geschichte, S. 53 f.
43 Walter Benjamin: Kleine Geschichte der Photographie. In: Gesammelte
   Schriften. Bd. II. 1. Frankfurt/M. 1977, S. 371.
44 Siegfried Kracauer: Theorie des Films. Die Errettung der äußeren Wirklichkeit. Frankfurt/M. 1985, S. 388.
45 Louis Aragon: Pariser Landleben. Le Paysan de Paris. (Deutsch) München
   1969, S. 78 f.
46 André Breton: Die Manifeste des Surrealismus. (Deutsch) Reinbek bei Hamburg 1968, S. 130.
47 Siehe dazu Sigmund Freud: Zur Psychopathologie des Alltagslebens. Frank-
   furt/M. 1975 (18), S. 189, 199 ff.
48 Alexander Kluge: Gelegenheitsarbeit einer Sklavin. Zur realistischen Methode. Frankfurt/M. 1975, S. 208 f.
49 Vgl. Karl Marx: Grundrisse der Kritik der Politischen Ökonomie. Frankfurt/
   M. o. J., S. 11, 132 f., 137.
50 Vgl. Jean Baudrillard: Der symbolische Tausch und der Tod. (Deutsch) München 1982, S. 80 f.
51 Vgl. Marx: Grundrisse, S. 145.
52 Breton: Manifeste, S. 145.
53 Siehe Carlo Ginzburg: Spurensicherungen. Über verborgene Geschichte,
   Kunst und soziales Gedächtnis. Berlin 1983, S. 61–79.
54 André Breton: L'Amour Fou. (Deutsch) Frankfurt/M. 1974, S. 13.
55 Aragon: Pariser Landleben, S. 212.
56 Elisabeth Lenk: Sinn und Sinnlichkeit. Nachwort zu Aragon: Pariser Landleben, S. 274 f.; Luis Buñuel: Mein letzter Seufzer. Erinnerungen. (Deutsch) Kö-
   nigstein i. Ts. 1983, S. 113 f.
57 Siehe dazu Henri Lefebvre: Metaphilosophie. Prolegomena. (Deutsch) Frank-
   furt/M. 1975, S. 214 ff.
58 Siehe dazu Charles S. Peirce: Phänomen und Logik der Zeichen. Hg. v. Helmut
   Pape. Frankfurt/M. 1983, S. 90 ff.
59 Vgl. Werner Heisenberg: Das Naturbild der modernen Physik. In: ders.:
   Schritte über Grenzen. München 1971, bes. S. 125 ff.
60 Lefebvre: Metaphilosophie, S. 215.
61 Benjamin: Das Kunstwerk, S. 449 ff., 453, 462 ff.
62 Vgl. dazu Dieter Prokop: Heimliche Machtergreifung: Neue Medien erobern
   die Arbeitswelt. Frankfurt/M. 1984, S. 162 f.
63 Prokop: Machtergreifung, S. 90 ff.
64 Die Bildung dieses Begriffs ist inspiriert worden durch Baudrillards Theorem
   vom «industriellen Simulakrum».
65 Vgl. Prokop: Machtergreifung, S. 87 ff.
66 Vgl. Claus-Dieter Rath: Elektronische Körperschaft. In: TUMULT 5 (1983),
   S. 42 f.
67 Walter Benjamin: Der Sürrealismus. Die letzte Momentaufnahme der europäischen Intelligenz. In: Gesammelte Schriften. Bd. II. 1. Frankfurt/M. 1977,
   S. 299.

68 Siehe Oskar Negt/Alexander Kluge: Öffentlichkeit und Erfahrung. Frankfurt/M. 1972, S. 239 f., 244 ff.

69 Brecht: Dreigroschenprozeß, S. 161.

70 Für Baudrillard verschwindet Produktion schlechthin, wird Arbeit zum «rituellen Dienst», der Arbeiter zum «Mannequin» (Symbolischer Tausch, S. 32 ff.). Selbst wenn das – kontrafaktisch – der Fall sein sollte, fragt man sich, warum das nun noch schlimm wäre, ist doch für Baudrillard selber die Arbeit das Grundübel – «aufgeschobener Tod». Daß und wie für ihn die Simulation doch wieder schlimm ist («nichts als kalte Animation, Simulakrum von Appell und Wärme», «gibt niemanden ein Zeichen (!)» / Symbolischer Tausch, S. 124), das Simulierte das Uneigentliche und Irreale, das Reale das Substantielle etc. ist – das ist in doppelter Hinsicht aufschlußreich. Einmal enthüllt es die *theologische* Grundierung seines Konzepts, das methodisch konsequent den «Opfertod» diskutabel machen will, zum anderen die gegenaufklärerische Schuldzuweisung an die *theoretische Kritik* der kapitalistischen Produktion, welche, ob ökonomisch oder ökologisch orientiert, den «Glauben» an die Arbeit, an die Natur und ihre Zerstörung schüre und solchermaßen zur eigentlichen «Basis des Systems» avanciere (vgl. Symbolischer Tausch, S. 54 ff.).

71 Der destruktive Pol dieses Faszinosums wäre die Topik der Zerstörung von Gemütlichkeit, ‹Guter Stube›, kontemplativer Sammlung usw., welche – ob bei Brecht, E. Jünger, Marinetti oder Benjamin – mit dem konstruktiven Aufriß eines unübersehbaren Horizonts von technologisch organisierter Kollektivierung, kollektiver Innervation, ‹heißer› Spannungen und sinnlich-spontaner Kommunikation usw. verschränkt ist.

72 Adorno: Ästhetische Theorie, S. 132 f.

73 Baudrillard: Symbolischer Tausch, S. 118 f.

74 Anders: Mensch ohne Welt, S. 28.

75 Dieter Henrich: Kunst und Kunstphilosophie der Gegenwart. In: Wolfang Iser (Hg.): Poetik und Hermeneutik. Immanente Ästhetik, ästhetische Reflexion. München 1966, S. 24 ff., 27 ff.

76 Vgl. in diesem Zusammenhang den Aufsatz von Jochen Schütze in diesem Band.

77 Das betrifft nicht allein die sich von Hegel bzw. Schelling herschreibenden Ästhetiken von Lukács und Adorno, sondern auch die mit ihnen konkurrierenden von Benjamin und Brecht. Auf der Suche nach Gegenständen, «in denen jeweils die *Wahrheit* am dichtesten vorkommt» (W. Benjamin: Briefe. Bd. 2. Hg. v. G. Scholem/Th. W. Adorno. Frankfurt/M. 1978, S. 523), erfüllt sich Benjamins Ästhetik schließlich als Geschichtsphilosophie: Wenn im revolutionären Kampf der unterdrückten Klasse das «dialektische Bild» wie «ein Kugelblitz» aufscheint, «der über den *ganzen* Horizont der Vergangenheit läuft», dann ist es das «*wahre* Bild der Vergangenheit», das «vorbeihuscht». «Eben weil diese Wahrheit vergänglich ist und ein Hauch sie dahinrafft, hängt viel an ihr» (W. Benjamin: Notizen und Paralipomena zu den «Thesen über den Begriff der Geschichte». In: Gesammelte Schriften. Bd. I. 3. Frankfurt/M. 1974, S. 1233, 1247). – Brecht setzte bekanntlich auf die durch Sozialwissenschaften erreichbare «Wahrheit» der Gesellschaft, deren kunstgemäße Umsetzung im Unterschied zum traditionellen Realismus auch die «Unklarheit der menschlichen Beziehungen» als geschichtlich wahren und zu überwindenden Sachverhalt «in epischer Ruhe» darzustellen habe (B. Brecht: Die dialektische Dramatik. In: Gesammelte Werke. Bd. 15. Frankfurt/M. 1967, S. 221 f.; ders.: Über eine

nichtaristotelische Dramatik. In: Gesammelte Werke. Bd. 15. Frankfurt/M. 1967, S. 258 ff.; 265).

78 «Aber auch die besten machen sich Bilder von der Wahrheit» (Friedrich Schlegel: Lucinde (1799). Frankfurt/Berlin/Wien 1980, S. 98).

79 Aragon: Pariser Landleben, S. 13.

80 Ernst Jünger: Das abenteuerliche Herz. In: ders.: Werke. Bd. 7. Stuttgart o. J., S. 198 ff., 219 ff.

81 Breton: L'Amour Fou, S. 11 ff.

82 Benjamin: Das Kunstwerk, S. 462 f.; Felix Guattari: Die Couch des Armen. In: ders.: Mikro-Politik des Wunsches. (Deutsch) Berlin 1977, S. 89 f.

83 Jean-Paul Sartre, zitiert nach Frank Popper: Die Kinetische Kunst. Köln 1975, S. 58.

84 Der Bildplattenspieler, ausgerüstet mit Computer-Diskette und Laserstrahl, lieferte heute, wenn auch bislang vorwiegend didaktisch eingesetzt, einen neuen Spielraum für ästhetische Interaktion. Der ‹Betrachter› der Bildplatte verändert mit digitalisierten Eingriffen und Entscheidungen den ‹vor› seinen Augen ablaufenden Film.

85 Roland Barthes: Am Nullpunkt der Literatur (1953). (Deutsch) Frankfurt/M. 1982, S. 82.

86 Vgl. den Aufsatz von Fredric Jameson in diesem Band.

87 Wolfgang Koeppen: Jugend. Frankfurt/M. 1976, S. 85 ff.

88 Elfriede Jelinek: Die Klavierspielerin. Reinbek bei Hamburg 1983, S. 20 f., 29, 85 f.

89 Siehe dazu Julia Kristeva: Der geschlossene Text. In: Kristeva/Eco/Bachtin u. a.: Textsemiotik als Ideologiekritik. Frankfurt/M. 1977, S. 304 ff.

90 Wolfgang Koeppen: Vom Tisch. In: Text und Kritik 34. München 1972, S. 10.

91 Vgl. den Aufsatz von Jochen Schütze in diesem Band.

92 Ernst Jandl, zitiert nach H. F. Schafroth: Jandl live oder wie schreit man? In: Ernst Jandl: Materialienbuch. Hg. v. W. Schmidt-Dengler. Darmstadt/Neuwied 1982, S. 62.

93 Siehe beispielhaft die Gedichte «die amsel», «schweres wort», «der schnitter». In: Ernst Jandl: der gelbe hund. Darmstadt/Neuwied 1982, S. 56, 67, 70.

94 Vgl. etwa folgendes Gedicht: «durch mein hirn gezogen / darin fest eingespannt / sein ein Redenbogen / so ein draht / der in sich hat das reden / das alles einst gewesen ist / seit ich ward ein hörendes kind / ...» (der gelbe hund, S. 145).

95 So Helmut Heißenbüttel in der Laudatio auf den Büchner-Preisträger Ernst Jandl. In: Frankfurter Rundschau, 20. 10. 1984.

96 Siehe Ernst Jandl, der gelbe hund, S. 26. – Vgl. im Kontext den Zyklus «der gewöhnliche rilke».

97 Lefebvre: Metaphilosophie, S. 254.

98 So hat Paul Parin für das Problem der «Rollenidentifikation des Ichs», welche dem Ich nicht nur Abwehrarbeit erspart, sondern auch Triebbefriedigung verschafft, entwickelt, wie mit der gesellschaftlichen Komplexität und Labilität des ‹Rollenangebots› die objektbezogenen Bedürfnisse und libidinösen Objektbeziehungen unsicher und gestört werden und wie dies – so die Pointe – das Ich dazu führt, «den Lustgewinn objektaler Wunschbefriedigung gegen narzißtische Prämien umzutauschen, die mit den gebotenen Rollenidentifikationen eher vereinbar sind» (Paul Parin: Der Widerspruch im Subjekt. Ethnopsychoanalytische Studien. Frankfurt/M. 1978, S. 109).

Teresa de Lauretis

Das Rätsel der Lösung – Umberto Ecos «Der Name der Rose» als postmoderner Roman

Erste Szene: Der Balkon

Was ist ein Name? fragt Julia. Sie ist eine Frau und kennt die Gezeiten, den Zug des Realen. Eco beantwortet ihre Frage ganz einfach und impliziert doch dabei die ganze Philosophie und alle Strömungen der abendländischen Epistemologie: alles und nichts. «Stat rosa pristina nomine. Nomina nuda tenemus.»[1] Aber Julias Frage war natürlich rhetorisch, und Ecos Antwort ist nicht, was sie hören will. Wir lassen Julia auf dem Balkon allein mit ihrer Frage und gehen weiter zu Szene zwei.

Zweite Szene: Der Garten

Stellen Sie sich Adam und Eva im Garten Eden vor, nackt, ohne Schuld und (natürlich, könnte man meinen) ohne Sprache. Aber nein, Adam und Eva haben eine Art Sprache, einen rudimentären Code, der aus zwei Lauten besteht, der in ihrer Kombination eine begrenzte Anzahl von Signifikanten und deren entsprechende semantische Einheiten oder Signifikate bilden. Diese Laute sind A und B, und mit ihnen drücken Adam und Eva die Bejahung der üppigen Natur aus, die sie umgibt. Ein glückliches Leben führen sie, ohne Konflikte, ohne Unsicherheit, in einer Welt einfacher, bleibender Werte. Die Dinge sind entweder eßbar oder nicht eßbar, gut oder schlecht, schön oder häßlich, rot oder blau. Aber eines Tages spricht Gott, und er sagt:

    BAAAB.BAB – BAAAB.BAAB
    (Apfel nicht eßbar, Apfel böse)

das heißt, er verkündet, daß der Apfel, den sie für schön, eßbar und gut (weil rot) und damit für ein Ja hielten, tatsächlich ein Nein ist, eigentlich sogar ein Nein-Nein (in der Paradiessprache ist das Böse – die Schlange – BB). Gott führt so in Adams und Evas semantisches Universum einen Widerspruch ein, der eine größere Krise im Garten Eden auslöst. Denn in diesem Augenblick erkennen Adam und Eva, die die Wahrheit von Gottes Aussage nicht anzweifeln können, weil Er AA par excellence ist («Ich bin der Ich bin», oder anders, weil Er das transzendentale Signifikat ist), daß die Denotation im Gegensatz zur Konnotation stehen kann. Noch erstaunlicher für sie ist, daß dieser Widerspruch oder diese Zweideutigkeit auf der semantischen Ebene die Möglichkeit birgt, neue Ausdrucksformen, neue Signifikanten zu schaffen, zum Beispiel /blaurot/ (BAAAAABABBBBBA) zu sagen und zu schreiben. Sie sind buchstäblich fasziniert vom ungewöhnlichen Klang der neuen Sequenz. Sie wiederholen sie immer wieder und sehen den Apfel nicht einmal an: Zum erstenmal achten sie auf Wörter statt auf Dinge.

So kommt es, daß Adam und Eva die Lust am Text, das Begehren in der Sprache kennenlernen. Und sie beginnen, neue Wortformen zu erfinden: Sie schreiben /rot/ mit Blaubeersaft, reihen Wörter aneinander und ordnen sie in Spalten an oder unterstreichen sie; entdecken Rhythmus und Reim, Anaphern, «recitar cantando», «parole in libertà» und konkrete Poesie. Kurzum, mit der Arbitrarität des Zeichens haben sie die Struktur des Codes entdeckt und können augenblicklich die Geschichte der Poetik durchlaufen. Nach Jakobson entdeckt Adam noch einmal die poetische Funktion der Sprache, und er erfährt Derridas heideggerianische Vorliebe für falsche Etymologien. Der Gedanke kommt ihm in den Sinn, daß «nomina sunt numina», daß die Götter durch die Sprache sprechen und daß deshalb die Sprache ein Teil der Natur, nicht des Überbaus ist; und er fühlt sich Gott und seinen ewigen Gesetzen näher. Tatsächlich fühlt er sich näher bei Gott als Eva, und das, glaubt er, muß ‹die› Differenz sein. Eva ihrerseits hat andere Gründe, die Linguistik und die Literatur zu betreiben. Die Begegnung mit der Schlange hat sie die Existenz von vorsprachlichen Faktoren im semiotischen Feld gewahren lassen, und sie ist jetzt voll und ganz mit der Semanalyse beschäftigt.

Um es kurz zu machen: Ob Adam den Apfel ißt, den Eva ihm reicht oder nicht, und ob sie ihm den Apfel überhaupt reicht oder nicht, ist am Ende völlig irrelevant. Sie haben das Paradies verlassen seit jenem Augenblick, als sie mit der Sprache zu spielen begannen und entdeckten, daß die univoke Korrespondenz von Signifikant und Signifikat, die der edenische Code nahelegte, nicht existiert. In jenem Augenblick begann auch – Geschichte. Denn mit Seinem Wunsch, Seine Geschöpfe zu prüfen, indem Er ein Verbot instituierte, führte Gott einen Widerspruch in die natürliche Ordnung der Dinge ein, und dieser Widerspruch produzierte einen Zustand anhaltender Verwirrung in der Ordnung der Zeichen. Eine Moral der Geschichte wäre: Gott machte einen Fehler. Aber es gibt noch zwei weitere ebenso plausible Hypothesen: (1) Gott machte keinen Fehler, sondern las Lévi-Strauss und schuf absichtlich das universale Tabu als Institution, auf daß Kultur sei; oder (2) Gott existierte nicht, und der Mythos von der Untersagung entstand später als Rationalisierung oder nachträgliche Erklärung des Ereignisses.

Das ist in etwa der Sinn eines Essays, den Eco 1971 unter dem Titel «Generazione di messaggi estetici in una lingua edenica» veröffentlicht hat.[2] Er wurde in die Essaysammlung «Le forme del contenuto» aufgenommen, ein Buch, das den Übergang von den ästhetischen und im weiteren Sinne philosophischen Themen in «Opera aperta» (1962, dt.: «Das offene Kunstwerk», 1973) und «La struttura assente» (1968, dt.: «Einführung in die Semiotik», 1972) zu der eher formal definierten Untersuchung «Trattato di semiotica generale» (1975, engl.: «A Theory of Semiotics», 1976) markiert. Der Essay selbst ist jedoch repräsentativ für einen dritten Diskurstyp, mit dem nur die italienischen Leser Ecos vertraut sind, nämlich den seiner journalistischen Arbeiten, bestehend aus politischen Kommentaren, Aufsätzen über Massenkultur, Rezensionen, Interviews und Interventionen, die nahezu alle Aspekte des öffentlichen Lebens in Italien betreffen. Er kann auch als exemplarisch für eine spezifische Form der semiotischen Imagination gelten, die alle Schriften Ecos von den abstrakten und theoretischen Texten über die Gelegenheitsarbeiten bis hin zu den literarischen Texten prägt.

Diese Genesis ‹sub specie semiotica› gehört weder dem erst- noch dem letztgenannten Genre an, sondern ist nach den Worten des Autors als Modell konstruiert. Eco dient es als praktische Demonstration der zeichenstiftenden Operationen, der Mechanismen des offenen Kunstwerks, des ästhetischen Gebrauchs der Codes. Insbesondere ist ihm daran gelegen, die Erfindung als einen Modus der Zeichenproduktion herauszustellen. Zugleich aber ist diese Genesis eine Demonstration der Semiotik selbst, einer nach Ecos Verständnis entmystifizierenden Zeichenpraxis, einer permanenten Ideologiekritik. Doch vor allem anderen demonstriert der Essay die Lust an Semiose und Semiotik: erstere als pures Spiel, «jouissance», als Wunderbares, Marinos meraviglia; letztere als Rechtfertigung bzw. Affirmation des humanen/humanistischen Subjekts, das durch die semiotische Aktivität sozusagen in ein Endspiel mit Gott eintritt und ihn, statt ihn zu verfluchen oder zu verdrängen, auf ein menschliches Maß herunterspielen und seinen Donner in Geblök oder Geplapper («BAAAB.BAB») umcodieren kann.

Es ist nur konsequent, wenn Eco in späteren Arbeiten die These vertritt, daß die Semiotik «eine Theorie der Lüge» und der Mensch das einzige Tier sei, das lügen und lachen kann.[3] Ein Text ist so verstanden immer eine Lüge, oft eine vorsätzliche, und seine größte Macht ist das Lachen. Lange bevor Eco den Roman schrieb, der von der Suche nach dem geheimnisvollen Urtext über die Komödie handelt, dem Text über die Wahrheit des Lachens, hatte er über de Amicis populäres Feuilleton «Cuore» geschrieben: «Entweder lacht man über die (bürgerliche) Ordnung von innen, oder man muß sie von außen verfluchen; entweder man tut so, als ob man sie akzeptierte, um sie dann bloßstellen zu können, oder man tut so, als ob man sie verwürfe, nur um sie dann in anderer Form wieder einzuführen; entweder man ist Rabelais oder Descartes.»[4] In «Der Name der Rose», denke ich, will Eco beides sein.

Wenn es einen Text gibt, auf den Ecos Bestimmung, Schreiben sei eine Art vorsätzlicher Lüge, zutrifft, dann ist es «Der Name der Rose», ein Roman, der im riesigen Laboratorium seiner kritischen Studien und seiner mehr als zwanzigjährigen politischen Aktivitäten zusammengesetzt wurde. Der Roman zieht Bilanz. Er verarbeitet Ecos Auffassungen von Geschichte und Kultur, Kognition und Kreativität und steht in Einklang mit Ecos Gesamtwerk, das der Frage nach dem Verhältnis von Welt und Text gewidmet ist. Denn wir dürfen nicht vergessen, daß Eco ein Schüler und Bewunderer Thomas von Aquins ist, und der Roman ist denn auch als *Summa* der Erzählkunst intendiert – als Roman der Romane, als das unlösbarste aller Rätsel, als pikaresker Bildungsroman, als Kulmination der Intertextualität der Texte; und das Manuskript ist auch nicht in einer Flasche versteckt, sondern in einer Chinesischen Schachtel, die bekanntlich immer noch eine weitere Schachtel enthält. Zugleich ist dieser Roman das persönlichste Werk Ecos, so persönlich, wie es eben nur eine erfundene Geschichte bzw. die Narrativität in einem literarischen Text sein kann. Denn wie gut die Emotionalität des Schriftstellers in der ausgetüftelten Verschachtelung von narrativen und metanarrativen Codes auch verborgen sein mag, sie kommt in der Fiktion doch unweigerlich zum Vorschein. Und im historischen Szenario, kaum verhüllt durch die Manipulation der gattungskonstitutiven Regeln, wie sie der scharfsinnige Gelehrte Eco vornimmt, kann man deutlich die Merkmale eines anderen Schauplatzes und einer anderen Szene erkennen.

Geschichte und Erzählung, der öffentliche Bericht von interpretierten Ereignissen und deren Spuren in der persönlichen Geschichte eines Subjekts passen nicht mehr so nahtlos zusammen. Für manche Leser kollidieren sie – für Elsa Morante zum Beispiel, wie ihr «La Storia» schmerzlich bezeugt – und produzieren Brüche und Tränen im Gewebe von Leben und Text.[5] Aber hier, in dieser «Geschichte von Büchern» (S. 12), vermischen sich persönliche Geschichte und politische Geschichte mit den literarischen Topoi der Reise, der Erziehung des Herzens, des Abstiegs in die Unterwelt, der Suche nach der verlorenen Zeit, dem Erwachen der Vernunft; hier sind die politische Fragestellung und die mythische Suche mit dem sokratischen Dialog, dem «conte» nach dem Vorbild Voltaires und der Detektivgeschichte Conan Doyles fest verknüpft. Unser dritter Schauplatz ist daher die Bibliothek, denn am Anfang des Romans steht «natürlich eine alte Handschrift».

Dritte Szene: Die Bibliothek

Zunächst scheinen wir uns im Reich der historischen Tatsachen zu befinden. Jemand (vermutlich Eco) erhält von jemand anderem (nähere Informationen fehlen) am «16. August 1968» ein Buch. Bei diesem Buch handelt es sich angeblich um die aus dem Jahr 1842 stammende französische Übersetzung einer lateinischen Ausgabe (aus dem 17. Jahrhundert) eines Manuskripts, das in lateinischer Sprache von einem deutschen Mönch gegen Ende des 14. Jahrhunderts verfaßt wurde. Der erste Jemand hatte gerade Prag verlassen. «Sechs Tage später besetzten sowjetische Truppen die gebeutelte Stadt» (S. 7). Er/sie trifft die «langersehnte Person» in Wien, und gemeinsam reisen sie aufwärts, dem Lauf der Donau folgend, zum Stift Melk, wo der angebliche Verfasser des Manuskripts gelebt hatte. Dort findet sich nicht nur keine Spur des Originalmanuskripts, sondern in einer «tragischen Nacht» verschwindet die langersehnte Person mitsamt dem französischen Buch auf Nimmerwiedersehen. Im Januar 1980 entschließt sich der erste Jemand, «sein» eigenes Manuskript, eine Übertragung der Erinnerungen Adsons von Melk in modernes Italienisch, zu veröffentlichen. Weshalb? «Sagen wir: es war eine Geste der Zuneigung. Oder, wenn man so will, ein Akt der Befreiung von zahllosen uralten Obsessionen» (S. 12).

Adsons Erinnerungen, verfaßt von einem Benediktinermönch am Ende seines Lebens am Ende des Jahrhunderts, berichten von Ereignissen, die sich in seiner Jugend, im Jahre des Herrn 1327, zugetragen haben. Sein Manuskript beginnt mit einem Prolog, und der Prolog beginnt mit den Worten des Evangelisten Johannes: «In principio erat Verbum», «am Anfang war das Wort, und das Wort war bei Gott, und Gott war das Wort.» Der Bericht der Ereignisse, unterteilt in sieben Tage (Kapitel) und von Adson in der ersten Person erzählt, hebt an mit einem Satz, der wie ein Zitat aus den «Peanuts» wirkt, wie der Anfang von Snoopys work in progress: «Es war ein klarer spätherbstlicher Morgen Ende November» (S. 31). Die drei Anfänge enthalten und überdecken drei Bezüge, drei Diskursregister: das literarisch-historische, das theologisch-philosophische und das massenkulturelle, die nicht nur die Hauptgebiete von Ecos kritischen Arbeiten, sondern auch seiner eigenen Schreibpraxis sind. Kurz, es handelt sich um sein semiotisches und poetisches Manifest. Dieser Text, so müssen wir es wohl verstehen, demonstriert, wie Pierre Menard in Borges' Erzählung seinen Don Quixote schrieb.[6] Es handelt sich um einen Text, der fast vollständig aus anderen Texten gemacht ist, aus Geschichten, die schon einmal erzählt wurden, aus Namen, die entweder bekannt sind oder so klingen, als müßten sie uns aus der Literar- und Kulturgeschichte eigentlich bekannt sein. Es ist ein Text, der ein Pot-

pourri aus berühmten Passagen und obskuren Zitaten vorstellt und der
ein Fachvokabular, viele Subcodes (narrative, ikonographische, literarische, architektonische, bibliographische, pharmazeutische etc.) und
schließlich Figuren versammelt, die wirken, als ob sie einer Universalenzyklopädie entnommen worden wären.

Zum Beispiel: ein Abt mit Namen Abbo; ein etwa fünfzigjähriger Fran-
ziskanermönch und ehemaliger Inquisitor namens Bruder William von
Baskerville, der in Momenten nervlicher Anspannung Gras zu kauen
pflegt, und ein junger Novize, sein Schüler und Schreiber namens Adson,
der von seinem Lehrer meist als «mein lieber Adson» angeredet wird. So
vorgewarnt, wird der Leser hingehen und den «Hund der Baskervilles»
noch einmal lesen; er wird dort nicht nur dieselbe Struktur des Nachfor-
schens und Schlußfolgerns entdecken, wie sie im «Namen der Rose» vor-
herrscht, nicht nur den trockenen Humor und die ambivalente Beziehung
finden, die Sherlock und Watson wie William und Adson in einer von
Zuneigung geprägten homoerotischen Herr-Knecht-Dialektik verbindet,
sondern er wird sogar die exakte Beschreibung der Physis der Charaktere
(z. B. Dr. Mortimer) und der Örtlichkeiten (Schloß Baskerville Hall) wiedererkennen, die Eco von Conan Doyle unverändert übernimmt. Im englischen Roman ist der alte Fluch, der die gegenwärtigen Besitzer des
Schlosses verfolgt, in einem Manuskript aus dem 18. Jahrhundert niedergelegt; bei Eco ist ein noch älteres und noch schwerer auffindbares Manuskript für die höchst niederträchtigen Morde verantwortlich, die sich
gleichmäßig verteilt an jedem Tag bzw. in jedem Abschnitt der Erzählung
ereignen. Und genauso wie Watson seine Geschichte damit beginnt, daß
er Sherlock Holmes und Dr. Mortimer beschreibt, beschreibt Adson seinen geliebten Herrn mit fast denselben Worten und gewiß mit derselben
liebevollen Genauigkeit, die den Körper, die Hände und das Aussehen
gleichermaßen erfaßt.

Weiterhin zelebrieren beide Romane am Anfang die Brillanz logischer
Deduktion: Die große Menge an Information, die Sherlock aus Dr. Mor-
timers Spazierstock abzuleiten vermag, wird noch übertroffen von der
detaillierten Beschreibung des Pferdes des Abts, die William auf Grund
der wenigen Spuren, die das Pferd auf dem Erdboden und an den Maul-
beersträuchern hinterlassen hat, zu entwickeln in der Lage ist. Hier eignet
sich Eco fast wörtlich eine Episode aus Voltaires «Zadig» an (darin geht es
um die Hündin der Königin und das Pferd des Königs), die oft als Beispiel
für semiotisches Schließen zitiert wird. Doch Eco geht kühn noch einen
Schritt weiter als der große Enzyklopädist, indem er seinen Helden auch
noch den Namen des Pferdes auf dem Wege logischer Deduktion bestimmen läßt:

«‹Gut, gut›, sagte ich, ‹aber wieso ‚Brunellus'?›

‹Möge der Heilige Geist dir etwas mehr Grips in den Kürbis geben, mein Sohn!› rief der Meister aus. ‹Welchen Namen hättest du ihm denn sonst gegeben, wenn selbst der große Buridan, der nun bald Rektor in Paris werden wird, keinen natürlicheren wußte, als er von einem schönen Pferd reden sollte?›

So war er, mein Herr und Meister. Er vermochte nicht nur im großen Buch der Natur zu lesen, sondern auch in der Art und Weise, wie die Mönche gemeinhin die Bücher der Schrift zu lesen und durch sie zu denken pflegten.» (S. 35)

Doyle beendet seinen Roman mit einem «Rückblick». In diesem letzten Kapitel, das an einem rauhen und nebligen Abend Ende November, zwei Wochen nach den berichteten Ereignissen spielt, entwickeln Watson und Holmes nachträglich die letzten Einzelheiten der Geschichte. Genauso zeigt die «letzte Seite» von Adsons Erinnerungen, wie Adson «Jahre später» zum Schauplatz seiner Geschichte zurückkehrt. Beide Texte enden in der Gegenwart, in der Zeit ihrer Niederschrift.

Und der Höllenhund, jenes viktorianische Bild menschlicher Lust und Ausschweifung? Nicht um alles in der Welt würde Eco ihn missen wollen. Er ist natürlich der Antichrist, das böse Tier, dessen unmittelbar bevorstehende Ankunft vom blinden Seher Jorge von Burgos mit Worten von Feuer und Schwefel unaufhörlich angekündigt wird. Aber gerade Jorge ist es, der Repräsentant des schwärzesten Dogmatismus und religiösen Eifers des finsteren Mittelalters, der für das apokalyptische Feuer verantwortlich ist, das die Bibliothek zerstört, und der das vielbegehrte Manuskript buchstäblich verschlingt – jenen zweiten Band der aristotelischen Poetik, von dem es in der Überlieferung heißt, es handle sich um eine Abhandlung über das Komische.

«Fürchte die Wahrheitspropheten, Adson (warnt Bruder William), und fürchte vor allem jene, die bereit sind, für die Wahrheit zu sterben: Gewöhnlich lassen sie viele andere mit sich sterben, oft bereits vor sich, manchmal für sich ... Jorge fürchtete jenes zweite Buch des Aristoteles, weil es vielleicht wirklich lehrte, das Antlitz jeder Wahrheit zu entstellen, damit wir nicht zu Sklaven unserer Einbildungen werden. Vielleicht gibt es am Ende nur eins zu tun, wenn man die Menschen liebt: sie über die Wahrheit zum Lachen zu bringen, *die Wahrheit zum Lachen bringen*, denn die einzige Wahrheit heißt: lernen, sich von der krankhaften Leidenschaft für die Wahrheit zu befreien.» (S. 624)

Wie sein Vorname andeutet, ist unser Held auch nach der historischen Figur William von Ockham modelliert, jenem empiristischen Philosophen und franziskanischen Politiker, der in Oxford lehrte und der, nachdem er von Johannes XXII. unter dem Verdacht, Häretiker zu sein, nach Avignon zitiert worden war, am Hofe Ludwigs des Bayern Schutz suchte und dessen Anhänger wurde. Ganz ähnlich stammen die gelehrten disputationes über die Armut Christi, über die allegorische Bedeutung der Halbedelsteine und die Eigenschaften von Kräutern oder die politischen Debatten zwischen den Anhängern des Papstes und denen des Kaisers aus echten mittelalterlichen Texten, Unterlagen aus Ketzerprozessen und dergleichen.

Ecos Mixtur aus Historie und literarischer Erzählung, aus Semiotik und Fiktion kann man mit den Worten von Sherlock Holmes zusammenfassen: «Das ist die wissenschaftliche Nutzung der Phantasie, aber wir haben immer eine wirkliche Basis, auf der wir unsere Vermutungen aufbauen können.»[7] Das ist es, was unseren Helden zu einer völlig rationalen Lösung des Rätsels der Bibliothek führt und ihn genau an den Ort geleitet, wo der Knoten sich schließlich löst. Just an dieser Stelle aber trennt Eco sich von Conan Doyle und wird – postmodern. William findet heraus, daß die Verbrechen nicht durch den Plan eines einzelnen oder durch ein einziges Muster bestimmt sind – etwa durch Jorges Plan, von dem William (und der Leser, mit einiger Selbstzufriedenheit) geglaubt hatten, er folge dem Text der Apokalypse: sieben Morde, an sieben Tagen, voraussagbar nach dem Vorbild der Enthüllung der Sieben Siegel. Aber das war gar nicht der Schlüssel zur Kette der Morde. Denn es gab keinen Schlüssel: Jedes Verbrechen hatte einen anderen Urheber oder vielleicht gar keinen; es gab keinen Plan, sondern eine Vielzahl von Ursachen, deren Verbindung untereinander weniger von der Absicht eines Urhebers/Autors, sondern vielmehr von der Deutung eines Lesers hergestellt wurde, der in diesem Fall William war.

«‹Es gab keine Intrige›, sagte William, ‹und ich habe sie aus Versehen aufgedeckt … Wo ist da meine ganze Klugheit? Ich bin wie ein Besessener hinter einem Anschein von Ordnung hinterhergelaufen, während ich doch hätte wissen müssen, daß es in der Welt keine Ordnung gibt.›
‹Aber indem Ihr Euch falsche Ordnungen vorgestellt habt, habt Ihr doch schließlich etwas gefunden …›
‹Da hast du etwas sehr Schönes gesagt, Adson, ich danke dir. Die Ordnung, die unser Geist sich vorstellt, ist wie ein Netz oder eine Leiter, die er sich zusammenbastelt, um irgendwo hinaufzugelangen. Aber wenn er dann hinaufgelangt ist, muß er sie wegwerfen, denn es zeigt sich, daß sie zwar nützlich, aber unsinnig war. ,Er muoz gelîchesame die leiter abewerfen, sô er an ir ufgestigen' … Sagt man so?›
‹So klingt es in meiner Sprache. Wer hat das gesagt?›
‹Ein Mystiker aus deiner Heimat, er hat es irgendwo niedergeschrieben, ich weiß nicht mehr wo …›» (S. 624f.)

Das Zitat, von Eco ins Mittelhochdeutsche zurückübersetzt, stammt von Wittgenstein.

Vierte Szene: Der Text

Ecos Vorliebe für das Apokryphe, die Fälschung, das Anachronistische, das Pseudo-Allegorische oder die ungewöhnliche Analogie sowie sein parodistischer Gebrauch von Hyperbeln und manieristischer Bildlichkeit als distanzschaffende Mittel bilden eine stilistische Konstante in seinen Gelegenheitsarbeiten seit den sehr populären und lustigen Stücken in seinem «Diario minimo». In einem Werk von über 600 Seiten ergibt sich daraus eine Art literarisches Äquivalent der Pop-art, ein Pop-Roman. «Der Name der Rose» kennt keine Stimme des Autors, und deshalb hat der Roman auch keine Autor-ität; denn jedes Diskursbruchstück – jede Beschreibung, jedes Ereignis, jede Romanfigur, jede sprachliche Wendung, Metapher oder Metonymie – ist ein objet trouvé, ganz gleich, ob es aus der Massenkultur oder der Höhenkammliteratur, aus einem obskuren Werk der Kirchenväter oder einem zeitgenössischen Text der französischen Theorie stammt. Ein weiteres Beispiel mag genügen: die Beschreibung von Adsons Traum, die laut Eco seine Übersetzung des mittelalterlichen Textes «Coena Cipriani» sein soll (und ich muß mich da auf ihn verlassen, da ich davon noch nie gehört habe, geschweige denn etwas darüber gelesen habe), die sich mir jedoch als imposantes Pastiche von Voltaire, Brueghel, Buñuel, Lyotard und wer weiß von wem darstellt, durchsetzt von der Ikonographie von Comic strips und der liturgischen Kadenz von Litaneien. Am Ende des zehnseitigen Berichts des Traumes oder der Vision, die Adson erlebte, während der Chor das *Dies irae* sang, sagt Adson: «Meine Vision, wenn sie nicht, blitzartig wie alle Visionen, gerade so lange wie ein Amen gedauert hatte, (war) alles in allem kürzer als ein *Dies irae*.»

Ich fühle mich hier an Ecos Reaktion auf den Film «Casablanca» erinnert, den er als modernes Beispiel des Erhabenen versteht:

«Wenn alle Archetypen ungefiltert und uneingeschränkt hervorbrechen, wird eine homerische Tiefe erreicht. Zwei Klischees bringen uns zum Lachen, aber hundert rühren uns. Denn irgendwie merkt man, daß die Klischees miteinander reden und ihr Zusammentreffen feiern. Wie der schlimmste Schmerz in Lust übergehen und die Perversion bis zum Hort mystischer Energie vordringen kann, so enthüllt die größte Banalität die Möglichkeit des Erhabenen. Etwas hat (im Film) am Ort des Regisseurs gesprochen. Eben das verdient unsere Bewunderung.»[8]

In «Der Name der Rose» spricht auch etwas, im Namen des Autors. Aber was? Der Term «Rose», den Eco aus offensichtlichen Gründen ausgewählt hat, ist so überfrachtet mit literarischen Anspielungen, Querverweisen und Konnotationen, daß er schon gar keine mehr hat, und scheint auf etwas hinzuweisen, was Baudrillard die «Implosion» der Bedeutung

genannt hat: Eine Rose ist eine Rose ist eine Rose ist ein schwarzes Loch.
Das Schreiben auf der «letzten Seite» scheint eher innezuhalten als aufzu-
hören.

«Kalt ist's im Skriptorium, der Daumen schmerzt mich. Ich gehe und hinterlasse
dies Schreiben, ich weiß nicht, für wen, ich weiß auch nicht mehr, worüber: *Stat
rosa pristina nomine, nomina nuda tenemus.*» (S. 635)

Aber versucht das Buch nicht doch, wie der Film «Casablanca» zu sein,
ein Vorstoß auf das moderne oder vielleicht postmoderne Erhabene? –
Trotz seines Schlusses, der so verhalten, demütig und ohne allen auktoria-
len Ehrgeiz ist, wie der Prolog stolz klang und von den Autoritäten Gottes
und der Geschichte widerhallte, sind Narrativität und Lachen voll zum
Zuge gekommen, die Lust am Text und die «reine Liebe zum Schreiben»
sind genossen worden, und es bleibt gar die Möglichkeit einer Fortsetzung. Hat nicht Maria Corti recht, wenn sie meint, daß dieser Roman des
bedeutendsten Theoretikers des offenen Kunstwerks «in seiner Konstruktion so klar und so ‹geschlossen› sei, daß er sogar die aristotelischen
Einheiten von Zeit, Ort und Handlung in einer Art berücksichtigt, die
heutzutage als Ausnahme gelten muß»?[9]

Ecos Formel vom «offenen Kunstwerk» geht zurück auf die Zeit seiner
direkten Beteiligung an der italienischen Neoavantgarde-Bewegung in
den Jahren 1958 bis 1963 und verdankt sich der Notwendigkeit, eine kritische Sprache und neue ästhetische Kategorien zu entwickeln, die jenen
zeitgenössischen Kunstwerken gerecht würde, die von der sogenannten
Zweiten Avantgarde geschaffen wurden – gemeint sind z. B. die Musik
von Berio, Boulez, Pousseur, Stockhausen; Calders Mobiles und die
Kunst ihrer Vorläufer, zu denen Eco Mallarmé, Joyce und Brecht zählt.
Er definierte deren Werke als «Kunstwerke in Bewegung», vertrat die
Auffassung, sie seien als «epistemologische Metaphern» zu verstehen,
und er stellte eine Verbindung zwischen ihnen und der Einsteinschen Physik und den theoretischen Konstrukten Husserls und Merleau-Pontys
her.[10] Die Betonung der Unbestimmtheit, die damals als Quintessenz der
«Offenheit» und als conditio sine qua non der Avantgarde galt, war historisch durch die zugrunde gelegten Texte und das allgemeine intellektuelle
Klima bestimmt. Aber Ecos Interesse an der Form, wenn nicht schon an
der Struktur, war ebenso stark, wie der Untertitel «Form und Unbestimmtheit in gegenwärtigen Poetiken» des «Offenen Kunstwerks» deutlich macht.

Der Begriff des «offenen Kunstwerks» war damals einer, der auf die
«Göttliche Komödie» und auf «Finnegans Wake» gleichermaßen angewendet werden konnte, obgleich man dabei zu verschiedenen Interpretationen kam und nur «Finnegans Wake» ein «Kunstwerk in Bewegung»

war. Eco greift diesen Begriff in seinen Überlegungen zur «Rolle des Lesens» (1979) wieder auf; er reformuliert ihn im Sinne einer Pragmatik statt einer Ästhetik, und er spricht nunmehr vom «offenen Text».

«Ein Autor kann einen ‹idealen Leser, der unter idealer Schlaflosigkeit leidet› (wie bei ‹Finnegans Wake›), vorsehen, einen Leser also, der in der Lage ist, verschiedene Codes zu beherrschen, und der bereit ist, den Text wie ein Labyrinth mit vielen Eingängen zu behandeln. Aber letztlich zählen nicht die verschiedenen Eingänge selbst, sondern die labyrinthische Struktur des Texts. Man kann den Text nicht so gebrauchen, wie man will, sondern nur so, wie der Text selbst es einem gestattet. Ein offener Text, wie offen er auch sein mag, kann nicht jeder beliebigen Interpretation unterzogen werden.

Ein offener Text umreißt einen ‹geschlossenen› Entwurf seines idealen Lesers, und dieser Entwurf ist eine Komponente seiner strukturellen Strategie.»[11]

Mit anderen Worten, die Leserrolle bei der Textinterpretation ist eine ‹Mitarbeit›, die von der generativen Struktur des Textes verlangt wird; denn der Leser ist bereits vom Text angelegt und ist tatsächlich ein Element der Interpretation des Textes, nämlich eine Reihe von Kompetenzen und Bedingungen, die erfüllt sein müssen, wenn der Text bzw. die Potentialität seines Inhalts «vollkommen aktualisiert» werden soll. Ecos jüngste Texttheorie fordert einen Leser, der bereits kompetent ist, ein (lesendes) Subjekt, das in seiner Konstitution dem Text und dem Lesen vorausliegt, und setzt gleichzeitig den Leser als Term für die Bedeutungsproduktion des Textes, d. h. als einen Effekt der Textstruktur. Darin ist diese Theorie Althussers Darstellung des Zusammenhangs von Subjekt und Ideologie vergleichbar.[12] Schreiber und Leser haben durchaus «Freiheiten» in ihrer Interpretation (so Ecos Formulierung), aber diese Freiheiten sind bedingt und überdeterminiert: für den Schreiber durch das (historisch spezifische) Universum der verfügbaren Diskurse, die Eco manchmal auch «die Welt der Enzyklopädie» oder «das Format des semantischen Raumes» nennt; für den Leser durch die Kenntnis der Codes und «frames» sowie durch die Leserrolle, die der Text vorgibt. Aber wenn Autor und Leser «Textstrategien» sind, vorgeschrieben und eingeschrieben oder «vorgesehen» von der «labyrinthischen Struktur des Texts», dann könnte die Frage, was im Namen der Rose spricht, von Eco schon beantwortet worden sein – gegen ihn selbst.

Fünfte Szene: Der Name

Dorothy Sayers würde sagen, Eco will in «Der Name der Rose» «seine Leiche haben» – er will ein Rätsel mit und ohne Lösung, einen Text, der offen und geschlossen zugleich ist, eine Epistemologie mit und ohne

Wahrheit. Das heißt, er will die «Funktion Autor» sein (so Foucaults Formulierung), aber eben auch Rabelais und Descartes. Er spielt auf die
Implosion des Sinns an und thematisiert offen den Abgrund, die klassifikatorische Differenz, die «Archeschrift» und die ursprüngliche «Gewalt
des Buchstabens». Aber ergreift er nicht schließlich doch Partei für Lévi-
Strauss und gegen Derrida, wenn William Adson belehrt, während sie
sich durch das babylonische Labyrinth der Abtei vorantasten, und wenn
der Text den Leser durchs Labyrinth seiner «Schreibstunde» geleitet?[13]

Das Labyrinth wie der Text ist ein abstraktes Modell des Folgerns und
Schließens, der Konjektur. In einem Essay, der nach der Veröffentlichung des Romans als Reaktion auf dessen erste Rezeption entstand,
vertritt Eco die Überzeugung, «daß Krimis den Leuten nicht darum gefallen, weil es in ihnen Mord und Totschlag gibt; auch nicht darum, weil sie
den Triumph der (...) Ordnung über die Unordnung feiern. Sondern weil
der Kriminalroman eine *Konjektur*-Geschichte im Reinzustand darstellt.» Dieses für den Kriminalroman konstitutive Mutmaßen sieht Eco
auch anderswo am Werk – «in einer ärztlichen Diagnose, einer wissenschaftlichen Forschung oder auch in einer metaphysischen Fragestellung»[14]. Anschließend beschreibt er drei Arten von Labyrinthen. Im griechischen Labyrinth «kann sich niemand verirren. Man tritt ein und gelangt irgendwann ins Zentrum und vom Zentrum wieder zum Ausgang.
Darum sitzt im Zentrum der Minotaurus; andernfalls hätte die Sache gar
keinen Reiz und wäre ein simpler Spaziergang.» Im manieristischen Labyrinth gibt es eine Menge «toter Seitengänge» und nur einen Ausgang;
«aber der ist nicht leicht zu finden. Man braucht einen Faden der
Ariadne, um sich nicht zu verirren. Dieses Labyrinth ist ein Modell des
trial-and-error-Verfahrens.» Die dritte Art Labyrinth ist das «Netzwerk,
oder, um den Begriff von Deleuze und Guattari aufzunehmen, (das) Rhizom». Es ist so angelegt, «daß jeder Gang sich unmittelbar mit jedem
anderen verbinden kann. Es hat weder ein Zentrum noch eine Peripherie,
auch keinen Ausgang mehr, da es potentiell unendlich ist. Der Raum der
Mutmaßung ist ein Raum in Rhizomform. Das Labyrinth meiner Bibliothek ist zwar noch ein manieristisches, aber die Welt, in der zu leben William begreift, ist schon rhizomförmig strukturiert – oder jedenfalls strukturierbar, wenn auch nie definitiv strukturiert» (Nachschrift, S. 65).

Der Kriminalroman, fährt Eco fort, stellt «die Grundfrage aller Philosophie (und jeder Psychoanalyse): Wer ist der Schuldige?» Um das herauszufinden, «muß man annehmen, daß alle Tatsachen eine Logik haben,
nämlich die Logik, die ihnen der Schuldige auferlegt hat ... Damit ist klar,
warum sich der Hauptstrang meiner Geschichte (wer ist der Mörder?) in
so viele Nebenstränge verzweigt: in lauter Geschichten von anderen Konjekturen, die alle um die Struktur der Mutmaßung als solcher kreisen.»
Wenn Eco die Grundfrage aller Philosophie stellt und wenn das Ergebnis

seines Spaziergangs durch den rhizomorphen Raum des Romans die Entdeckung der «Wahrheit der Unwahrheit» ist, wie es Derrida von den Stilen Nietzsches in seinen «Sporen» behauptet, soll das heißen, daß das Schreiben im Namen der Rose nur eine andere Form des «Weib-Werdens» der Idee darstellt?[15] Geht es bei Eco um eine bestimmte Form der Dekonstruktion?

In ihrer Lektüre der «Sporen», von Derridas Lektüre Nietzsches also, meint Gayatri Spivak, daß eine solche Verweiblichung der Philosophie – Philosophie verstanden als eine Praxis des Schreibens und als «Philosophieren» –, wie sie der männliche Dekonstrukteur sich zunutze macht, sich am adäquatesten als männliche Homosexualität, verstanden als Kriminalität, lesen ließe.[16] In «Der Name der Rose», in einer Geschichte von Büchern und Mönchen, Vätern und Söhnen, konnte die Suche nach dem Mörder kaum zu einem anderen Ergebnis führen. Die Brüder morden einander, um den Text des Vaters sicherzustellen, den zum Schluß Jorge von Burgos, der älteste der Horde, sich einverleibt, jener also, der allzu wörtlich der Leib des Wortes werden möchte, was Derrida vielleicht den «absoluten Vokativ» oder Eco die definitive Edition der Universalenzyklopädie nennen würde. Aber Jorge muß verbrennen (nicht in einem Busch) zur Strafe für seine Anmaßung, die Inkarnation des Gesetzes, der Wahrheit und des Phallus sein zu wollen. Denn das hieße, die Differenz als Konstituens der unbegrenzten Semiose auf ein Pfund Fleisch zu reduzieren (wie ein gewisser Bruder sagen würde). Der blinde Seher – gerade er – hätte wissen müssen, daß der symbolische Mord des Vaters letztlich nicht vollzogen werden kann. Was aber statt dessen vollbracht werden kann und mit wenig Mühe, ist der reale Mord an der Mutter.

Ecos Lüge mag vorsätzlich und in einem modernen wissenschaftlichen Laboratorium entstanden sein, das wenig mit Mary Shelleys «Werkstatt einer schmutzigen Schöpfung» gemein hat. Dennoch entkommt der Roman nicht dem obersten Gesetz der modernen Erzählkunst, dem Popszenario, in welchem das einmal geschaffene Werk sich gegen seinen Schöpfer wendet und mit ihm davonläuft. Wie Pirandellos «Sechs Personen» oder Frankensteins Monster löst sich Ecos / Adsons Manuskript aus seiner metanarrativen Verankerung, überschreitet die dreifachen Grenzen seiner «generativen Struktur», bricht aus der sorgfältigen Inszenierung seines Autors aus und schafft sich seine eigene Performanz des Begehrens.

Im Namen des Vaters schreibt Adson seine Erinnerungen (was uns berechtigt, sie als Anamnese zu lesen), und Eco schreibt sie noch einmal, aus «einem Akt der Liebe» heraus, eigentlich aus Verliebtheit («un gesto di innamoramento»), ein Übertragungsphänomen («per liberarmi da numerose e antiche ossessioni»). Er schreibt sie noch einmal, nachdem er sie in derselben «tragischen Nacht» verloren hatte, in der er auch die «teure Person» verlor und mit einer «großen Leere im Herzen» allein zurück-

blieb. Genauer, er schreibt die Erinnerungen noch einmal, nachdem er sie
an jene Person verloren hatte, deren Name und deren Geschlecht bezeichnenderweise ungenannt bleiben.[17] In Adsons Manuskript jedoch begegnen wir dem verschobenen Bild jener Person: In einer anderen «tragischen» und dabei glamourös inszenierten Nacht erscheint eine namenlose
junge Frau, in deren Leib Adson die «feurige Glut» und das «glänzende
Licht» «in einem letzten Aufflackern (seiner) Lebensgeister» erfährt
(S. 318). Gaudeamus igitur! Wie vorauszusehen, folgt dieser Erfahrung
Adsons der «Verlust aller Erinnerung» und eine Auflösung der Identität
im Abgrund des Genusses (jouissance), aber eben auch die postkoitale
Depression. All das gibt Eco Gelegenheit, viele einschlägige Zitate aus
der religiösen, mystischen und metaphysischen erotischen Literatur vom
Hohenlied bis zu Bataille zusammenzustellen – und man sehnt sich nach
der *concinnitas* eines Jerry Lee Lewis. Und die Frau? Für sie, die einzige
weibliche Figur in dieser Geschichte von Mönchen und Männern, folgt
auf Adsons «feurige Glut», ebenso zu erwarten: der Scheiterhaufen.

Sechste Szene: Der Scheiterhaufen

Als namenloser und sprachloser Körper steht ein Etwas: die Frau für die
natura naturans oder, in Julia Kristevas Terminologie, für das präsymboli-
sche oder präsemiotische Reich der mütterlichen Chora. Nicht zufällig
findet Adson die Frau nach seinem Erwachen nicht mehr vor. An ihrer
Stelle findet er «tot, aber noch zuckend vom gallertartigen Leben der toten
Innereien, durchzogen von bläulichen Adern, ein riesiges Herz» (S. 323).
So verbrennt auch die Frau, wie Jorge und die ungläubige und korrupte
Mutter Kirche (die in der Abtei verkörpert ist) in alle Ewigkeit. Weniger
offensichtlich aber steht die Frau auch für die Figur des Abgrunds. Als
Adson das Schicksal seiner einzigen irdischen Liebe und das Verbot beklagt, das ihn daran hindert, den Namen der Geliebten auszurufen, da
entdeckt er, wie Eco uns (mit einem anderen Hinweis auf Derrida) sagt,
«die Macht der Namen» (S. 507). Am Ende seines Lebens und Schreibens
träumt Adson noch einmal von ihr. Diesmal erscheint sie ihm als mystischer Körper des Todes: «Ich werde versinken in der göttlichen Finsternis, in ein Stillschweigen und unaussprechliches Einswerden, ... und ausgelöscht sein werden alle Unterschiede ... Ich werde eintauchen in die
wüste und öde Gottheit, darinnen ist weder Werk noch Bild» (S. 634f.).
Das ist der Abgrund, der am Ende des unendlichen Regresses des Sinnes
steht, das Schwarze Loch und die leere Fülle (the empty (w)hole), um die
herum die Signifikanten wirbeln, das völlig unsignifizierbare Double
eines verlorenen transzendentalen Signifikats. Die Assoziationskette

Frau–Mutter–Kirche–Wahrheit–Tod könnte nicht präziser gefaßt werden. Aber dieser tote träge mütterliche Körper ist nicht das obskure Objekt des Begehrens unserer Geschichte. Eco ist nicht Poe. Aber wie Poes entwendeter Brief ist das Objekt des Begehrens ganz an der Oberfläche des «Namens der Rose». Es ist der Text selbst, metonymisch gespiegelt im legendären Text des Vaters der Philosophie, der um so mehr begehrt wird, als er unerreichbar ist, und in den anderen Texten, die er seinerseits ‹generiert›: Adsons Manuskript und dessen verschiedene «Übersetzungen», Interpretamente, die zusammen den Palimpsest eines symbolischen Körpers des Vaters, die Einschreibung des Codes des Vaters und des Namens des Vaters quer durch die abendländische Kulturgeschichte konstituieren. Denn was die Herr-Knecht-Dialektik der Beziehung von William und Adson aufrechterhält, ist Adsons Begehren des Wissens des Vaters, seiner Vision und seiner Macht. Williams Gelehrsamkeit – so oft vorgeführt; seine Brille – um die Zeichen besser entziffern zu können; seine Hände – zart, doch fähig, wunderbare Maschinen zu bauen. Mit anderen Worten: Adsons Begehren richtet sich auf Williams Beherrschung des Codes, jenes Zauberstabs, durch den die Dinge in Zeichen, die Natur in Bücher *(natura naturata)* und Bücher in Geschichte verwandelt werden – in Handlungen, Praktiken, diskursive Ereignisse.

Und William begehrt Adsons Begehren, das Schreiben, das dieses Begehren festhält, und das Manuskript, das dieses Begehren bezeichnet und es als Sinn produziert. William ist, wie wir wissen, ein Ex-Inquisitor, ein politisch mächtiger Mann, der seine Macht aufzugeben suchte, um sich statt dessen der Lust am Text hinzugeben, der Lust, seine semiotischen Maschinen zu konstruieren. Doch gegen seinen Willen halten ihn Macht und Wissen gefangen und drängen ihn in eine soziale Rolle, schieben ihm eine Verantwortung zu, die er nicht von sich weisen kann als der demokratische und progressive Mann, der er nun einmal ist. So übernimmt er in einer politischen Krise die Funktion eines Vermittlers zwischen den verschiedenen Fraktionen der Linken und dem reaktionären Establishment. Doch seine politische Mission scheitert, der Konflikt zwischen Papst und Kaiser endet in einer Pattsituation, und die Inquisition verfährt mit den Renegaten wie zuvor. Williams Arbeit einer innerkulturellen Vermittlung erschiene vollkommen zwecklos, wäre da nicht Adson, dem er sein Wissen weitergeben, dem er eine «Schreibstunde» halten könnte. Für beide liegt die Möglichkeit ihrer geschichtlichen Existenz im Begehren und in Anerkennung des anderen.

In diesem Sinne schließlich meint der Name der Rose den Namen des Vaters, und Ecos *homo semioticus* mag seine adäquateste Lektüre/Legende in der Homosexualität, verstanden als Pädagogik, finden. In diesem Sinne könnte man auf Ecos Werk jene Worte münzen, die Barbara Kruger als Collage quer über die Vergrößerung eines Details der «Erschaffung der Welt» Michelangelos geklebt hat: «Sie investieren in die Göttlichkeit eines Meisterwerks.» Wenn es Adam, dem semiotischen Subjekt der Edensprache, gelungen war, den Mythos in Geschichte zu überführen, indem er Gott die Tür des Paradieses wies, dann läßt ihn sein schreibendes Ebenbild Adson durch den offenen Text wieder herein, indem er Geschichte in Fiktion überführt. Denn ein Buch, das im Namen des Vaters geschrieben ist, ist immer ein (altes oder neues) Testament. Es ist ein Buch ohne Autor, aber getränkt mit einer Autor-ität, die aus der Vieldeutigkeit der Evangelien wie aus der Eindeutigkeit der Gesetzestafeln stammt, einer Autor-ität, die das ganze Gewicht einer großen, tausendjährigen und todgeweihten patriarchalischen Tradition in sich birgt.

Wenn Schreiben ein Akt der Liebe ist, dann deshalb, weil es darauf zielt, diesen Tod zu verleugnen und die Bedrohung, die von ihm ausgeht, in der imaginären Erzählung von männlicher Selbstschöpfung zu bannen. Worum es im Schreiben geht, ist die endlose Rekonstruktion des Fetischs, und der Roman wird zu einer uralten Liebesarbeit: Er ist die Rekonstruktion von etwas, das in einer Ersten Nacht, an einem anderen Schauplatz, in einer Urszene verloren (gestohlen) wurde und seither, all die Jahre, gar Jahrhunderte hindurch in Büchern gesucht wird. Und er ist die Agonie und die Ekstase jener Suche.

Siebte Szene: Die Frage

Craig Owens schreibt über zeitgenössische Kunst, die «offizielle» Kunstproduktion (von Männern) sei «in einer kollektiven Verleugnungsarbeit begriffen», ganz gleich, ob sie nun Meisterschaft simuliert oder deren Verlust beklagt und verkündet. Owens macht dafür die jetzt hörbar werdenden Stimmen der Beherrschten namhaft, die Stimmen «der Länder der Dritten Welt, der Ökologiebewegung und der Frauenbewegung» also. «Zeitgenössische Künstler sind allenfalls in der Lage, Meisterschaft zu *simulieren*, ihre Zeichen zu manipulieren. Da in der historischen Epoche der Moderne die Meisterschaft stets mit menschlicher Arbeit verknüpft war, ist die künstlerische Produktion von heute darauf verfallen bzw. darauf zurückgefallen, die Zeichen künstlerischer Arbeit – eine gewalttätige, ‹leidenschaftliche› Pinselführung bei den Neoexpressionisten z. B. – massiv einzusetzen.»

Ein massiver Einsatz der (An-)Zeichen des Schreibens – das ist sicher eine treffende Beschreibung des «Namens der Rose», eines Werks, das wohl noch einmal als zeitgenössische Version der «Meistererzählung», als patriarchalischer *grand récit* aller Zeiten gelten kann (man denke nur an den Erfolg auf dem internationalen Buchmarkt, einschließlich des Verkaufs der Filmrechte). Und doch ist es ein Remake, freilich eins, das so klug ist zuzugeben, daß der *récit* seine Glaubwürdigkeit verloren hat: ein Meisterwerk, das seinen Ursprung im Göttlichen hat, doch klug genug ist, sich als Text zu verkleiden.

Wenn das für Ecos Schreiben gilt, trifft es dann für jene Schriftsteller weniger zu, auf die er immer wieder anspielt, auf seine zeitgenössischen intertextuellen Referenzen, seine Brüder in der diskursiven Gemeinde? Rekonstruiert nicht die «condition postmoderne» in sich ihre eigene fetischistische Ökonomie?[18] Ist nicht in der Kritik an der Metaphysik ein metaphysischer Drang am Werk? Ist nicht der Diskurs der Macht rhetorisch umkehrbar in die Macht des Diskurses? Es liegt einige Ironie darin, daß Eco selbst diese Fragen einmal in seiner Kritik am Strukturalismus stellte (an Lévi-Strauss' «ontologischen Strukturalismus» wie an dessen Gegner und/oder Epigonen Lacan, Foucault und Derrida), die er in seiner «Einführung in die Semiotik» niedergelegt hat. Denn wenn die hier Kritisierten jeden Ursprung, jede Präsenz und jede ontologische Fundierung der Struktur(en) der Zeichenstiftung leugnen, so ergibt sich daraus die Konsequenz, daß das Problem der Bedeutungsproduktion und damit die sozialen Zeichenpraktiken auf eine rein diskursive Dimension begrenzt werden müßten. Die Fragestellung der Semiotik würde in den Rahmen einer Metaphysik der Absenz gestellt.

Die Frage der Strukturalisten, meint Eco, lautet: «Wer spricht?» – die Frage der Philosophie, die seit mehreren tausend Jahren gestellt wird und die das Denken selbst konstituiert. Doch *wer* hat diese Frage immer wieder gestellt?

«Eine bestimmte Kategorie von Menschen, die nämlich, denen die Sklavenarbeit anderer die Kontemplation des Seins erlaubte und denen es die Sklavenarbeit der anderen erlaubte, diese Frage als die dringlichste von allen zu empfinden.

Stellen wir die Hypothese auf, daß es eine wesentlichere Frage geben kann, die nicht von dem freien Mann (der unter Bedingungen lebt, die ihm ‹Kontemplation› ermöglichen), sondern vom Sklaven gestellt wird, der sie sich nicht stellen kann und der es dringlicher empfindet, sich statt ‹wer spricht?› zu fragen ‹*wer stirbt?*› . . .

Die *Nähe zum Sein* ist für den Sklaven nicht die tiefste Bindung: zuerst kommt *die Nähe zum eigenen Körper und zu dem der anderen*. Und im Gefühl dieser anderen Bindung tritt der Sklave nicht etwa aus dem Ontologischen heraus, um ins Ontische zurückzuweichen (oder unbewußt darin zu verweilen), sondern er nähert sich dem Denken einfach von einer anderen vorkategorialen Situation aus, welche die gleiche Würde hat wie die Situation dessen, der sich fragt, ‹wer spricht?›.

Mit der Frage ‹wer spricht?› sind wir nicht mit einem Schlag in eine empirische Dimension eingetreten, in der jedwede Philosophie nichts mehr gilt. Wir sind eher von einer anderen vorphilosophischen (und folglich ideologischen) Voraussetzung ausgegangen, um eine andere Philosophie zu begründen.»[19]

Dieser Vorschlag Ecos, die Philosophie neu und anders zu begründen, stammt aus dem Jahr 1968. Wenn man ihn im gegenwärtigen Kontext liest, scheint er entweder leichtfertig oder, in Anbetracht von Ecos jüngstem Werk, ergebnislos gewesen zu sein. Aber der Gestus des Vorschlags, dieses rhetorische Durchhauen des Gordischen Knotens, hat dank seiner Negativität und der durch sie eröffneten kritischen Produktivität nichts von seiner polemischen Wirkung eingebüßt.

Was den Sklaven angeht und die anderen Körper, die auf dem Scheiterhaufen verbrennen: Sie fragen nicht, wer stirbt, denn das wissen sie. Was sie statt dessen bewegt, ist Julias Frage: Was ist ein Name? Und Ecos Antwort im Namen der Rose, nichts und alles, ist nicht die Antwort, die sie wollen, ist nicht genug.

Anmerkungen

1 Umberto Eco: Il nome della rosa. Milano 1980. Zitiert wird im laufenden Text nach der deutschen Ausgabe: Der Name der Rose (übersetzt von Burkhard Kroeber). München 1982.
2 In: Umberto Eco: Le forme del contenuto. Milano 1971; die englische Version dieses Aufsatzes «On the Possibility of Generating Aesthetic Messages in an Edenic Language» ist abgedruckt in: Eco: The Role of the Reader: Explorations in the Semiotics of Texts. Bloomington/London 1979, S. 90–104. – Kürzlich auf deutsch erschienen ist: Umberto Eco: Apokalyptiker und Integrierte. Der Verdacht des Kulturzerfalls und die Sprachen der Alltagsphantasie. Frankfurt/M. 1984.
3 Umberto Eco: Trattato di semiotica generale. Milano 1975 (engl.: A Theory of semiotics. Bloomington/London 1976, S. 6).
4 Umberto Eco: Diario minimo. Milano 1976 (zuerst 1963), S. 96.
5 Vgl. Elsa Morante: La storia. Torino 1974 (dt. Ausgabe: La Storia. Zürich 1976).
6 Vgl. Jorge Luis Borges: Pierre Menard, Autor des Quijote. In: ders.: Sämtliche Erzählungen. München 1970.
7 Arthur Conan Doyle: Der Hund der Baskervilles. Zürich 1984, S. 44.
8 Umberto Eco: Ore 9: Amleto all'assedio di Casablanca. In: L'Espresso vom 17. August 1975.
9 Maria Corti: È un'opera chiusa. In: L'Espresso vom 19. Oktober 1980.
10 Vgl. Eco: Die Poetik des offenen Kunstwerks. In: ders.: Das offene Kunstwerk. Frankfurt/M. 1973.
11 Eco: The Role of the Reader, S. 9.
12 Vgl. Louis Althusser: Freud und Lacan. Berlin 1976; Althusser: Ideologie und ideologische Staatsapparate. Hamburg/Berlin 1977. – Ich habe an anderer Stelle darauf hingewiesen, daß Ecos zirkuläre Argumentation und das Aufnehmen von Bildern und Themen, die bei Strukturalisten wie Lévi-Strauss und Greimas vorherrschen, darauf hinweist, daß er sich auf jene Positionen zurückzieht, die er als einer der ersten in «La struttura assente» kritisiert hat und die er in seiner Theorie der Semiotik als unhaltbar bezeichnet hat. Weshalb Eco diese

Kehrtwendung vollzogen hat, versuche ich im sechsten Kapitel meines Buches «Alice Doesn't: Feminism, Semiotics, Cinema» (Bloomington 1984) zu klären.

13 Zur Kritik Derridas an Lévi-Strauss vgl. Jacques Derrida: Grammatologie. Frankfurt/M. 1974, Teil II, Kapitel 1.

14 Umberto Eco: Nachschrift zum Namen der Rose. München 1984, S. 63.

15 Jacques Derrida: Sporen. Die Stile Nietzsches. Übersetzt von Richard Schwaderer. o. O., o. J., S. 26 (zuvor: Sporen/Spurs/Sproni/Eperons. Venezia 1976).

16 Gayatri Chakravorti Spivak: Displacement and the Discourse of Woman. In: Mark Krupnick (Hg.): Displacement: Derrida and After. Bloomington 1983, S. 177.

17 Wie bedeutsam das ist, läßt sich aus dem offensichtlichen Bemühen schließen, in einer Sprache wie der italienischen, deren Substantive durch das grammatische Geschlecht bestimmt werden, so etwas wie eine grammatische geschlechtliche Neutralität herzustellen. In Kroebers Übersetzung werden die drei Hinweise auf diese Person wiedergegeben als «teure Person», «langersehnte Person» und «die Person, mit der ich gereist war» (Der Name der Rose, S. 7f.); im italienischen Original heißt es: «una persona cara», «la persona attesa» und «la persona con cui viaggiavo» (Il Nome della rosa, S. 11).

18 Vgl. dazu außer «La condition postmoderne» (1979) einen anderen sehr interessanten Aufsatz von Jean-François Lyotard: Ein Einsatz in den Kämpfen der Frauen. In: ders.: Das Patchwork der Minderheiten. Berlin 1977, S. 52–69. Der Aufsatz gibt vor, für die Frauen zu sprechen. «Hier spricht ein Philosoph über die Frage des Verhältnisses zwischen Männern und Frauen. Er bemüht sich zu vermeiden, was gerade an der Art und Weise, diese Frage zu stellen, männlich ist» (S. 52). «Angesichts dieser Aporien ist man versucht, die Feder dem zu reichen, was einem fragenden erwachsenen Mann am weitesten entgegengesetzt ist – *einem kleinen Mädchen*» (S. 53). Aber das Argument stellt sich als Versuch heraus, den Begriff einer allgemeinen libidinalen Ökonomie auf dem Modell dessen zu errichten, was der Philosoph für die weibliche Sexualität hält: «ein Puzzle von Potentialitäten ... Fruchtbarkeit, Passivität, Emotionalität, Eifersucht» (S. 63). Die Konzeption eines «anderen (sexuellen) Raumes» würde «das Imperium des Signifikanten auf dem männlichen Körper auflösen» (S. 63), würde den «Herrn der Waffen und des Worts ... von seinem Wörter- und Todespanzer» befreien (S. 64). Der Kampf der Frauen wird so für den Diskurs des Philosophen instrumentalisiert als Pfahl, den man(n) ins Herz der Metasprache und der Metaphysik treiben will.

19 Umberto Eco: Einführung in die Semiotik, S. 413f.

Übersetzt von *Ulla Haselstein*

Klaus R. Scherpe

Dramatisierung und Entdramatisierung des Untergangs – zum ästhetischen Bewußtsein von Moderne und Postmoderne

Im Zeichen des Posthistoire ist der Weltuntergang kein Thema, zumindest kein dramatisches. Die geschichtsphilosophische und theologische Kraft der Apokalypse, mit der das Ende beschworen wurde, um dem Leben einen besseren Sinn zu geben, scheint zu versiegen. «Die Endgültigkeit, früher eines der hauptsächlichen Attribute der Apokalypse und einer der Gründe für ihre Anziehungskraft, ist uns nicht beschieden», notiert Hans Magnus Enzensberger als «Randbemerkung zum Weltuntergang»[1]. Die atomare Katastrophe als der ‹reine› Schrecken, die tödliche Verdichtung und Vollendung aller lebendigen Arbeits- und Wissenskraft, schließt das Metaphysische aus, lähmt die Phantasie und die Einbildungskraft. Die Multimediashow des Katastrophischen, die Inflation der Bilder, Erzählungen und Erklärungen zum atomaren Schrecken aus dem Hausschatz der biblischen, literarischen und psychoanalytischen Exegese kann dies nur feststellen und bestätigen.[2] Das Neuartige des jetzt bevorstehenden Weltuntergangs ist, daß er herstellbar geworden ist. Herstellbar und womöglich sogar austauschbar: Die Umweltkatastrophe und die sich ankündigende katastrophische Entwicklung der Gentechnologie sind ebenso geeignet, menschliches Leben auszulöschen oder unkenntlich zu machen. Die Herstellbarkeit der Katastrophe *ist* die Katastrophe. Gilt diese Formel als Vorgabe eines postmodernen Wissens jenseits der Entwicklungslinien, der abgelebten «großen Erzählungen» unserer Geschichte, wie Lyotard sagt[3], so ist in der Tat kein Raum mehr für die erzählerische Dramatisierung des Weltuntergangs. Auch die altehrwürdige Theatermetapher (die ‹Tragödie› Deutschlands und der ganzen Welt) hat längst ausgedient.

«Das wirkliche nukleare Ereignis wird nicht stattfinden, weil es schon stattgefunden hat», heißt es bei Baudrillard.[4] Ist die zersprengende Kraft schon in die Dinge eingetreten, hat sich die Dezentrierung und Deterritorialisierung aller substantialistischer Annahmen über eine gesellschaftliche Vernunft und ein subjektives Agens im historischen Prozeß als ‹Kernspaltung› bereits vollzogen, so nimmt die Theorie selber katastrophische Züge an.

Für Jean Baudrillard ist das «Nukleare die Apotheose der Simulation»[5]. Die Atombombe ist nichts anderes als ein letztes Zeichen im Spiel der Simulation, in dem allerdings weniger «das Reale» als das Verstehen der Realität zusammenbricht. Die Reflexion auf die «Agonie des Realen», in der die kapitalistischen Tauschverhältnisse gewissermaßen hochgerechnet werden zu einer Austauschbarkeit aller Phänomene und Diskurse – auch aller kategorialer Annahmen der traditionellen marxistischen Gesellschaftsanalyse: die in der «Bombe» vollendete Herrschaft der toten Arbeit über die lebendige Arbeit läßt jegliche Dialektik der Produktion in sich zusammenstürzen[6] –, schließt das revolutionäre Ereignis ebenso aus wie die atomare Explosion. Und allein in dieser Ausschließlichkeit, so scheint es, in der totalen Abwesenheit des Ereignishaften von Realität, sichert sich diese Theorie etwas von der Faszination, die immer schon Bestandteil apokalyptischer Vorstellungen war. Baudrillard reklamiert für seine Theorie und für sich als Theoretiker ein Bewußtsein der «objektiven Ironie» und der «radikalen Indifferenz»[7]. Dieses Bewußtsein ist erreicht, wenn die Realität in die Zeitdimension des Futur II verrückt wird: «es wird gewesen sein ...», «es wird geschehen sein ...» Vielleicht ist nicht mehr und nicht weniger angesagt als eine Verschiebung in der Grammatik des Weltuntergangs.

Der Suggestivkraft einer Gesellschaftstheorie, wie sie die neuen Popularphilosophen des französischen Poststrukturalismus, Baudrillard und Lyotard, vor allem ihrem deutschen Publikum, offensiv vortragen, ist nur schwer zu entkommen. Dies mag am «Taumel der Subversion» liegen, den die Theorie allein schon dadurch erzeugt, daß sie bestimmte Einzelphänomene wie auch ganze Diskurse totalisiert, indem sie (geradezu vampiristisch) aus ihnen alle Differenzbestimmungen, Argumentationen und Beweisführungen heraussaugt. Im «Affekt gegen das Allgemeine» (wenn es mit einem dialektischen Instrumentarium erschlossen wird) und in der endgültigen Preisgabe eines historischen Referentials, das in der vielfachen Mediatisierung unserer Informationsgesellschaft unkenntlich geworden ist, kündigt sich eine neue Art von ‹fröhlicher Wissenschaft› an: auch und gerade dann, wenn von den ‹letzten Dingen› zu sprechen ist.

Es ist hier nicht der Ort für ein letztes Gefecht mit der zur Simulationstheorie radikalisierten ‹strukturalen› Tauschwerttheorie, auch nicht für die politische Gegenrede, die natürlich zur Pflicht wird, wenn sich Baudrillard, ähnlich wie Glucksmann[8], in der Konsequenz seiner Theorie für die atomare Hochrüstung ausspricht. Kritik und Gegenrede wurden von kompetenter Seite präzis vorgetragen.[9] Was hier im Rückgriff auf die von der Auszehrung ihres kritischen Potentials bedrohte Moderne zur Diskussion gestellt werden soll, ist das eigenartige Phänomen einer Transformation von Gesellschaftstheorie und gesellschaftskritischem Räsonnement in ein neuartiges ästhetisches Bewußtsein, in ästhetische Valeurs zumindest: das Faszinosum der *Indifferenz*. Die Feststellung, daß die Endgültigkeit ihre Anziehungskraft verloren habe, daß der ‹große Knall› jeglicher theatralischer Faszination entbehre, ist wohl nur als ästhetische Aussage zu rechtfertigen. Gerade die abstrakte Realität des atomaren Vernichtungspotentials schafft eine durchaus konkrete Realität, die der Bedrohung nämlich, die dem ästhetischen Bewußtsein seine Faszinationskraft offenbar stets lebendig hält.

Das ästhetische Bewußtsein der Moderne bekannte sich in der Revolte gegen die Herrschaft der instrumentellen Vernunft stets zu einem ‹anderen Zustand›, zu einer Explosivität der Unterbrechung und des Bruchs gegen die träge Kontinuität der gesellschaftlichen Entwicklungslinien. In der Literatur der Jahrhundertwende war es die Symbolisierung eines ‹gefährlichen Lebens› gegen die Normalität des bürgerlichen Alltags. In den Denkbildern und Denkspielen, mit denen das republikanische Sicherheits- und Sachlichkeitsbewußtsein in der Weimarer Zeit herausgefordert wurde, war es das Faszinosum des ‹Ausnahmezustands›, das ästhetisch propagiert wurde. Dem postmodernen Bewußtsein scheint die ästhetische Imagination eines ‹anderen Zustands›, der explosive Kraft entfaltet, verlorengegangen zu sein. Worin und warum, so wäre zu fragen, erhält sich dennoch der Terrorismus, die Bedrohung und, nunmehr allumfassend, die atomare Abschreckung als Faszinosum?

Postmodernes Denken lebt von der Entsicherung der Signifikanten, von der Zerstörung der symbolischen Ordnungen. In gewissem Sinne liegt diesem Denken die Endgültigkeit des ‹Realen› voraus, das nur mehr voyeuristisch wahrgenommen wird. Im Rückblick auf das «Projekt der Moderne» wird kaum noch das erinnert, was der Reihe nach totgesagt wurde: Gott, die Metaphysik, die Geschichte, die Ideologie, die Revolution und zuletzt auch noch der Tod selber, dem ein «Eigenes» nicht einmal als Opfertod mehr zugesprochen werden kann.[10] Strukturalistisches Denken besiegelt bereits den Kältetod des Subjektiven und Humanen, sofern beides sich noch auf substantialistische Annahmen bezieht. Poststrukturalistisches Denken nimmt von vornherein die letztmögliche Perspektive ein: die eines ‹déjà vu› all des Totgesagten, das nur noch um weitere Elemente zu vermehren wäre. Die Simulationstheorie eines Baudrillard scheint einzig darauf angelegt, alle noch vorhandenen Restbestände an substantialistischen Annahmen und zweckrationalen Erwägungen auszuzehren. Galt eben noch der Tod als letztmögliche Bastion eines revolutionären Bewußtseins, so wird in der nächsten Publikation auch diese Referenz eingeebnet, um im unendlichen Meer der Indifferenz zu versinken.[11] Vorstellen kann man sich diesen Beschleunigungseffekt der Theorie, durch den die historische Zeitlichkeit der beobachteten Phänomene zum Verschwinden gebracht wird, durchaus metaphorisch: als einen

Vampir oder einen gefräßigen Moloch. Zuletzt und aus aktuellem Anlaß frißt die Theorie auch noch das eschatologische Bewußtsein der Apokalypse in sich hinein. «Implosion» und nicht «Explosion» nennt Baudrillard den katastrophischen Effekt der Bedrohung[12], der von der Simulation ausgeht und der darin besteht, daß unter dem Überdruck der nur noch simulierten Wirklichkeit alle gesellschaftlichen Energien im «Spiel der Zeichen» gleichsam nach innen «verdunsten», sich in einem «katastrophalen Prozeß» auflösen.

Bemerkenswert ist allerdings nicht nur die merkwürdige Manier, in der sich diese Art der Theoriebildung stets neue Gegenstände schafft, um sie zum Verschwinden zu bringen, sondern auch die diesem Spiel der Zeichen stets noch eingeschriebene Klage, ja, die bei aller Indifferenz doch spürbare Gegenwehr gegen den Verlust des «Ereignishaften». Man muß gewissermaßen auftauchen aus dem Sprachfluß des Indifferenten, mit dem Baudrillard alle Markierungen einer möglichen Differenzbestimmung überschwemmt, um sich des durchaus originären Protestpotentials zu erinnern, mit dem das poststrukturalistische Denken seit Foucault gegen das ideologische Bewußtsein zu Felde zog: Der Auszug aus der im Herrschaftsdiskurs festgeschriebenen Geschichte erfolgte ja nicht freiwillig, sondern unter Protest gegen das Funktionssystem der Vernunft, gegen das Gefängnis der Sprache, gegen das terroristische Sicherheitsdenken in den Sprachregelungen des gesellschaftlichen Bewußtseins und der Institutionen. Es mag kein Zufall sein, daß Baudrillard, der das Spiel der Entsicherung der Signifikanten in seiner Simulationstheorie vielleicht am weitesten vorangetrieben hat, auch am energischsten und geradezu polemisch den Verlust des «Ereignishaften» herausstellt.

Baudrillard proklamiert einerseits einen ‹vollkommenen› Zustand der Ereignislosigkeit: Es finden nur noch «Pseudo-Ereignisse» statt: «Das ganze Scenario der öffentlichen Information und alle Medien haben keine andere Aufgabe als die Illusion einer Ereignishaftigkeit bzw. die Illusion der Realität von Einsätzen und der Objektivität von Fakten aufrechtzuerhalten.»[13] Alles, was sich ereignet, ist geprägt von der Illusion, daß «wirklich» etwas geschieht. Und doch faßt Baudrillard «das Ereignis» nach wie vor als das eigentlich Gefährliche und Bedrohliche im «System» und für das System. Die Strategie der atomaren Abschreckung beziehe sich nur zum Schein auf die Verhinderung des ‹Ernstfalls›, in Wirklichkeit (?!) diene sie der Befestigung der Sicherheits-, Sperr- und Kontrollsysteme gegen das «Ereignis»: «Der abschreckende Effekt bezieht sich also keineswegs auf das atomare Inferno ..., sondern auf die sehr viel größere Wahrscheinlichkeit jedes realen Ereignisses, d. h. auf all das, was in diesem allgemeinen System ein Ereignis bewirken könnte und wodurch das Gleichgewicht ins Wanken geraten könnte.»[14] Warum, so wäre zu fragen, richtet das «System» seine gesamte Energie gegen etwas (das unberechenbare Ereignis, der Einbruch des Unkontrollierten, die revolutionäre Erschütterung), das keine Realität, ja nicht einmal mehr die Illusion einer Realität beanspruchen kann? Auch Baudrillard kann im Konzept seiner Simulationstheorie, mit der die Überakkumulationskrise des kapitalistischen Systems als Umschlag der Produktion in eine ‹reine› Reproduktion erfaßt werden soll, die Abstraktion einer reinen Ereignislosigkeit nur durch den Verweis auf die zumindest latent noch vorhandene Dynamik konkreter (und seien es auch nur konkret ‹bewirkte›) Ereignisse begründen. Daraus ergeben sich Konsequenzen für die Vorstellung des ‹Katastrophischen› des erreichten Gesellschaftszustands, für das ästhetische Räsonnement, mit dem dieser Zustand letztendlich bedacht wird.

Denn eines ist die Behauptung einer «objektiven Ironie», einer Haltung der Indifferenz des ‹Es ist alles geschehen›, die Baudrillard durchaus mit den Attributen der «Verführung» und der «Leidenschaft» ausstattet. Die ästhetische Faszination liegt hier offenbar in der geradezu ekstatischen Hingabe und Auslieferung des Subjekts an die Indifferenz, die vom Objekt ausgeht, an die nicht mehr mit «Sinndeutungen» zu erfassende «Objektivität» des Systems, dessen rein abstrakte Existenz das Katastrophische ausmacht. Ein anderes ist der Rekurs auf die in diesem System vernichtete, aber auch neu produzierte Ereignishaftigkeit, die so nichtig offenbar nicht ist. Denn von ihr geht eine Dynamik der Bedrohung aus, die zumindest als Effekt der Beschleunigung auf ein Ende hin noch registrierbar ist. Zwar kann und muß dieser Beschleunigungseffekt als Selbstlauf des «Systems» beschrieben werden. In diesem Selbstlauf werden aber dennoch Energien frei, die ein «Hier und Jetzt» des Ereignisses (des Todes, der Revolution, der Katastrophe) fordern, ja geradezu einklagen. «Niemals wird die Revolution den Tod wiederentdecken, wenn sie ihn nicht auf der Stelle fordert.»[15] Dieses Pathos hat Baudrillard im Fortgang seiner Theorie (vielleicht sollte man sagen im ‹Pseudo-Fortschritt›) zwar zurückgenommen, doch geschieht diese Entdramatisierung zugunsten einer Vorstellung, die in der Illusionslosigkeit *eine* Illusion noch gelten läßt: die der «Intensivierung» des katastrophischen Zustands. Der «Pseudo-Revolution» des Mai ’68 wird eine gewisse «Klangfarbe der Ereignisse» attestiert: «Doch alles in allem war es ein intensives Ereignis – zur rechten Zeit, mit einer besonderen Klangfarbe.»[16] Allein schon die Formulierung läßt erkennen, daß Baudrillard hier noch auf die ästhetische Faszination der Intensivierung setzt, die von einem Ereignis ausgehen kann. Für die vergleichsweise historisch ereignislosen 80er Jahre bekundet Baudrillard durchaus seine Affinität zu der «Fatalstrategie der Zeit», die der Abwesenheit von Zukunftshoffnungen und der kollektiven Ahnung vom Ende der Geschichte dadurch begegnen will, daß sie eine Vorwegnahme des Endes fordert, das plötzliche Ereignis des Vernichtungsschlages entgegen dem tödlichen ‹Abwarten› herbeiwünscht: «Apocalypse now» als letztmögliches Ereignis entgegen der Abstraktion der Ereignislosigkeit. Das ästhetische Bewußtsein der Postmoderne forciert die «objektive Ironie» angesichts des in sich vollendeten Gesellschaftszustands der ‹reinen› Reproduktion. Die ästhetische Faszination des Ereignisses scheint darin jedoch nicht vollends aufzugehen.

Wenn ich recht sehe, so gehört das ‹Spiel mit der Apokalypse› unverzichtbar zum Erscheinungsbild der Postmoderne. Es dominiert in der Konsequenz des ‹postmodernen Wissens› die Entdramatisierung des Untergangs, wenngleich, wie noch zu zeigen sein wird, in der Gefolgschaft von Baudrillard, besonders bei den deutschen Adepten des französischen Posthistoire, sich eine Redramatisierung des Untergangs ankündigt. Baudrillard als ‹Popularphilosoph› der Postmoderne wurde aufgerufen, weniger um seine Gesellschaftstheorie noch einmal zur Diskussion zu stellen, vielmehr um eine bestimmte Konstellation des *ästhetischen Bewußtseins*, das als postmodern gilt, herauszustellen. Ist dieses Bewußtsein auf fatale Weise angereichert mit Reflexionen über das «Ende der Endgültigkeit» und insofern bestimmbar als Katastrophentheorie, als Katastrophe in der Theorie gegenüber dem Krisenbewußtsein und der Krisentheorie der Moderne[17], so verweist doch die spezifisch ästhetische Dimensionierung des ‹katastrophischen› Bewußtseins auf Konstellationen in der Theorie und der Literatur der Moderne, wie sie in Deutschland seit dem Ende des Ersten Weltkrieges in Erscheinung treten. Ist postmodernes Wissen, wie Lyotard schreibt, darauf konzentriert, seine eigene Entwicklung als diskontinuierlich, katastrophisch und nicht korrigierbar zu theoretisieren[18], so kann die ästhetische Konsequenz und die Art der ästhetischen Selbstdarstellung eben dieser wissenschaftstheoretischen Paradoxie bereits zu der historischen Zeit beobachtet werden, in der der gesellschaftliche Prozeß der Modernisierung und Rationalisierung derart manifest wurde, daß die Annahme eines ‹anderen Zustands› (der ‹Entregelung›, der ‹Ausnahme›, der produktiven Destruktion) in den Künsten und in der ästhetischen Reflexion provoziert wurde. Wenn Baudrillard angesichts eines permanenten «recycling» aller gesellschaftlichen Phänomene und Diskurse von einer «durch die Norm bestrahlten Welt» spricht, in der alle Momente der Heterogenität und des Widerspruchs zum Verschwinden gebracht werden, so radikalisiert er eine Denkform, die auch der theoretischen und der literarischen Zivilisationskritik eines Ernst Jünger, Carl Schmitt, Walter Benjamin, eines Franz Kafka oder Thomas Mann zugrunde liegt, sehr unterschiedlich allerdings nach den ideologischen Anteilen einer destruktiven oder rettenden Kritik. Wenn Baudrillard im Zeichen seiner posthistorischen Theorie sich als Theoretiker im ästhetischen Zustand einer ebenso verführerischen wie leidenschaftlichen «Indifferenz» wähnt und von dort aus dennoch eine ästhetische Intensität des Ereignisses in Erinnerung bringt, so akzentuiert er ästhetische Phäno-

mene, die im Prozeß der Moderne stets reflektiert wurden. Die historische Differenz allerdings ist nicht zu bestreiten: Wo Baudrillard einen
Rest von Ereignishaftigkeit retrospektiv in seine Theorie noch einbe-
zieht, hat die Moderne noch prospektiv auf die revolutionäre Kraft des
Ereignisses gesetzt.

Die postmoderne Phänomenologie von Kunst und Gesellschaft wird
sich, je mehr sie sich ausbreitet, ihre historische Bestimmung gefallen
lassen müssen: nicht ihre dialektische Aufhebung, wohl aber die Ermitt-
lung ihrer eigenen historischen Signifikanz. Postmoderne Theorie versteht sich selber vorzugsweise als «Tod der Moderne», als Liquidierung
ihres Aufklärungspotentials und als theoretische Praxis der Dissimina-
tion und Dissoziation ihrer utopischen Hoffnungen. Kritik der Postmoderne, wie sie Habermas und Bürger formulieren[19], besteht dagegen auf
der «Vollendung des Projekts der Moderne», ohne daß ersichtlich
würde, wie die Beweisführung eines in kommunikativen Leistungen er-
neuerten aufklärerischen Diskurses sich der destruktiven Energien, die
ja ebenso wie die aufklärerischen zum «Projekt der Moderne» gehören,
anders erwehren könnte als in der neuerlichen Selbstbehauptung der
Vernunft. Im aktuellen Streit zwischen ‹moderner› Selbstbehauptung
und ‹postmoderner› Selbstzerstörung der Vernunft ist wohl eine historische Differenzierung angebracht. Zunächst einmal wäre der Doppelcharakter des «Projekts der Moderne» in seiner aufklärerischen *und* destruktiven Energie anzuerkennen. Von hier aus könnte die Behauptung
einer Postmoderne genauer begriffen werden als Radikalisierung der
Destruktionsenergien in der Theorie der Moderne, die nicht zuletzt
darin besteht, daß eine Rückvermittlung zu einem aufklärerischen Pro-
testpotential nicht mehr geschieht.

In Ernst Jüngers essayistischen und poetischen Schriften vom Ende der
zwanziger und Anfang der dreißiger Jahre ist bereits ausgemacht, daß im
Zeichen der «instrumentellen Zeit … jede Art von revolutionärer Dialektik» nur noch als «abgeschmackt» gelten kann.[20] Jüngers Bestandsaufnahme der für das «Ereignis» tödlichen Welt aus technischer Vernunft
und medialer Übertragbarkeit erinnert nicht nur von ferne an die von
Baudrillard ausformulierte Simulationstheorie:

«Es wohnt uns ein seltsames und schwer zu beschreibendes Bestreben inne, dem
lebendigen Vorgang den Charakter des Präparats zu verleihen. Wo sich heute ein
Ereignis vollzieht, ist es vom Kreise der Objektive und Mikrophone umringt und
von flammenden Explosionen der Blitzlichter erhellt. In vielen Fällen tritt das Ereignis selbst ganz hinter der ‹Übertragung› zurück, es wird also in hohem Maße
zum Objekt. So kennen wir bereits politische Prozesse, Parlamentssitzungen,
Wettkämpfe, deren eigentlicher Sinn darin besteht, Gegenstand einer planetari-

schen Übertragung zu sein. Das Ereignis ist weder an seinen besonderen Raum noch an seine besondere Zeit gebunden, da es an jeder Stelle widergespiegelt und beliebig oft wiederholt werden kann.»[21]

Den Verlust der Zweckmäßigkeit im «logischen Charakter der Verrichtungen» faßt Jünger als die drohende Auslöschung jeglicher Form von Individualisierung. «Kampfkraft» etwa – Jüngers Theorie bedient sich stets der Metaphorik der Waffen und des Krieges – «ist kein individueller, sondern ein funktioneller Wert; man fällt nicht mehr, sondern fällt aus.»[22] Jünger postuliert ein «Zweites Bewußtsein», das dieser ‹Hyperrealität› angemessen sein müßte. Und dieses Bewußtsein ist allemal ein ästhetisches, das gleiche Militanz im Blick auf den ‹zivilen› Bereich (der «Vergnügungscharakter der totalen Medien» von Rundfunk und Film[23]) und im voyeuristischen Blick auf die Schlachtfelder («auf denen der Zauber des mechanischen Todes regiert») entfaltet. Wie immer Jünger seine Reflexionen ideologisch befestigt (die fatale Kreation eines neuen soldatischen Menschentypus des «Arbeiters», die «Kommandohöhen» einer nur noch sich selbst genügenden heroischen Haltung), der Ausgangspunkt des «Zweiten Bewußtseins» ist stets eine katastrophische Vorstellung, die «den Angriff des Todes auf die Massen» ins Auge faßt: «Erst die völlige Zersplitterung, das Sinnloswerden der alten Gefüge macht es möglich, daß die Wirklichkeit eines anderen Kraftfeldes in Erscheinung tritt.»[24]

Als «Zweites Bewußtsein» postuliert Jünger einen anderen, ästhetischen Zustand, für den letztlich weder «die Anwesenheit des Gegners, noch die der Zuschauer erforderlich ist»[25]. Allerdings muß diese Radikalität zurückübersetzt werden in die Dimension subjektiver ästhetischer Wahrnehmung, um sich im literarischen Experiment zu vergegenständlichen. Im Zeichen der «unsichtbaren oder sichtbar-katastrophalen»[26] Untergangsstimmung zu Beginn der dreißiger Jahre forciert Jünger eine Ästhetik des Schmerzes und des Schreckens. Durchaus miteinander verbunden – und nicht allein in zeitlicher Abfolge, wie Karl Heinz Bohrer meint[27] – propagiert Jünger eine dramatische *und* eine entdramatisierte Form der ästhetischen Vergegenständlichung des zweiten, katastrophischen Bewußtseins. Zum einen vollzieht er eine unbedingte Stilisierung der Wirklichkeit, die in der «Schrecksekunde», im plötzlichen Einbruch des Grauens und der Gewalt in die Normalität der ereignislosen Abläufe noch einmal zum «Ereignis eskaliert». Als ein ästhetisches Erlebnis dieser Art beschreibt Jünger die ebenso plötzliche wie «zauberhafte» Realität des Verschwindens von fünftausend Demonstrationsteilnehmern in dem Moment, wo auf dem Berliner Alexanderplatz die «Erscheinung eines Panzerwagens der Polizei ... ein vor Wut kochendes Menschenmeer durchschnitt»[28]. Entdramatisiert wird dieses ‹ästhetische Ereignis› jedoch durch die dem Beobachter und Voyeur zugeschriebene ästhetische Be-

findlichkeit: «Dieser Anblick hatte etwas Zauberhaftes; er rief jenes tiefe
Gefühl der Heiterkeit hervor, von dem man bei Entlarvung eines niede-
ren Dämons unwiderstehlich ergriffen wird.» Jünger hat diese Haltung
unter dem Begriff der «Désinvolture» bekanntlich zum ‹Herzstück› (!?)
seiner Ästhetik erklärt. Eine zuvor noch behauptete «Verantwortlich-
keit» flüchtet sich in die grandiose und befreiende Verantwortungslosig-
keit des Ästheten, Kritik verflüchtigt sich in der reinen Beobachtung.[29]
Kann Jüngers zweifache Fassung des ästhetischen Bewußtseins (anarchische Dramatisierung des Ereignisses, Entdramatisierung im Namen der
«Désinvolture») als Fixpunkt einer Ästhetik der Moderne gelten, so
könnte eben darin kenntlich werden, daß das ‹postmoderne Wissen› allen
Grund hat, sich seiner Bezugspunkte im destruktiven «Projekt der Moderne» zu erinnern. In der ästhetischen Konsequenz: Die der Theorie
Baudrillards ablesbaren ästhetischen Valeurs der «Indifferenz» und der
«Intensität» sind von Jünger deutlich vorgegeben. Und auch die politi-
sche Konsequenz des Jüngerschen ästhetischen Bewußtseins darf wohl in
Erinnerung gerufen werden.

Die Affinität zwischen Jüngers Version einer ‹abgeklärten› Moderne, die
auf eine Totalisierung der Phänomene im Zeichen der «instrumentellen
Zeit» und deren ästhetische Reflexion im Gestus der «Désinvolture» hinausläuft, und der postmodernen Simulationstheorie, die den Theoretiker
in den Zustand der «objektiven Ironie» und den der (allerdings wenig
«zauberhaften») «Indifferenz» versetzt, scheint mir größer zu sein als die
zu Walter Benjamins aktivistischem Programm der Moderne. Benjamins
Diagnose der technischen «Reproduzierbarkeit» ist nicht, wie Dietmar
Kamper dies tut, einfach in eins zu setzen mit dem von Baudrillard
behaupteten Befund des totalen Verschwindens der materiellen Produktivität und ihrer möglichen Sinnbestimmung im ‹reinen› System des
Tauschwerts.[30] Benjamins Optimismus in die Reproduzierbarkeit – die
Hoffnung auf eine die Massen aufklärende Funktionalisierung der
Medienproduktion – mag heute als obsolet erscheinen, ebenso die Erwar-
tung einer kollektiven und befreienden Organisation des destruktiven Potentials, das durch die radikale Depotenzierung der individuellen Erlebnisfähigkeit und Handlungsbereitschaft entstanden ist. Angesichts des
Erfahrungsverlusts im «Zeitalter der Information», der sinnentleerten
Normativität und «leeren» Homogenität der Zeit setzt Benjamin bekanntlich auf die Aktivierung aller Vorstellungen von Heterogenität und
Diskontinuität, um im unaufhaltsamen Prozeß der Modernisierung eine
revolutionäre Dynamik zu erhalten bzw. neu zu entfachen. Die Enttabui-
sierung der «Barbarei» und des «destruktiven Charakters»[31] ist ihm eine
historische Notwendigkeit, um diese Energien nicht dem kleinbürgerlichen Anarchismus und dem aristokratischen Ästhetizismus zu überlas-

sen. Die Negation des Fortschrittsglaubens führt bei Benjamin nicht zur Preisgabe einer historischen Vernunft und auch nicht zum ästhetischen Programm einer kontemplativen oder militanten Indifferenz, sondern zu einer Mobilisierung des historischen Bewußtseins. In Umkehrung der herrschenden Normativität erklärt Benjamin die Katastrophe zur Norm der Geschichte: «Der Begriff des Fortschritts ist in der Idee der Katastrophe zu fundieren», heißt es in den Notizen des «Zentralparks». «Daß es ‹so weiter› geht, *ist* die Katastrophe. Sie ist nicht das jeweils Bevorstehende, sondern das jeweils Gegebene.»[32] Benjamins Denken hält sich weder an das «Es wird geschehen» der zur Apokalypse dramatisierten Katastrophe noch an die Entdramatisierung eines «Es ist immer schon geschehen», an dem das ‹postmoderne Wissen› sich genug tut. Vielmehr glaubt er an eine Geschichtsdramaturgie der «Jetztzeit», mit der die Diskontinuität in der Kontinuität als revolutionäres Ereignis inszenierbar wäre: «Die Rettung hält sich an den kleinen Sprung in der kontinuierlichen Katastrophe.» Benjamin favorisiert zweifellos eine emphatische Vorstellung vom Aufheben des «Kontinuums der Geschichte».[33] Die Geschichte selber wird zum Faszinosum in der Vorstellung einer «Abbreviatur der Geschichte», einer Intensivierung durch Unterbrechung und Stillstellung. Daß der historische «Augenblick», der Schock und der Ausnahmezustand «monadisch» gedacht werden und nicht ‹strukturell›, sichert jenen besonderen Grad der «Intensität», in der die revolutionäre Sprengkraft sich kristallisiert.

Es ist oft festgestellt worden, daß Benjamins Geschichtsentwurf Züge der jüdischen Eschatologie trägt. Dies gilt insbesondere für den Gedanken einer momentanen «Stillstellung» der Geschichte, um im Moment des «Vergessens» Bruchstücke der Vergangenheit in Erinnerung zu rufen, die, historisch gebunden, auf eine mögliche «Erlösung» in der Jetztzeit verweisen. Mit diesem Gedanken allein öffnet Benjamin seine Theorie jedoch nicht einem ästhetischen Dezisionismus, keinem Finalitätsrausch, von dem das apokalyptische Bewußtsein nur allzu rasch und überwältigend erfaßt wird, ebensowenig natürlich für einen politischen Dezisionismus, auf den hin Carl Schmitt den «Ausnahmezustand» fixierte.[34] Zu leugnen ist jedoch nicht, daß Benjamin letztlich ein ästhetisches Faszinosum meint, wenn er es geschichtsphilosophisch ausformuliert. Eine Entgrenzung der historischen Erfahrung in die ästhetische – sehr zu unterscheiden von der «Ästhetisierung der Politik», die Benjamin Jünger vorwirft[35] – erscheint ihm als geboten. Die Lebendigkeit der historischen Erfahrung soll durch die ästhetische Provokation des Ereignis- und Erlebnishaften zurückgewonnen werden, um der tödlichen Normierung und Rationalisierung zu widerstehen.

Hier, so scheint es, liegt das ‹rettende› Motiv seiner Kritik der Moderne, die er, z. B. im «Sürrealismus»-Aufsatz, als ‹Theorie der Moderne› formuliert. Bei aller Bedenklichkeit gegenüber der «Lockerung des Ich durch den Rausch», die wohl stets Anteil hat an der surrealistischen Erfahrung, setzt Benjamin auf die letztmögliche individuelle Erfahrung: die Ereignishaftigkeit der «profanen Erleuchtung» und die Schrecksekunde des «Schocks».[36] Eine Steigerung der für genuin gehaltenen Erlebnisfähigkeit wird nötig zu ihrer Rettung. Formiert sich bei Jünger die Versagung des ‹authentischen› und ‹originalen› Erlebnisses zu einer neuen ästhetischen Militanz des «Zweiten Bewußtseins», das die Herrschaft des «funktionellen Werts» über den individuellen schon voraussetzt, so besteht Benjamin auf einer radikalisierten Dialektik, mit der das «Inkommensurable» der individuellen Erfahrung auf die Spitze getrieben wird in der Hoffnung auf eine neue ‹Wertigkeit› gerade des «Unzulänglichen», auf die Möglichkeit des Umschlags massenhafter «Vereinsamung» der Individuen in kollektive Handlungsfähigkeit. Die «zersprengende Kraft in den Dingen» ist in Benjamins Theorie der Moderne noch eine Explosivkraft. Die «Idee der Katastrophe» wird gedacht als subversives Potential, als bewegendes Moment der Geschichte. Benjamin besteht auf einem Denkmodell des Umfunktionierens (des Destruktiven, des Barbarischen, der Entindividualisierung), wo postmodernes Bewußtsein in der vollendeten Funktionalität und in der absoluten Herrschaft der Reproduktion nur noch den *permanenten* Stillstand und die Stillegung aller geschichtsbewegenden Momente konstatiert: keineswegs den «Ausnahmezustand».

Die abrupte Konfrontation mit dem in sich vollendeten und abgeklärten ‹postmodernen Wissen› muß die Benjaminsche Theorie als historisch illusionär erscheinen lassen. Ihre Stärke ist jedoch die Kraft zum Widerspruch, ihr Eingeständnis des Leidens am Ereignisverlust. Moralische und politische Qualitäten treten hervor, die das bessere Wissen der Postmoderne sich aus dem Kopf schlägt. Die Entdramatisierung des historischen Ereignisses im versteinernden Denkakt des ‹Es wird gewesen sein› provoziert allein noch einen Hedonismus des Vergessenkönnens, kaum noch die schmerzvolle Erinnerung an das Verlorene.

Benjamins Theorie der Moderne hat selber zu viel Anteil am Prozeß der Desillusionierung, als daß sie retrospektiv als ‹Illusion› bloßgestellt werden könnte. Offenkundig ist dies in seiner Erzähltheorie. Der Verlust der ‹Erzählbarkeit der Welt› ist unwiderruflich als Folge der Umstrukturierung der Produktivkräfte. Die Erzählung erscheint als entrückt aus dem Bereich der lebendigen Rede in eine «neue Schönheit», die nur noch im «Entschwinden» fühlbar gemacht werden kann.[37] Wie noch erzählen in einer und von einer Welt – so fragt Benjamin als Anwalt der Erzähltheorie mit Blick auf die Erscheinungsformen der Literatur der Moderne –, die verlassen ist vom ‹Geist der Erzählung›, bedroht vom Verlust ihrer Gegenständlichkeit, vom Schwinden der Sinne? Wie erzählen von Ereignissen und in Bildern, wenn das Erlebnis und seine Bildhaftigkeit ausgetrocknet und ausgehungert werden von der Versachlichung und Funktionalisierung aller Lebensbezüge, von einem Gesellschaftsmechanismus, der sich in seiner Abstraktheit den Individuen unheimlich aufdrängt als das letzte heillose Geheimnis? Die Fragestellung hat die ‹Klangfarbe› der postmodernen Theoriebildung. Ausgefaltet und ausgetragen wurde sie in der Literatur der Moderne.

Wenn Benjamin Franz Kafkas epische Welt seiner «messianischen» Lektüre unterzieht, das epische Gebäude noch einmal als «Welttheater» dekoriert, so muß er wohl gewußt haben, daß hier keine Tragödie mehr gespielt wird, in der – im Sinne des ‹Aufsprengens der Geschichte› – ein revolutionärer Sprengsatz sich kristallisiert. Als «Märchen für Dialektiker» wollte Benjamin Kafkas sagenhafte Erzählungen verstanden wissen.[38] Nie sind Märchen so grausam gewesen wie Kafkas Texte für Dialektiker! Kafkas Erzählungen wirken darin, daß ihnen – auch wenn die Kafka-Philologen sich damit nicht abfinden wollen – alle Metaphysik entzogen ist, jede Aussicht auf eine Katastrophe, die die Erlösung bringt. Strindbergs Gedanken, den Benjamin zitiert, hat Kafka unendlich variiert: «die Hölle ist nichts, was uns bevorstünde – sondern *dieses Leben hier*.»[39] Das Grauenhafte gegenüber Benjamin und Strindberg ist allerdings, daß «dieses Leben» keine Tragödie mehr zuläßt, keine geschichtsphilosophische und schon gar keine psychologische Dramaturgie.

Verstehen wir die Welt von Kafkas «Prozeß» als ‹Weltgerichtsgebäude›, so wird unser Verständnis sogleich festgelegt auf den unheimlichen Umstand, daß hier kein Tribunal stattfindet, das Schuld beweist oder freispricht, vielmehr ein unendlicher Prozeß, der sich darauf gründet, daß er nur scheinbare Gründe vortragen läßt, allen Argumenten und Gesten ihre ‹Eigentlichkeit› entwindet, dem Delinquenten seine ‹reale› Orientierung entzieht. Das «System der Abhängigkeiten» – so Kafkas Formel für die kapitalistische Welt, die er als eine übermächtige Bürokratie erfaßt – ist in der Gerichtswelt der Advokaten und Kanzleien derart ausdifferenziert und perfektioniert, daß Josef K. auf der Suche nach seinem Schuldigsein stets nur auf eine ebenso universale wie mechanische Betriebsamkeit trifft. K.s subjektiver Anspruch auf Gerechtigkeit trifft auf ein von subjektiven Qualifizierungen und Differenzierungen absolut ‹gereinigtes› System, das seine Funktion allein im Funktionieren hat. Im Grunde ist es diese Tautologie, welche die Prozeßwelt im ‹Äußersten› (und keineswegs im ‹Innersten›) zusammenhält.

Was dies heißt, begreift der fragende und suchende Held des Romans auf entsetzliche Weise in der Begegnung mit dem Maler Titorelli, der noch am ehesten als zugänglich für eine ‹menschliche› Annäherung erscheint, der scheinbar Antwort weiß auf K.s verzweifelte Frage nach seiner Schuld. Auch der Künstler gehört zum Funktionssystem des Gerichts. Er wohnt in den Kanzleien, als freie «Privatperson», jedoch gebunden an den Auftrag, die Richter zu malen. Der Künstler Titorelli wirkt dabei heiter und gelassen, souverän im Umgang mit dem Advokatenwesen. Für Josef K. ist er daher die Ausnahme: ein Mensch mit subjektiven Qualitäten, der Rat weiß, das Geheimnis des Gerichts kennt. Dieser Maler jedoch ist ein Retter in Gestalt des Verführers. Seine ‹Menschlichkeit› und sein Wissen, die K. begierig sucht, erweisen sich als «vernichtende Wahrheit»[40]. Denn dieses Wissen, das die ‹menschliche› Souveränität des Malers ausmacht, besteht in nichts anderem als in der perfekten Assimilation an das System, das ihm so zur ‹zweiten Natur› geworden ist, daß K. ihn als den letzten ‹authentischen› Menschen liebt und verehrt, obwohl seine vermeintliche ‹Menschlichkeit› doch nichts anderes ist als eine perfekt hergestellte und reproduzierte Humanität.

Durch sein malerisches Handwerk gibt Titorelli seine wahre ‹Natur› zu erkennen. Wenn er die Richter malt, so erfüllt er den Auftrag, die Funktion des Richteramtes sichtbar zu machen. Die Bilder unterscheiden sich im Grunde durch nichts. Das, wodurch sie sich unterscheiden könnten, das historische Kostüm oder eine individuelle Besonderheit, wird von Titorelli nach einem gleichfalls eingeübten Ritual hinzuerfunden. Die Bilder, die Titorelli Josef K. zur Auswahl und zum Kauf anbietet und die er in ihrem Kontrast und in ihrer «Ähnlichkeit» anpreist, zeigen die «völlig gleiche Heidelandschaft»[41]. So ist es auch gleichgültig und beliebig, ob K. eines kauft oder alle. Die Bilder entbehren jeder transparenten Bildlichkeit. Sie sind Kopien eines Originals, das sich im wiederholten Akt des Malens verloren hat. Verloren ist jeglicher individualisierende sinnlich lebendige Gehalt. Titorelli selber, dessen ‹menschliche› Eigenschaften K. anziehen, übt diese Eigenschaften nur aus. Seine Kreativität ist eine nachgeahmte Kreativität. Aber eben diese vollkommene Distanzierung eines eigenen Wesens macht seine ‹Freiheit› aus. Die völlige Gleichgültigkeit gegenüber seinen Emotionen, Wünschen und Erwartungen verleiht ihm seine für K. faszinierende Souveränität, sein überlegenes Wissen.

K.s katastrophale Täuschung besteht darin, daß er das «schamlose Lächeln» des Malers übersieht, daß er von der nur nachgeahmten Menschlichkeit Titorellis seinen «Durchbruch» erwartet: «K. erkannte: hier wenn irgendwo, war der Durchbruch möglich. Er ließ sich nicht durch Titorellis schamloses Lächeln beirren, das dieser mit erhobenem Kopfe ins Leere richtete, er bestand auf seiner Bitte und verstieg sich mit den Händen bis zum Streicheln von Titorellis Wange ... Wie einfach war die Überlistung des Gerichts.» K. glaubt sich erlöst, als Titorelli sich ihm zuneigt. Mit einemmal fühlt er seine Körperlichkeit in einer «schöne(n) Art der Bewegung». Mit gesenktem Kopf glaubt er, seine Verwandlung zu erleben: «Das Licht, das bisher von hinten eingefallen war, wechselte und strömte blendend von vorn. K. sah auf, Titorẹlli nickte ihm zu und drehte ihn um.» Das Entsetzliche besteht darin, daß auch der Augenblick der Erleuchtung – die plötzliche Erkenntnis, der «Durchbruch» zur Unmittelbarkeit des Erlebnisses und Ereignisses – längst eingefangen ist in jene ‹zweite Natur›, die das ‹Originale› und ‹Schöpferische› nur mehr als faszinierende Kopie präsentiert. Während K. mit gesenktem Kopf seinen «Durchbruch» erwartet, richtet Titorelli mit erhobenem Kopf sein schamloses Lächeln ins Leere, in eine Leere, in der ein Höllengelächter ertönen würde, wenn es dafür noch eine Tonart gäbe. Man muß diese Szene des «Durchbruchs» lesen als Zusammenbruch jenes letzten Aktes der Revolte, den die Theorie der Moderne als Schock, als profane Erleuchtung, als plötzliche Unterbrechung einer verheerenden Kontinuität zu erfassen versuchte.

K.s Erlösung ist einer ‹wirklichen› Erlösung zum Verwechseln ähnlich. Dies muß der Grund dafür sein, daß Kafka die ‹Durchbruchs›-Szene wieder aus seinem Roman herausgenommen hat. Am Ende des Romans kann keine Todesrevolte stehen, keine Apotheose des Opfers, wenn K. abgetötet wird «wie ein Hund»: «es war als sollte die Scham ihn überleben.» Die Scham als letztes und intimstes Gefühl der Menschlichkeit wird gewissermaßen ‹bestrahlt› von der Kälte und Leere, für die Titorellis «schamloses Lächeln» das unverrückbare Zeichen ist. Im Überleben der Scham findet nicht eine letzte Verklärung des Lebens seinen Ausdruck, sondern die Erkenntnis darüber, daß K. seine Befreiung im Tode verfehlt hat. Das Gefühl der Scham muß überleben, weil Josef Titorellis ‹Souveränität› hätte begreifen müssen: eine Souveränität, die darin besteht, die Permanenz des Todes und des Tötens im Leben anzuerkennen. Josef K. stirbt nicht, er ‹wird gestorben›! Darin liegt die äußerste Erniedrigung, für die das Schamgefühl noch einmal angerufen wird.

Deuten wir das Schamgefühl des Josef K. als resistent gegenüber der souveränen Gleichgültigkeit, die der Künstler Titorelli durch die Vernichtung seiner Emotionalität erreicht hat, so wäre für die ‹Modernität› Kafkas das Referendum des Humanen und Sozialen gerettet. Wird jedoch diese Resistenz selber als schamvoll im Sinne eines ‹Sichschämens› über die Blindheit gegenüber der im Funktionszusammenhang des Systems längst zur Realität gewordenen Entleerung der humanen und sozialen Qualitäten ausgelegt, so wäre Kafka bereits im Kontext des ‹postmodernen Wissens› verstanden. Denn dem ist das «schamlose Lächeln» der Indifferenz zur absoluten Gewißheit geworden, zu einer Gewißheit ohne Schmerz allerdings, während in Kafkas Texten der Schmerz über den Realitätsverlust des Humanum die treibende Kraft ist.

Gewißheit kann darüber bestehen, daß Kafkas Literatur die «Dialektik der Aufklärung» in ein grauenhaftes «Märchen für Dialektiker» verwandelt hat: Die Perversion der Aufklärung im Zeichen der instrumentellen Vernunft wird insoweit abgeklärt, als eine pathetische Inszenierung des Verlusts, eine Höllenfahrt der von der Zerstörung und Selbstzerstörung bedrohten Vernunft nicht mehr stattfindet. In Kafkas Erzählungen ist die Ausnahme von vornherein die Regel, die Umkehrung des Gedankens immer schon mitgedacht. Kafkas Literatur der Moderne *ist* der Ausnahmezustand, und deshalb kann der von der Theorie der Moderne propagierte revolutionäre Impuls der ‹Unterbrechung› und des ‹Durchbruchs› in ihr nicht zum Ereignis werden, kann das ‹Katastrophische› keine Energien, keinen Impuls der Veränderung freisetzen.

Die ‹Wörtlichkeit› Kafkas skelettiert in gewisser Weise die epische Welt, die Thomas Mann in seinem bürgerlichen Endzeitroman des «Doktor Faustus» noch einmal aufrichtet, um sie von ihrem Schlußakkord her zu begreifen. Thomas Mann inszeniert die Apokalypse des faschistischen Deutschland als Höllenfahrt des bürgerlichen Humanismus, was ihm den Vorwurf der «Dämonisierung» der Geschichte und des historischen Bewußtseins eingetragen hat.[42] Dabei wird übersehen, daß Thomas Manns Roman, eingebettet in die Erzählgebärden des bürgerlichen Realismus, die Problemstellung der Moderne derart radikal entfaltet, daß sie als Modus des Erzählens (und nicht nur als ihr Gegenstand im Künstlerschicksal des Tonsetzers Adrian Leverkühn) das Erzählgebäude des Romans zum Einsturz gebracht hätte.

«Meine Erzählung eilt ihrem Ende zu – das tut alles», schreibt der Chronist und Humanist Zeitblom. «Alles drängt und stürzt dem Ende entgegen, in Endes Zeichen steht die Welt.»[43] Im Kennwort von der «vernichtenden Befreiung»[44] hat Thomas Mann die politische und künstlerische Thematik seines Romans zusammengefaßt. Adrian Leverkühns musikalische Werke – eine «Apocalipsis con figuris» und «Dr. Fausti Weheklag» – bedeuten nichts anderes als die Zurücknahme der Neunten Sinfonie. Der Teufelspakt, den Adrians Kunst eingeht, ist der mit der Inhumanität. Thomas Mann forciert das alte Thema von Ästhetizismus und Barbarei, das den «Betrachtungen eines Unpolitischen» ihren politischen Sinn gab, und übersetzt es in die Problematik der Musikavantgarde, die im Schicksal des Komponisten Adrian Leverkühn verkörpert ist und für die Schönbergs Zwölftonmusik und Adornos «Philosophie der neuen Musik» die Ideen lieferten. Wo Adorno die Bedrohung des künstlerischen Prozesses durch den gesellschaftlichen Prozeß der Entfremdung und Verdinglichung ideologiekritisch herausstellt, inszeniert Thomas Mann die apokalyptische Vision der Grenzüberschreitung des künstlerischen Subjekts.

«Die Freiheit des Komponisten», schreibt Adorno, wird, indem «sie sich in der Verfügung übers Material verwirklicht, ... zu einer Bestim-

mung des Materials, die sich dem Subjekt als entfremdete gegenüber-
setzt und es ihrem Zwang unterwirft.»[45] Thomas Mann intensiviert den
theoretischen Befund derart, daß er ihn dem Prozeß der körperlichen
Zerstörung des Tonsetzers Leverkühn einschreibt und in seiner Physiognomie das Entsetzliche kenntlich macht, das hervortritt, wenn das ‹humane Antlitz der Kunst› sich verzerrt und schließlich zum Verschwinden
gebracht wird. Was Zeitblom als «furchtbare Intimität» empfindet, wird
kenntlich in Adrians Physiognomie und Gestik, die mit der des Malers
Titorelli in Kafkas «Prozeß» vergleichbar ist. «Der Blick, den er auf
mich richtete, war *der* Blick, der bewußte, der mich unglücklich machte,
beinahe gleichviel, ob ich es war oder ein anderer, dem er zustieß:
stumm, verschleiert, kalt distanziert bis zum Kränkenden, und es folgte
das Lächeln darauf, bei verschlossenem Mund und spöttisch zuckenden
Nasenflügeln, – und das Sichabwenden.»[46] Adrian trägt sein Leiden zur
Schau, und der Freund und Humanist ist von der Entstellung in seinen
Zügen schmerzhaft berührt. Durchschlagend jedoch sind das spöttische
Lächeln und die Geste des Sichabwendens, die das Entsetzliche sind,
weil sie jene grauenhafte Souveränität des Künstlers signalisieren, die
das Humane vernichtet, um im Spiel einer freigesetzten Rationalität und
Funktionalität der Kunst eine andere ‹Natur› und eine andere ‹Freiheit›
zu schaffen.

Adrians Kunst wird bezeichnet als «eine formale Utopie von schauer-
licher Sinnigkeit». Thomas Mann thematisiert die Erschütterung, die
die neue Kunst hervorbringt, als das Zerstörungswerk des Humanen. Das
Zerstörerische und Gewaltsame des Entfremdungsprozesses, die in der
Kunst der Avantgarde ihren Ausdruck finden, geben eine Dramatik her,
die zur apokalyptischen Vision gesteigert wird. Für Thomas Mann signalisiert Adrians Kunst unerbittlich die Zeichen der Zeit. Das Gelingen
des künstlerischen Werkes in einer in sich vollendeten technischen Rationalität fordert die Preisgabe der künstlerischen Individualität und
menschlichen Identität. Leverkühns «Faust»-Kantate realisiert gewaltsam das neue künstlerische Prinzip. Sie ist ein «ungeheures Variationen-
werk der Klage», das sich «recht eigentlich undynamisch, entwicklungs-
los, ohne Drama», nur noch in «konzentrischen Kreisen» bewegt. Das
«Identische» seines Themas existiert nur mehr in der Variation: Engelschor und Höllengelächter werden austauschbar. Das Generalthema des
Variationenwerkes, «Denn ich sterbe als ein böser und ein guter Christ»,
wird derart gewaltsam realisiert, daß der Künstler dem «rationalen System» der Musik, das er schafft, hoffnungslos unterliegt. Die «Hoffnung»
findet keine substantielle Bestimmung mehr, ist aber gerade deshalb
denkbar als ein neuer befreiender Ausdruck des Formexperiments
selber:

«Es (das Generalthema) liegt zum Grunde allem, was da klingt, – besser: es liegt, als Tonart fast, hinter allem und schafft die Identität des Vielförmigsten, – jene Identität, die zwischen dem kristallenen Engelschor und dem Höllengejohle der ‹Apokalypse› waltet, und die nun allumfassend geworden ist: zu einer Formveranstaltung von letzter Rigorosität, die nichts Unthematisches mehr kennt, in der die Ordnung des Materials total wird, und innerhalb derer die Idee einer Fuge etwa der Sinnlosigkeit verfällt, eben weil es keine freie Note mehr gibt. Sie dient jedoch nun einem höheren Zweck, denn, o Wunder und Dämonenwitz! – vermöge der Restlosigkeit der Form eben wird die Musik als Sprache befreit.»[47]

Anläßlich des Zwölfton-Experiments der neuen Musik – so viel läßt sich zusammenfassend sagen, auch wenn die Gesamtthematik, die der Roman entfaltet, hier kurzgeschlossen werden muß – bringt Thomas Mann seine im Roman erzählte Theorie der Moderne auf den Punkt, den auch Jünger, Kafka und Benjamin fixierten, um daraus sehr unterschiedliche Konsequenzen für die künstlerische Produktion zu ziehen: das factum brutum des Verlusts der Gegenständlichkeit, der Ereignishaftigkeit, des ‹Authentischen› des Ausdrucks angesichts des die Realität verzehrenden Funktionssystems im Zeichen der instrumentellen Vernunft.

In Thomas Manns «Faustus»-Roman ist die Reflexion über die verminderte Tragfähigkeit des parodistischen und ironischen Erzählprinzips, das doch zum Gütezeichen seiner Kunst schlechthin wurde, Ausdruck eines erzählerischen Notzustands: Die Ironie als rettendes Prinzip einer humanen Sinnhaftigkeit des epischen Weltgebäudes könnte versagen. Thomas Mann stellt sich in der von Adorno vorgegebenen Dialektik von Humanität und Inhumanität energisch der Problematik der Moderne, sucht jedoch, anders als Franz Kafka, der seinem Helden den erlösenden ‹Durchbruch› letztlich versagen mußte, einen Ausweg im Formerlebnis der «vernichtenden Befreiung». Der Tod Adrian Leverkühns wird inszeniert als apokalyptische Höllenfahrt. Das Werk, das er nur um den Preis seiner Selbstzerstörung realisieren konnte, erstrahlt dagegen im Licht (besser: im Zwielicht) der «vernichtenden Befreiung». Die Rede ist vom «Durchbruch» als Umschlag «von strengster Gebundenheit zur freien Sprache», vom «Umschlagen kalkulatorischer Kälte in den expressiven Seelenlaut». Diese «formale Utopie» erhält eindeutig religiösen Sinngehalt: «Nein, dies dunkle Tongedicht läßt bis zuletzt keine Vertröstung, Versöhnung, Verklärung zu. Aber wie, wenn der künstlerischen Paradoxie, daß aus der totalen Konstruktion sich der Ausdruck – der Ausdruck als Klage – gebiert, das religiöse Paradoxon entspräche, daß aus tiefster Heillosigkeit, wenn auch als leiseste Frage nur, die Hoffnung keimte? Es wäre die Hoffnung jenseits der Hoffnungslosigkeit, die Transzendenz der Verzweiflung, – nicht der Verrat an ihr, sondern das Wunder, das über den Glauben geht.»[48] Thomas Mann hält also fest nicht nur an der dialektischen Denkfigur des ‹Umschlags›, sondern auch an der lösenden Kraft einer

Kunstmetaphysik. Diese allerdings – und das war Thomas Mann bewußt – hat eine gefährliche Ambivalenz. Denn auch die präfaschistischen Ideologen, die er in seinem Roman porträtiert, philosophieren vom Ausbruch aus der in ihren Rationalisierungen erstarrten Welt, vom ‹Durchbruch› zu einem neuen Heil des Urlauts und des elementaren Erlebnisses. Der Humanist Zeitblom beobachtet mit Schrecken die Koinzidenz der Gewaltsamkeit in Adrians rigorosem Formexperiment und der Gewalttätigkeit des intellektuellen Gedankenspiels, das in der «Durchbruchsbegierde»[49] zu einem neuen revolutionären Barbarentum seinen Ausdruck und in der Fixierung auf das «Ereignis» der faschistischen Machtergreifung sein Ziel findet. Der Rückfall der Theorie der Moderne in die Kunstmetaphysik geht einher mit der Re-Dramatisierung der Untergangsthematik. Aus diesem Grund ist die Apokalypse im «Faustus»-Roman von Thomas Mann die adäquate Ausdrucksform. Der bürgerliche Schriftsteller als Moralist und Humanist beugt sich der historischen Notwendigkeit der Zerstörung in der Hoffnung auf die reinigende Wiedergeburt des Humanum.

Die Moderne, so scheint es, überläßt der Postmoderne eine doppelte Erbschaft des Untergangs: eine ‹dramatische›, die angesichts der funktionalistischen und rein reproduktiven Verdichtung des Gesellschaftsprozesses auf das expressive und explosive Moment des ‹Ausbruchs› und des ‹Durchbruchs› setzt, und eine entdramatisierte, die das «schamlose Lächeln» der pervertierten gesellschaftlichen Vernunft aushält und verwandelt in ein ästhetisches Bewußtsein der ‹Indifferenz›. Inwieweit diese Konstellation auch ein typisch deutsches Phänomen ist, wäre zu prüfen – sowohl historisch wie aktuell. Ein zentraler historischer Anhaltspunkt ist mit der ‹vernichtenden Befreiung› des Jahres 1945 gegeben, ein aktueller Bezugspunkt mit der sich hierzulande überschlagenden Rezeption des postmodernen Endzeitdenkens.

Thomas Manns «Doktor Faustus» erschien 1947 und wurde nur zögernd rezipiert, da im Nachkriegsdeutschland der Richterspruch des Emigranten über das Verhängnis der deutschen Geschichte nur ungern gehört wurde. Das apokalyptische Szenarium, das Thomas Mann aufbot, um diese Geschichte erzählbar zu machen, findet sich allerdings auch in zahllosen Werken von Autoren, die, geborgen in ein ‹inneres Reich›, den Faschismus daheim überwintert hatten und nach Kriegsende den Untergang Deutschlands und seine Wiedergeburt beschwörend in Szene setzten. Kesselschlacht und Luftangriff als vernichtende Realität wirkten derart überwältigend, daß sie kaum als beschreibende Bilder reproduzierbar waren, wohl aber als existentielles Inferno. Die vermeintliche Nullpunktsituation von 1945 wurde als Stunde der Apokalypse ausgerufen: als reinigendes Erlebnis, als «moralischer Gewinn aus der Niederlage»[50], auch als ästhetisches Faszinosum einer ‹inneren› Freiheit und Gelassenheit am

Rande des Abgrunds. Nicht anders hatte Heidegger den Gedanken der reinigenden Katastrophe in seinen Nietzsche-Vorlesungen zu Beginn der 40er Jahre gefaßt: «Die letzte Periode des europäischen Nihilismus ist die ‹Katastrophe› im Sinne der bejahenden Umwendung.»

Exemplarisch hat Hans Erich Nossack diese apokalyptische Mentalität in seinem Bericht «Der Untergang» über den Luftangriff auf Hamburg im Juli 1943 formuliert:

«Wir haben uns alle mit dem Gedanken einer Sintflut beschäftigt, die Zeitereignisse brachten es mit sich. Hieß das nicht schon die Vergangenheit im Stich lassen? ... Was von all den Dingen, die wir gebrauchten und die uns belasteten, war denn noch unser? Ich wage heute an der Lauterkeit der Motive derer zu zweifeln, die vor der Katastrophe warnten und zur Vorbereitung aufriefen. Wünschten sie nicht vielleicht die Katastrophe herbei, um andere auf die Knie zu zwingen, während sie selbst sich im Chaos beheimatet fühlten? Und trieb sie nicht die Lust, sich selber zu erproben, aber auf Kosten des vertrauten Daseins? Ich habe bei allen früheren Angriffen den eindeutigen Wunsch gehabt: Möge es recht schlimm werden! So eindeutig, daß ich beinahe sagen möchte, ich habe diesen Wunsch laut gegen den Himmel ausgerufen. Nicht Mut, sondern Neugier, ob mein Wunsch in Erfüllung gehe, ist es gewesen, was mich niemals in den Keller gehen ließ, sondern auf dem Balkon der Wohnung gebannt hielt ... Ich glaube etwas aussprechen zu müssen, von dem ich vermute, daß es unzählige Männer ähnlich empfunden haben, nur daß sie sich dessen nicht bewußt waren, noch sich dazu bekennen würden. Man wird kommen und sagen: Dies ist immer so, und dies ist männlich: wir müssen zerstören, um zu zeugen. Wie aber, wenn die Erde spräche: Ich habe euch geboren, weil ich mich sehnte, mehr zu sein als Erde. Wo ist nun Eure Tat? – Und wir werden dann nicht mehr die Kraft des Wünschens haben wie jener Indianer, der als letzter seines Stammes am Meeresufer saß und rief: Was soll ich nun machen? Soll ich Orion werden?»[51]

Nossacks Reflexionen im Anblick des Bombeninfernos des Zweiten Weltkriegs entfalten fast alle Elemente eines apokalyptischen Bewußtseins, die auch in der Konfrontation mit einer möglichen nuklearen Katastrophe im postmodernen Kontext wieder aktuell werden: den Verlust von Vergangenheit, der schmerzhaft ist, aber auch entlastend, die aus Angst freigesetzte Lust am Untergang, das Moment der Beschleunigung des Endes als unbewußte Triebkraft der ästhetischen Faszination, den Offenbarungsgedanken der Wiedergeburt aus der Zerstörung und auch einen Moralismus, der sich nicht mehr als ‹Mut› oder ‹Tat› auf eine historische Situation als ‹Ereignis› oder den historischen Prozeß als einen Sinnzusammenhang beziehen kann, sondern nur noch auf eine ‹Kraft des Wünschens›, die nach dem Verlust des Konkreten allein in der formalen Abstraktion erfahrbar ist oder in der Dimension einer eschatologischen Befreiung. Nossack vollzieht eine Gratwanderung des apokalyptischen Bewußtseins zwischen Moralisierung und Ästhetisierung, die in den ersten Nachkriegsjahren historisch entschieden wurde. Die Moralisierung verflüchtigte sich im aufbaufreudigen Pragmatismus, die Ästhetisierung in eine Existentialphilosophie des im stets Vergeblichen sich erhaltenden Daseins.

Die apokalyptisch aufgeladene Nullpunktsituation von 1945 hat sich jedoch als Reizpunkt der historischen Imagination erhalten. Im theoretischen und künstlerischen Werk von Alexander Kluge feiert sie ihre Auferstehung und verbindet sich noch einmal mit einer Theorie der Moderne, die vielleicht als typisch deutscher Grenzwert gegenüber der aus Frankreich herübertönenden Endzeitphilosophie des Posthistoire zu markieren wäre. In seinem gemeinsam mit Oskar Negt verfaßten gesellschaftstheoretischen Hauptwerk «Geschichte und Eigensinn» faßt Kluge die Konstellation von 1945 als einen historischen Augenblick, von dem aus ein freier Rückblick und Ausblick auf die deutschen Geschichtsverläufe und die in ihnen ‹unerlöste› Geschichte hätte möglich sein müssen:

«Die Jahre unmittelbar nach 1945 sind einer der wichtigsten Einschnittspunkte in der deutschen Geschichte, *nicht wegen der dort enthaltenen Handlungsmotive, sondern wegen des darin enthaltenen Erkenntnismotivs.* Die Jahre sind ein abarischer Punkt, d. h. ein Moment, in dem sich widersprüchliche Gewalten gegeneinander aufheben, gerade weil nicht gesellschaftlich gehandelt werden konnte. In dieser Hinsicht ergibt sich von diesem Punkt ein Blick vorwärts und rückwärts auf deutsche Geschichtsverhältnisse, wie ihn kein anderer Geschichtspunkt in der deutschen Geschichte vermittelt.»[52]

Pauschal betrachtet scheint Kluges Überlegung übereinzukommen mit einer der populärsten Denkfiguren des deutschen Geschichtsräsonnements: der von der ‹verpaßten Chance›, von der möglichen historischen Veränderung, die ‹versäumt› wurde. Die Eigenart seiner Theoretisierung der deutschen Geschichte ist als Fortschreibung der Kritischen Theorie und als Pointierung von Benjamins ‹messianisch› intensivierter Theorie der Moderne jedoch genauer faßbar.[53] Kluges gesellschaftstheoretisches Projekt zielt auf die vom ‹Realen› der Zweckrationalität ausgegrenzte historische Erfahrung, die «Materialität» des in der Geschichte nicht realisierten Lebens. Da der «Sinnentzug» nicht revidierbar ist, die Vergegenständlichung «lebendiger Arbeit» zur Masse «toter Arbeit» sich derart beschleunigt, daß alles «Lebendige» zum Verschwinden gebracht wird, ist ein ‹Erleben› und ein Ereignishaftes nur noch punktuell denkbar, gewissermaßen als Reibungsverlust der tödlichen Produktionsmaschinerie: in einem momentanen ‹Dazwischen›, das entsteht, wenn die «widersprüchlichen Gewalten» miteinander kollidieren. Für die Nachkriegszeit imaginiert Kluge – ähnlich übrigens wie die Zeitgenossen[54] – eine «Zwischenzeit», eine Art gesellschaftslosen Zustand, der darin als produktiv begriffen wird, daß er die Produktion der deutschen «Geschichtsverhältnisse» unterbricht und stillstellt: «Die Null-Stellung setzt das Realitätsprinzip

der Geschichte einen Moment außer Kraft. Vergleicht man das zerstörte
Berlin, Dresden, Hamburg, Frankfurt, Mainz, München, Darmstadt,
Wuppertal, Ruhrgebiet usf. mit dem, was dann als Horizont wieder zu-
gebaut worden ist, so hat man die Differenz zwischen geschichtlichem
Realitätsdruck, der auf die Wahrnehmung drückt, und einem momentanen offenen Verhältnis zur Geschichte.»[55] Kluge schert sich nicht weiter
um die Ideologieträchtigkeit der Nullpunktfaszination in der Nach-
kriegsgeschichte. Seine Nullpunktfiktion kommt überein mit Benjamins
Faszinosum einer «Abbreviatur der Geschichte», mit der «messianischen Stillstellung», die (in der monadischen Erinnerung an die im Ge-
schichtsprozeß versprengten Energien) als Sprengkraft, als lösendes und
erlösendes Moment begriffen wird. Auch Kluge faßt diesen ‹Ausnahmezustand› eschatologisch, als apokalyptisches Prinzip: Die Nachkriegszeit
als ‹Auszeit› und «Niemandsland» entbindet im Zustand der Zerstörung
Energien, die ein «offenes Verhältnis zur Geschichte» als denkbar erscheinen lassen.

Kluge ist mit der Fixierung auf die historische Produktivkraft eines im
Entfremdungs- und Verdinglichungsprozeß lediglich verschütteten und
wieder auszugrabenden Subjekts und im Glauben an eine mögliche
Konkretisierung der ‹abstrakt› gewordenen Subjektivität ein Streitge-
nosse der am Aufklärungsgedanken festhaltenden Moderne. Sein gesell-
schaftstheoretischer Entwurf trägt deutlich die Züge einer rettenden
Kritik. Das ästhetische Faszinosum allerdings, von dem die Auszeichnung des Diskontinuierlichen und Nichtidentischen ‹lebt›, überträgt sich
in seinen literarischen Texten zunehmend auf das ‹rein› Strategische und
Strukturale des als ‹katastrophisch› nachgezeichneten und in der Sprache nachgeahmten Produktionsverhältnisses. Hier setzt sich die destruktive Komponente im ‹Projekt der Moderne› durch. In der Kesselschlacht
von Stalingrad entdeckt Kluge den «organisatorischen Aufbau eines Un-
glücks». Den Luftangriff rekonstruiert er als eine in ihrer technischen
Perfektion destruktive «Strategie von oben», gegen die eine auf die Zu-
sammenballung von «Protestenergien» angelegte «Strategie von unten»
(die rührende Hilflosigkeit der bombardierten Bevölkerung) nicht aufkommen kann:

«Im Blick der *Strategie von oben* verwandelt sich der ‹Arbeitsgegenstand› in spiel-
zeugartige viereckige Städte, nachts beleuchtet von bunten Kaskaden von
Leuchtbomben (sog. Christbäume), in deren Umfeld die Bomben zu setzen sind.
Nicht einmal solche sinnliche Wahrnehmung ist in den Raketensilos oder Atom-
U-Booten möglich, die Geschosse über 5000 km Strecke in Ziele setzen sollen,
die sie nie kennengelernt haben. Von einer Art technisch ausgestattetem Schreib-
tisch oder einer technischen Werkstatt oder von mit Kasinos und Kinos ausgestat-
teten Flugzeugträgern aus wird ein Gegner *fingiert*, den ich nur aus dem Spiel-
und Propagandafilm kenne.»[56]

Kein anderer als Hans Magnus Enzensberger hat Kluge wegen seines analytischen und ‹strukturalen› Erzählens als einen «herzlosen» Schriftsteller
bezeichnet.[57] Ausgehend von den Bombardements im Zweiten Weltkrieg, rekonstruiert Kluge einen technologischen Realitätszusammen-
hang, dem der Realitätsgehalt (eines Subjekts, einer Handlungsweise,
eines lokalisierbaren Ereignisses) radikal entzogen ist. Nicht zufällig erinnert Kluges Erzählweise an die tödlichen Kriegsspiele, die der als Expo-
nent eines ‹postmodernen› Erzählens geltende amerikanische Romancier
Thomas Pynchon in «Die Enden der Parabel» inszeniert. Kluges Erzählweise, die selbst zu einer in sich perfekten ‹Strategie› wird, tilgt die geschichtsphilosophische Dramatisierung, die sein gesellschaftstheoreti-
scher Entwurf behauptet! Was nur mehr ästhetisch faszinierend wirkt, ist
eine Erzählhaltung der Kälte und Indifferenz, die auch dort durchschlägt,
wo eigentlich das Gegenpotential einer im Zerstörungsakt aufbegehren-
den ‹Protestenergie› den Ausschlag geben sollte. Eine Grenzüberschreitung zum postmodernen Flair der «Agonie des Realen» findet interessan-
terweise vor allem dort statt, wo Kluge auch die eigene Gesellschaftstheorie direkt der Fiktion aussetzt. «Eines Tages ist die Industrie ganz fort»,
heißt es in einer seiner Science-fiction-Erzählungen. «Ihr war die Wirklichkeit über Nacht verschwunden.»[58]

Die Konstellation einer Dramatisierung bzw. Entdramatisierung des Untergangs ist beherrschend für das gegenwärtig aktuelle Räsonnement um
das apokalyptische Bewußtsein. In der Theorie der Moderne, vor allem in
der Fassung Benjamins, wird die Dramatik des Katastrophischen erhalten bzw. neu hergestellt in der geschichtsphilosophischen Kristallisation
des Schocks und des Ausnahmezustands. Ebenso präsent ist jedoch, vor
allem in der Fassung Ernst Jüngers, die Vorstellung des Katastrophischen
in Permanenz, dem ohne jede sentimentale Erinnerung an die Bewe-
gungskraft des Humanum die Stirn zu bieten ist. Die hierin angelegte
Entdramatisierung schlägt sich nieder in der Haltung der ‹Désinvolture›,
der ebenso schmerzhaften wie verführerischen Indifferenz. Im *ästhetischen* Bewußtsein der Moderne sind beide Konstellationen vorhanden
und keineswegs deutlich voneinander geschieden, vielleicht sogar reflexiv
aufeinander bezogen. Auf die Auflösung eines solchen Reflexionszusam-
menhangs, der in den Frontstellungen der literarischen Moderne von Jünger bis Thomas Mann historisch ablesbar ist, dringt ein postmodernes
Bewußtsein, das im Zeichen der «Agonie des Realen» die Metaphysik der
Apokalypse verabschiedet hat und daher die reine Logik des Katastrophischen, befreit vom Erwartungsdruck des die Geschichte verändernden
oder abschließenden Ereignisses, in aller Gelassenheit ausbuchstabiert.
Eine aktivistische Austreibung der aufklärerischen Moderne, welche
die bei den französischen Philosophen des Posthistoire noch zu beobach-

tende Gelassenheit aus Ironie oder Indifferenz gänzlich vermissen läßt, betreiben zur Zeit einige deutsche Essayphilosophen. Den deutschen Nach-Denkern geht offensichtlich eines ab, was im französischen Post-strukturalismus immerhin zu lernen ist: das Denken in *Differenzen* und nicht in (fanatisierten) Oppositionen. «Vernunftkritik», wie sie Ulrich Horstmann in seiner «Philosophie der Menschenflucht» begreift oder Gerd Bergfleth als tiefsinniger Prophet des auch noch im ekstatischen Denken eher abstinenten Jean Baudrillard verkündet, läuft auf eine neu-erliche Metaphysik und Re-Dramatisierung des Untergangs hinaus. Hier wird eine Mythisierung und Elementarisierung eines postmodernen ‹Jen-seits› in Anschlag gebracht, die man in ihrem fanatischen Purismus wohl als typisch deutsche Art der Vollstreckung des ‹postmodernen Wissens› qualifizieren muß: ‹postdeutsch› (oder ‹urdeutsch›?) in der Hingabe an die letztmögliche ‹Selbstverwirklichung› – die an sich selber zu vollstrek-kende Apokalypse.

Eine therapeutisch gemilderte Version dieses Denkens bietet Peter Sloterdijk in seiner «Bombenmeditation». Vorausgesetzt wird die post-moderne Bilanz der Moderne nach der ‹Verendung› des Fortschrittsden-kens, der Eliminierung subjektiver Handlungsspielräume und der Ent-dramatisierung des im homogen verdichteten Gesellschaftszustands noch denkbaren explosiven Zündstoffs des Heterogenen: «Die Overkill-At-mosphäre verdichtet sich ständig … Die Overkill-Strukturen sind das eigentliche Subjekt der aktuellen Entwicklungen geworden.»[59] Die Diffe-renz zwischen dem Lebensstil der Punker und dem des Establishments besteht nur zum Schein. Die «subjektiven Exzesse» verschwinden in den «objektiven»: «Die zynischen Eruptionen werden aus der katastrophilen Masse der Zivilisation herausgeschleudert.» Insofern ist die Atombombe nichts anderes als die «äußerste Objektivierung» des Zivilisationsprozes-ses, «die reinste Wirklichkeit und reinste Möglichkeit» des in sich kata-strophischen kapitalistischen Gesellschaftsprinzips. Doch eben hierin liegt für Sloterdijk auch die Faszination. Die Bombe ist «eine verdammt ironische Maschine, die zu nichts ‹gut› ist und doch die gewaltigsten Wir-kungen hervorbringt». Aus dieser Konstellation heraus imaginiert Sloter-dijk ein neuartiges Phantasma des ‹Durchbruchs›, mit dem die Aus-bruchs- und Durchbruchsphantasien in der Theorie der Moderne zugleich umgekehrt und überboten werden: «Die Bombe ist längst kein Mittel zu einem Zweck mehr, denn sie ist das maßlose Mittel, das jeden möglichen Zweck übersteigt. Da sie aber kein Mittel zu einem Zweck mehr sein kann, muß sie zum Medium der Selbsterfahrung werden. Sie ist ein an-thropologisches Ereignis …» Setzt das methodische Denken sich selbst der «äußersten Objektivierung» aus, indem es in einer unendlichen Kette von Analogieschlüssen und Kurzschlüssen alle Gegensätzlichkeiten und Widersprüche eliminiert, so erreicht es, mehr ‹objektiv› bewegt als sich bewegend, einen Indifferenzpunkt, der zum Umschlagspunkt einer neuen hyperrealen Identifikation wird: «Die Bombe fordert von uns weder Kampf noch Resignation, sondern Selbsterfahrung. Wir sind sie. In ihr vollendet sich das westliche ‹Subjekt›.» Der triebhafte Drang und die Sehnsucht nach einer neuen Ereignishaftigkeit und Erlebnisfähigkeit – Thomas Mann hatte hier von «Durchbruchsbegierde» gesprochen – führt zu einer identifikatorischen Höchstleistung im Zeichen der nuklearen Katastrophe. Sloterdijks mit fernöstlicher Weisheit angereicherte «Bombenmeditation» – «Alle Geheimnisse liegen in der Kunst des Nachgebens, des Nichtwiderstehens» – inszeniert die Begegnung mit der Bombe als einen letzten Liebesakt, eine unendlich verführerische Vereinigung, bei der eigentlich nur eines stören könnte: «Wer ganz genau zusieht, dem kann es hin und wieder vorkommen, als lächelten die Bomben spöttisch vor sich hin.»

Für Kafka wie für Thomas Mann war das ‹schamlose› und spöttische Lächeln in der Physiognomie des vom Destruktionsprinzip der Moderne gezeichneten Künstlers ein Menetekel des Grauens und des Schreckens. In diesem Lächeln und im Anblick des Lächelns lagen Ironie oder Zynismus, aber auch Schmerz. Sloterdijk will im ‹spöttischen Lächeln› der Bombe nichts anderes erkennen als eine grandiose und faszinierende «Entspannung», in der alle durch die Bombendrohung mobilisierten Krämpfe der Angst und der Hoffnung sich auflösen. Wird derart die Anziehungskraft der Apokalypse therapeutisch umgedeutet zum ‹anthropologischen Ereignis› der Selbstverwirklichung, so wird endlich das erreicht, was ein Ernst Jünger noch am meisten fürchten mußte: eine Schmerzunempfindlichkeit des Subjekts, ein schmerzloser Zustand, in dem die individuelle Widerstandsfähigkeit ihre letzte Bastion räumt. Im Namen der Bombe erscheint das «schamlose Lächeln», das Kafka entsetzte, überboten durch das unverschämte Lächeln der zynischen Vernunft. Im Vergleich zum Höllengelächter der ‹klassischen› Apokalypse, das Thomas Mann abzuwehren versucht, indem er es beschwört, bedeutet das unverschämte Lächeln der Bombe den sicheren Strahlentod. Sloterdijks buddhistisch inspirierter Vorschlag, mit der Bombe eins zu werden in der Umarmung, kann wohl nur den Sektierern und Bekennern den atomaren Holocaust versüßen: als ihren ‹eigenen› kollektiven Tod.

Der Umschlag der im ‹postmodernen Wissen› erzeugten Mentalität der Indifferenz in eine neue elementare Erlebnisfähigkeit und ein letztes ‹anthropologisches Ereignis› ist wohl nicht zufällig dem jüngstdeutschen Geistesleben eine besondere Attraktion, auch wenn die ideologischen Versatzstücke des hierzulande propagierten apokalyptischen Bewußtseins von weit her geholt werden. Während Sloterdijk die fernöstliche Weisheit bemüht, um uns eine atomare Selbstverwirklichung glaubhaft zu machen, zitiert Ulrich Horstmann zur Bestätigung seiner «anthropofuga-

len Perspektive»[60] die gesamte abendländische Geistesgeschichte herbei.
Er phantasiert eine Erlösung der Menschheit im ebenso notwendigen wie
wünschenswerten kollektiven Selbstmord. Während Sloterdijk therapeutisch und, wie ich meine, nur zum Schein eine Entdramatisierung des Untergangs betreibt, vollzieht Horstmann unvermittelt eine Re-Dramatisierung der Apokalypse jenseits des «archimedischen Punkt(es) des Humanen», der in der Moderne als Dreh- und Angelpunkt des katastrophischen
Bewußtseins seine historisch-aufklärerische Bedeutung hatte. Die Herstellbarkeit der atomaren Katastrophe, die Günther Anders bereits 1956
als absoluten Gefahrenpunkt bezeichnet hatte – wir sind zu «Herren der
Apokalypse» geworden[61] –, deutet Horstmann als Umschlagspunkt zu
einer apokalyptischen Selbsterfahrung, die hier und jetzt zum Ereignis
werden sollte. Die Lossprechung vom Leidenssyndrom in Hegels «un-
glücklichem Bewußtsein» betreibt Horstmann, indem er sich auf Foucaults ‹epistemologischen Bruch› bezieht.[62] Dabei wird Foucaults Archäologie des Humanen festgelegt auf die Zielperspektive einer dem
Menschen höchst indifferenten Ordnung der Dinge und die «Leere des
verschwundenen Menschen», teleologisch festgeschrieben auf das Faszinosum eines «Augenblick(s) apokalyptischer Selbstverwirklichung». Das
Mißverständnis ist eklatant. Die Vorstellung, daß mit dem Atomschlag
ein absoluter Indifferenzpunkt auszumachen wäre, in dem das ‹Untier›
Mensch endlich sich selber zum negativen und destruktiven Ereignis
würde, bedeutet doch nichts anderes als die ebenso radikale wie banale
Umkehrung des aufklärerischen ‹Projekts der Moderne›: Nicht der Augenblick der Unterbrechung als Erinnerung an die nicht gelebte ‹menschliche› Geschichte und der ‹Durchbruch› zu einer neuen Wirklichkeit der
revolutionären Erfahrung sind das Faszinosum, sondern die Selbstverwirklichung im Augenblick der Vernichtung. Der springende Punkt in
Horstmanns «Philosophie der Menschenflucht» ist die Fixierung auf
einen ‹eigenen› Tod, der dann wohl doch recht humane Wunsch, die unerträgliche Abstraktion des gesellschaftlichen Destruktionsprinzips in der
Selbsterfahrung zuallerletzt doch noch zu ‹konkretisieren›. So gewinnt
die Apokalypse als ‹Selbstverwirklichung› wieder an Dramatik: eine ‹in-
nerliche› Dramatik, die das französische ‹postmoderne Wissen› wohl nur
belächeln kann in ihrer eigenen deutschen Art der Begierde nach Authentizität und Unmittelbarkeit.

   Ist der «Tod der Moderne» beschlossene Sache, so bleibt dem postmodernen Bewußtsein nur noch der Opfertod. Auf diese fatale Strategie
eines ‹Durchbruchs› auf eigene Faust verkürzt Gerd Bergfleth Baudrillards Revolte des Todes als letztmögliche Konsequenz, der Integrations-
fähigkeit des ‹Systems› zu entgehen. Während Baudrillard jedoch auch
dieses letzte ‹Territorium› eines «Lebens im Tode» in seinen jüngsten Äußerungen dem Sog der Simulationstheorie preisgegeben hat und von sich

selber bekennt, er sei «ganz auf die andere Seite der objektiven Ironie übergetreten»[63], verkündet sein deutscher Prophet eine Todesekstase, die, in einer absoluten Perversion des Denkens, auf die Heiligsprechung des opferbereiten Individuums hinausläuft: «Ist nicht der Opfertod derart jenseits und entzogen, daß alles, was das Überleben dazu sagt, falsch wird, und kommt es nicht zuerst (!) und vor allem (!) und eigentlich (!) nur (!) darauf an, inständig auf dieses Entzogene zu blicken und unser Leben auszurichten nach dem Heiligen, das sich hier ereignet ... Es wird hier also die moralische Pflichtübung im Dienst des Systems verweigert: es wird nicht vor dem Selbstmord gewarnt. Es wird aber auch nicht dazu ermuntert, sondern es wird ein dritter Weg beschritten, der in dem Ja zur heiligen Todesleidenschaft besteht.»[64] Bergfleths inständig herbeigewünschte Todesintensität ist als theoretische Problemkonstellation wohl kaum noch zu begreifen. Der Leser derartiger vernunftkritischer Ausgießungen des Geistes mag sich entscheiden, ob er dem Text die Ironie zusetzt, die ihm selber abgeht, oder noch einmal seinen analytischen Verstand bemüht. Todessehnsucht und ‹Intensität› erscheinen am Umschlagspunkt eines frustrierten postmodernen Denkens: in der nächstliegenden Konsequenz der Rebarbarisierung und Archaisierung. Bergfleth, wie auch Horstmann, überläßt sein Denken ganz jener Komponente der lustvollen und leidenschaftlichen Destruktivität, die Thomas Mann in seinem Porträt der präfaschistischen Ideologen im «Faustus»-Roman schaudernd beim Namen gerufen hat.[65] ‹Vernunftkritik›, wie sie diese deutschen Essayphilosophen zu ihrem Geschäft machen, wird nahezu identisch mit einem eschatologischen Denken, das alle Komponenten des altbekannten apokalyptischen Dramas enthält. Die Kritikfähigkeit verliert sich in einer vermeintlich neuen «Erfahrung der eigenen Grundlosigkeit», im Kraftakt, sich selber «absolut unbetreffbar zu machen»[66]. So werden die Energien frei für den Vollzug des eigenen Todes: «Und alle Kräfte sind zu konzentrieren, um den Untergang herbeizuführen!» Dem ‹System› wird der eigenschaftslose Tod prophezeit, der ihm gebührt: Abschaffung, Verendung, Neutralisierung. Dem das Ende aktiv und leidenschaftlich herbeiführenden Individuum dagegen wird noch einmal die apokalyptische Verheißung einer Wiedergeburt in der Katastrophe zuteil: «Dieses andere Ende würde ich Untergang nennen als Aufgang einer neuen Welt.»[67]

Es scheint, als wollten die deutschen Adepten und Vollstrecker des französischen Posthistoire die Pervertierung des Aufklärungsdenkens steigern zu einer neuen Moralität des Sterbens. Im Singsang des zeitgenössischen deutschen Endzeitbewußtseins wäre dies dann nichts anderes als das ‹garstig Lied› der destruktiven Vernunft, ein Gegenstück zum Gesang der Friedensfreunde, die nicht sterben wollen aus Angst vor dem Tod. Wenn die französischen Philosophen andere Töne anschlagen, so mag das daran liegen, daß im Zeichen des ‹Endes der Endgültigkeit› eine Moralisierung und auch eine Ästhetisierung des apokalyptischen Dramas als letztmögliches Ereignis eben nicht mehr als sinnträchtig erscheint, sehr wohl aber seine Umsetzung in ein andersartiges ästhetisches Bewußtsein.

Wenn Baudrillard als Theoretiker der «Hypertelie»[68] des kapitalistischen Systems einen theoretischen Gestus der ‹Indifferenz› und der ‹objektiven Ironie› reklamiert, wenn Lyotard die ästhetische Kategorie des Erhabenen aktualisiert als «Gefühl» einer «Drohung, daß nichts mehr geschieht»[69], und wenn Glucksmann unter der Drohung der atomaren Abschreckung einen produktiven ästhetischen Zustand des «Schwindels» propagiert als «sporadische Wahrnehmung einer Leere, die zeigt, daß wir fähig sind, unser eigenes Grab zu schaufeln»[70], so ist die Entdramatisierung des atomaren ‹Ereignisses› der Apokalypse stets mitgedacht. Die Illusion einer ‹Ereignishaftigkeit› im ‹Jenseits› der erlösenden Katastrophe wird verabschiedet, um Einkehr zu halten in das ‹Diesseits› der «katastrophischen Logik»[71] des Systems. Ähnlich wie Glucksmann in seiner «Philosophie der Abschreckung» zielt Baudrillard auf eine *ästhetische* Konsequenz, wenn er sich *politisch* für die atomare Aufrüstung ausspricht: «Glücklicherweise haben sie davon hundertmal zu viel produziert! Wenn sie es jemals schaffen sollten, eines Tages einen kleinen, gut geeigneten Kriegsschauplatz wiederzufinden, erst dann wäre der Durchbruch (!) fällig. Wir werden durch die Wucherungen geschützt, durch die Ekstase der Zerstörung. Man bleibt also im Stadium einer atomaren Phantasmagorie, die nicht wirklich werden wird.» Die Umsetzung des ‹postmodernen Wissens› über die Nukleargesellschaft in ein ästhetisches Bewußtsein, frei von Moralisierung und Ästhetisierung, haftet nicht mehr, wie in der Theorie der Moderne, am Phantasma des ‹Durchbruchs› und der ‹Unterbrechung› als historischem und ästhetischem Ereignis, wenngleich, wie für Baudrillard festzustellen war, das ‹katastrophische› Ereignis als Bezugspunkt nicht vollständig ausgelöscht wird. Die Faszination des Schreckens, die in der ‹destruktiven› Theorie der Moderne ein entscheidender Kristallisationspunkt der ästhetischen Wahrnehmung war, wird gewissermaßen überholt durch das Faszinosum der Abschreckung. Die Drohung, daß etwas geschieht oder geschehen könnte, wird aufgelöst und zum Verschwinden gebracht in der permanenten Bedrohlichkeit, daß eben nichts geschieht. «Die Folgen des Krieges gehen ihm voran», schreibt Glucksmann.[72] Im Zeichen des ‹Es wird geschehen sein›, in der Imagination eines Rückblicks aus einer Zukunft, die nie mehr zu erreichen ist, schon gar nicht als utopischer Ort, wird jenes ästhetische Bewußtsein der ‹Distanz› und der ‹Indifferenz› erzeugt, dem das Denken in Negationen, Antizipationen und Kausalzusammenhängen zum Opfer fällt. Die Abschreckung und nicht der Schrecken erzeugt diese Distanzhaltung. Die Suspendierung der Todeserwartung und Todesangst soll eine neue ‹Intensität› des stets schon vom Tode gezeichneten Lebens bewirken. Während Glucksmann eine Art ästhetische Katharsis, eine Läuterung der Gesinnungsmotive und Angstgefühle im ‹Gleichgewicht des Schreckens› ins Auge zu fassen scheint, beschreibt Lyotard mit dem Rückgriff auf die Kategorie des Erhabenen die Ohnmacht der Einbildungskraft als stets schon gegebene Problemkonstellation der Avantgarde. Die «avantgardistische Suche nach dem Ereignis-Werk»[73], die im postmodernen Kontext in der Begierde nach dem «Apocalypse now» nachklingt, sieht Lyotard im «Erhabenen» der kapitalistischen Marktökonomie selber widerlegt. Der abstrakte Funktionsmechanismus des kapitalistischen Systems ist dem sinnlichen Vorstellungsvermögen und der ästhetischen Erfahrung ebenso entzogen wie die atomare Katastrophe als letzte und höchste Akkumulationsleistung dieses Systems. Und so ist es nur konsequent, daß die, wie es scheint, stets vergeblich verausgabten Energien, in der Kunst etwas darzustellen, was letztlich nicht darstellbar ist, auf die Theoretisierung dieses Zustands zurückgelenkt werden: daß die Theorie selbst sich in dem Maße als ästhetisches Bewußtsein begreift, wie sie sich mit dem katastrophalen Systemzusammenhang der Gesellschaft in eins setzt. Wäre die Reflexion der Ereignislosigkeit das letzte Ereignis, so könnte das ‹Projekt der Postmoderne› untergehen, bevor es aufgegangen ist.

Apocalypse forever?

Anmerkungen

1 H. M. Enzensberger: Politische Brosamen. Frankfurt/M. 1982, S. 225.
2 Die Beiträge sind Legion. Eine Auswahl theoretischer und literarischer Vergewisserungen: Heiner Boehncke/Rainer Stollmann/Gerhard Vinnai: Weltuntergänge. Reinbek bei Hamburg 1984. – Hans-Jürgen Heinrichs: Die katastrophale Moderne. Frankfurt/M. 1984. – Leonard Reinisch (Hg.): Das Spiel mit der Apokalypse. Freiburg/Basel/Wien 1984. – Schrecken (Konkursbuch 9. Zeitschrift für Vernunftkritik) Tübingen o. J. – Michael Hesemann: Findet der Weltuntergang statt? Kiel 1984. – Gerhard Marcel Martin: Weltuntergang. Gefahr und Sinn apokalyptischer Visionen. Stuttgart 1984. – Klaus Christian Wanninger: Predigt für Ronald Reagan. Der Präsident und die Apokalypse. Düsseldorf 1984. – Heft 12 (1984) der Zeitschrift «Psyche» mit Beiträgen von Peter Widmer, Klaus Horn und Horst-Eberhard Richter. – Udo Rabsch: Julius oder der schwarze Sommer. Tübingen 1983. – Anton Andreas Guha: Ende. Ein Tagebuch aus dem 3. Weltkrieg. Königstein/Ts. 1983. – Matthias Horx: Es geht voran. Ein Ernstfall-Roman. Berlin 1982; ders.: Glückliche Reise. Roman zwischen den Zeiten. Berlin 1983. – Zur neueren Untergangsliteratur z. B. Hans-Thies Lehmann: Eisberg und Spiegelkunst. Notizen zu Hans Magnus Enzensbergers Lust am Untergang der Titanic. In: Berliner Hefte 11 (Mai 1979), S. 2–19. – Reinhold Grimm: Eiszeit und Untergang: Zu einem Motivkomplex in der deutschen Gegenwartsliteratur. In: Monatshefte für deutschen Unterricht 73, 2

(Sommer 1981), S. 155–186. – Michael Schneider: Apokalypse, Politik als Psychose und die Lebemänner des Untergangs. In: Schneider: Nur tote Fische schwimmen mit dem Strom. Köln 1984, S. 34–75. – Für diesen Aufsatz nicht mehr berücksichtigt: Jacques Derrida: Apokalypse. Wien/Graz 1985. – Hans-Dieter Bahr: Sätze ins Nichts. Versuch über den Schrecken. Tübingen 1985.

3 Jean-François Lyotard: Das postmoderne Wissen. Ein Bericht. Bremen 1982.

4 In: Der Tod der Moderne. Eine Diskussion. Tübingen 1983, S. 104.

5 Jean Baudrillard: Agonie des Realen. Berlin 1978, S. 51.

6 Jean Baudrillard: Der symbolische Tausch und der Tod. München 1982, S. 27. Die Konsequenz der marxschen «dialektischen Euphorie der Produktivkräfte» sieht Baudrillard im heutigen «katastrophischen Ende» der Industriegesellschaft.

7 Baudrillard, in: Tod der Moderne, S. 103f.

8 André Glucksmann: Philosophie der Abschreckung. Stuttgart 1984.

9 Lothar Baier: Glucksmanns Macht des Schwindels. In: Merkur 424 (März 1984), S. 236–241. – Stefan Breuer: Strukturales Wertgesetz und Todesrevolte. Skeptische Anmerkungen zu Baudrillard. In: Merkur 426 (Juni 1984), S. 477–482. – Axel Honneth: Der Affekt gegen das Allgemeine. Zu Lyotards Konzept der Postmoderne. In: Merkur 430 (Dezember 1984), S. 893–902.

10 Vgl. die skurrile Diskussion der deutschen Intellektuellen mit Baudrillard zum Thema «Tod und Revolte», in: Der Tod der Moderne, S. 99ff.

11 Hatte Baudrillard in seinem Buch «Der symbolische Tausch und der Tod» den Opfertod als letztmögliche Revolte noch propagiert, so wird diese Vorstellung in seinem vorerst letzten Buch «Les stratégies fatale» fallengelassen: «Le principe de l'extermination n'est pas la mort, c'est l'indifférence statistique» (Paris 1983, S. 52). Fluchtpunkt einer durch den Tausch nicht erreichbaren Revolte ist nunmehr «die Geisel». Baudrillards jüngstes Buch liegt inzwischen in deutscher Übersetzung vor: Die fatalen Strategien. München 1985.

12 Baudrillard, Agonie des Realen, S. 64.

13 Ebd., S. 62.

14 Ebd., S. 53.

15 Baudrillard: Der symbolische Tausch und der Tod, S. 295.

16 Baudrillard: Das Jahr 2000 wird nicht stattfinden. Nach der Geschichte: Herrschaft der Simulation? In: Spuren, Nr. 6, (Mai/Juni 1984), S. 28.

17 Hans Jürgen Heinrichs (Die katastrophale Moderne. Frankfurt/M. 1984, S. 66) vertritt die Meinung, die Kritische Theorie hätte sich heute als «Katastrophentheorie» zu bewähren.

18 Lyotard: Das postmoderne Wissen, S. 111.

19 Jürgen Habermas: Der Eintritt in die Postmoderne. In: Merkur 20 (Oktober 1983), S. 752–761; Peter Bürger: Das Altern der Moderne. In: Ludwig von Friedeberg/Jürgen Habermas (Hg.): Adorno-Konferenz 1983. Frankfurt/M. 1983, S. 177–197.

20 Ernst Jünger: Der Arbeiter. Herrschaft und Gestalt (1932). Stuttgart 1982, S. 108.

21 Ernst Jünger: Über den Schmerz. In: Sämtliche Werke. 2. Abteilung, Bd. 7. Stuttgart 1980, S. 183.

22 Jünger: Arbeiter, S. 111.

23 Ebd., S. 109; Jünger: Über den Schmerz, S. 185.

24 Jünger: Arbeiter, S. 139.

25 Jünger: Über den Schmerz, S. 185.

26 Jünger: Arbeiter, S. 139.

27 Karl Heinz Bohrer: Die Ästhetik des Schreckens. München 1978, S. 423. Eine derartige Entwicklung sieht Bohrer zwischen den beiden Fassungen des «Abenteuerlichen Herzens».

28 Jünger: Über den Schmerz, S. 168.

29 Jünger: Arbeiter, S. 206.

30 Der Tod der Moderne, S. 7f.

31 W. Benjamin: Der destruktive Charakter. In: Gesammelte Schriften. Bd. IV, 1. Frankfurt/M. 1980, S. 396–398. Vgl. hierzu Irving Wohlfarth: Der «Destruktive Charakter». Benjamin zwischen den Fronten. In: Burkhardt Lindner (Hg.): «Links hatte noch alles sich zu enträtseln ...» Walter Benjamin im Kontext. Frankfurt/M. 1978, S. 65–99.

32 Walter Benjamin: Gesammelte Schriften. Bd. I, 2, S. 683.

33 Benjamin: Über den Begriff der Geschichte. In: Gesammelte Schriften. Bd. I, 2, S. 702f.

34 Carl Schmitt: Politische Theologie. München/Leipzig 1934, S. 11. Die zeitweilige Attraktivität der Schmittschen Staatslehre für Benjamins Denken ist bekannt. Vgl. hierzu: Michael Rumpf: Radikale Theologie. Benjamins Beziehung zu Carl Schmitt. In: Peter Gebhardt/Martin Grzimek u. a. (Hg.): Walter Benjamin – Zeitgenosse der Moderne. Kronberg/Ts. 1976, S. 51–70. Auch in Schmitts emphatischer Auszeichnung des «Ausnahmezustands» ist die ästhetische Valenz der Denkfigur deutlich: «Gerade eine Philosophie des konkreten Lebens darf sich vor der Ausnahme und vor dem extremen Fall nicht zurückziehen, sondern muß sich im höchsten Maß für ihn interessieren. Ihr kann die Ausnahme wichtiger sein als die Regel, nicht aus einer romantischen Ironie für das Paradoxe, sondern mit dem ganzen Ernst einer Einsicht, die tiefer geht als die klaren Generalisationen des durchschnittlich sich Wiederholenden. Die Ausnahme ist interessanter als der Normalfall» (Politische Theologie, S. 22); «Das Politische ist ein ‹Intensitätsgrad› in allen Bereichen» (Der Begriff des Politischen. München und Leipzig 1932, S. 26).

35 Benjamin: Theorien des deutschen Faschismus. Zu der Sammelschrift «Krieg und Krieger». Herausgegeben von Ernst Jünger. In: Gesammelte Schriften. Bd. III, S. 238–250.

36 Benjamin: Der Sürrealismus. Die letzte Momentaufnahme der europäischen Intelligenz. In: Gesammelte Schriften. Bd. II, 1, S. 297.

37 Benjamin: Der Erzähler. Betrachtungen zum Werk Nikolai Lesskows. In: Gesammelte Schriften. Bd. II, 2, S. 442.

38 Benjamin: Franz Kafka. In: Gesammelte Schriften. Bd. II, 2, S. 415.

39 Benjamin: Gesammelte Schriften. Bd. I, 2, S. 683.

40 Hier und im folgenden halte ich mich an die Vorgaben von Wilhelm Emrichs Interpretation (Franz Kafka. Bonn 1970, bes. S. 285–297).

41 Franz Kafka: Der Prozeß. Gesammelte Werke. Hg. v. Max Brod. (Taschenbuchausgabe) Bd. 7. Frankfurt/M. 1983, S. 140.

42 So z. B. Gert Sautermeister: Zwischen Aufklärung und Mystifizierung. Der unbewußte Widerspruch in Thomas Manns «Doktor Faustus». In: Lutz Winckler (Hg.): Antifaschistische Literatur. Prosaformen. Bd. 3. Königstein/Ts. 1979 (Literatur im historischen Prozeß Bd. 12), S. 77–125. Ganz anders Manfred Frank: Die alte und die neue Mythologie in Thomas Manns «Doktor Faustus». In: Herbert Anton (Hg.): Invaliden des Apoll. Motive und Mythen des Dichterleids. München 1982, S. 78–94.

43 Thomas Mann: Doktor Faustus (Taschenbuchausgabe). Frankfurt/M. 1980, S. 451.
44 Ebd., S. 484. Ich führe hier meine eigene Interpretation aus: «Schützt Humanismus denn vor gar nichts?» Alfred Andersch im Kontext. In: Jost Hermand/Helmut Peitsch/Klaus R. Scherpe (Hg.): Nachkriegsliteratur in Westdeutschland. Bd. 2. Berlin 1984 (Literatur im historischen Prozeß N. F. Bd. 10), S. 15–16.
45 Theodor W. Adorno: Philosophie der neuen Musik. Frankfurt/M. 1978, S. 64.
46 Th. Mann: Doktor Faustus, S. 310.
47 Ebd., S. 487.
48 Ebd., S. 490.
49 Ebd., S. 309. Das Ideogramm der präfaschistischen Ideologie zeichnet Th. Mann in den Unterhaltungen des «Kridwiß-Kreises», bes. S. 362 ff.
50 Alfred Kantorowicz: Vom moralischen Gewinn der Niederlage. Berlin 1949.
51 Hans Erich Nossack: Der Untergang (1948). Frankfurt/M. 1976, S. 18 f.
52 Oskar Negt/Alexander Kluge: Geschichte und Eigensinn. Frankfurt/M. 1981, S. 1122. Die metaphorische Rede vom «abarischen Punkt» hat ihren Gegenstandsbereich in der Physik: «An der Nahtstelle der Gravitation, dem *abarischen Punkt*, der immer nur ein gedachter ist, wirken keine Gravitationskräfte, sondern ‹Freiheit›. Kugel- und Trichtercharakteristik sind momentan identisch; Oben und Unten verkehren sich» (ebd., S. 790).
53 Ich beziehe mich hier und im folgenden auf die noch nicht veröffentlichte Dissertation von Stefanie Carp «Das Leben im Toten. Zu Prosa, Film und Geschichtstheorie Alexander Kluges». FU Berlin 1985.
54 Zum Beispiel Alfred Andersch (vgl. hierzu Scherpe: Schützt Humanismus denn vor gar nichts?, S. 9 ff.) und Wolfgang Koeppen (Scherpe: Ideologie im Verhältnis zur Literatur. Versuch einer methodischen Orientierung am Beispiel von W. Koeppens Roman «Tauben im Gras». In: German Quarterly, H. 1, 1983, S. 6–26).
55 Negt/Kluge: Geschichte und Eigensinn, S. 379.
56 Ebd., S. 810 f.
57 Hans Magnus Enzensberger: Ein herzloser Schriftsteller. In: Der Spiegel, Nr. 1 (1978), S. 81.
58 Alexander Kluge: Lernprozesse mit tödlichem Ausgang. Frankfurt/M. 1973, S. 358. – Auf eine auch in der Duplizität von gesellschaftstheoretischem Entwurf und künstlerischem Text «gespaltene Phantasie» scheint auch Kampers Argumentation hinauszulaufen. Vgl. Dietmar Kamper: Phantastische Produktivität. Gedanken zur Konzeption eines erweiterten Arbeitsbegriffs bei Alexander Kluge: Phantasie? In: Thomas Böhm-Christl (Hg.): Alexander Kluge. Frankfurt/M. 1983, S. 279–290.
59 Peter Sloterdijk: Kritik der zynischen Vernunft. Bd. 1. Frankfurt/M. 1983, S. 253 (im folgenden S. 258–260).
60 Ulrich Horstmann: Das Untier. Konturen einer Philosophie der Menschenflucht. Wien/Berlin 1983, S. 8.
61 Günther Anders: Die Antiquiertheit des Menschen. München 1956, S. 239.
62 Michel Foucault: Die Ordnung der Dinge. Frankfurt/M. 1971, 412; Horstmann: ebd., S. 92.
63 Der Tod der Moderne, S. 103.
64 Gerd Bergfleth: Nachwort zu Jean Baudrillard: Der symbolische Tausch und der Tod, S. 391.
65 Das faschistoide Flair der Bergflethschen Gedankenflut hat Wolfram Schütte

herausgestellt: (Jüdisches) Weltbürgertum und (deutscher) Geist. In: Frankfurter Rundschau Nr. 289, 3. 12. 1984.

66 Gerd Bergfleth et al.: Zur Kritik der palavernden Aufklärung. München 1984, S. 11.

67 Der Tod der Moderne, S. 147.

68 Die Fatalität der Moderne. Interview mit Jean Baudrillard. In: Bergfleth: Kritik der palavernden Aufklärung, S. 134.

69 Jean-François Lyotard: Das Erhabene und die Avantgarde. In: Merkur 424 (März 1984), S. 158.

70 Glucksmann: Philosophie der Abschreckung, S. 210.

71 Baudrillard: Die Fatalität der Moderne, S. 134.

72 Glucksmann: Philosophie der Abschreckung, S. 334.

73 Lyotard: Das Erhabene, S. 163.

Thomas Elsaesser

American Graffiti und Neuer Deutscher Film – Filmemacher zwischen Avantgarde und Postmoderne

Das ‹Erbe› der 60er Jahre

«Fünfzig Jahre nach der Oktoberrevolution herrscht das amerikanische Kino überall auf der Welt. Dieser Tatsache ist wenig hinzuzufügen. Dennoch sollten wir, je nach unseren Kräften, zwei oder drei Vietnams anfangen, im Herzen des immensen Hollywood-Mosfilm-Cinecittà-Pinewood-Imperiums. Ökonomisch und ästhetisch, an zwei Fronten also, müssen wir für nationale Kinos kämpfen, frei, brüderlich, als Genossen und vereint in Freundschaft» (Jean-Luc Godard).[1]

Lange bevor Godard 1967 seine Kollegen dazu aufrief, keine politischen Filme, sondern Filme politisch zu machen, stand die Frage nach einem Alternativkino zur Debatte. Während jedoch in den ersten Nachkriegsjahren die amerikanische wie auch die französische und deutsche Avantgarde sich in ihren Filmen um die Wiederentdeckung der formalen, experimentellen, der nichtnarrativen Traditionen der 20er Jahre bemühte (man denke an die ‹Meister der Moderne› wie Fernand Léger, Marcel Duchamp, Salvador Dalí oder Man Ray und ihre Faszination für die Automatik-Phantasie und das quasi maschinell Hergestellte, poetisch Unbewußte der Kinobilder), ging es Godard um ein bewußtes Gegenkino zu Hollywood. Seine Ästhetik des Guerillakrieges hatte den psychologisch-realistischen ebenso wie den surrealistischen Illusionismus im Visier. Vor allem aber ging es darum, die ökonomische Vormachtstellung Hollywoods auf den Kinomärkten der westlichen und der Dritten Welt zu unterlaufen: Nichts weniger als ein antiimperialistischer Kampf gegen die Massenmedien stand in den 60er Jahren auf der Tagesordnung.

Godards Pathos wie auch sein Programm mögen sich heute etwas befremdlich ausnehmen. Die Erwartung eines radikalen Bruchs schien jedoch berechtigt und im Hinblick auf den Mai 1968 geradezu prophetisch. Das erneute Interesse am Avantgardefilm trat, historisch gesehen, genau zu dem Zeitpunkt auf, als Hollywood sich in einer schweren Produktions- und Absatzkrise befand, die im Laufe der 70er Jahre zu erbitterten

Kämpfen in den Chefetagen der ‹Major Companies› führte. Die Krise endete mit dem Sieg multinationaler, oft jedoch branchenfremder Unternehmen wie der Kinney Corporation oder Gulf and Western.

Schon in den 60er Jahren – und gewiß nicht ohne kausalen Zusammenhang mit den internen Problemen Hollywoods, die wiederum auf eine äußere Krise, den allgemeinen Publikumsschwund[2], zurückzuführen sind – entwickelten sich die sogenannten Neuen Nationalen Kinos, zuerst in Frankreich und England, dann in Lateinamerika und schließlich auch in der Bundesrepublik. Die verschiedenen Avantgarden entstanden mit bewußt internationalem Anspruch, ohne jedoch unter sich eine einheitliche Front zu bilden. Sie standen im Gegensatz sowohl zu Hollywood als auch in einer gewissen Spannung zum ‹neuen› Kino, das wiederum als Nachfolger des europäischen Autorenkinos auftrat. Eine politische, an der Dritten Welt orientierte Avantgarde, die sich Godard und Glauber Rocha zum Vorbild nahm, hatte nur hie und da Berührungspunkte mit der formal-strukturalistischen Richtung, vertreten durch amerikanische Filmemacher wie Paul Sharits, Hollis Frampton, durch die in England arbeitenden Amerikaner Peter Gidal und Steve Dwoskin oder durch Regisseure wie Werner Nekes, Dore O., Klaus Wyborny und Peter Kubelka aus der Bundesrepublik und Österreich.[3]

Anders Jean-Marie Straub. Allen Bewegungen gegenüber eher distanziert, mit seiner politisch radikalen und formal auf Brecht sich berufenden (jedoch Adornos negativer Ästhetik eher verwandten) Position produzierte der Franzose Straub in den 60er Jahren hauptsächlich in der Bundesrepublik unter großen Schwierigkeiten Filme. Straub war die formale und mehr noch die ideologische Inspiration einiger Westberliner Filmemacher in den 70er Jahren (Harun Farocki, Günter Peter Straschek). Ihre Haltung einer souveränen Unerbittlichkeit bezog die Zeitschrift «Filmkritik» insbesondere aus dem Selbstbewußtsein des Straubschen Werkes und seinem spröden Modernismus.

Unter den Formalisten hat der Kanadier Michael Snow durch die Sparsamkeit der Mittel und sein Vermögen, die Sinnlichkeit filmischer Darstellung kognitiv als Metasprache zu benutzen, eine Sonderstellung.[4] Indem er das Verhältnis von Zeit und Raum im Film immer wieder mit einer radikal nichtanthropozentrischen Sicht zu verbinden suchte (wie z. B. in «La Région Centrale», 1970), ist Snow ein Wegbereiter der Postmoderne. «Wavelength» (1967), ein Film zum Thema Narrativik und Kameraperspektive, brachte ihm internationale Anerkennung und unter anderem auch die Bewunderung des jungen Wim Wenders ein.[5]

Die amerikanische Avantgarde war hauptsächlich daran interessiert, das Spezifische des filmischen Signifikanten dadurch analysierbar zu machen, daß sie die Objekte der Wahrnehmung bis zur Zerstörung verfremdete. Dem optischen und physischen Substrat filmischer Wiedergabe wurde die für die Wahrnehmung des Dargestellten notwendige Transparenz genommen: Randperforierung, Fehler in der Emulsion, Über- und Unterbelichtung bestimmten das Bildfeld und verhinderten so jegliche Illusion der unmittelbaren Wiedergabe.[6] Der politischen Avantgarde dagegen ging es eher um die Fiktionalität des Dargestellten und die Möglichkeit, dem Zuschauer die narrativen Mechanismen des Illusionskinos zu demonstrieren. Hierzu wurden die Mittel einer epischen Dramaturgie und einer radikalen Diskontinuität in bezug auf die äußere Erscheinung oder innere Motivation der Handlungsträger verwendet. Während die eher ‹formale› Avantgarde das Medium selbst befragte, war die politische Avantgarde auch an dessen ideologischen Auswirkungen interessiert.[7]

Basis der formalen wie der politischen Avantgarde war trotz wichtiger Unterschiede ein gemeinsamer Bezugspunkt zur Geschichte: die revolutionäre Position der Avantgarde in den 20er Jahren, wo Kunst und Kultur eine offensichtlich politische Funktion hatten. So signalisierten die antiaristotelischen Thesen der 70er Jahre eine solche Rückwendung: Die Geste der Solidarität sollte eine historische und politische Kontinuität der Avantgarde in den darstellenden und dramatischen Künsten bewahren und neu beleben. Dafür standen die Namen Brecht und Benjamin als Doppelsymbol für eine mögliche Einheit von Praxis und Theorie. Sie halfen, Widerstand und Bruch als historisch notwendig zu definieren.[8]

Die Formalisten dagegen konnten sich auf eines der wichtigsten Prinzipien der Moderne berufen, daß es nämlich Sinn einer Kunst sei, sich auf die Grundlagen ihres Mediums zu konzentrieren. So wie das Sujet der Malerei Farbe und Leinwand sei, könne auch der Film legitimerweise nur sich selbst zum Thema haben. Man könnte dies das ‹semiotische Programm› der Moderne nennen: den Signifikanten so darzustellen, daß augenfällig wird, inwieweit er das Signifikat allererst *konstituiert*, und nicht, wie in verschiedenen Realismustheorien angenommen, *reproduziert* und repräsentiert. Da ja Brechts Theorie sich ebenfalls mit den Prozessen der künstlerischen Darstellung befaßte, schien zwischen der politischen Avantgarde und dem ästhetischen Modernismus im Film ein innerer Zusammenhang zu bestehen, wie es ihn historisch weder in der Literatur noch für die Malerei gegeben hatte.

Die ‹Politik der Form› (etwa in Godards «Vent d'Est», 1969)[9] und ihr Ziel, politische Inhalte so zu vermitteln, daß vor allem die traditionellen Wahrnehmungsweisen aufgebrochen werden, brachte den Avantgardefilm jedoch nicht an einen Punkt, von wo aus die Sehweise oder gar die Produktionsweise des Hollywoodfilms ernstlich hätten in Frage gestellt werden können. Während die Filme der Avantgarde sich selber danach befragten, wie ‹Revolution› und ‹Bruch› überhaupt darstellbar seien, wollte das neue Publikum, das Ende der 60er Jahre das Kino wiederent-

deckte, über Filme ‹Erfahrungen› machen, den Geschichts- und Weltver-
lust kompensieren. Dafür erwies sich das Antiillusionskino als wenig
brauchbar.[10]

Das Imaginäre als politische Kategorie?

Die revolutionäre Avantgarde war in der Filmtheorie wesentlich (er)fol-
g(en)reicher als in der Praxis. Es zeigte sich, daß ein fundamental neues
Verständnis der filmischen Sehweise und Signifikation notwendig war,
um einerseits der ideologischen Wirkung des Hollywoodfilms Rechnung
zu tragen und andererseits, das politische Potential des Kinos richtig analysieren zu können. Geschult an den formalen und politischen Begriffen
der Avantgarde, richtete sich das Hauptinteresse der Filmtheorie in den
70er Jahren deshalb wieder auf die Analyse klassischer narrativer Film-
formen. Der alte Gegensatz ‹Hollywood/Avantgarde› oder ‹narrativ/
anti-narrativ› schien erst einmal aufgehoben. Der Theorie ging es jetzt
weniger darum, der bürgerlichen Abbildung der Realität eine revolutionäre Abbildung gegenüberzustellen. Vielmehr war zu zeigen, daß das
Kino eine historisch spezifische und in seiner allgemein kulturellen Bedeutung unterbewertete Form darstellt: eine Form nicht nur des Denkens
in Bildern, sondern der intersubjektiven Kommunikation. Zu zeigen war,
daß filmische Signifikanten ihre Signifikate unabhängig von jedem Bezug
zur Realität konstruieren, während die bürgerliche Ästhetik doch darauf
besteht, daß der Film eine nicht in Zeichen auflösbare Welt der reinen
Evidenz reproduziert. Zum neuen Ausgangspunkt wurde die Frage nach
den Erzählhaltungen im Film ebenso wie die Ideologiekritik und (historisch gesehen) die Realismusdebatte. Insofern Film nämlich als eine diskursive Form der Wahrnehmung gelten kann, *reproduziert* das Kino nicht
so sehr eine mehr oder weniger illusionäre, ideologisch verformte Realität, sondern *produziert* etwas ganz anderes: *den Zuschauer als ‹Subjekt›.*
Auf diesem Weg nun kam die Filmtheorie unweigerlich mit der Psychoanalyse in Berührung, insbesondere mit der Frage nach den Subjekt/Ob-
jekt-Verhältnissen, die in die filmische Sehweise eingebettet sind. Damit
richtete sich das Hauptinteresse der kritischen Filmtheorie auf das in jeder filmischen Darstellung implizite Subjekt und auf das Problem der im
Film vermittelten bzw. sich konstituierenden Subjektivität. Das Kino
wird – so gesehen – zur Identitätsmaschine.

   Aus der Sicht einer avantgardistischen Ästhetik und Theorie bedeutet
dies, daß dem Brechtschen Dualismus von Verfremdung und Einfühlung,
der formalen Opposition von offener und geschlossener Dramaturgie, ein
anderes Begriffspaar zugeordnet werden muß.[11] Die neue Opposition

(oder besser *Relation*) kommt aus der strukturalistischen Revision von Freuds Lehre und den in der Lacanschen Psychoanalyse so wichtigen Kategorien des Imaginären und des Symbolischen. Diese bezeichnen Subjektverhältnisse, innerpsychische Instanzen und Polaritäten, nach denen sich jede Erfahrung von Identität – sei es in der Wahrnehmung, sei es im innerpersönlichen Verhalten oder in der verbalen Kommunikation – immer nur als eine *Relation* von Signifikaten und Signifikanten darstellt: Wo sich die Realität in Zeichen auflöst, kann sich das Subjekt seiner selbst nur noch fragmentarisch durch die Kette der Signifikanten versichern, seinen Platz in der Sprache also. Identität ist somit eine Fiktion, die sich auf Sprache (oder besser gesagt: auf die vielfältigen von der Kultur entwickelten Sprachsysteme) und deren imaginäre Subjekt-Positionen stützt. Nur ein *anderes* Subjekt macht ein Subjekt zum Ich, wobei jedoch dieses andere Subjekt selbst eine durch Sprache konstituierte Instanz darstellt.[12]

Damit ist einerseits gesagt, daß für ein bestimmtes Subjekt die Welt nur insofern existiert, als sie sich ihm als Sprache manifestiert. Andererseits kennt das Subjekt sich selbst, erkennt ein Subjekt sich als Individuum ebenfalls nur in den durch die Sprache vorgegebenen *Zeichen* der Subjektivität.[13] Die Logik dieser Sprach- und Diskursformen ist jedoch dem Subjekt nicht zugänglich, ohne daß dieses sich dem Gesetz der Sprache unterwirft. Dadurch jedoch entfremdet es sich seiner selbst, denn Sprache funktioniert nur in der absoluten Trennung von Signifikanten und Signifikaten. Das Subjekt erfährt sich nur durch die ‹Repräsentanzen›, d. h. Vorstellungen und Bilder. Begriffe und Worte ordnen sich zu Sinn, indem das Subjekt die autonome Realität der Signifikanten unterdrückt und über die Trennung hinweg eine imaginäre Kohärenz der Signifikate herzustellen in der Lage ist. Wo diese imaginäre Kohärenz zusammenbricht und die Realität der Zeichen das Bezeichnete überwältigt, kommt es zu Ich-Verlust, Mangel an Identität, Sprach- und Begriffslosigkeit, im klinischen Bereich: Schizophrenie. Was dem ‹normalen› Subjekt als Realität gegenübertritt, sind demnach die imaginären Instanzen der symbolischen Codes, die menschlichem Denken, Fühlen und Handeln unterliegen.

Innerhalb dieser Problematik nun ist das Kino geradezu zu einem *Schauplatz des Imaginären* prädestiniert, dessen symbolische Konstruktion und Logik sich der Wahrnehmung um so mehr entzieht, als die Mittel der fotografischen und akustischen Wiedergabe das Subjekt durch seine Realitätsfülle und Erfahrungsdichte in Bann schlagen. Die von diesen Überlegungen ausgehende Filmtheorie ist deshalb insbesondere am Phänomen der filmischen Identifikation, den Spiegelungen und Verdoppelungen interessiert, wie man sie in ihrer am weitesten entwickelten Form in den narrativen Techniken des Hollywood-Kinos antrifft. Nach einem immer gleichen Muster wird dort das Drama der Trennung und der imaginären Kohärenz im Subjekt in Szene gesetzt. Diese Art der Identifikation ist jedoch nur bedingt vergleichbar mit der von Brecht analysierten Einfühlung und der Katharsis im aristotelischen Drama.[14] Die kritische Dimension liegt *innerhalb* der filmischen Identifikation und analysiert die vorprogrammierte Differenzierung imaginärer Ich-Gefühle.

Zum wichtigsten Moment in der Theorie des ‹Symbolischen› jeder filmischen Darstellung wurden damit die formalen Aspekte des Films, insbesondere die Rolle des filmischen Signifikanten, welche für die Avantgarde ausschlaggebend war im Kampf um eine alternative Kinoform. Während jedoch die Avantgarde diese Signifikanten auf das Material oder den technischen Apparat bezog, sah die psychoanalytische Filmsemiotik die Arbeit des Signifikanten in der Bildfolge, dem Schnitt, im Schuß-Gegenschuß-Verfahren und den sich daraus ergebenden *impliziten* Identifikationsangeboten.

Die Faszination des Erzählkinos vom Typ Hollywoods liegt demnach hauptsächlich in der Art, wie sich für den Zuschauer der Akt des Hörens und Sehens in ein Spiel um Wissen und Nichtwissen, um Antizipieren und Vermuten verwandelt, vor allem: wie ihm über die Erzählhaltungen eine ‹imaginäre Meisterschaft› der symbolischen Diskurse ermöglicht wird. Dieses dem Zuschauer vom Film suggerierte Machtpotential ist wiederum das, was ihn als Subjekt bestätigt, bzw. das, was ihm das Gesehene als Geschehenes nicht nur wirklichkeitsnah oder ‹realistisch› erscheinen läßt, sondern ihn packt, aufwühlt, in Angst versetzt oder zu Tränen rührt. Im Kino erlebt der Zuschauer seine Subjektivität nicht als solche, sondern als ein scheinbar objektives Am-Film-Teilhaben. Er kann die Handlung als seine eigene erleben, und damit hat er für die Dauer des Films anscheinend nicht nur ‹sein› Leben unter Kontrolle, sondern auch das der ‹anderen›. Durch den genau kalkulierten Wechsel der Kameraperspektiven und der Bildausschnitte, aber auch durch die Länge der einzelnen Szenen, den Rhythmus der alternierenden und sich wiederholenden Bilder, durch die optisch oder akustisch vermittelten Raumperspektiven ist er scheinbar Herr über die Erzählpositionen und damit im Besitz des in der Fiktion zirkulierenden Wissens. Die Manipulation dieser Positionen innerhalb der Fiktion erlaubt es dem Zuschauer, am Geschehen als Wissender teilzunehmen; sie werden von ihm als Spannung, als ein für das Kino typischer Erlebniszustand und Intensitätsgrad empfunden. Der Blick genügt: Die Fähigkeit des Schauens an sich macht den Zuschauer zum Autor und zum Protagonisten. Derart verdoppelt, erlebt er sich im imaginären Diskurs des Films als identisch mit sich selbst, als ‹wirklich›.

Diese imaginäre ‹Meisterschaft› ist nun allerdings weder ideologisch noch politisch unschuldig. Denn das Imaginäre, welches das Kino vermittelt, baut auf die ‹Logik› einer visuellen Signifikation, die sich wiederum

an den in der Gesellschaft oder im zwischenmenschlichen Bereich vorherrschenden Machtverhältnissen orientiert. Gerade der Blick und die
Möglichkeit, Subjekt oder Objekt eines Blickes zu sein, sind in den meisten Gesellschaften stark codifiziert, insbesondere auch geschlechtsspezifisch. Das narrative Kino codiert den Zuschauer als ‹männlich› oder ‹ödipal›, indem es sich systematisch an *ihn* – gleich welchen Geschlechts –
immer nur als den Besitzer des mit Wissen und Macht besetzten Blicks
wendet.[15]

Theoretiker wie Christian Metz, Raymond Bellour, Stephen Heath,
Colin McCabe oder Laura Mulvey und Jacqueline Rose haben sich unter
diesem Aspekt mit der Funktion des Imaginären im Film auseinanderge-
setzt.[16] Sie zeigen, daß das der filmischen Darstellung unterliegende Symbolische durch die Erzählmechanismen, die ja im klassischen Hollywoodkino ‹unsichtbar› bleiben (und eben deshalb einer komplexen pseudo-
formalistischen Logik folgen), ein Subjekt konstituiert, das sich in den
Kategorien des Imaginären bewegt, und zwar eines Imaginären, welches
mit den herrschenden Vorstellungen eines ödipalen Subjekts und mit der
rigiden Trennung von männlich und weiblich übereinstimmt. So wird z. B.
die Opposition sehen/gesehenwerden im Film einer der Codes, die im
Bereich des Dargestellten der Opposition männlich/weiblich, aktiv/pas-
siv, Subjekt/Objekt eine selbstverständliche Gültigkeit zu geben scheinen.

Die Kritik am Hollywoodkino hat eine über ihr Thema hinausgehende
Bedeutung. Der narrative Spielfilm wird hier zum Modellfall einer immer
mehr durch Bilder sich darstellenden und definierenden Gesellschaft: Sehen ist Wissen. Das dem Auge innewohnende Lust- und Aggressionspo-
tential ist der Kulturphilosophie seit Simmel, über Benjamin bis hin zu
Foucault wohlbekannt. Die von der Psychoanalyse beeinflußte Filmtheorie zielt somit auf eine allgemeine Gesellschaftskritik. Denn das der Kritik unterzogene Hollywoodkino kann in begrenztem Maße stellvertre-
tend dafür stehen, wie in unserer Gesellschaft so grundlegende politische
und soziale Identitätsträger wie sexuelle Differenz, Subjektivität und
ideologische Kohärenz durch narrative und visuelle Strukturen vermittelt
und im Individuum verankert sind. Somit wird Hollywood nicht nur zur
dominanten Form des Filmemachens, sondern auch zum Strukturprinzip
auf anderen Gebieten der audiovisuellen Kommunikation und des symbolischen Handelns.

Natürlich stellt sich die Frage, ob der für ein postmodernes Denken
generell wichtige Lacansche Ansatz eines unauflösbar in der Dialektik
von imaginären Identifikationen und symbolischen Codes gefangenen
Subjekts sich mit Brechts seinerzeit politisch-avantgardistischen Thesen
zu Realismus, Verfremdung usw. überhaupt noch vereinbaren läßt, ob
nicht Brechts eigene politische und ästhetische Praxis nur noch als rein

historisch zu betrachten ist. Aus heutiger Sicht gilt der historische Moment, der mit dem Namen Brecht verbunden ist, vielleicht weniger als Ausgangspunkt einer zukunftsweisenden Ästhetik, vielmehr als markanter Endpunkt einer Entwicklung. Unter Lacans Blickwinkel erscheint Brechts Praxis selbst als Opfer einer imaginären Projektion: der des Klassenkampfes und der Hegelianischen Geschichtsteleologie. Die nichtaristotelische Dramaturgie impliziert ein historisches Subjekt, die revolutionäre Arbeiterklasse, die aber als solche im geschichtlichen Prozeß erst produziert werden sollte. Dieses Subjekt will der Brechtsche Text sowohl konstituieren als auch in seiner Position des Besserwissens ansprechen (anstatt das Subjekt mit seinen unausweichlichen Spaltungen in der Sprache zu konfrontieren). Brecht hat, so gesehen, die eine Form imaginärer Identität – die des bürgerlichen Subjekts – durch die nicht weniger imaginäre Identität des klassenbewußten Proletariers ersetzt.

Die Avantgarde-Position wurde also selbst ideologisch anfechtbar. Auch das ideologiekritische Projekt eines Avantgardekinos – besonders eines Kinos, das sich dem Hollywood-Imperialismus und dem reaktionären bürgerlichen Realismus entgegensetzte – sah sich damit in Frage gestellt. Im Namen einer psychoanalytischen Untersuchung wurde das Imaginäre jeder Praxis (ob nun revolutionär oder reaktionär) unter die Lupe genommen, wurden die Subjekt-Positionen hinterfragt, die einem jeweiligen Wissen, sei es nun das des Marxismus oder das des Strukturalismus, zugrunde liegen.[17] Wie Fredric Jameson in anderem Zusammenhang bemerkte, manövriert sich jede kritische Theorie in eine Sackgasse, wo immer sie eine Opposition so kategorisch faßt, daß ihre eigene Position den Gegenpol bildet und allein dadurch definiert ist: «eine Relation, die sich als radikale Opposition darstellt, läuft Gefahr, gerade da eine Dimension imaginären Denkens hineinzubringen, wo ursprünglich der Wunsch bestand, das Imaginäre zu überwinden.»[18]

Eben dies ist kennzeichnend für die historische Problematik der 70er Jahre. Die Krisen, die in den 60er Jahren scheinbar eine revolutionäre Situation produziert hatten, wurden so kategorisch als oppositionelle Diskurse und Antagonismen artikuliert und verstanden, einer vermeintlich eindeutigen ‹Lösung› zugeführt, so daß sich letzten Endes doch keine wirklichen Antagonismen entwickelten. Die kritische Distanz war damit in Gefahr, zum imaginären Spiegelbild des Gegners zu werden, ohne daß dieser Gegner als solcher noch faßbar blieb. Jameson nannte denn auch das Engagement vieler europäischer und nordamerikanischer Intellektueller für die Befreiungskämpfe der Dritten Welt «eine Politik, die von den Kategorien des Imaginären beherrscht wird».[19] Was die Situation insbesondere der Kulturproduktion und -kritik kennzeichnete, war, daß die symbolische Ordnung, als die sich der Marxismus z. B. darstellte, von der Seite des Imaginären selbst, vom Standpunkt des radikalen Andersseins kritisiert wurde, vom Feminismus und der Emanzipationsbewegung der Homosexuellen. Damit wuchs dem Imaginären als kritische Haltung eine neue politische Dimension zu; denn diese artikulierte sich innerhalb einer konkreten gesellschaftlichen Situation, ohne dabei zu versuchen, die eigene Erfahrung durch begriffliche Distanz kohärent zu machen.

Dieser Aufstand des imaginären Denkens, der nicht nur in der militanten Auseinandersetzung um das Recht der eigenen sexuellen Identität zu Wort kam, konnte leicht als Subjektivismus abgetan werden. Die Rede vom neuen Irrationalismus war schnell zur Hand, oft im Zusammenhang mit dem selbst als binäre Opposition gefaßten Begriff der Tendenzwende. Es ging tatsächlich um eine Demontage kritischer Oppositionen oder, um im Lacanschen Vokabular zu bleiben, um ein historisches Moment, in dem die Kritik am imaginären Denken selbst einer Kritik von seiten des Imaginären, der radikalen Auflösung des Subjekts, unterworfen wurde.

Der internationale Filmmarkt

Im Bereich der Filmwirtschaft ist das Kräfteverhältnis zwischen Hollywood und den Neuen Nationalen Kinos historisch keineswegs als reine Opposition darstellbar. Filmstoffe, Bilder und Stars sind Waren wie andere auch: Sie werden auf einem internationalen Markt gehandelt, der nach nationalen Gesichtspunkten aufgeteilt ist. Während aber der Hollywoodfilm in einem gegebenen Land den nationalen Markt beherrscht und auch international führend ist, hat jedes nationale Kino um seine Identität national wie auch international zu kämpfen. Auf dem einheimischen Markt stellt es nur einen Bruchteil des Kinoangebots und nimmt dafür meist an der umfassenden literarischen Kultur auf besondere Weise teil, so z. B. die Literaturverfilmungen des Neuen Deutschen Films, die Intellektuellenrolle französischer Regisseure, die Art, wie in Italien Fellini, Visconti oder Antonioni als nationale Künstler gefeiert werden. Auf internationaler Ebene haben nationale Kinos eher die Funktion eines Genres: ein Film aus Schweden, aus Frankreich oder Deutschland setzt einen Erwartungshorizont, der dem eines Western, eines Science-fiction-Thrillers oder Musicals vergleichbar ist.

Aus der Sicht Hollywoods dagegen spielen nationale Kinos als Konkurrenten auf dem amerikanischen Markt keine Rolle; denn die Produkte seiner Filmindustrie sind in gewisser Weise immer die Norm der Massenkultur, selbst dort, wo sich diese bewußt national gibt. Hollywood spaltet damit den Binnenmarkt, z. B. den eines europäischen Landes, nicht nach nationalen Gesichtspunkten, auch nicht klassenspezifisch, sondern eher im Sinne mehrerer miteinander konkurrierender nationaler Angebote. Da aber die einheimische Produktion selbst oft gespalten ist zwischen Kommerzkino, unabhängigem Film und Avantgarde, sind die verschiedenen nationalen Kinos, was Hollywood betrifft, in einer Situation der Konkurrenz und Imitation, die jede Art von Abgrenzung ebenso zur Verschleierung werden läßt wie die Behauptung des Begriffs eines ‹nationalen› Kapitalismus.

In der Bundesrepublik zum Beispiel haben Hollywood, das Autorenkino und die Avantgarde sich oft als Entweder-oder-Gegner dargestellt. Das Autorenkino beklagte die Übermacht Hollywoods, während die Avantgarde das Autorenkino zum Hollywoodkino einfach dazurechnete. Praktisch gesehen stellte sich die Lage wesentlich komplizierter dar: Wim Wenders machte Kurzfilme als Avantgarde-Regisseur, schrieb Essays über Hitchcock und Anthony Mann, ehe er nach seinen Literaturverfilmungen zur international erfolgreichsten Inkarnation des neuen deutschen Autorenkinos wurde. Fassbinder arbeitete mit Jean-Marie Straub, machte seine frühen Filme unter dem Einfluß der französischen ‹nouvelle vague›, entdeckte die amerikanischen Filme von Detlev Sierck und schrieb schließlich fast im Alleingang die deutsche Filmgeschichte von 1930 bis 1970 für sich um. Auch Werner Herzogs Filme, insbesondere die mit Klaus Kinski als Hauptdarsteller, stehen in einer Art von Dialog sowohl mit dem sogenannten klassischen deutschen Stummfilm («Caligari», «Mabuse», «Nosferatu») als auch mit dem Hollywoodkino der Superhelden: Kinski ist Herzogs John Wayne, und die *idées fixes* eines «Fitzcarraldo» wären den Figuren in Raoul Walshs Abenteuerfilmen mit Errol Flynn oder James Cagney («They Died with their Boots On», «Gentleman Jim», «White Heat») durchaus vertraut gewesen.

Die Tatsache, daß Filme wie «Der Pate», «Apocalypse Now», «Der Weiße Hai», «Flammendes Inferno», «Star Wars», aber auch «Taxi Driver», «American Gigolo», «Raging Bull» und «Dressed to Kill» ihren Produzenten enorme Gewinne brachten, belebte die Kinos in den USA ebenso wie in den Ländern Westeuropas. Davon waren die nationalen Kinos in doppelter Hinsicht betroffen: Sie erhielten zwar durch die Kinogroschen Produktionszuschüsse, mußten sich aber in ihren Filmen auf das konkrete Konsumverhalten und einen bestimmten Erwartungshorizont des Zuschauers einstellen. Man kann sogar sagen, daß steuerliche oder legislative Eingriffe zugunsten eines nationalen Kinos dieses unweigerlich dem Produktionsmodell ebenso wie der Darstellungsform Hollywoods angleichen. In der Bundesrepublik hat in den 60er und 70er Jahren nicht nur die Altbranche bewährte Hollywood-Genres nachempfunden (Karl-May-Western, Edgar-Wallace-Krimis). Auch das gegen den einheimischen Kommerz angetretene unabhängige Kino hat sich nach demselben ‹Anderen› als Bezugsinstanz ausgerichtet, wenn es sich auch vorzugsweise

auf ein früheres Moment in der Geschichte dieses ‹Anderen› berief.
Rainer Werner Fassbinder begann mit deutschen Gangsterfilmen. Sie
handelten jedoch nicht von deutschen Gangstern, sondern von deutschen Kleinbürgern, die sich gern vorstellten, sie seien Hollywoodgang-
ster der 30er oder 40er Jahre («Götter der Pest», «Liebe ist kälter als
der Tod»).

Allerdings ist auch Hollywood als der implizite Fixpunkt nationaler Filmemacher keine in sich geschlossene Monokultur. Gerade die profit-
orientierte Produktionsweise zwingt es in den permanenten Zustand des
Wechsels. Hollywood kann deshalb in bezug auf die Identität nationaler
Kinos nicht als das absolute Andere gedacht werden. Das ‹Neue Hollywood› von Francis Ford Coppola, Martin Scorsese, Robert Altman oder
Paul Schrader ist ‹neu› allein durch seine Opposition zum ‹alten› Hollywood (das Andere als das Gleiche: Coppola spielt den weltscheuen, zu-
rückgezogenen Mogul wie einst Howard Hughes, und er gefällt sich als
‹auteur maudit› vom Schlage Orson Welles'). Oder ist Hollywood ‹neu›,
indem es sein eigenes Anderes assimiliert hat (Das Gleiche als das Andere: Altmans Filme sind von Godard beeinflußt; Woody Allen von Bergman und Fellini; Schrader schreibt über Dreyer, Ozu und Bresson; Martin
Scorsese bewundert Michael Powell)? Daneben sind Regisseure wie Steven Spielberg, George Lucas und Legionen anderer dabei, Hollywoods
eigene Vergangenheit unter der doppelten Perspektive des Wiedererken-
nens und der technisch perfekteren Imitation auferstehen zu lassen.

Konfrontation und Konfliktmodell, ja selbst der Begriff Geschichte an
sich, werden problematisch. Gegensätze verflachen zum Nebeneinander,
das absolute Andere wird zum Teil des Eigenen, und Progreß/Regreß
laufen im Kino *de facto* nach anderen Gesetzen der Differenzierung ab,
als es die politischen Ziele der Avantgarde je hätten erwarten lassen.

Vom Antiillusionismus zum Hyperrealismus

Angesichts der Allgegenwart der audiovisuellen Medien, durch die jeder
Diskurs der ‹Wirklichkeit›, der ‹Macht› oder der ‹Wahrheit› sich erst einmal Legitimität und Autorität durch dramatische und visuelle Darstellung verschaffen muß, erscheint das Verhältnis von Subjekt und Objekt
zunehmend geprägt durch Bilder: Deren Intensität, Unmittelbarkeit und
Identifikationsstrukturen bestimmen den Wahrheitsgrad und die Gültigkeit. Erfahrungen von Geschichte oder ein individuelles Erinnerungsver-
mögen werden selbst abhängig von einer Bildrealität, der man nicht ohne
weiteres – wie es noch Brecht in seinen Bemerkungen zur Fotografie tat –
eine ‹andere› Wahrheit gegenüberstellen kann, die der Bilderflut wider-

steht. Auch hier ist der Unterschied zwischen Abbild und Wirklichkeit, innerem und äußerem Ich, nicht mehr aufrechtzuerhalten. Das führt dazu, daß man den Bildern ihren ‹objektiven› Status als Realitätsträger zuerkennen muß, noch ehe man sich kritisch mit ihnen hat auseinandersetzen können.

Die psychoanalytische Filmtheorie fällt zusammen mit einer als postmodern zu bezeichnenden Theorie vom Subjekt, da sie weder mit einer klassischen Subjekt-Objekt-Dialektik operiert noch an der für die Moderne typischen radikalen Innerlichkeit festhält (statt dessen versucht, das Subjekt als Effekt einer vorstrukturierten Bild- und Zeichenwelt zu verstehen). Dieser Theorie entspricht eine kontemporäre Filmpraxis. In Filmen wie «Star Wars», «Blade Runner» und «Alien» hebt das klassische Hollywoodkino in verschiedener Hinsicht sich selbst nicht zuletzt dadurch auf, daß die Filme gar nicht erst vorgeben, Realität abzubilden, sondern stolz eine imaginäre, phantastische Welt simulieren. Diese ist aber gleichzeitig mit all den Subjekt-Effekten ausgestattet – visuelle und atmosphärische Stimmigkeit, das Gefühl, durch alle Sinne, also physisch dabeizusein –, die traditionell im Film ‹Realismus› bezeichnet haben.

Auf die enormen Kassenerfolge solcher Saisonschlager folgten ebenso große Kapitalinvestitionen für neue Technologien, z. B. die Ausweitung der Trickabteilungen, die Anwendung computergesteuerter Kameras und die Neuausstattung der Tonstudios. Attraktionen wie Dolby Stereo waren wiederum das Resultat neuer Markt- und Verkaufsstrategien. Indem sie sich im Musikgeschäft umsahen, konnten Hollywoodfirmen für ihre Produkte ein neues Publikum gewinnen, dessen Lust am Kino im Erlebnis der Filmtechnologie selbst besteht. So geht es dann nicht mehr um interessante Helden, um gut erzählte Geschichten, sondern um Hyperrealismus und Hyperillusionismus in der Handlung, um schwindelerregende Unmittelbarkeit beim Zusehen.[20]

Das Kino der Trick- und Toneffekte appelliert an eine ganz andere Subjektivität als die der traditionellen Genres. Es vermittelt das Erlebnis einer Art Verdoppelung der Sinne, ein Raumgefühl des Überall-und-nirgendwo-Seins, dem keine zeitliche Dimension mehr zugeordnet ist: Man berauscht sich am Rauschen des Weltraums, das wiederum dem Rauschen der Stereo-Kopfhörer beim intimen Hi-Fi einen monumentalen, öffentlich konsumierbaren Raum hinzufügt. Die mit großer Liebe und Sorgfalt ausgeführten Lichtkonstruktionen in dem Film «Begegnungen der Dritten Art» oder das Spielen mit der Perspektive in Filmen wie «Indiana Jones» rücken damit die Rolle des filmischen Materials als Signifikanten in den Vordergrund, ebenso wie das Acht-Kanal-Stereo-System nicht ‹realistischer› wirkt, sondern auf imposante Weise uns den akustischen Signifikanten als solchen erleben läßt.

Wie so oft hat die Avantgarde zwar die kommenden Entwicklungen vorweggenommen, die Richtung aber und deren gesellschaftliche Konsequenzen ganz falsch gedeutet. Nicht ein ‹Gegenkino› hat das Erbe Hollywoods angetreten, sondern ein ‹neues› Hollywood, dessen Dynamik weder der modernistischen Vorstellung von der Eigenbestimmung des Mediums und seiner Selbstrealisierung folgt noch eine politische Logik von Konfrontation und Widerstand entwickelt. Die Dynamik des ‹neuen› wie des ‹alten› Hollywood resultiert aus der kapitalistischen Logik des Monopols, des Profits, der Markterweiterung und der Marktbeherrschung. Damit gerät nicht nur die kritische Dimension der avantgardistischen Filmpraxis, sondern auch die der Theorie einmal mehr in die Krise. Sie wird überholt von den rapiden Veränderungen in der Produktionssphäre, die ein eigenes ‹kritisches› und ‹politisches› Programm realisieren, affirmativ und mit offensichtlich reaktionären ideologischen Konsequenzen.

Echo-Effekte im Technischen wie auch im Thematischen! So gibt es auch nur noch Echo-Effekte der Geschichten: Was Hollywood macht, ist nicht, seine alten Geschichten noch einmal zu erzählen, sondern sie über den technischen Apparat zu verfremden. In der Verdoppelung wird jede Historizität getilgt. Eine neue Art von Subjekt-Effekt kommt ins Spiel. Der Zuschauer soll sich nicht so sehr mit den Personen direkt identifizieren, vielmehr über die Personen zurückfinden zu seinem eigenen früheren Selbst: nicht wie er einmal war, sondern wie er in der Phantasie sich zum Zentrum der Welt machte, Allmachtsphantasien und Abenteuer des narzißtischen Ich!

Das Ich, welches sich im neuen Hollywoodkino präsentiert, ist ein ebenso verdoppeltes wie gespaltenes: Es ist das in der Nostalgie sich spiegelnde Ich der Sentimentalität, mit dem das erwachsene Ich noch einmal als kindlich-kindisches Ich verschmelzen kann. Die Filme, die in den letzten Jahren das Rennen machten, sind nicht nur für ein junges Publikum bestimmt, sondern für ein jedes Publikum, das sich selbst als ein in der Zeit gespaltenes Subjekt erleben kann. Man trauert oder freut sich über die verlorene Kindheit. Subjektkohärenz wird dadurch besonders intensiv erlebt. Die Art der Darstellung läßt das eigene Herzklopfen und die eigene Neugier per Verstärker und in Großaufnahme die Sinne kolonisieren. Im Hyperillusionskino wird der Zustand der Entfremdung dadurch aufgehoben, daß dem Subjekt seine eigene Innenwelt als Außenwelt zum Spektakel wird.

Vom antiautoritären zum narzißtischen Ich

Bei Baudrillard heißt es: «Der Schizo kann die Grenzen seines eigenen Selbst nicht mehr abstecken, er kann sich weder spielen noch ‹aufführen›, er kann noch nicht einmal als Spiegel funktionieren. Er ist eigentlich nur noch Bildschirm, die Schaltzentrale aller möglichen Impulse.»[21] Damit ist einerseits die klinische Ätiologie des Subjekts im postmodernen Zeitalter angedeutet, aber auch die soziale Funktion des ‹Hyperrealismus› beschrieben. Nicht nur die ‹alte› Entfremdung, sondern die ‹neue› Schizophrenie ist lustvoll zu besetzen. Unter dem Zeichen der narzißtischen Spiegelung kann man sie konsumierbar machen.

Was den Film angeht, so gibt die postmoderne Theorie vom Subjekt vielleicht auch Aufschluß über eine andere Praxis, so zum Beispiel im Neuen Deutschen Film, in dem sich Probleme des Subjekts als Probleme der Geschichte, Probleme der Kinoform als Probleme der Identifikation und Probleme der Identifikation als Probleme der Übermacht der Bilder und des Imaginären darstellen. Wenn die Kritik den Neuen Deutschen Film mit wertenden Antinomien wie rational/irrational, progressiv/reaktionär, kritisch/romantisch belegt, so versperrt sie die Sicht auf das, was deutsche Filme in den 70er Jahren thematisch wie formal besonders kennzeichnet: Die ‹Rückkehr zur Subjektivität› entsprach einer radikalen Beschäftigung mit der für den Film typischen Form des Imaginären. Die den Neuen Deutschen Film charakterisierende Verbindung von Geschichte und Subjektivität (die Zentrierung einerseits auf die Familie im historischen Kontext, andererseits auf die Frage der persönlichen Identität) existiert nicht als ein politischer oder kultureller Themenkomplex, dem die Filmemacher nur aus dem Bedürfnis künstlerischer Selbstdarstellung und dem Hang zur Autobiographie so breiten Raum geben. Diese Themen erscheinen bei ihnen äußerst differenziert, so daß eine Beschäftigung mit dem ‹Verdoppeln› (dem sich spiegelnden und in seinen Objektivierungen sich nicht wiederfindenden und dafür das ganz andere suchenden Subjekt) bei weitem über die Suche nach dem authentischen Ich und die modernistische Thematik des Rollenspiels oder Rollentauschs hinausgeht. Selbst in so ‹romantisch› angelegten Filmen wie Werner Herzogs «Kaspar Hauser» gibt es das authentische Ich schon lange nicht mehr. Statt dessen findet man die Bedingungen des Filmemachens in der Form von Reflexionen über die immer schon als Texte und Diskurse konstituierten Bilder. Thematisiert wird eine Sehnsucht nach Selbstentfremdung, die der zentralen Kategorie des Imaginären, der Vorstellung von Identität als dem Anderssein, entspricht und damit zum Kern des Kinoerlebnisses und seiner kulturhistorischen Bedeutung vordringt.

Praktisch bedeutet dies, daß die deutschen Filmemacher sich für ihre

Personen nur in dem Maße interessieren, wie sich in ihnen Konflikte nicht
etwa als Fragen des falschen Bewußtseins oder des Klassenstandpunkts
darstellen (wie es eine gewisse Tradition des Brechtschen Films versucht
hatte), sondern dieses falsche Bewußtsein eher zum Stil- und Stilisie-
rungsprinzip werden kann: durch die verschiedensten Formen des Exzes-
ses und der Theatralik, des Pathos und der Intensität, dem bewußten
Ausspielen des Andersseins. Der Neue Deutsche Film zeigt, daß das
Kino der schwarze Spiegel eines melancholischen Nazißmus sein kann.
Dies läßt sich beobachten in den Szenarien wechselseitiger Identifikationen und Projektionen wie in Fassbinders «Bitteren Tränen der Petra von
Kant», Syberbergs «Ludwig – Requiem für einen jungfräulichen König»
oder von Trottas «Schwestern oder die Balance des Glücks», ebenso in
den Inszenierungen eines Wiederholungszwangs, der die Stadien der sexuellen und sozialen ‹Indifferenzierung› bis hin zur Auflösung der Person
durchläuft («Der Tod der Maria Malibran», «In einem Jahr mit 13 Mon-
den», «Bildnis einer Trinkerin», «Die Atlantikschwimmer»). Das Besondere dieser Filme ist es, sich jeder Art festgelegter, ödipal oder bipolar
definierter Identität zu entziehen, wie denn auch die meisten der genannten Filme konventionelle dramatische Konflikte und Verknotungen der
Handlungsstränge dadurch ersetzen, daß die Personen sich einem hem-
mungslosen Exhibitionismus hingeben, einer Maskerade, in der ge-
schlechtsspezifische Attribute und Verhaltensweisen polemisch unterlaufen werden.

    Damit ist nicht nur eine Opposition zum Hollywoodkino und seinen aus
der männlichen Perspektive erzählten Geschichten der sozialen Anpassung und Ich-Stärkung angedeutet. Es vermischen sich, typisch für eine
postmoderne Machart, die verschiedensten Interpretations- und Darstellungsformen: elitäre Kultur und Kitsch, allegorische Figuren und realisti-
sche Milieuschilderung. Ironie und schlechter Geschmack sind oft zum
Zwecke drastischer Literarisierung miteinander verknüpft. – In dieser
Hinsicht sind die Außenseiter des deutschen Films seine wichtigsten Repräsentanten: Werner Schroeter, Ulrike Ottinger und Herbert Achternbusch, Außenseiter, von denen wiederum Fassbinder, Syberberg, Herzog, Daniel Schmid und Robert van Ackeren sich das genommen haben,
was sie für ihre Filme gebrauchen konnten: insbesondere die Überzeugung, daß Gesellschaft und Sexualität nicht mehr von einem männlichen
und ödipal angelegten Konfliktmodell her betrachtet werden können.
Exhibitionismus oder Narzißmus haben demgegenüber durchaus eine
‹aufklärende› Bedeutung.

Der Neue Deutsche Film:
Faschismus, Nachkriegszeit,
Amerika als Deutschlands Ödipus?

Das Verhältnis der Väter zu den Söhnen ist in der Bundesrepublik in den letzten zwei Jahrzehnten nicht zuletzt im Kino sattsam thematisiert und problematisiert worden. Das Oberhausener Manifest war 1962 mit dem Motto «Papas Kino ist tot» populär geworden: eine Geste der Opposition, wie sie für die Ambitionen der Avantgarde typisch ist, die jedoch prompt von einer radikaleren Avantgarde (Straub, Vlado Kristl, Hellmuth Costard, ebenso von feministischen Filmemacherinnen) desavouiert wurde, nicht zuletzt wegen der ödipalen Sentimentalität, die sich hinter dem Slogan verbarg.

Ein relativ später Versuch der ‹Oberhausener Generation› (Kluge, Reitz, Schlöndorff), die politischen und sozialen Krisen der Bundesrepublik ‹ödipal› zu verstehen, ist der Film «Deutschland im Herbst», dessen dokumentarisch-diskursive Form sich durch die Fixierung auf die Autoritätskritik über das Vater-Sohn-Verhältnis mit seinem Publikum verständigt: nicht nur, um in der bürgerlichen Familie eine Erklärung für die Verbindung von Gewalt und Wohlstand zu finden, sondern auch, um ein Modell für die in der deutschen Geschichte spezifische Form von Kontinuität in der Diskontinuität, die Ungleichzeitigkeit und den Wiederholungszwang, zu erarbeiten. Doch weder die asymmetrische Gegenüberstellung zweier Trauerfeiern im selben Ort (Schleyer einerseits, Baader, Ensslin, Raspe andererseits) noch die doppelte Vater-Sohn-Achse, die die Familien Rommel und Schleyer verbindet, konnte darüber hinwegtäuschen, daß eine derartige Konstruktion der Geschichte selbst Teil einer paranoiden Gewalt ist. Imaginäre Vorstellungen, Projektionen und Bilder aus den Ereignissen um Stammheim und Mogadischu entladen sich gewaltsam in die deutsche Gegenwart und Geschichte. Rainer Werner Fassbinder hatte dies erkannt. Er verweigert dem Film, dem er den Auftakt gibt, die Legitimität, deutsche Geschichte als direkte (heterosexuelle) patriarchalische Erbfolge ironisch-pathetisch zu interpretieren. Sein Beitrag ist die bewußt unter den Zeichen des Imaginären inszenierte Kritik eines ödipal-symbolisch konzipierten (aber unbewußt eine imaginäre Familiengeschichte konstruierenden) Gegenwartsfilms.

Diese Verweigerung, die man auch in anderen Filmen Fassbinders, Schroeters und Achternbuschs findet, stellt die Frage nach der Geschichte und ihrer Darstellbarkeit. Die für die 60er Jahre einflußreichen Modelle (z. B. Foucaults geistesgeschichtliche «Episteme» oder Althussers «epistemologischer Bruch») haben immer wieder versucht, Epochen

als strikt getrennt voneinander darzustellen, indem sie auf das revolutionäre Moment hinwiesen, wo sich das Neue als ein radikal Anderes zeige.
Dagegen steht eine eher konservativ zu nennende deutsche Geschichtsschreibung, die ebenfalls dazu neigt, Epochen klar voneinander zu trennen, einen Neubeginn zu postulieren. Dies allerdings nur, um der Geschichte desto besser definitive Grenzen zu setzen: 1919 wurde Deutschland von den Sozialdemokraten vor der Revolution ‹gerettet›; 1933 ‹er-
wachte› Deutschland, um damit die ‹Systemzeit› als Alptraum hinter sich
zu lassen; 1945 sollte dann die ‹Stunde Null› dem ‹Nazi-Spuk› ein Ende
bereiten.

Psychoanalytiker wie Alexander Mitscherlich haben in einem derart
ausgeprägten Wunsch nach Abgrenzung, Ausschließung und Verneinung
die Symptome eines gestörten Narzißmus erkannt, die bekannte «Unfähigkeit zu trauern». Mitscherlich argumentiert innerhalb einer ödipalen
Konstellation, in der väterliche Autorität und Familie Analogiefunktion
zur Gesellschaft und Geschichte besitzen. Der Neue Deutsche Film hat
weder ganz die bewahrende Geste des Erinnerns (Kluge, Reitz) noch die
des radikalen Bruchs (Kristl, Straub) zum Grundgestus seines Ge-
schichtsbildes gemacht. Fassbinder, Herzog, Wenders, Schroeter und
Achternbusch ebenso wie Helma Sanders-Brahms, Helke Sander, Ulrike
Ottinger oder Jutta Brückner gehören zu den Filmemachern, die versucht
haben, das Erlebnis geschichtlicher Kontinuität und Diskontinuität in
einer Konstellation der Verweigerung darzustellen. Über das rein antino-
mische Denken (oder den Versuch, deutsche Geschichte ödipal zu verstehen) hinaus sollten Opposition, Revolte und Familie als eine Frage der
Identität und geschichtliches Wissen als Prozeß der Identifikation, aus
dem Verhältnis vom Selbst zum Anderen, konstruiert werden: als eine
zwangsläufig imaginäre Beziehung, die nur mit den Mitteln eines illusio-
nären, melodramatischen Kinos darzustellen ist. Und dieses Kino beruft
sich eben nicht auf Anfang, Ende, Ursprung und Schluß (und damit ödipal) fixierte Erzählformen, wie das beim Hollywoodkino stets der Fall ist.
Die für die westdeutsche (Film-)Geschichte wichtigste Beziehung ist deshalb neben der zum Faschismus und zur unmittelbaren Nachkriegszeit
zweifelsohne die zu den USA. Letztere scheint die symbolischen und imaginären Strukturen von Konflikt und Kontinuität, Ablehnung und Nach-
folge sowohl im geschichtlichen wie im psychischen Bereich geprägt und
stabilisiert zu haben. Ein Blick auf die Belletristik zum Thema Amerika –
Wolfgang Koeppen, Max Frisch, Peter Handke – könnte zeigen, wie zwei
immer wiederkehrende Motive – das des Vater-Sohn-Verhältnisses und
die Vorstellung von Amerika als dem ganz Anderen – eine besondere
imaginäre Wirksamkeit entfaltet haben.

Daß Amerika für ein spezifisch deutsches Imaginäres eine eigenartig
verschoben wie auch spiegelbildlich verkehrte Funktion hat, wird im

Neuen Deutschen Film vielleicht noch deutlicher als in der Nachkriegsliteratur. Bei Herzog, Fassbinder, Syberberg oder Wenders findet man die Ambivalenzen dieser Konstellation auf verschiedene Weise wieder. Für das Verhältnis der Bundesrepublik zu den USA kann sicher nicht einfach eine Dialektik von Vater/Sohn, von Kolonisator/Kolonisiertem angenommen werden, eher ein semiologisches Verhältnis von konträr und komplementär: Amerika impliziert westdeutsche Geschichte, westdeutsche Geschichte impliziert Faschismus, Faschismus impliziert die deutsche Familie, die deutsche Familie impliziert Kinosucht, Kinosucht impliziert Hollywood, Hollywood impliziert ‹Amerika›, während gleichzeitig alle diese Kategorien als Antipoden aufgefaßt werden können ... Als Bild und Vorstellung wird so die ‹Außenwelt› zur ‹Innenwelt› zur ‹Außenwelt›: Während die Helden in Wenders' Film «Im Lauf der Zeit» sich in einem verlassenen US-Armeeposten an der DDR-Grenze betrinken, stellen sie fest, daß «die Amis unser Unterbewußtes kolonisiert (haben)», und dies genau zu dem Zeitpunkt, als ein Blick hinüber zu den Wachtürmen sie an die historischen Ereignisse erinnert, derentwegen die Amis überhaupt gekommen waren. Sie sind aber auch an dem Punkt ihrer Freundschaft angekommen, wo die Angst vor intimem Kontakt sie davor zurückschrecken läßt, ihre separate und sexuelle Identität in Frage zu stellen. Als politisch-ökonomische Abhängigkeit läßt sich das Verhältnis zu Amerika denn auch für den Neuen Deutschen Film nicht mehr adäquat formulieren, eher schon als eine durch Selbstbild und Spiegelbild sowohl positiv wie negativ besetzte Identifikationsfigur.

Der Doppelgänger: Parano oder Schizo?

So ergibt sich für das amerikanische Kino und den Neuen Deutschen Film eine Konfiguration, die entweder metaphorisch als psychologische Umdeutung ökonomischer Machtbeziehungen verstanden werden kann oder als ein für das Imaginäre typisches Projektionsmuster: Das ödipale Verhältnis der Rivalität artikuliert sich als freundlich-feindliche Doppelgängerschaft. Daß sich daraus andere Subjektpositionen ergeben, stellt sich in den Filmen von Wim Wenders exemplarisch dar. Seine Filme sind fast alle Versuche, der ödipalen Konstellation sowohl in der autoritären als auch der antiautoritären Form zu entkommen. Die narrative Struktur weist ebenso wie die Konzeption der Handlungsträger auf ein Identifikationspotential, das zwischen (narzißtisch) paranoiden und (postmodern) schizoiden Tendenzen innerhalb der gleichen Verweigerungsposition changiert, je nachdem wie sich in der Geschichte die Figur des ‹Anderen› zu erkennen gibt. Auch ohne Rekurs auf seine Biographie und seine Er-

fahrung mit amerikanischen Filmproduzenten können Wenders' Filme
«Alice in den Städten» (1973), «Der Amerikanische Freund» (1977) und
«Paris Texas» (1984) als drei Versuche gelten, über den Signifikanten
‹Amerika› als das schlechthin ‹Andere› neue Möglichkeiten imaginärer
Identität im Kino aufzuzeigen.

Schon in Wenders' Handke-Verfilmung «Die Angst des Tormanns beim
Elfmeter» (1971) ist die Position des Helden nicht mehr in einem Subjekt-
Objekt-Verhältnis zur Umwelt zu begreifen. Josef Bloch ist als Tormann
sowohl Spieler als auch Zuschauer. Nachdem er vom Spielfeld verwiesen
wurde, ist es sein Hauptproblem, wie er Spieler und gleichzeitig Zuschauer
sein kann oder – in einer an Hitchcock erinnernden Version, die auf den
«Amerikanischen Freund» zutrifft: Was tut ein Zuschauer, wenn er plötzlich zum Spieler wird? Blochs anscheinend unmotiviertes, zielloses Wan-
dern durch den Film verfolgt eigentlich ein sehr präzises Ziel, dem alle
Wenders-Helden nachhängen: sich in eine Position zu bringen, von der aus
sie sich selbst zuschauen können. Anders gesagt: Sie wollen den Platz eines
Anderen einnehmen, um von dort aus sich selbst als kontemplatives Objekt zu besitzen. Damit ist sowohl die narzißtische Komponente als auch
die potentiell schizoide Auswirkung einer solchen introspektiv-projekti-
ven Identifikationsstruktur angedeutet. Es sind dies Geschichten, in denen
die Helden im Anderen nur sich selbst wiederfinden, in einer verfremdeten
Form, die das Abenteuer ausmacht. Eben dies versetzt sie in die Lage, ganz
abstrakt eine dem Filmzuschauer entsprechende Ambivalenz durchzu-
spielen. Und diese Ambivalenz erweist sich für das Problem der filmischen
Subjektposition schlechthin als prototypisch – als signifikant für eine postmoderne Sichtweise überhaupt. Moralisiert man über Wenders' Filme, so
sieht man nichts weiter als den grenzenlosen männlichen Narzißmus. Setzt
man sich dagegen ihrer Faszination aus, so werden sie zu ziemlich genau
registrierenden Meta-Erlebnissen des gegenwärtigen, von den Medien geprägten Bewußtseins. Wenders' Filme liefern Beiträge und gleichzeitig
kritische Kommentare zu einer (Film-)Geschichte des Imaginären.

In Wenders' Geschichten[22] fehlt offensichtlich eine Motivation für die
Handlungen des Helden, was wiederum mit der Tatsache zu tun hat, daß
Frauen in diesen Filmen selten (wenn überhaupt) das sind, was sie im
amerikanischen Kino sonst immer waren: Konfliktstoff für ödipale Dra-
men, Preis des Siegers oder Wunschobjekt des Helden. Wo eine Frau zur
Handlung gehört wie im «Amerikanischen Freund», unterstreicht ihr Da-
beisein doch nur ihre Funktionslosigkeit für die Geschichte. Wo ihre Abwesenheit sozusagen die Geschichte bestimmt – in «Alice in den Städten»
sind es Mutter und Großmutter, in «Im Lauf der Zeit» die Frau von Robert –, ist die Sorge um sie nur der Vorwand dafür, daß etwas geschieht:
«Wenn Männer unterwegs sind, kommt etwas ins Rollen», hieß es provo-
kant-ironisch auf dem Verleihplakat von «Im Lauf der Zeit».

Die Ausgangsposition ist immer dieselbe: Ein Mann hat sich verloren. Die Wüste um Devil's Graveyard in Texas ist auch nicht viel leerer als der Boardwalk in «Alice» oder das Elbeufer in «Im Lauf der Zeit». Es sind dies stets, wie bei Werner Herzog, Kaspar-Hauser-Geschichten: Die Sprachlosigkeit ist Zeichen der gestörten Kommunikation, der Selbstaufgabe und der Weigerung, im Symbolischen eine Position zu beziehen. Sobald über Bilder, Musik aus der Jukebox, Spielzeug, Hot dogs, Fotos oder Kino (und sei es Heimkino wie in «Paris Texas») eine Kontaktaufnahme erfolgt, also die Verständigung sich des Imaginären bedient, entstehen sofort Beziehungen, die vor allem Spiegelfunktion besitzen und eben dadurch Subjektivität in Umlauf bringen.

In Wenders' Filmen kann man die verschiedenen Stadien von Zerfall und Transformation des antiautoritären Ich verfolgen. Das Dilemma für Philip in «Alice in den Städten» ist nicht nur, daß er Amerika als ein Land erfährt, wo immer jemand auf ihn einspricht: im Fernsehen, auf den Leuchtreklamen der Häuser, in den Lobbies der Motels. Philips eigener kritischer Gegendiskurs erscheint ihm in dem Maße als arrogant, lustlos und melancholisch, wie sich der offizielle Diskurs ihm als persönlich, optimistisch und direkt darstellt. Das Fernsehen läßt ihn nicht Zuschauer sein: Er will weder Position beziehen, noch erträgt er es, daß ein Anderer durch ihn Position bezieht. Immer nur «willst du dich ... vergewissern, daß du noch lebst», sagt seine Freundin, als er gerade Musik hört und mit der Polaroid-Kamera Bilder knipst: Seine Versuche, der eigene Doppelgänger zu sein. Und so schreibt er auch nur vor dem Spiegel oder vor dem Fernsehgerät.

Was Philip mit diesem unheimlichen Anderen, mit Amerika, das sich weigert, zum Bild zu werden oder im Schreiben Gestalt anzunehmen, versöhnt, ist das kleine Mädchen. Alice erlebt Amerika nicht nur als reine Identifikationsfläche. Für sie sind eine Mickey-Mouse-Uhr, ein in Cellophan eingepacktes Sandwich und ein Plastikradio schon längst zur zweiten Natur geworden, und sie genießt die Warenwelt als Idylle, ohne Schuldgefühl, ohne Anstrengung, sich kritisch davon absetzen zu müssen. So kann sie für Philip auch den Wunsch nach Rückkehr darstellen. Es entsteht ein Bild seiner selbst: wie er einmal war/wie er wieder werden will/wie er gern gewesen wäre. Zuschauen und Mitspielen entsprechen einander; sie sind Komponenten einer Identifikation, die bewußt auf Identität verzichtet und sich damit lieber im ‹falschen› Imaginären der Verdoppelung und Spiegelung einrichtet, als etwa Position zu beziehen.

«Der Amerikanische Freund» folgt einem ähnlichen Schema, wobei hier Amerika noch schroffer unter zwei getrennten und doch komplementären Aspekten gesehen wird. Da ist zunächst das Amerika des *big business*, der Ausbeutung, der Machtkämpfe und Mafiosi, der labyrinthisch-verschlungenen internationalen Verschwörungen des Kapitals und der politischen wie der sexuellen Pornographie. Dem entspricht eine paranoide Subjektposition: die des Thrillers, des Verfolgungswahns, der existentiellen Angst, von der im Film soviel die Rede ist. Jedoch mitten in dieser Welt erscheint ein anderes Amerika, symbolisiert durch Ripleys Freundschaft. Sie unterbricht das Räderwerk der Intrigen, das die Geschichte vorwärtstreibt, als retardierendes, spielerisches Moment: Es erscheint eine Welt der Gleichheit, der Kommunikation nicht durchs große Geld, sondern durch kleine Geschenke (die im Falle Ripleys und Jonathans übrigens alle mit visueller Reproduzierbarkeit zu tun haben), eine Welt des Austauschs und der Disponibilität für den anderen. Es ist dies eine Freundschaft, die direkt aus der Anonymität kommt und nichts anderes verlangt, als an der Oberfläche bleiben zu können. Es entsteht keine Tiefe der Beziehung, der Geschichte oder der Gefühle. Ripley ist der große Bruder, den man sich schon immer gewünscht hat. Die Frauen sind einmal mehr ausgeschlossen. Dies zeigt, daß es in diesen Metaphern um ein Kinoerlebnis des narzißtischen Vergnügens geht. Abgehandelt werden vor-ödipale Bindungen, gezeichnet von der archaischen Ambivalenz des Doppelgängermotivs. Ripley ist Jonathans wohlwollender Freund und Schutzengel, aber auch sein Vampir und Todesengel.

In diesem Spannungsfeld ist das Kino, gerade weil es das Verhältnis Amerika/Europa nicht nur als reine Antinomie, sondern als Spiegelungsprozeß sehen kann, der Ort, an dem das Identitäts(denken) sich auflöst in Identifikationsstrukturen und Subjektpositionen. Deren Umkehrbarkeit und Austauschbarkeit über Bilder und Zeichen trägt dem Rechnung, was im Kapitalismus der Nivellierung der Werte, des Wissens und der Einebnung menschlicher Bindungen unter dem Gesetz der Warenzirkulation entspricht. Da das ‹neue›, spätkapitalistische System sich in Netzen und Schaltstellen neuer Intensitäten und Strömungen manifestiert und uns die Politik als permanente Inszenierung großangelegter Medienereignisse vorführt, reagiert eben darauf die postmoderne Kunst und Massenkultur derart, daß alle Ausdrucksformen und Stile als reine Zeichen in Umlauf gesetzt werden und gerade in ihrer Nivellierung ein befreiendes, produktives Moment gesehen wird. Diese Haltung hat Fredric Jameson als das «neue Erhabene» (the new sublime) bezeichnet, ein Neutralisierungsvorgang, in dem jegliches ironische Gefälle zugunsten einer unsichtbaren Verdoppelung aufgehoben ist: «Dies ist der Moment, an dem das Pastiche erscheint und die Parodie unmöglich wird. Pastiche ist wie Parodie, die Imitation eines spezifischen und einmaligen Stils, das Tragen eines Stils als Maske, Sprechen in einer toten Sprache. Aber es ist eine neutrale Anwendung solcher Mimikry, ohne das übergreifende Moment der Parodie, ohne den Impuls der Satire, ohne das noch latent bestehende Gefühl, daß eine Norm, ein Normalzustand existiert, im Vergleich zu dem das Imitierte komisch wirkt. Pastiche ist ‹weiße Ironie›.» [23]

Aus seiner historischen Situation als ursprünglicher Teil einer breitangelegten sozialen Protestbewegung hat der Neue Deutsche Film von dieser den antiautoritären Impuls in seine Geschichten übernommen. Im Unterschied allerdings zur aufklärerischen Literatur und zur politischen Theorie hat sich im Kino dieser Impuls als ambivalente Relativierung gerade der aufklärerischen Positionen erwiesen. Das ‹alte›, ödipal-rebellische, antiautoritäre Ich konnte sich durch die Kraft der Negation behaupten, es bezog die Stärke seiner Position aus einer Gegenposition. Wie nun aber verhält sich das Subjekt ‹danach›, im ästhetischen Zustand der flachen, perspektivelosen Verdoppelung und Imitation? Die sogenannte Tendenzwende, das Umschlagen von Rebellion in Melancholie, könnte auch als Entgrenzung der absoluten Gegensätze gelesen werden, als Abbau der ödipalen zugunsten der narzißtischen Subjektpositionen, die in diesem Zusammenhang nicht als Regression erscheinen, sondern als Alternativmodell konfliktfreier Differenzierungen dadurch, daß sie der kapitalistischen Reversibilität mit einer psychischen Enthierarchisierung und Reversibilität nicht als Mimesis, sondern als Mimikry antworten.

Der Topos des verlorenen Sohns in den neuen Filmen ist für diese Konstellation besonders aufschlußreich. Er verbindet das ‹neue› Hollywood mit dem Neuen Deutschen Film. Wenders' «Paris Texas» versucht, dieses Problem nicht aus der ödipalen, sondern in einer ‹Schizo›-Ausgangsperspektive zu verfolgen. Zum einen dreht Wenders die Situation um, indem anscheinend nicht der Sohn den Vater, sondern der Vater den Sohn oder – zumindest auf der Oberfläche der Geschichte – der Vater den Sohn sucht, um mit ihm die Mutter zu finden. Diese Rettungsaktion um jemanden, der gar nicht gerettet werden will, hat Anklänge an mehrere Hollywoodfilme der letzten Jahre (Coppolas «Apocalypse Now», Scorseses «Taxi Driver», Schraders «Hard Core», Ciminos «The Deerhunter»), die sich wiederum eng an den Archetyp dieses Genres anlehnen: John Fords «The Searchers» (1956), ein Kult- und Schlüsselfilm für die 70er Jahre.

Wim Wenders interessiert sich für eine differenziertere Darstellung der in diesen Strukturen enthaltenen Ambivalenzen. In den amerikanischen Filmen steht das gewalttätige, hysterische Moment im Vordergrund (die Väter und Söhne versichern sich ihrer ödipalen Identität auf Kosten der zu rettenden Frau). Bei Wenders begegnen wir Travis zu Beginn als Schizo-Typ, der Sprache nicht mächtig, aus jeglichen Symbolisierungssystemen und Signifikantenketten herausgefallen. Die Symptome sind wichtig. Es muß auf der Fahrt zurück nach Los Angeles genau *derselbe* Leihwagen sein. Was so vermieden wird, ist die Substitution von der Sache auf den Begriff, wie Sozialisierung und Sprache es verlangen; gemieden wird die Austauschbarkeit der Transportmittel, Waren und Werte, wie es die symbolischen Codes des Kapitalismus verlangen. Die Realität der Zeichen hat das Bezeichnete *sichtbar* überwältigt. Dagegen steht das

Motiv des Tauschs der Stiefel: ein Imitieren des Sohnes auf dem Schulweg, dann die Probe der Vaterrolle vor dem Spiegel und vor einer Ersatzmutter. Man kann hierin eine Umkehrung der Lacanschen Spiegelphase sehen, die Rücknahme des damit verbundenen Eintritts in die symbolische Ordnung. Travis will Vater ‹spielen›, diese Identität aber nur als Möglichkeit, als Maskerade annehmen und nur zu dem Zweck, daß sein Sohn ihn als imaginären Vater wiedererkennt. Anders gesagt: Die als Trauma erlebte und nicht mehr vor- oder darstellbare Familie (als Zeichen des gestörten Verhältnisses des Subjekts zur Erinnerung, Geschichte und Sprache) versucht Travis ‹rückwärts› zu rekonstituieren über das Ausspielen der in der Familiensituation latent immer vorhandenen Projektions- und Identifikationsmuster. Raum und Zeit, die Frage ‹Wer bin ich? Woher komme ich?›, diese für das Subjekt und seine Geschichte stets wichtige Realität wird im Film in alte Fotos aufgelöst, in mehrdeutige Signifikanten (Paris, Texas), in pure Zeichen transformiert. Die Landschaft, die Gebäude, alles, was Travis und Hunter auf ihrer Reise tragen, essen, reden, sehen: nichts als Abziehbilder anderer Kontexte (der Neon-Cowboy, die gemalte Freiheitsstatue, Travis' Pick-up Truck), und der Film präsentiert sie ohne Ironie, ohne kritische Pointe, wie selbstverständlich, wie Natur. Eine ‹zweite›, ‹dritte› Natur?

Die Faszination an Amerika als Bilderwelt und die Faszination an den Geschichten als Spiegel haben ihren gemeinsamen Nenner in der Transposition und Einkleidung dieser Bilder und Geschichten in die Mittel ihrer mechanischen Reproduktion, in die ‹Apparate›, die ihnen Leben geben. Diese sind wiederum assoziiert – im Kino der ‹special effects› ebenso wie bei Wenders – mit einer ‹neuen› Unmittelbarkeit und einer ‹neuen› Art der Primärbefriedigung: die Unschuld, die für Wenders und seine Generation immer schon das Amerikamotiv mit dem Kindheitsmotiv verbunden hat. Denn Amerika hat nicht so sehr das Unterbewußte kolonisiert als die Erfahrung von Kindheit: Wrigley's Chewing Gum und Disney-Comics, samstägliche Nachmittagsvorstellungen im Kino und Rock 'n' Roll im AFN. Solche deutschen Erfahrungen von Amerika gehen zusammen mit der Jukebox, den Flippern und den Münzautomaten, den Kinosälen und den HiFi-Geräten: technische Fetisch-Objekte, die Lust und Befriedigung metonymisch darstellen, so etwas wie Sehnsucht rein metonymisch wachrufen.

In dieser Hinsicht nun ist Amerika weder Sohn noch Vater, sondern durch seine Massenkultur der Inbegriff des Mütterlichen. Amerika ist das immer schon gekannte Glücksgefühl, aufbewahrt in seinen Filmbildern, seiner Zeichensprache, deren Wirksamkeit durch die Mittel der Wiederholbarkeit weiterlebt. Von ihnen muß man sich (im Gegensatz zur Mutter) als Kinosüchtiger nie mehr trennen. Kein Wunder, daß Sexualität in den cinephilen Filmen Hollywoods und im Neuen Deutschen Film so stark verbunden ist mit der Technologie der Simulation wie auch den phantasmatischen Bildern des Weiblichen. In der Welt des Neuen Films gehören Frauen, Kinos, Flippermaschinen, Riesenplakate und Reklame immer noch zusammen. Und Wenders macht sich die Mühe, dies direkt darzustellen. In mindestens dreien seiner Filme spielen Frauen als Platzanweiserinnen (!) eine wichtige Rolle. In «Paris Texas» existiert die weibliche Figur Jane nur als Bild. Bezeichnenderweise erscheint sie in einem besonders raffinierten Simulakrum des Kinos. Gefangen in der Glasbox der Peepshow, kann ihr Blick den unseren nicht erwidern, und ihre Stimme erzählt Geschichten, die man schon immer hat hören wollen, oder sie hört Geschichten zu, die man ihr schon immer hat erzählen wollen, ohne daß sie je aus dem vom männlichen Subjekt gesteckten Rahmen tritt. Das erotische Objekt ist deshalb nicht die Frau, sondern der durch Zeichen, Bilder und Blicke erotisierte Körper allgemein: erotisiert durch einen Akt der pseudofilmischen Darstellung innerhalb des Films selbst.

Wenders wollte angeblich mit «Paris Texas» seinen Kritikern beweisen, daß er sehr wohl Geschichten mit Frauen erzählen kann. Sie fehlen in seiner Welt, denn Frauen bringen Konflikt, Rivalität, Aggression und Angst. Sie brechen das Tabu der Neutralität: In ihrer Gegenwart kann es nicht nur ‹cool› zugehen. Seine ‹Lösung› in «Paris Texas» ist eine Geschichte, in der die Protagonisten sich gegenseitig zu bloßen Zeichen machen, sich entrealisieren und zu Figuren ihrer Ängste und Wünsche werden. Die Zeichen wiederum werden nun zu Geschichten, die es den Personen erlauben, Nähe und Distanz zu ihrem Leben zu gewinnen, das Schizo-Gefühl des Eindringens und der Überwältigung zu regulieren wie Travis und Jane durch die Glaswand und das Telefon im Keyhole Club. Die Familie wird endgültig zur Fiktion, zur (sentimentalen) Utopie; denn worauf es ankommt, ist weniger deren ‹reale› Existenz als die Möglichkeiten der gegenseitigen Projektion: Wo Menschen nicht mehr miteinander leben können, können sie sich als Phantasieobjekte konstituieren. Am Ende ist Hunter mit seiner Mutter vereint unter dem wohlwollenden und nicht mehr rivalisierend-ödipalen Blick des Vaters. Janes Trauma, als Mutter versagt zu haben, ist damit überwunden. Und wie alle Wenders-Helden hat es Travis geschafft, seinem eigenen jüngeren Selbst den Platz zuzuweisen, von dem aus er sich selbst zuschauen kann. Da er sich zum Spiegelbild seines Sohnes gemacht hat, kann er nun als Sohn mit seiner Frau vereint sein, und somit ist er gleichzeitig sein eigener Vater und Sohn, während Jane ihm Frau und Mutter ist ... Dargestellt ist diese Versöhnung als Kinophantasie, nicht nur durch die Themen und Topoi, die Wenders aus den ‹neuen› Hollywoodfilmen anklingen läßt. Indem er sein Leben zur Fiktion macht, tritt der Held aus der Fiktion zum Zuschauer.

In «Paris Texas» wird die Beziehung zu Amerika als dem schlechthin Anderen synonym mit der Suche nach dem ursprünglichen Glück, ebenso mit der Möglichkeit, sich durch die Technologie des Sehens und Hörens doch noch einer Identität zu vergewissern, selbst wenn diese auf Trennung und Distanz beruht und damit imaginär bleibt. ‹Postmodern› an Wenders' Film ist eine Art der Verflechtung bis zur Nivellierung, die Parataktik zweier Ebenen: der linear-narrativen (die Suche nach dem Sohn und der Frau) und der traumato-regressiven, in der die Technologie die Zeit zum Raum macht und damit ‹Erinnerung› sich nur noch im Schizo-Modus des unvermittelten Nebeneinander artikuliert. Das Wiederauftauchen ödipaler Märchen im kommerziellen Film kommentiert Wenders damit, daß auch er Technologiefetische, Phantasien und kindlichen Narzißmus als Subjektpositionen dem Zuschauer anbietet. Deren Mechanismen und Motive nimmt er wieder in die Fiktion selbst hinein. Andererseits dient in «Paris Texas» das ödipale Drama dazu, das Verhältnis Amerika/Europa noch einmal zu vergegenwärtigen. Genauer gesagt: Die Unmöglichkeit, dieses Verhältnis darzustellen, dient als Metapher für die Unmöglichkeit, Raum und Zeit zu *repräsentieren*, ohne die *eine* Dimension als Funktion der *anderen* und beide als Funktionen des Kapitals zu sehen. Damit geht dem Subjekt die Dimension der Erfahrung als solcher verloren; die Austauschbarkeit der Zeichen produziert statt dessen Subjekt-Effekte. Vielleicht läßt sich aus einer postmodernen Kinoperspektive sagen (und hoffen?), daß der Kapitalismus immer mehr in Konflikt gerät mit seinem ältesten Verbündeten: dem Patriarchat. Die postmodernen Artikulationen des Subjekts und seine Identifikationen – wie sie sich im amerikanischen ebenso wie im deutschen Film manifestieren – sind Teil eines historischen Umschichtungsprozesses. Während jedoch das Hollywoodkino darauf reagiert, indem es seinen ödipalen Geschichten die narzißtische Verkleidung eines Pastiche gibt, hat Wenders diese Problematik radikalisiert und den Grenzbereich zwischen narzißtischen und Schizo-Positionen betreten. Damit wird in gewisser Weise der multinationale Kapitalismus zum wie eh und je «unübersteigbaren Horizont»[24] des Subjekts im postmodernen Zeitalter. Während europäische Intellektuelle zur Verifizierung ihrer ästhetisch-kulturtheoretischen Erkenntnisse zum Thema ‹postindustrielle Gesellschaft› nach Amerika schauen, versuchen amerikanische Intellektuelle, ihre eigenen Befürchtungen zum amerikanischen Kapitalismus und seiner Kolonisierung der noch nicht erfaßten Gesellschaften und Gesellschaftsbereiche an einem Bild zu spiegeln, das die Europäer aus ihrer geschichtlichen Situation wiederum auf Amerika projizieren. Amerika erfährt seine eigene Gesellschaft als ‹natürlich› und als ‹global›. Dem entspricht das europäische Gefühl des Unterschieds, von Amerikas ‹Anderssein›, was nun wiederum Amerikanern erlaubt, sich selbst über das Selbstverständnis kultureller europäischer Eigenständigkeit als ‹anders› zu erfahren. Amerika als das ‹Andere› wird Europa in einer zeitlichen wie auch geographischen Verschiebung zum Spiegel. Die postmoderne Theoriebildung könnte es sich vornehmen, diese kulturellen Spiegelreflexe und Wechselwirkungen im Zeichen der US-amerikanischen Dominanz auf den Begriff zu bringen. Der postmoderne Film liefert dazu die Bilder, Töne und Geschichten.

Anmerkungen

1 Cahiers du Cinema. Jean Luc Godard par Jean Luc Godard. Paris 1968, S. 398.

2 Vgl. z. B.: New Hollywood. Mit Beiträgen von Hans C. Blumenberg u. a. München 1968 (Reihe Hanser Film, Bd. 10).

3 Vgl. hierzu: Birgit Hein/Wulf Herzogenrath (Hg.): Film als Film. Kölnischer Kunstverein o. J. (1977); Peter Gidal (Hg.): Structural Film Anthology. London 1976.

4 Michael O'Pray: Framing Snow. In: Afterimage 11 (Winter 1982/83), S. 51–65; Jean François Lyotard: The Unconscious as Mise-en-Scene. In: Michael Benamou/Charles Carmello (Hg.): Performance in Post-Modernist Culture. Madison (Wisc.) 1977.

5 Wim Wenders: keine experimente. In: Film Nr. 2 (1968).

6 Vgl. hierzu: P. Adam Sitney: Visionary Film. The American Avant-Garde. New York 1974.

7 Peter Wollen: The Two Avantgardes. In: Wollen: Readings and Writings. Semiotic Counter-Strategies. London 1982, S. 92–104.

8 Dana Polan: Brecht and the Politics of Self-Reflexive Cinema. In: Jump Cut 17 (April 1978); Sylvia Harvey: A Brecht for the Eighties? In: Screen (May/June 1982).

9 Vgl. Peter Wollen: Countercinema and ‹Vent d'Est›. In: Afterimage 4 (Autumn 1972), S. 6–16.

10 Vgl. hierzu z. B. Michael Rutschky: Erfahrungshunger. Köln 1980.

11 Hierzu Fredric Jameson: Imaginary and Symbolic in Lacan. In: Yale French Studies 55/56 (1977/78), S. 338–395.

12 Hierzu Jacques Lacan: L'instance de la lettre dans l'inconscient. In: Lacan: Ecrits I. Paris 1966, S. 249–289.

13 Vgl. Samuel B. Weber: Rückkehr zu Freud. Frankfurt/Berlin/Wien 1978.

14 Octave Mannoni: Je sais bien, mais quand même. In: Mannoni: Clefs pour un l'imaginaire ou l'autre scène. Paris 1969, S. 9–33.

15 Laura Mulvey: Visuelle Lust und narratives Kino. In: Gislind Nabakowski/Helke Sander/Peter Gorsen (Hg.): Frauen in der Kunst. Bd. 1. Frankfurt/M. 1980, S. 30–46.

16 Raymond Bellour: L'Analyse du film. Paris 1979; Stephen Heath: Questions of Cinema. London 1981; Christian Metz: The Imaginary Signifier. Bloomington 1982; Colin McCabe: Principles of Realism and Pleasure. In: Screen (Autumn 1976), S. 7–27; Jacqueline Rose: Paranoia and the Film System. In: Screen (Winter 1976/77), S. 85–104.

17 Constance Penley: The Avantgarde and Its Imaginary. In: Camera Obscura 2 (Fall 1977), S. 5–12.

18 Fredric Jameson: Imaginary and Symbolic, S. 350.

19 Fredric Jameson: Imaginary and Symbolic, S. 380.

20 Vgl. hierzu Steve Neale: Hollywood Strikes Back – Special Effects in Recent American Cinema. In: Screen 21, 3 (1980), S. 101–105.

21 Jean Baudrillard: The Ecstasy of Communication. In: Hal Foster (Hg.): The Anti-Aesthetic. Port Townsend 1983, S. 132.

22 Vgl. die Darstellung von Jan Dawson: Wim Wenders, New York 1976, S. 7.

23 Fredric Jameson: Postmodernism and Consumer Society. In: The Anti-Aesthetic, S. 114. Vgl. auch Jamesons Beitrag in diesem Band, oben S. 45 ff.

24 So Fredric Jameson: The Political Unconscious. Ithaca and London 1981, S. 102.

Literaturverzeichnis

(zusammengestellt von *Erhard Mindermann*
und *Wolfgang Rühle*)

In das Verzeichnis aufgenommen wurde die wichtigste der *in den Beiträgen zitierten Literatur* sowie eine umfangreiche und doch vorläufige Auswahl von Titeln zu den Stichwörtern «Moderne», «Avantgarde», «Postmoderne» und «Poststrukturalismus» in den verschiedenen Künsten und gesellschaftlichen Diskursen, in Kultur- und Gesellschaftstheorie.

Adorno, Theodor W./Horkheimer, Max: Die Dialektik der Aufklärung. In: Adorno: Gesammelte Schriften, Bd 3. Frankfurt/M. 1981.

–: Negative Dialektik. In: Gesammelte Schriften, Bd 6. Frankfurt/M. 1973, S. 7–412.

–: Ästhetische Theorie. In: Gesammelte Schriften, Bd 7. Frankfurt/M. 1970.

–: Philosophie der neuen Musik. In: Gesammelte Schriften, Bd 12. Frankfurt/M. 1975.

Alpert, Barry: Post-Modern Oral Poetry: Buckminster Fuller, John Cage and David Antin. In: Boundary 2, 3,3 (1975), S. 665–681.

Althusser, Louis: Freud und Lacan. Berlin 1976 (zuerst in: La Nouvelle Critique, 161/162, 1964/65).

–: Idéologie et appareils idéologiques d'Etat. Paris 1976 (dt: Ideologie und ideologische Staatsapparate. Hamburg/Berlin 1977).

–: Das ‹Piccolo Teatro›, Bertalozzi und Brecht. Bemerkungen über materialistisches Theater. In: alternative 137 (1981), S. 63–86.

Altieri, Charles: From Symbolist Thought to Immanence. The Ground of Postmodern American Poetics. In: Boundary 2, 1,3 (1973), S. 605–641.

Anderson, Perry: Modernity and Revolution. In: New Left Review 144 (March/April 1984), S. 96–113.

Arac, Jonathan (Hg.): Engagements: Postmodernism, Marxism, Politics. A Boundary 2 Symposium. Binghampton (N. Y.) 1982.

Arendt, Hannah: The Human Condition. Chicago [8]1973 (dt: Vita Activa. Stuttgart 1960).

Aronowitz, Stanley: The Crisis in Historical Materialism. Brooklyn (N. Y.) 1981.

Bahr, Hans-Dieter: Sätze ins Nichts. Versuch über den Schrecken. Tübingen 1985.

Balbus, Isaac D.: Marxism and Domination. Princeton 1982.

Barck, Karlheinz/Schlenstedt, Dieter/Thierse, Wolfgang: Künstlerische Avantgarde. Annäherungen an ein unabgeschlossenes Kapitel. Berlin (DDR) 1979.

Barthes, Roland: Le degré zéro de l'écriture. Paris 1953 (dt: Am Nullpunkt der Literatur. Frankfurt/M. 1982).

–: Mythologies. Paris 1957 (dt: Mythen des Alltags. Frankfurt/M. 1974).

–: Critique et vérité. Paris 1966 (dt: Kritik und Wahrheit. Frankfurt/M. 1967).

–: Le Plaisir du Texte. Paris 1973 (dt: Die Lust am Text. Frankfurt/M. 1974).

–: S/Z. Paris 1970 (dt: S/Z. Frankfurt/M. 1976).

Bathrick, David: Marxism and Modernism. In: New German Critique 33 (1984), S. 207–217.

Battcock, Gregory (Hg.): Idea Art – A Critical Anthology. New York 1973.

Baudrillard, Jean: L'échange symbolique et la mort. Paris 1976 (dt: Der symbolische Tausch und der Tod. München 1982).

–: Kool Killer oder Der Aufstand der Zeichen. Berlin 1977.

–: Agonie des Realen. Berlin 1978.

–: Les stratégies fatales. Paris 1983 (dt: Die fatalen Strategien. München 1985).

–: Laßt euch nicht verführen! Berlin 1983.

Beaucamp, Eduard: Gibt es eine authentische Gegenwartskunst? In: Heinrich Klotz (Hg.): Kunst und Gesellschaft. Grenzen der Kunst. Frankfurt/M. 1981, S. 101–110.

Bell, Daniel: The Coming of Post-Industrial Society. A Venture in Social Forecasting. New York 1973 (dt: Die nachindustrielle Gesellschaft. Frankfurt/New York 1975).

–: The Cultural Contradictions of Capitalism. New York 1976 (dt: Die Zukunft der westlichen Welt. Kultur und Technologie im Widerstreit. Frankfurt/M. 1976).

–: Beyond modernism, Beyond Self. In: Quentin Anderson u. a. (Hg.): Art, Politics and Will. Essays in Honor of Lionel Trilling. New York 1977, S. 213–253.

Bellour, Raymond: L'Analyse du Film. Paris 1979.

Benamou, Michel/Caramello, Charles (Hg.): Performance in Postmodern Culture. Madison (Wisconsin) 1977.

Benhabib, Seyla: Die Moderne und die Aporien der Kritischen Theorie. In: Wolfgang Bouß/Axel Honneth (Hg.): Sozialforschung als Kritik. Frankfurt/M. 1982, S. 127–175.

Benjamin, Walter: Das Kunstwerk im Zeitalter seiner technischen Reproduzierbarkeit. In: Gesammelte Schriften, Bd I, 2. Frankfurt/M. 1974, S. 435–508 (zwei Fassungen).

–: Über den Begriff der Geschichte. In: Gesammelte Schriften, Bd I, 2. Frankfurt/M. 1974, S. 691–704.

–: Der Sürrealismus. Die letzte Momentaufnahme der europäischen Intelligenz. In: Gesammelte Schriften, Bd II, 1. Frankfurt/M. 1977, S. 295–310.

–: Das Passagen-Werk. In: Gesammelte Schriften, Bd V, 1/2. Frankfurt/M. 1982.

Bergfleth, Gerd: Zur Kritik der palavernden Aufklärung. München 1984.

Berman, Marshall: All That Is Solid Melts Into Air: The Experience of Modernity. New York 1982.

Berman, Russel A.: Modern Art and Desublimation. In: Telos 62 (1984/85), S. 31–57.

Bernstein, R. J.: The Restructuring of Social and Political Theory. Philadelphia 1976.

Blau, Herbert: Blooded Thought: Occasions of Theatre. New York 1982.

Boehncke, Heiner/Stollmann, Rainer/Vinnai, Gerhard: Weltuntergänge. Reinbek bei Hamburg 1984.

Bohrer, Karl Heinz: Plötzlichkeit. Zum Augenblick des ästhetischen Scheins. Frankfurt/M. 1981.

– (Hg.): Mythos und Moderne. Begriff und Bild einer Rekonstruktion. Frankfurt/M. 1983.

Böhme, Hartmut/Böhme, Gernot: Das Andere der Vernunft. Frankfurt/M. 1985.

Böhringer, Hannes: Die Ruine in der Posthistoire. In: Merkur 406 (1982), S. 367–375.

Bourdieu, Pierre: La distinction. Critique sociale du jugement. Paris 1979 (dt: Die feinen Unterschiede. Kritik der gesellschaftlichen Urteilskraft. Frankfurt/M. 1982).

Brenkman, John: Theses on Cultural Marxism. In: Social Text 7 (Spring and Summer 1983), S. 19–33.

Buchloh, Benjamin: Allegorical Procedures: Appropriation and Montage in Contemporary Art. In: Artforum 21, 1 (1982), S. 43–56.

Bürger, Peter: Theorie der Avantgarde. Frankfurt/M. 1974.

–: The Significance of the Avant-Garde for Contemporary Aesthetics: A Reply to Jürgen Habermas. In: New German Critique 22 (1981), S. 19–22.

–: Das Altern der Moderne. In: Ludwig von Friedeburg/Jürgen Habermas (Hg.): Adorno-Konferenz. Frankfurt/M. 1983, S. 177–197.

Butler, Christopher: After the Wake: An Essay on the Contemporary Avant-Garde. New York 1980.

Calinescu, Matei: Avant-Garde, Neo-Avant-Garde, Post-Modernism: The Culture of Crisis. In: Clio 4 (1975), S. 317–340.

–: Faces of Modernity. Bloomington (Indiana) 1977.

Calvino, Italo: Notes Towards a Definition of the Narrative Form as a Combinative Process. In: Twentieth Century Studies 2 (1970), S. 93–101.

Castoriadis, Cornelius: L'institution imaginaire de la société. Paris 1975 (dt: Gesellschaft als imaginäre Institution. Frankfurt/M. 1984).

–: Les carrefours du labyrinthe. Paris 1978 (dt: Durchs Labyrinth. Seele, Vernunft, Gesellschaft. Frankfurt/M. 1983).

Cixous, Hélène: Die unendliche Zirkulation des Begehrens. Berlin 1977.

–: Weiblichkeit in der Schrift. Berlin 1980.

Daniel, Charles: John Cage oder Die Musik ist los. Berlin 1979.

Davidson, Michael: Languages of Post-Modernism. In: Chicago Review 26 (1975), S. 11–22.

Davis, Douglas: Artculture: Essays on the Post-Modern. New York 1977.

Davis, Mike: Urban Renaissance and the Spirit of Postmodernism. In: New Left Review 151 (1985), S. 106–113.

Debord, Guy: The Society of the Spectacle. Detroit 1973.

Deleuze, Gilles: Différence et répétition. Paris 1968.

–/Guattari, Félix: L'Anti-Oedipe. Paris 1972 (dt: Anti-Ödipus. Kapitalismus und Schizophrenie I. Frankfurt/M. 1974).

–/–: Rhizome. Introduction. Paris 1976 (dt: Rhizom. Berlin 1977).

Derrida, Jacques: De la grammatologie. Paris 1967 (dt: Grammatologie. Frankfurt/M. 1974).

–: Eperons – Les styles de Nietzsche. Venezia 1967 (dt: Sporen – die Stile Nietzsches, ‹Parallelversion›).

–: L'écriture et la différence. Paris 1967 (dt: Die Schrift und die Differenz. Frankfurt/M. 1972).

–: La voix et le phénomène. Paris 1967 (dt: Die Stimme und das Phänomen. Frankfurt/M. 1979).

–: Marges de la philosophie. Paris 1972 (dt: Randgänge der Philosophie. ‹Auswahl›. Frankfurt/Berlin/Wien 1976).

–: Apokalypse. Graz/Wien 1985.

Descombes, Vincent: Le même et l'autre. Paris 1979 (dt: Das Selbe und das Andere. 45 Jahre Philosophie in Frankreich 1933–1978. Frankfurt/M. 1981).

Ecker, Gisela: Poststrukturalismus und feministische Literaturwissenschaft – eine heimliche oder unheimliche Allianz? In: Renate Berger/Monika Hengsbach et al. (Hg.): Frauen, Weiblichkeit, Schrift. Berlin 1985 (Literatur im historischen Prozeß N. F. 14), S. 8–20.

Eco, Umberto: Opera aperta. Milano 1962 (dt: Das offene Kunstwerk. Frankfurt/M. 1973).

–: La struttura assente. Introd. alla ricerca semiologica. Milano 1972 (dt: Einführung in die Semiotik. München 1972).

–: Il Segno. Milano 1973 (dt: Zeichen. Einführung in einen Begriff und seine Geschichte. Frankfurt/M. 1977).

–: Trattato di semiotica generale. Milano 1975 (engl: A Theory of Semiotics. Bloomington, Indiana 1976).

–: Nachschrift zum ‹Namen der Rose›. München 1983.

–: Semiotics and the Philosophy of Language. London und Bloomington (Indiana) 1984 (ital: Semiotica e filosofia del linguaggio. Torino 1984).

–: Über die Krise der Krise der Vernunft. In: Merkur 436 (1985), S. 530–535.

–: Apokalyptiker und Integrierte. Der Verdacht des Kulturzerfalls und die Sprachen der Alltagsphantasie. Frankfurt/M. 1984.

–: Über Gott und die Welt. München/Wien 1985.

Elsaesser, Thomas: Myth as the Phantasmagoria of History: H. J. Syberberg, Cinema and Representation. In: New German Critique 24–25 (Fall/Winter 1981 bis 82), S. 108–154.

–: The New German Cinema. London 1986 (i. E.).

Enzensberger, Hans Magnus: Die Aporien der Avantgarde. In: ders: Einzelheiten II. Frankfurt/M. 1963, S. 50–80.

–: Zwei Randbemerkungen zum Weltuntergang. In: ders.: Politische Brosamen. Frankfurt/M. 1982, S. 225–236.

Featherstone, Mike: The Fate of Modernity. In: Theory, Culture and Society 2, 3 (1985), S. 1–6.

Fehér, Ferenc: Was ist jenseits von Kunst? Zu den Theorien der Nachmoderne. In: David Roberts (Hg.): Tendenzwenden. Aspekte des Kulturwandels der Siebziger Jahre. Frankfurt/M. 1984, S. 91–107.

Feldman, Morton: After Modernism. In: Art in America 59 (1971), S. 68–77.

Ferre, Frederick: Shaping the future: Resources for the Post-Modern World. New York 1976.

Fiedler, Leslie: Collected Essays. New York 1971.

Fokkema, Douwe W.: Literary History, Modernism, and Postmodernism. Amsterdam/Philadelphia 1984.

Forget, Philippe (Hg.): Text und Interpretation. München 1984.

Foster, Hal (Hg.): The Anti-Aesthetic: Essays on Postmodern Culture. Port Townsend (Washington) 1983.

–: (Post)Modern Polemics. In: New German Critique 33 (1984), S. 67–78.

Foucault, Michel: Language, Counter-memory, Practice. Ithaca (N. Y.) 1977.

–: Les mots et les choses. Paris 1966 (dt: Die Ordnung der Dinge. Frankfurt/M. 1971).

–: L'ordre du discours. Paris 1971 (dt: Die Ordnung des Diskurses. München 1974).

–: Von der Subversion des Wissens. München 1974.

Frampton, Kenneth: Modern Architecture: A Critical History. New York/Toronto 1980.

Frank, Manfred: Der kommende Gott. Vorlesungen über die Neue Mythologie. Frankfurt/M. 1982.

–: Was ist Neostrukturalismus? Frankfurt/M. 1984.

Frascina, Francis (Hg.): Pollock and After: The Critical Debate. New York 1985.

Garvin, Harry R. (Hg.): Romanticism, Modernism, Postmodernism. Lewisburg (Pennsylvania) 1980.

Geier, Manfred/Woetzel, Harold (Hg.): Das Subjekt des Diskurses. Beiträge zur sprachlichen Bildung von Subjektivität und Intersubjektivität. Berlin 1983.

Godzich, Wlad: The Culture of Illiteracy. In: enclitic 8, 1–2 (Spring/Fall 1984), S. 27–36.

Greenberg, Clement: Avant-Garde and Kitsch. In: Dorfles, Gilles (Hg.): Kitsch. New York 1969.

Glucksmann, André: La Force du Vertige. Paris 1983 (dt: Philosophie der Abschreckung. Stuttgart 1984).

Graff, Gerald: The Myth of the Postmodernist Breakthrough. In: ders. (Hg.): Literature against Itself. Chicago 1979, S. 31–62.

Greffrath, Mathias: Mit den Dingen arbeiten, statt sie anzuglotzen. Kleine Pauschal-Predigt gegen die zitierwütige Postmoderne. In: Frankfurter Rundschau vom 20. Juli 1985, S. ZB 2.

Grimm, Reinhold: Eiszeit und Untergang: Zu einem Motiv-Komplex in der deutschen Gegenwartsliteratur. In: Monatshefte für deutschen Unterricht 73, 2 (Sommer 1981), S. 155–186.

Guilbaut, Serge/Solkin, D. (Hg.): Modernism and Modernity. Halifax/New York 1983.

–: How New York Stole the Idea of Modern Art. Chicago 1983.

Gumbrecht, Hans Ulrich: Zum Wandel des Modernitätsbegriffs in Literatur und Kunst. In: Reinhart Koselleck (Hg.): Studien zum Beginn der modernen Welt. Stuttgart 1977, S. 375–383.

Habermas, Jürgen: Die Theorie des kommunikativen Handelns. Bd 1, 2. Frankfurt/M. 1981.

–: Die Moderne – ein unvollendetes Projekt. In: ders.: Kleine politische Schriften, Bd 1–4. Frankfurt/M. 1981, S. 444–464.

–: Der Eintritt in die Postmoderne. In: Merkur 421 (1983), S. 752–761.

–: Die Neue Unübersichtlichkeit. (Kleine Politische Schriften 5). Frankfurt/M. 1985.

–: Der philosophische Diskurs der Moderne. Zwölf Vorlesungen. Frankfurt/M. 1985.

Hans, M.-F./Lapouge, G. (Hg.): Les femmes, la pornographie, l'erotisme. Paris 1978.

Hart Nibbrig, Christiaan L.: Rhetorik des Schweigens. Versuch über den Schatten literarischer Rede. Frankfurt/M. 1981.

Hassan, Ihab: Paracriticisms. Urbana (Illinois) 1975.

–: The Right Promethean Fire. Urbana (Illinois) 1980.

–: Joyce, Beckett und die postmoderne Imagination. In: Hans Mayer/Uwe Johnson (Hg.): Das Werk von Samuel Beckett. Berliner Colloquium. Frankfurt/M. 1975, S. 1–25.

–: The Dismemberment of Orpheus. Toward a Postmodern Literature. Madison (Wisconsin) 1982.

– and Sally (Hg.): Innovation/Renovation. Madison (Wisconsin) 1983.

Haslinger, Josef et al.: Leitmotiv und Warenzeichen. Über die Allegorese des Postmodernen. In: Spuren. Sonderdruck «Materialien zum Hamburger Bloch-Symposion», Juli 1985, S. 65–68.

Heidegger, Martin: Zeit des Weltbildes. In: Holzwege. Frankfurt/M. 1977, S. 75 bis 95.

Heinrichs, Hans-Jürgen: Die katastrophale Moderne. Frankfurt/M. 1984.

Hermand, Jost: Pop oder die These vom Ende der Kunst. In: ders.: Stile, Ismen, Etiketten. Wiesbaden 1978, S. 111–124.

–/ R. Grimm (Hg.): Faschismus und Avantgarde. Königstein/Ts. 1980.

Hesemann, Michael: Findet der Weltuntergang statt? Kiel 1984.

Hörisch, Jochen/Tholen, Georg Christoph (Hg.): Eingebildete Texte. Affairen zwischen Psychoanalyse und Literaturwissenschaft. München 1985.

–/ Winkels, Hubert (Hg.): Das schnelle Altern der neuesten Literatur. Essays zu deutschsprachigen Texten zwischen 1968–1984. Düsseldorf 1984.

Hoesterey, Ingeborg: Die Moderne am Ende? Zu den ästhetischen Positionen von Jürgen Habermas und Clement Greenberg. In: Zeitschrift für Ästhetik und allgemeine Kunstwissenschaft 29, 1 (1984), S. 19–32.

Hoffmann, Gerhard/Hornung, Alfred/Kunow, Rüdiger: ‹Modern›, ‹Postmodern› and ‹Contemporary› as Criteria for the Analysis of 20th Century Literature. In: Amerikastudien 22, 1 (1977), S. 19–46.

Holthusen, Hans Egon: Heimweh nach Geschichte: Postmoderne und Posthistoire in der Literatur der Gegenwart. In: Merkur 430 (1984), S. 902–917.

Holub, Richard C.: Trends in Literary Criticism. Politicizing Post-Structuralism: French Theory and the Left in the Federal Republic and in the United States. In: The German Quarterly 57, 1 (1984), S. 75–90.

Honneth, Axel: Kritik der Macht. Reflexionsstufen einer Kritischen Gesellschaftstheorie. Frankfurt/M. 1985.

–: Der Affekt gegen das Allgemeine. Zu Lyotards Konzept der Postmoderne. In: Merkur 430 (1984), S. 893–902.

Horkheimer, Max: Zur Kritik der instrumentellen Vernunft. Aus den Vorträgen und Aufzeichnungen seit Kriegsende. Frankfurt/M. 1967.

–: Traditionelle und kritische Theorie. Frankfurt/M. 1968.

Horstmann, Ulrich: Parakritik und Dekonstruktion. Eine Einführung in den amerikanischen Poststrukturalismus. Würzburg 1983.

–: Das Untier. Konturen einer Philosophie der Menschenflucht. Wien/Berlin 1983.

Huyssen, Andreas: The Cultural Politics of Pop. In: New German Critique 4 (1975), S. 77–97.

–: The Search for Tradition. Avantgarde and Postmodernism in the 1970s. In: New German Critique 22 (1981), S. 23–40.

–: Adorno in Reverse. From Hollywood to Richard Wagner. In: New German Critique 29 (1983), S. 8–38.

–: After the Great Divide: Modernism, Mass Culture, Postmodernism. Bloomington (Indiana) 1986.

Irigaray, Luce: Waren, Körper, Sprache. Der ver-rückte Diskurs der Frauen. Berlin 1976.

–: Le sexe qui n'est pas un. Paris 1977 (dt: Das Geschlecht das nicht eins ist. Berlin 1979).

Jameson, Fredric: The Ideology of the Text. In: Salmagundi 31/32 (1975/76), S. 204–246.

–: Imaginary and Symbolic in Lacan: Marxism, Psychoanalytic Criticism, and the Problem of the Subject. In: Yale French Studies 55/56 (1977/78), S. 338–395.

–: The Political Unconscious. Narrative as a Socially Symbolic Act. Ithaca (New York) 1981.

–: ‹In the Destructive Element Immerse›: Hans-Jürgen Syberberg and Cultural Revolution. In: October 17 (1981), S. 99–118.

–: The Politics of Theory: Ideological Positions in the Postmodernism Debate. In: New German Critique 33 (1984), S. 53–65.

–: Postmodernism and Consumer Society. In: Amerikastudien 29, 1 (1984), S. 55 bis 77.

Jappe, Georg: Ende der Avantgarde? Nein danke. In: Merkur 395 (1981), S. 345 bis 356.

Jardine, Alice: Gynesis. Ithaca 1985.

Jauß, Hans Robert: Der literarische Prozeß des Modernismus von Rousseau bis Adorno. In: Ludwig von Friedeburg/Jürgen Habermas (Hg.): Adorno-Konferenz. Frankfurt/M. 1983, S. 95–133.

Jay, Martin: Marxism and Totality: The Adventures of a concept from Lukács to Habermas. Berkeley 1984.

–: Habermas and Modernism. In: Praxis International 4, 1 (1984), S. 1–14.

Jencks, Charles: The Language of Postmodern Architecture. New York 1977 (dt: Die Sprache der postmodernen Architektur. 2. erw. Aufl. Stuttgart 1980).

–: Late-Modern Architecture. New York 1980.

Jones, Michael T.: Avant-garde: the convulsions of a concept. In: Studies in Twentieth Century Literature 5 (1980/81), S. 27–40.

Kamper, Dietmar/Wulf, Christoph (Hg.): Das Schwinden der Sinne. Frankfurt/M. 1984.

Kittler, Friedrich A./Turk, Horst (Hg.): Urszenen. Literaturwissenschaft als Diskursanalyse und Diskurskritik. Frankfurt/M. 1977.

– (Hg.): Austreibung des Geistes aus den Geisteswissenschaften. Programme des Poststrukturalismus. München 1976.

Klotz, Heinrich: «Post-Moderne»? In: Jahrbuch für Architektur 1980/81, S. 7–9.

– (Hg.): Die Revision der Moderne. Postmoderne Architektur 1960–1980. Katalog der Ausstellung des Deutschen Architekturmuseums in Frankfurt/M. 1984.

–: Moderne und Postmoderne. Architektur der Gegenwart 1960–1980. 2. Aufl. Braunschweig/Wiesbaden 1985.

Kofman, Sarah: Le respect des femmes. Paris 1982.

Köhler, Jochen: Die Grenze von Sinn. Zur strukturalen Neubestimmung des Verhältnisses Mensch – Natur. Freiburg/München 1983.

–: Geistiges Nomadentum. Eine kritische Stellungnahme zum Poststrukturalismus. In: Philosophisches Jahrbuch 1 (1984), S. 158–175.

–: Der weggewischte Horizont. Woher die ‹Postmoderne› kommt und wohin sie geht. In: Frankfurter Rundschau, 30.3.1985, S. ZB 3.

Köhler, Michael: ‹Postmodernismus›: Ein begriffsgeschichtlicher Überblick. In: Amerikastudien 22, 1 (1977), S. 8–18.

Kostelanetz, Richard: American Imaginations. Ives, Stein, Cage, Cunningham, Wilson. Berlin 1983.

Kramer, Hilton: Postmodern: Art and Culture in the 1980s. In: The New Criterion 1, 1 (Sept. 1982), S. 36–42.

Krauss, Rosalind E.: The Originality of the Avant-Garde and Other Modernist Myths. Cambridge (Mass.) und London 1985.

Kristeva, Julia: La révolution du langage poétique. Paris 1974 (dt: Die Revolution der poetischen Sprache. Frankfurt/M. 1978).

–: «Postmodernism»? In: Bucknell Review 25, 11 (1980), S. 136–141.

Kühne, Lothar: Über Postmodernismus. In: ders.: Haus und Landschaft. Aufsätze. Berlin 1985, S. 187–199.

Lasch, Christopher: The Culture of Narcissism. New York 1978.

Lauretis, Teresa de: Alice Doesn't: Feminism, Semiotics, Cinema. Bloomington (Indiana) 1984.

Lefebvre, Henri: Metaphilosophie. Prolégomènes. Paris 1965 (dt: Metaphilosophie. Prolegomena. Frankfurt/M. 1975).

Lehmann, Hans-Thies: Das Subjekt als Schrift. In: Merkur 374 (1979), S. 665–677.

–: Eisberg und Spiegelkunst. Notizen zu Hans Magnus Enzensbergers Lust am Untergang der Titanic. In: Berliner Hefte 11 (Mai 1979), S. 2–19.

–: Nach Adorno. Zur Rezeption ästhetischer Theorie. In: Merkur 426 (1984), S. 391–398.

Lenk, Elisabeth: Die unbewußte Gesellschaft. München 1983.

Lentricchia, Frank: After the New Criticism. Chicago 1980.

Lévi-Strauss, Claude: Anthropologie structurale I/II. Paris 1958, 1973 (dt: Strukturale Anthropologie I/II. Frankfurt/M. 1967, 1975).

Lindner, Burkhardt/Lüdke, Martin W.: Materialien zur ästhetischen Theorie Th. W. Adornos Konstruktion der Moderne. Frankfurt/M. 1979.

Lunn, Eugene: Marxism and Modernism. Berkeley (California) 1982.

Lynch, Kevin: The Image of the City. Cambridge (Mass.) 1960.

Lyotard, Jean-François: Economie Libidinale. Paris 1974 (dt: Die Ökonomie des Wunsches. Bremen 1984).

–: Das Patchwork der Minderheiten. Für eine herrenlose Politik. Berlin 1977.

–: Essays zu einer affirmativen Ästhetik. Berlin 1982.

–: Réponse à la question: Qu'est-ce que le Postmoderne? In: Critique 37. H. 419 (1982), S. 357–367 (dt: Beantwortung der Frage: Was ist Post-Modern? In: Tumult 4 (1982), S. 131–142).

–: La condition postmoderne. Rapport sur le savoir. Paris 1979 (dt: Das postmoderne Wissen. Ein Bericht. Bremen 1982).

–: Das Erhabene und die Avantgarde. In: Merkur 424 (1984), S. 151–164.

– et al.: Immaterialität und Postmoderne. Berlin 1985.

McCabe, Colin: Principles of Realism and Pleasure. In: Screen 17, 3 (Autumn 1976), S. 7–27.

Mandel, Ernest: Der Spätkapitalismus. Frankfurt/M. 1972.

Mannoni, Octave: Clefs pour un l'imaginaire ou l'autre scène. Paris 1969.

Marcuse, Herbert: The one-dimensional Man. Boston 1964 (dt: Der eindimensionale Mensch. Darmstadt 1969).

Marincola, Paula (Hg.): Image Scavengers: Photography. Philadelphia 1982.

Marks, E./De Courtivron, I. (Hg.): New French Feminisms. New York 1981.

Martin, Gerhard Marcel: Weltuntergang. Gefahr und Sinn apokalyptischer Visionen. Stuttgart 1984.

Martin, Michael: The Two Visions of Post-Industrial Society. In: Future 9 (1977), S. 415–431.

Merleau-Ponty, Maurice: Les aventures de la dialectique. Paris 1955 (dt: Die Abenteuer der Dialektik. Frankfurt/M. 1968).

Mesch, Harald: Verweigerung endgültiger Prädikation. Ästhetische Formen und

Denkstrukturen der amerikanischen Postmoderne 1950–1970. München 1984 (Amerikastudien 58).

Metz, Christian: The Imaginary Signifier. Bloomington 1982.

Michel, Karl Markus: Abschied von der Moderne? In: Kursbuch 73 (1983), S. 169 bis 197.

Mitchell, W. J. T. (Hg.): The Politics of Interpretation. Chicago/London 1983.

Montrelay, Michèle: Recherches sur la feminité. In: Critique 278 (Juli 1970), S. 654–674.

Morrisette, Bruce: Post-Modern. Generative Fiction: Novel and Film. In: Critical Inquiry 2 (1975), S. 253–262.

Mulvey, Laura: Visuelle Lust und narratives Kino. In: Gislind Nabrowski, Helke Sander und Peter Grosen (Hg.): Frauen in der Kunst, Bd 1. Frankfurt/M. 1980, S. 30–46.

Münch, Richard: Die Struktur der Moderne. Frankfurt/M. 1984.

Nägele, Rainer: Modernism and Postmodernism. The Margins of Articulation. In: Studies in Twentieth Century Literature 5, 1 (1980/81), S. 5–25.

–: The Scene of the Other: Theodor W. Adorno's Negative Dialectic in the Context of Poststructuralism. In: Boundary 2, 11, 1/2 (1982/83), S. 59–79.

Negt, Oskar/Kluge, Alexander: Geschichte und Eigensinn. Frankfurt/M. 1981.

Nelson, Benjamin: Der Ursprung der Moderne. Studien zur fortgeschrittenen Zivilisation. Frankfurt/M. 1984.

Newman, Charles: The Post-Modern Aura – The Act of Fiction in an Age of Inflation. Evanston 1985.

Orr, Leonard (Hg.): De-Structing the Novel: Essays in Applied Postmodern Hermeneutics. Troy (New York) 1982.

Owens, Craig: Earthwords. In: October 10 (1979), S. 120–132.

–: The Allegorical Impulse: Toward a Theory of Postmodernism. In: October 12 (1980), S. 67–86 und October 13 (1980), S. 59–80.

–: Representation, Appropriation, Power. In: Art in America 70, 5 (1982), S. 9–21.

–: Honor, Power and the Love of Women. In: Art in America 71, 1 (1983), S. 7–13.

Palmer, Richard E.: Postmodernity and Hermeneutics. In: Boundary 2, 5,2 (1977), S. 363–393.

Parin, Paul: Der Widerspruch im Subjekt. Ethnopsychoanalytische Studien. Frankfurt/M. 1978.

Penley, Constance: The Avantgarde and its Imaginary. In: Camera Obscura. A Journal of Feminism and Film Theory 2 (Fall 1977), S. 5–12.

Peper, Jürgen: Postmodernismus: Unitary Sensibility (Von der geschichtlichen Ordnung zum synchron-environmentalen System). In: Amerikastudien 22, 1 (1977), S. 65–89.

Poirier, Richard: The Performing Self. New York 1971.

–: The Difficulties of Modernism and the Modernism of Difficulty. In: Humanities in Society 1, 1 (Winter 1978), S. 271–282.

Portoghesi, Paolo: After Modern Architecture. New York 1982.

Porush, David: Technology and Postmodernism: Cybernetic Fiction. In: SubStance 27 (1980), S. 92–100.

Pütz, Manfred: The Struggle of the Postmodern: Books on a New Concept in Criticism. In: Kritikon Litterarum 2 (1973), S. 225–237.

Rajchman, John: Foucault or the Ends of Modernism. In: October 24 (1983), S. 37–62.

Raulet, Gérard: Humanisation de la nature, naturalisation de l'homme. Paris 1982.

– (Hg.): Weimar ou l'explosion de la modernité. Paris 1984.

–: La fin de la ‹Raison dans l'histoire›? In: Social Science Information 23, 3 (1984), S. 559–576.

–: From Modernity as One-Way Street to Postmodernity as Dead End. In: New German Critique 33 (1984), S. 155–177.

Reinisch, Leopold: Das Spiel mit der Apokalypse. Freiburg/Basel/Wien 1984.

Ricœur, Paul: Histoire et Vérité. Paris 1955 (dt: Geschichte und Wahrheit. München 1974).

–: Diskurs und Kommunikation. In: Neue Hefte für Philosophie 11 (1977), S. 1 bis 25.

Rochberg, George: The Avant-Garde and the Aesthetics of Survival. In: New Literary History 3, 1 (1971), S. 71–93.

Rorty, Richard: Philosophy and the Mirrors of Nature. Princeton (New Jersey) 1979.

–: Habermas and Lyotard on Postmodernity. In: Praxis International 4, 1 (1984), S. 32–44.

Rose, Jacqueline: Paranoia and the Film System. In: Screen 17, 4 (Winter 1976/77), S. 85–104.

Rosler, Martha: 3 Works. Halifax 1981.

Russell, Charles: The Avant-Garde Today. Urbana (Illinois) 1981.

Ryan, Michael: Marxism and Deconstruction: A Critical Articulation. Baltimore 1982.

Said, Edward: The World, the Text, and the Critic. Cambridge 1983.

Schäfer, Wolf: Die unvertraute Moderne. Historische Umrisse einer anderen Natur- und Sozialgeschichte. Frankfurt/M. 1985.

Scherpe, Klaus R.: «Beziehung» und nicht «Ableitung». Methodische Überlegungen zu einer Literaturgeschichte im sozialen Zusammenhang. In: Thomas Cramer (Hg.): Literatur und Sprache im historischen Prozeß, Bd 1: Literatur. Tübingen 1983, S. 78–90 (auch in: Das Argument 137, Jan./Febr. 1983, S. 10–19).

–: «Ideological», «Protoideological», «Unideological». Literary Practice as Rough Country for Ideology Theory. In: Sahari Hänninen/Leena Poldán (Hg.): Rethinking Ideology: A Marxist Debate. Berlin/New York 1983, S. 104–108.

–: «Schützt Humanismus denn vor gar nichts»? Alfred Andersch im Kontext. In: Jost Hermand/Helmut Peitsch/Klaus R. Scherpe (Hg.): Nachkriegsliteratur in Westdeutschland, Bd 2. Berlin 1984, S. 6–27.

–: Ideologie im Verhältnis zur Literatur: Versuch einer methodischen Orientierung am Beispiel von Wolfgang Koeppens Roman «Tauben im Gras». In: German Quarterly 57, 1 (Winter 1984), S. 6–26.

Schiwy, Günther: Poststrukturalismus und «Neue Philosophen». Reinbek bei Hamburg 1985.

Schneider, Michael: Apokalypse, Politik als Psychose und die Lebemänner des Untergangs. In: ders.: Nur tote Fische schwimmen mit dem Strom. Essays, Aphorismen und Polemiken. Köln 1984, S. 34–75.

Schreiber, Mathias: Die Befreiung vom Bunker. Warum siegte nach 1945 die Moderne? In: Süddeutsche Zeitung, 15. 5. 1985, S. 25.

Schulte-Sasse, Jochen: Theory of Modernism versus Theory of the Avant-Garde. Vorwort zur amerikanischen Ausgabe von Peter Bürger: Theorie der Avantgarde. Minneapolis (Minnesota) 1984.

Sitney, Paul Adam: Visionary Film. The American Avant-Garde. New York 1974.

Sloterdijk, Peter: Kritik der zynischen Vernunft. Frankfurt/M. 1983.

Sontag, Susan: Against Interpretation. New York 1966 (dt: Kunst und Antikunst. München 1980).

–: Styles of Radical Will. New York 1969.

–: Under the Sign of Saturn. New York 1981.

Spivak, Gayatri Chakravorty: The Politics of Interpretation. In: Critical Inquiry 9, 1 (1982/83), S. 259–279.

–: Displacements and the Discourse of Woman. In: Mark Krupnick (Hg.): Displacement. Derrida and After. Bloomington 1983.

Tafuri, Manfredo: Architecture and Utopia. Cambridge (Massachusetts) 1976.

–/Dal Co, Francesco: Modern Architecture. New York 1979.

Thompson, E. P.: The Poverty of Theory. London 1978 (dt: Das Elend der Theorie. Frankfurt/M. 1980).

Der Tod der Moderne. Eine Diskussion. Tübingen 1983.

Toulmin, Stephen: The Construal of Reality: Criticism in Modern and Postmodern Science. In: Critical Inquiry 9, 1 (1982/83), S. 93–279.

Tourraine, Alain: La société postindustrielle. Paris 1979 (engl: The Post-Industrial Society. New York 1972).

Toynbee, Arnold: A study of history. New York/London 1948.

Der Traum der Vernunft. Vom Elend der Aufklärung. Eine Veranstaltungsreihe der Akademie der Künste, Berlin. Darmstadt/Neuwied 1985.

Ungar, Steven: Philosophy after Philosophy: Debate and Reform in France since 1968. In: Enclitic 8, 1–2 (Spring/Fall 1984), S. 13–26.

Venturi, Robert: Complexity and Contradiction in Architecture. New York 1966 (dt.: Komplexität und Widerspruch in der Architektur. Braunschweig 1978).

–/Brown, Denise Scott/Izenour, Steven: Learning from Las Vegas. Cambridge (Massachusetts) 1972 (dt: Lernen von Las Vegas. Zur Ikonographie und Architektursymbolik der Geschäftsstadt. Braunschweig/Wiesbaden 1979).

Vester, Heinz-Günter: Die Thematisierung des Selbst in der postmodernen Gesellschaft. Bonn 1984.

–: Konjunktur der Konjekturen. Postmodernität bei Pynchon, Eco, Strauß. In: L' 80, Zeitschrift für Literatur und Politik 34 (1985), S. 11–28.

Virilio, Paul: Strategie der Spannung. In: Schrecken. Konkursbuch 9. Zeitschrift für Vernunftkritik. Tübingen o. J., S. 19–40.

–: Die Ästhetik des Verschwindens. In: Tumult 2 (1979), S. 116–128.

Vormweg, Heinrich: Auf dem Rückmarsch aus der Moderne. Die Literatur der Gegenwart als Indikator gesellschaftlicher Prozesse. In: ders.: Das Elend der Aufklärung. Darmstadt/Neuwied 1985.

Voss, Dietmar: Wahrheit und Erfahrung im ästhetischen Diskurs. Studien zu Hegel, Benjamin, Koeppen. Frankfurt/M., Bern 1983.

Wallis, Brian (Hg.): Art After Modernism: Rethinking Representation. New York 1985.

Webber, Melvin: Explorations in the Urban Structure. Philadelphia 1964.

Weber, Samuel B.: Rückkehr zu Freud. Frankfurt/Berlin/Wien 1978.

Weigel, Sigrid: «Ein Ende mit der Schrift. Ein andrer Anfang». Zur Entwicklung von Ingeborg Bachmanns Schreibweise. In: I. Bachmann. Sonderheft Text und Kritik. München 1984, S. 58–92.

–: ‹Das Weibliche als Metapher des Metonymischen›. Kritische Überlegungen zur Konstitution des Weiblichen als Verfahren oder Schreibweise. In: Albrecht

Schöne (Hg.): Akten des siebten Kongresses der Internationalen Vereinigung für germanische Sprach- und Literaturwissenschaft, Bd. 6. Tübingen 1986.

Weimann, Robert: Poststrukturalismus. In: Weimarer Beiträge 30 (1985), S. 1061 bis 1099.

Wellmer, Albrecht: Zur Dialektik von Moderne und Postmoderne. Vernunftkritik nach Adorno. Frankfurt/M. 1985.

Welsch, Wolfgang: Postmoderne und Postmetaphysik. Eine Konfrontation von Lyotard und Heidegger. In: Philosophisches Jahrbuch 92, 1 (1985), S. 116–122.

White, Hayden: Getting out of History. In: Diacritics 12, 3 (1982), S. 2–13.

–: Tropics of Discourse. Baltimore (Maryland) 1978.

Willemen, Paul: An Avant-Garde for the Eighties. In: Framework 24 (1984), S. 53–73.

Wolfe, Tom: From Bauhaus to Our House. New York 1981.

Wolin, Richard: Modernism vs. Postmodernism. In: Telos 62 (1984/85), S. 9–29.

Wollen, Peter: Readings and Writings: Semiotic Counter-Strategies. London 1982.

–: Countercinema: Vent D'Est. In: Afterimage 4 (Autumn 1972), S. 6–16.

Woodward, Kathleen (Hg.): The Myths of Information-Technology and Postindustrial Culture. Madison (Wisconsin) 1980.

Über die Autoren

Seyla Benhabib, geb. 1950, Promotion mit einer Arbeit über «Natural Rights and Hegel» an der Yale University, Lehrtätigkeit an der Yale University und Boston University. 1979/81 Humboldt-Stipendium am Max-Planck-Institut für Sozialwissenschaften in Starnberg.

Veröffentlichungen: Critique, Norm and Utopia: On the Foundations of Critical Theory. New York 1985. – Aufsätze zur politischen Philosophie und zum Thema Moderne.

Thomas Elsaesser, geb. 1943, Studium der Komparatistik an der University of Sussex, seit 1972 Dozent für Englische Literatur und Film an der University of East Anglia; Gastprofessuren in den USA und an der FU Berlin. Filmkritiker für verschiedene Zeitschriften in den USA und in England.

Veröffentlichungen zur Filmtheorie und Filmgeschichte in den Zeitschriften «Screen», «October», «Wide Angle», «Cinetracts», «Discourse» und «New German Critique»; Anthologien zur Massenkultur, Medienwissenschaft, Film Studies; The New German Cinema. London 1986.

Kenneth Frampton, geb. 1930, arbeitete zunächst in England im Architektenbüro Douglas Stephen and Partners und am Royal College of Art sowie an der Architectural Association. Seit 1966 Lehrtätigkeit in den USA an den Universitäten von Princeton und Columbia.

Wichtigste Veröffentlichungen: Modern Architecture. A Critical History. London 1980; Modern Architecture. 2 Bde. Tokio 1981 und 1982. – Zahlreiche Aufsätze in Fachzeitschriften und Beiträge zu den Katalogen des Institute for Architecture and Urban Studies. Mitherausgeber der Zeitschrift «Opposition».

Fredric Jameson, geb. 1934, Prof. für vergleichende Literaturwissenschaft an der Duke University, zuvor in Harvard, San Diego, Yale und Santa Cruz.

Wichtigste Veröffentlichungen: Marxism and Form. Twentieth-Century Dialectical Theories of Literature. Princeton 1971; The Prison-House of Language. Princeton 1972; Fables of Aggression: Wyndham Lewis, the Modernist as Fascist. Berkeley 1979; The Political Unconscious. Narrative as a Socially Symbolic Act. Cornell, Ithaca 1981. – Zahlreiche Aufsätze in amerikanischen Zeitschriften, Übersetzungen ins Französische und Deutsche.

Teresa de Lauretis studierte Romanistik und allgemeine Literaturwissenschaft in Mailand, Lehrtätigkeit in den USA an den Universitäten von Wisconsin in Milwaukee und Kalifornien in Santa Cruz.

Veröffentlichungen: La sintassi del desiderio. Ravenna 1976 (über Italo Svevo); Umberto Eco. Florenz 1981; Alice Doesn't: Feminism, Semiotics, Cinema. Bloomington 1984. – Mitherausgeberin von «The Cinematic Apparatus», London 1981 und «The Technological Imagination», Madison 1980. Aufsätze in amerikanischen und italienischen Zeitschriften.

Craig Owens, Kunstkritiker und Chefredakteur der amerikanischen Kunstzeitschrift «Art in America».
Zahlreiche Aufsätze und Kritiken zur Kunst der Moderne und Postmoderne in den Zeitschriften «October» und «Art in America».

Gérard Raulet, geb. 1949, lehrt deutsche Philosophiegeschichte am Institut d'Etudes Germaniques an der Universität Paris-Sorbonne (Paris IV), seit 1982 Leiter der Groupe de recherche sur la culture de Weimar/Maison des Sciences de L'Homme in Paris.
Wichtigste Veröffentlichungen: Marxisme et théorie critique (mit P. L. Assoun). Paris 1978; Utopie-marxisme selon Ernst Bloch (Sammel-Band). Paris 1976; Stratégies de l'utopie (mit P. Further). Paris 1979; Une autre Raison. Paris/Montréal 1986.

Jochen C. Schütze, geb. 1955, Studium der Philosophie, Germanistik und Soziologie in Wien und Marburg, Lehraufträge an der Freien Universität Berlin.
Veröffentlichungen: Die Objektivität der Sprache. Einige systematische Perspektiven auf das Werk des jungen Herder. Köln 1983. – Essays und Aufsätze über philosophische und literarische Themen.

Dietmar Voss, geb. 1954, Studium der Germanistik, Politologie und Philosophie in Gießen und Marburg, Promotion 1982 mit einer Arbeit über Hegels Ästhetik und die literarische Moderne. Lehrtätigkeit u. a. an der Freien Universität Berlin.
Veröffentlichungen: Wahrheit und Erfahrung im ästhetischen Diskurs. Studien zu Hegel, Benjamin, Koeppen. Frankfurt/M. 1983. – Aufsätze und Rezensionen zur Ästhetischen Theorie, zum Film und zur Gegenwartsliteratur.

Andreas Huyssen und *Klaus R. Scherpe* siehe Seite 2.

Namenregister

Aalto, A. 169
Achternbusch, H. 316, 317, 318
Ackeren, R. van 316
Adorno, Th. W. 21, 25, 27f., 33, 36, 42,
    61, 62, 108, 114, 129, 131, 133f., 141,
    142, 143, 144, 145ff., 148, 196, 200,
    205, 224, 227, 236, 284, 286, 303
Aischylos 206
Allen, W. 312
Althusser, L. 97ff., 242, 261, 317
Altman, R. 312
Amicis, E. de 253
Anders, G. 294
Anderson, L. 175f., 202
Anderson, St. 168
Antonioni, M. 80, 310
Apel, K.-O. 110
Aragon, L. 229, 231, 232, 236, 238
Arendt, H. 165
Aristoteles 257, 260
Artaud, A. 33
Ashbery, J. 70
Austin, J. L. 113

Baader, A. 317
Barthelme, D. 17
Barthes, R. 33, 34, 35ff., 39, 65, 68,
    174, 188, 204, 207–214
Bataille, G. 33, 224, 264
Baudelaire, Ch. 145, 228
Baudrillard, J. 33, 173, 219, 230, 235,
    237, 259, 270–276, 278, 292, 294,
    296, 315
Baumgarten, A. G. 220
Beatles 18, 45
Beckett, S. 70, 72, 238
Bell, D. 18, 28f., 47, 130, 132
Bellour, R. 308
Benjamin, W. 20, 25, 90, 135ff., 141,
    142, 143, 204, 210, 220, 225, 227,
    233, 236, 239, 275, 278–281, 289,
    291, 304, 308
Benveniste, E. 69
Bergfleth, G. 292, 294f.
Bergman, I. 312

Berio, L. 260
Bertolucci, B. 64
Birnbaum, D. 187, 188
Bloch, E. 116, 136, 144, 148
Bogosian, E. 187
Bohrer, K. H. 277
Bond, D. 76
Booth, W. 62
Borges, J. L. 255
Botta, M. 166
Bötticher, K. 168
Boulez, P. 205, 260
Bourdieu, P. 212
Bowie, D. 76
Brando, M. 65
Brecht, B. 25, 35, 96, 235, 236, 239,
    260, 303, 304, 305, 307–309, 312, 316
Bresson, R. 312
Breton, A. 229, 239, 240
Broekman, J. M. 214
Brückner, J. 318
Brueghel, P. 259
Buchloh, B. 187, 188
Büchner, G. 141, 223, 224
Buñuel, L. 232, 259
Burgee, J. 153
Bürger, P. 19, 276
Burke, E. 77, 123
Burroughs, W. 17, 45

Cage, J. 17, 45, 70, 72, 203, 204
Cagney, J. 311
Cain, J. M. 65
Calder, A. 240, 260
Camus, A. 68
Casals, P. 20
Chandler, R. 58
Chaplin, Ch. 236
Charles, D. 203
Christo 203
Cimino, M. 323
Cixous, H. 179, 190
Coppola, F. F. 64, 312, 323
Corti, M. 260
Costard, H. 317

rowohlts enzyklopädie

ro
ro
ro

C 2166/6

rowohlts enzyklopädie

ro
ro
ro

C 2166/6 a